KB094222

융합학문

상징학

II 응용편: 창의성과 천재론

융합학문 상징학

II 응용편: 창의성과 천재론

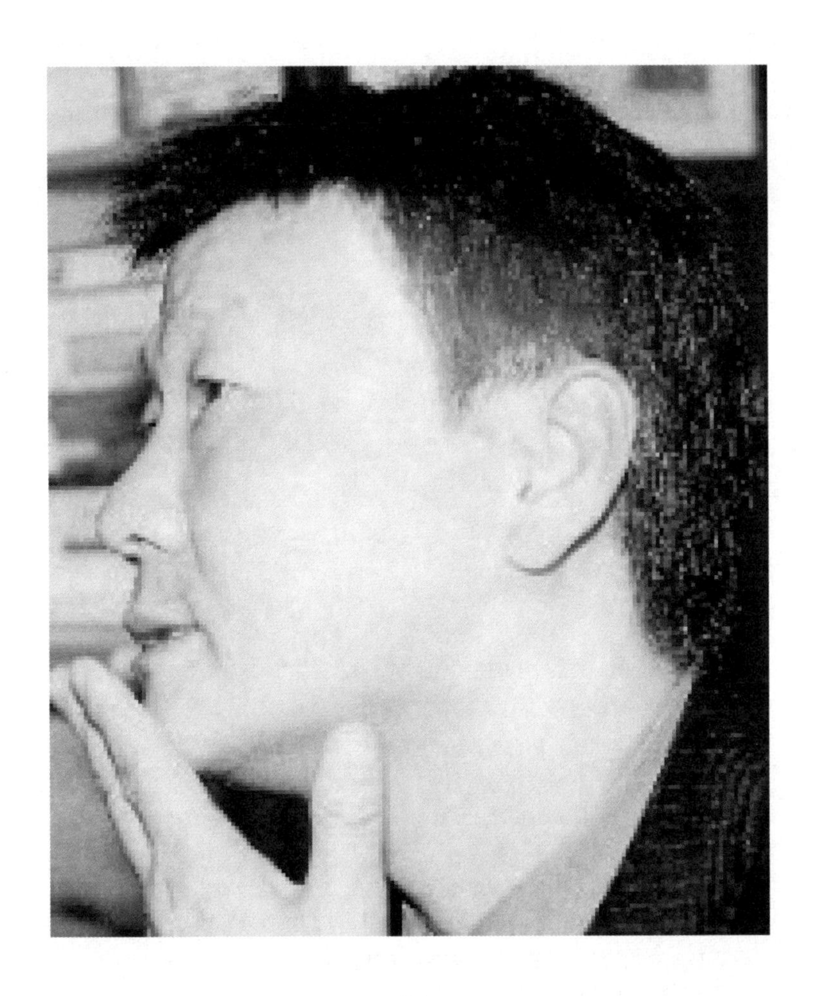

필자

일러두기

- 칸트(I. Kant)의 『순수이성비판』 초판은 "A", 재판은 "B"로 표기했다.
- 칸트의 『판단력비판』은 "KU"로 표기했다.
- 필자의 주와 구별하기 위해, 인용문의 원주는 주의 끝에 "(원주)"라고 표기했다.
- 각주와 참고문헌 등에서, 다권본의 각 권을 지시하는 일련번호는 편의성과 통일을 기하기 위해 "Ⅰ, Ⅱ, Ⅲ…"과 같이 로마 숫자로 표기했다.
- 가장 중요한 내용을 나열할 때는 ❶, ❷, ❸ …, 보다 덜 중요할 때는 ①, ②, ③ …, 단순히 차례를 나타낼 때는 1), 2), 3) …의 기호를 사용했다.
- 시편의 제명은 "「 」"로 표시하고, 시를 제외한 음악이나 미술 등의 예술 작품명은 "〈 〉"로 표시했다.
- 〈주요 용어 해설〉은 필자가 [상징학] 이론체계에서 새롭게 제시하거나, 새롭게 정립한 개념을 중심으로 했다.

융합학문 상징학(Symbology) 요약

우리는 자연계의 다른 존재와는 달리 '사고'라는 고도의 기호 사용 능력을 갖고 있다. 그러한 상징의 능력으로 시 · 예술 · 과학과 같은 문화 세계를 창출한다. 우리는 한 순간도 사고를 하지 않고는 생활을 영위할 수 없다. 매순간 사물을 지각하고 추론하며 숙고의 통찰을 해야 한다. 하지만, 놀랍게도 아직까지 사고를 그 대상으로 삼아 체계적으로 연구하는 학문이 마련되어 있지 않다.

융합과학기술 개발의 핵심은 말할 것도 없이 인간의 지능과 원리에 대한 이해와 탐구를 통한 창의성 개발과 함양에 있다. 하지만, 상징 즉 사고에 관한 연구는 제 학문과 이론 전반에 걸쳐 분산되어 단편적으로 진행되고 있다. 따라서, 제 학문들에 산재한 상징과 기호 그리고 사고에 관한 이론과 논의들을 통합하여 다룰 메타 학문의 필요성이 절실한 상황이다.

사고는 본성·원리·시스템의 세 측면을 살펴볼 수 있다. 사고의 본성은 형식을 통해 의미를 구현하는 일이다. 사고의 본성은 의식과 비의식의 개입에 따라 지각·추론·통찰·영감적 사고로 방법과 깊이를 달리한다. 사고의 본성은 의식·비의식과 함께 그와 같은 원리적 사고 작용을 생성한다. 우리의 사고는 기호로 표현되고, 정보로 저장되며, 내장된 지식으로 새로운 사고를 수행하는 일련의 과정적 시스템을 형성한다.

상징학은 논리·지능·창의성·영감·천재라는 다양한 용어들로 지칭되는 사고의 원리와 시스템에 관한 체계적인 연구를 수행하는 학문으로 규정할 수 있다. 이 책은 사고의 본성과 원리, 작용 시스템에 관한 이론을 체계적으로 규명하여 '상징학'이라는 학문의 형태로 제시한다. 상징학은 사고력 함양을 위한 사고의 방법론은 물론, 창의성과 인공지능의 원리를 비롯한 사고의 이론을 중심으로 시·예술·인문학·자연과학을 지원하는 메타 학문으로서 핵심적인 연구를 수행할 것으로 기대한다.

◉ 주요 용어 : 상징학, 상징, 사고, 기호, 동일화, 동일화 정신작용, 의식, 비의식, 상상력, 원사고, 방법적 사고, 지각, 통찰, 추론, 영감적 사고, 비의식작업기억, 일상비의식, 의식비의식, 심층비의식, 초의식비의식, 기억(내장), 활성기호, 외현기호, 내현기호, 비의식기호, 자의적 기호, 자연적 기호, 판단력, 유비적 사고, 창의성, 천재.

ㅣ주요 용어 해설ㅣ

기억(내장)

새로운 정보를 내장하는 일이다. 기억은 반드시 사고 과정을 거친다. 사고는 매개를 사용해서 다른 기호와 동일화하는 일이다. 기억은 새로운 정보를 이미 알고 있는 정보와 동일화하는 일이다. 이와 같이 사고와 기억은 매개를 사용해서 다른 두 기호를 동일화한다는 점에서 동일한 정신작용의 과정을 요구한다. 연구자들은 일반적으로, 정보의 저장이나 인출과 관련하여 기억이라는 용어를 사용한다. 하지만 그런 경우 필자는 '기억' 대신 '내장'이라는 용어를 사용한다.

기억은 반드시 사고로써 이루어진다. 다시 말해 기억은 새로운 정보와 이미 알고 있는 정보를 통일적으로 연결하는 동일화 정신작용이다. 정보의 단순한 연결은 쉽게 망각된다. 장기기억은 기존의 정보들과 많은 측면에서 연결을 이루어야 가능하다. 장기기억은 활성기호를 형성하는 일이며, 활성기호는 통찰의 숙고로써 형성된다. 기억 행위는 사고 행위의 하나이다.

- 이 책의 "ⅴ. 7.3. 통찰 · 기억 · 기호" 편 참조

기호

의미 또는 의미체. 상징 즉 사고의 결과물이다. 내현기호와 외현기호로 대별된다. 내현기호는 사물을 지각하는 도식기호, 사고에 사용되는 비의식기호, 사고의 결과물인 심상기호이다. 외현기호는 음성, 문자, 이미지 등 질료 매체에 투사된 의미체들이다. 외현기호는 자의적 기호와 자연적 기호로 구별된다. 전자는 수학, 과학 등에 사용되고, 후자는 시, 예술 등에 사용된다.

- "ⅳ. 상징의 표상체: 기호"에서 상술됨

기호작용

(이 책에서는) 기호에 관하여 사고하는 일. 즉 사고를 의미한다. 왜냐하면, 기호작용은 반드시 사고로써만 이루어지기 때문이다.

내성법

내관법이라고도 한다. 사고나 자각적 인지작용 등 자신의 정신작용을 관찰하는 일로서의 수단을 의미한다. 칸트의 선험적 논리학의 기술과 후설의 현상학적 기술은 대표적인 경우이다. 이 책의 필자의 연구 작업 역시 현상학적 내관이 먼저 행해졌고, 이론적 연구와 검토는 그 이후에 이루어진 사후적 추론의 작업들이다.

내장

이 책의 필자가 기억의 다른 말로 사용하는 용어이다. 기억이나 사고는 모두

매개기호를 사용해서 다른 두 기호를 통일적으로 동일화하는 일이다. 기억 즉 정보의 내장은 반드시 사고에 의해서 이루어진다. 그러므로, 정보 저장의 관점에서는 '기억'이라는 용어 대신에 '내장'이라는 용어를 필자는 사용한다.

내현기호

이 책의 필자는 기호를 정신계의 기호와 물질계의 기호로 대별한다. 내현기호는 전자의 기호로서, 사물을 지각하는 과정에서 나타나는 도식기호, 사고나 회상의 결과물인 심상기호, 사고의 수행에 사용되는 비의식기호가 있다.

논리

인과성에 따른 이치. 사고의 본성인 동일화의 원리이기도 하다. 논리와 동일화는 모두 인과성에 바탕한다.

- "iii. 4. 동일화와 논리" 참조

논리규칙

형식논리학의 규칙을 비롯하여 문법, 수사법, 알고리듬과 같은 모든 방법론적 규칙을 말한다. 추론 사고에 활용된다.

- "iii. 4.2. 논리와 논리규칙" 편 참조

대상기호

동일화는 'A=C'라는 결론적 판단의 형태로 표현된다. 여기서 A는 대상기호이고 C는 목표기호이다.

도식

이미지가 아닌, 개념적 기호를 의미할 때 사용된다.

도식기호

사물을 지각할 때 사용되는 기호. 사물의 부분 인상에 대응되는 원형의 기호를 말한다. 이와 달리, 심상기호는 사물의 전체 인상에 대응하는 기호이다.

동일성

사고의 본성인 동일화의 한 유형을 가리키는 용어. 동일성은 수학이나 과학에서 사용되는 자의적 기호와 그 기호체계에 따라 수행되는 사고에 사용되는 동일화 유형이다. 즉, 추론 사고에 사용되는 동일화 형식이다.

- "ⅲ. 3. 동일화의 유형" 참조

동일화

상징 즉 사고의 본성이다. 동일화는 매개를 통해 다른 기호들을 통일하는 정신기능이다. 동일화는 형식을 통해 의미를 구현한다. 그러한 동일화는 판단과 마찬가지로 인과성에 바탕한다. 하지만, 동일화는 논리학의 판단 개념보다 확장된 개념이다. 통찰, 지능, 창의성, 천재 등으로 불리는 모든 사고 기능의 본질은 동일화이다. 동일화는 동일성과 차이를 구별하는 비교 능력에 기초한다. 천재의 본질이라고 일컫는 유비적 사고 능력 역시 비교 능력에 기초한다. 동일화는 이 책의 필자가 개진하는 상징학의 제1 공리적 원리이다.

- "ⅲ. 상징의 본성: 동일화" 참조

동일화 정신작용

사고를 말한다. 물론 사고는 곧 상징이다.

- "ⅲ. 1. 동일화: 자연의 인식 원리" 참조

동질성

사고의 본성인 동일화의 한 유형을 가리키는 용어이다. 동질성은 시와 예술에서 사용되는 자연적 기호를 생성하는 사고에 사용되는 동일화이다. 즉, 통찰 사고에 사용되는 용어이다.

- "ⅲ. 3. 동일화의 유형" 참조

매개어

매개어는 다른 두 기호를 통일적으로 연결하여 사고를 가능하게 하는 기호를 말한다. 사고는 매개를 사용해 다른 두 기호를 동일화하는 정신 기능이다. 여기서 다른 두 기호를 매개하는 것은 다른 두 기호의 외양이나 성질 가운데 공통되거나 유사한 점이다. 매개어는 사고에 없어서는 안 되는 필수 기호이다.

- "ⅲ. 2. 동일화의 구조와 원리" 참조

목표기호

동일화 'A=C'에서 A는 대상기호이고, C는 목표기호이다.

방법적 사고

추론 사고이다. 언어와 같은 기호와 기호체계를 사용하는 사고이다. 문명의 발달과 함께 사용 기회가 늘어나는 사고이다.

- "ⅴ. 11.1. 추론: 방법적 사고" 참조

비의식

자각되지 않는 정신 상태. 사고가 수행중인 상태이다. 비의식은 내장된 지식 세계에 대해서도 사용된다.

- v. 2. 비의식(unconsciousness)“ 참조

비의식기호

사고의 수행 중에 사용되는 기호이다. 우리의 정보체에 내장되어 있는 기호이기도 하다. 비의식기호와 유사한 개념으로, 제리 포더 교수는 사고언어라는 개념을 사용했다(1975). 심리학의 의미부호 역시 비의식기호와 같은 맥락의 용어이다. 의미부호는 내장된 지식이다.

- “ⅳ. 2.2.2. 비의식기호“ 참조

비의식작업기억

작업기억은 의식중에 우리가 파지하는 정보기호이다. 사고는 비의식상태로 수행된다. 비의식상태에서 사고가 수행될 수 있는 건 우리가 내장하고 있는 정보기호들을 사고 수행 중에 비의식상태에서 파지하기 때문이다. 그와 같이 비의식상태로 수행되는 사고과정에서 우리의 정신이 내장된 정보를 파지하는 기능을 이 책의 필자는 비의식작업기억이라 한다.

- “v. 10. 통찰에서의 비의식작업기억 기관: 해마” 참조

사고

매개기호를 사용해서 다른 기호들을 동일화(통일)하는 정신작용이다. 사고는 곧 상징 활동이다.

- “v. 상징의 실체: 사고” 참조

상상력

사고의 결과물을 표상하는 정신작용이다. 우리의 사고는 비의식상태로 수행되고 의식에 상상력을 통해 표상된다. 엄밀히 말하면, 상상력은 인지 작용 또는 의식작용 그것으로 이해할 수 있다. 상상력은 사고 작용이 아니다.

- "ⅴ. 3. 상상력과 사고 · 기호" 참조

상징

매개기호를 사용해서 다른 기호들을 동일화(통일)하는 일로서 곧 사고이다. 상징의 본성은 동일화이고, 그 실체는 동일화 정신작용인 사고이며, 그 결과물은 의미인 기호이다.

- "ⅰ. 2.1. 상징의 본성(동일화) · 실체(사고) · 결과물(기호)" 참조

상징학(Symbology)

이 책의 필자가 제시하는 학문이다. 사고의 본성 · 실체 · 표상의 작용원리와 그 시스템을 탐구하여 사고력을 함양하고 인공지능에 활용함을 목적으로 하는 융합학문이라고 간략히 말할 수 있다.

- "ⅰ. 융합학문 상징학" 참조

신호작용계 연구

사고 연구와 관련된 신경생리적이고 전기적 작용의 연구 분야. 대표적으로 신경생물학, 뇌과학, 인지과학, 인지심리학 등이 있다.

- "ⅴ. 5. 사고에 관한 연구 방법론: 의미작용계와 신호작용계 연구의 상보적 필요성" 참조

심상기호

사고의 결과나 회상 등에 의해 우리의 의식에 나타난 기호. 도상 형태의 이미지와 서술 형식의 도식이 있다.

심층비의식

통찰 사고를 수행할 수 있는 주의가 집중된 정신 상태 또는 통찰 사고를 말한다.

- "v. 4. 사고의 유형: 지각 · 추론 · 통찰 · 영감적 사고" 참조

영감

오랜 기간 심층비의식 상태에서 수행된 통찰의 결과가 의식에 나타나기 직전에 우리의 정신에 먼저 나타나는 기호적이거나 비기호적인 신호.

영감적 사고

시인, 예술가, 스포츠맨, 예지자 등이 수행하는 고도로 집중된 사고이다. 이 책의 필자가 규정한 개념의 용어이며 초의식비의식 사고라고도 한다. 뇌파검사에서 30Hz 이상의 감마파가 발생한다. 이와 달리, 통찰이나 추론 사고는 13-29 Hz의 베타파, 지각 사고는 8-12 Hz의 알파파, 회상의 상상은 3.5-7Hz의 세타파가 나타난다.

- "v. 13. 영감적 사고" 참조

외현기호

질료 매체에 투사된 기호를 말한다. 약속이나 임의적 구성에 의한 자의적 기호와 유사한 형상이나 속성을 띤 자연적 기호로 대별된다.

원사고

추론을 제외한 지각, 통찰, 영감적 사고이다. 비의식 상태로만 수행되며 언어와 같은 기호를 사용하지 않는다. 유아나 문맹인, 고대인, 그리고 학자, 예술가, 일반인 모두 누구나 행하는 인간의 보편적 사고 형식이다.

- "ⅴ. 4. 사고의 유형: 지각 · 추론 · 통찰 · 영감적 사고" 참조

유비

성질이나 형상이 다름에도 특정한 면의 유사성을 토대로 동일화를 이루는 비유.

유비적 사고

형상이나 속성이 다름에도 특정한 면의 유사성을 토대로 동일화를 이루는 사고. 창의성, 천재 등으로 불리는 창조적 사고의 본질적인 특징이다.

- "ⅴ. 7.2.3. 창의성의 본질: 동일화 정신작용" 참조

은유

이 책에서는 유비적 수사법 일반을 가리키는 용어이다.

의미역

다양하거나 폭넓은 의미를 지닌 기호의 '의미 영역'을 말한다. 대체로 기호학자들은 의미역이 넓은 경우 상징이라 하고 단일 의미를 지니면 기호라 한다. 하지만, 상징은 사고이고, 기호는 사고 즉 상징의 결과물인 의미 또는 의미체이다.

- "ⅱ. 3.2. 의미역" 참조

의미작용계 연구

자연언어와 같은 기호 조작을 연구대상으로 하는 사고에 관련된 모든 연구 분야. 대표적으로 논리학, 심리학, 철학, 수사학, 기호학, 언어학, 문법학 등. 상징학은 신호작용계와 의미작용계의 연구를 아우른다.

-“v. 5. 사고에 관한 연구 방법론: 의미작용계와 신호작용계 연구의 상보적 필요성” 참조

의식

이 책에서는 사고의 결과를 인지하는 정신작용을 말한다. 의식은 특히, 데카르트, 칸트 등을 거치면서 사고라는 용어와 혼용되었고, 마음, 정신, 각성 등의 개념과도 혼용되었다. 하지만, 이 책에서는 사고의 결과를 인지하는 정신작용으로 제한하여 사용한다. 의식은 추론 사고와 영감적 사고를 가능하게 하고, 비의식 상태로 수행되는 통찰의 방향(주의)을 합목적적으로 유도한다. 아울러, 통찰의 내용을 추론으로써 확인하고, 재인식하게 함으로써 지식을 보다 완전하게 한다.

-“v. 1. 의식” 참조

의식비의식

추론 사고가 이루어지는 정신 상태나 추론 사고를 말한다. 추론은 문법이나 논리규칙에 따라서 수행한다. 그런 까닭에 비의식에서 수행된 사고가 절차에 따라 제대로 수행되었는지 의식 상태에서 수시로 확인해야 한다. 이와 같이 추론은 비의식과 의식이 수시로 교차 수행되므로 의식비의식 사고라 한다.

-“v.4. 사고의 유형: 지각 · 추론 · 통찰 · 영감적 사고” 참조

인과성

물리적 사태의 변화 속성. 또는 물리적 사태를 바라보는 원리. 논리와 '동일화'의 원리이기도 하다.

- "ⅲ. 4. 동일화와 논리" 참조

인지

이 책에서는 의식의 다른 말로 사용한다. 감각이나 사고의 결과를 알아차림. 표상력(상상력)에 의함.

일상비의식

지각 사고를 수행하는 정신 상태 또는 지각 사고를 말한다. 사고는 비의식 상태로 수행되고 지각 사고는 일상생활 가운데 수시로 일어나므로 일상비의식 사고라 한다.

- "ⅴ. 4. 사고의 유형: 지각 · 추론 · 통찰 · 영감적 사고" 참조

자연적 기호

형상(기표)이나 뜻(기의)이 닮은 기호이다. 대체로 시와 예술에서 사용된다.

자의적 기호

형상(기표)이나 뜻(기의)이 닮지 않은 기호이다. 자의적 기호는 약속에 의해 만들어진다. 대체로 수학이나 과학에서 사용된다.

지각

사물이나 어떤 현상들을 알아차리는 사고이다. 칸트는『순수이성비판』에서

지각 이론을 기술했다. 심리철학은 감각질의 규명과 관련하여 지각을 연구한다. 인지과학은 로봇에 적용할 인공지능 계발을 위해 연구한다. 지각은 우리 인간의 사고와 인공지능의 연구에 있어서 기초적이고도 본질적인 분야의 사고이다.

- "v. 6. 지각" 참조

직각

지각 사고의 다른 표현이다. 즉각 알아차림이라는 의미를 강조적으로 드러내는 용어이다. 주로 추론 사고의 설명 과정에서 사용된다. 추론 사고는 얕은 통찰로 수행된 사고의 내용을 수시로 의식 상태에서 확인한다. 이때 확인하는 사고를 이 책의 필자는 관용적으로 직각이라 표현한다.

직관

통찰의 다른 용어이다. 철학이나 심리학 등에서 사용한다. 직관은 지각이나 직각의 의미 등으로도 사용되어온 까닭에 이 책의 필자는 비의식 상태에서 전일적으로 이루어지는 사고에 통찰이라는 용어를 사용한다.

- "vi. 7. 사고 관련 용어의 혼란과 정리" 참조

창의성

새로운 과제를 성공적으로 수행하는 사고 능력이다. 하지만, 창의성에 대해 심리학을 비롯한 학계에서는 아직 통일된 의견을 갖고 있지 않다. 이 책의 필자에게 창의성의 본질은 '동일화'이다.

- "v. 7.2. 창의성: 유비적 사고의 동일화 정신작용" 참조

천재

선천적으로 탁월한 사고 능력. 천재는 동일화를 빠르고 폭넓게 할 수 있는 재능이다. 그 두 요소 가운데 '광범성'이 '신속성'보다 중요하다. '광범성'은 원대한 지적 과업을 수행하려는 도전 정신과 지적 모험성이 요구된다. 그러한 품성을 지니지 않은 경우, 천재는 특이한 재능의 싹에 그치고 만다. 그러한 덕성을 지닌 경우 평범한 두뇌지만 광범한 동일화의 사고를 수행함으로써 전문 분야에서 인류 사회에 공헌할 수 있는 업적을 이룰 수 있다. 따라서, 영재에게는 무엇보다도 그러한 덕성을 체화시키는 일이 필요하다.

초의식비의식

영감적 사고를 수행하는 정신 상태 또는 영감적 사고를 말한다. 영감적 사고는 심층비의식의 통찰 사고를 수행하면서도 그 수행 내용을 의식 상태에서 자각하기 위해 심층비의식과 의식을 동시적으로 교차 수행한다. 심층비의식 상태에서 의식 상태로 순간적으로 교차 수행하기 위해선 고도의 정신 집중이 필요하다. 그런 까닭에 초의식비의식 사고라고 한다. 이때는 30Hz 이상의 고도의 감마파가 나타난다.

- "v. 13. 영감적 사고" 참조

추론

설명이나 이해를 위한 사고이다. 특징은 언어, 문법, 논리규칙과 같은 기호와 기호체계를 사용한다. 따라서, 방법적 사고라고도 한다.

- "v. 11. 추론: 얕은 통찰과 직각의 교차 수행 정신작용" 참조

통찰

비의식 상태에서 복합판단이 총체적이고도 전일적으로 이루어지는 사고이다. 과학에서 가설 착상, 시나 예술에서 작품을 창작할 때 사용된다. 한편, 사고는 지각, 통찰, 추론, 영감적 사고로 분류된다. 그런데 이러한 사고는 모두 본질면에서 통찰적이다. 다만, 심층비의식의 통찰은 가장 대표적인 유형의 통찰 사고로서 영감적 사고와 함께 시, 예술, 과학 등의 창조를 수행하는 사고이다.

- "v. 7. 통찰" 참조

투사

상징 즉 사고의 결과를 물질 매체의 기표에 내장함으로써 심상기호와 외현기호가 이루어진다. 이와 같이 사고의 결과를 기표에 내장하는 일을 투사라 한다. 한편, 이러한 투사의 결과로 인해 상징과 기호가 동일한 것으로 오해된다.

판단력

논리학, 심리학, 철학의 인식론 등에서 사고의 본질적인 능력으로 간주된다. 하지만 그러한 판단력의 개념은 매개념, 비의식과 같은 통찰 사고 개념의 요소들을 고려하고 있지 않다. 판단력과 동일화의 차이는 거기에 있다. 판단력은 사고의 실체가 아닌, 사고의 형식에 관련된 개념이다.

- "iii. 4.3. 철학의 수단: 추론" 참조

형식

이 책에서는 상징 즉 사고와 기호를 구현하는 방식을 의미한다. 사고에는 동일성과 동질성의 형식이 있다. 그리고 기호에는 외현기호와 내현 기호의 형식이 있다. 내현기호는 도식, 비의식, 심상의 형식이 있고, 외현기호는 자의적,

자연적 형식이 있다.

확산 은유

원관념(대상기호)에 대한 보조관념(목표기호)의 의미가 1개 이상인 수사학적 은유의 형식을 말한다. 시 · 예술에서 확산 은유는 자의적 기호를 사용할 때보다 강력한 효과를 얻는다. 자의적 기호는 보조관념과 원관념이 서로 무관하다 싶을 정도로 의미의 거리가 멀다. 데뻬이즈망 또는 병치 은유라고 불리는 것들이 해당한다. 이 책의 필자는 '먼 비유'라고도 한다.

활성기호

우리가 지닌 모든 정보들과 연결되어 완전히 이해된 기호. 활성기호만이 창조적인 사고를 수행하게 한다. 암기된 기호는 비활성기호로서 사고를 경직되게 하고 고착시킨다. 이러한 문제를 벗어나기 위해 후설은 사물에 대한 지각에서부터 본질을 통찰(직관)하는 현상학을 제창했다.

- "ⅳ. 3. 활성기호" 참조

| 차 례 |

융합학문 상징학

Ⅱ. 응용편: 창의성과 천재론

ⅴ. 상징의 실체: 사고

| 차 례 |

| 차 례 |

| 차 례 |

Ⅰ. 원리편: 기호와 사고

ⅰ. 융합학문 상징학

1. 상징학의 필요성 제기

1.1. 신화적 상황의 사고 연구

1.2. 상징학: 신경 · 인지과학적 사고연구와 인문 · 의미론적 사고연구의 융합

1.3. 사고의 본성과 원리에 관한 연구의 중요성

1.4. 상징학의 기능과 역할

2. 상징학의 원리론적 요체

2.1. 상징의 본성(동일화) · 실체(사고) · 결과물(기호)

2.2. 상징과 기호 개념의 통일적 정리

2.3. 상징의 본성: 동일화

2.4. 상징의 유형

2.4.1. 원사고와 방법적 사고

2.4.2. 일상비의식 · 의식비의식 · 심층비의식 · 초의식비의식 사고

2.4.3. 영감적 사고

2.5. 상징의 실체: 사고

2.6. 의식과 비의식

2.7. 사고 · 기호 · 기억 · 상상력 · 의식 · 비의식의 관계

iii. 상징의 본성: 동일화

| 차 례 |

| 차 례 |

Ⅴ. 상징의 실체: 사고

5. 사고에 관한 연구 방법론: 의미작용계와 신호작용계 연구의 상보적 필요성

호랑이나 사자의 이빨은 강하고 아름답다. 초원을 달리는 표범의 허리와 발목은 구름 위를 나는 듯 부드럽다. 하늘을 나는 새들의 자유로움은 어떠한가. 하지만 인간이 야생의 생존경쟁터에 나서기 위해선 생애의 1/3 이상을 부모의 양육 아래 보살핌을 받아야 한다. 카시러는 동물과 달리 인간은 수용계통과 반응적 운동계통 외에 상징계통이라는 '제3의 연결물'을 지녔다고 하였다.

인간의 가장 강력한 생존 도구는 동물처럼 날카로운 이빨이나 발톱이 아니라 두개골로 감싸인 한 덩이 액상의 젤리처럼 부드러운 뇌이다. 유아 뇌의 뉴런 수는 성장하면서 줄어들지만 그럼에도 두개골이 늘어나는 건 뉴런의 연결망이 숲속의 나뭇가지처럼 뻗어나기 때문이다. 그래야만 사물들을 보다 잘 파지할 수 있다. 우리는 방정식을 사용하고 우주 탐사에 이르기까지 고도의 통찰 사고를 수행하지만 그러한 사고가 어떻게 이루어지는지에 대해서는 상대적으로 관심을 기울이지 않는다.

베르그송은 『창조적 진화』에서 사물은 존재하지 않으며 존재하는 것은 오직 작용뿐이라고 하였다. '실재'는 '지속'이며, 세계는 완성된 사물들의 구성체가 아니라 창조적으로 변화해 나간다는 것이다. 이러한 견해는 만물은 유전한다는 헤라클레이토스의 사상과 맥을 같이 할 뿐 아니라, 일만여 년 전에 새겨진 천부경과 주역을 비롯하여 우주를 에너지의 장으로 이해하는 현대물리학에서도 마찬가지로 나타나는 인류 문화사의 보편적 인식 현상이다.

상징은 하나의 개념이 아니라 과정으로서의 작용이다. 우리의 신체와 정신 역시 생화학적 운동을 하고 있다. 현재 · 미래 · 과거는 스스로가 만든 환영일 뿐 우리는 쉼 없이 작용하는 운동자이다. 신체와 정신은 한 순간도 정지되어 있지 않다. 그러한 진행 속에서 우리의 사고와 기호 작용 역시 이루어지고 있다. 사고 즉 상징은 수사학이나 형식론적 기호학의 영역이 아닌 전기 · 화학적 신호작용으로 발현되는 정신작용의 세계이다.

5.1 사고에 관한 연구 상황

사고에 관한 연구는 아리스토텔레스(BC 384- BC 322) 이후 철학 · 논리학 · 심리학 등의 인문학을 중심으로 진행되어왔다. 아리스토텔레스의 은유론과 형식논리학은 문헌 상 가장 오래된 내력을 갖고 있다. 전자는 유비적 사고의 통찰에 사용되는 동질성의 동일화 형식에 관한 논의이고, 후자는 추론에 사용되는 동일성의 동일화 형식에 관한 논의이다. 아리스토텔레스는 사고를 두 형식의 측면에서 최초로 그리고 모두 다룬 셈이다.

데카르트(1596-1650)는 『방법서설』(1637)에서 명석 판명한 사고의 존립 근거로서 '의식(awareness)'이라는 용어를 사용했다. 이후로 철학에서 사고는 불행하게도 '의식'이라는 용어와 함께 혼용되어왔다. 라이프니츠(1646-1716)와 볼프(1679-1754)로 대표되는 관념론과 로크(1632-1704)와 흄(1711-1776)으로 대표되는 경험론은 사고의 본질이나 작용의 원리에 관해서보다는 지식의 성립과 인식의 문제에 관심을 가졌다. 부분적으로 사고를 논하더라도 그것은 사고의 실체나 작용에 관해서가 아닌, 사고의 형식이나 기능에 관해서였다.

관념론과 회의주의적 경험론의 대립을 해결코자 한 칸트(1724-1804)는 '선천적 종합판단'이라는 개념을 제시했다. 경험 인식에 의존하지 않는 수학만이 보편적이고 필연적인 지식을 확장할 수 있다는 것이다. 칸트는 물자체가 우리의 정신에 온전히 투영되는 것이 아니라, 우리의 인식기관이 물자체를 '현상'으로 재구성한다고 했다. 이러한 관점에서 칸트는 순수이성의 한계를 비판하기 위해 사고의 기능소로 오성・판단력・이성 개념을 제시했다.

일찍이 코울리지(1772-1834)는 제2상상력은 재창조하기 위해 대상을 변형시키거나 하나로 혼융시키는 힘이라고 주장했다. 그런 코울리지는 『문학전기』 제12장의 제목을 "상상력 개념의 인식론적 근거: 직관 또는 초월의 인식"이라 하였듯 상상력을 '직관 즉 통찰'의 기능으로 이해했다.

그러하듯 코울리지의 제2 상상력은 다름 아닌 동질성의 동일화에 의한 유비적 사고의 상징 능력으로서, 이 책의 필자가 말하는 통찰 사고에 해당한다고 볼 수 있다. 비록, 통찰이나 영감적 사고에 상상력이라는 용어를 사용했지만 코울리지는 사고의 실체적 작용에 효시적으로 관심을 기울였다고 할 수 있다.

내성론을 배척한 찰스 퍼스(1839-1914)는 칸트의 선험적 인식론을 비판했다. 퍼스는 심리적 물음을 탐구하는 유일한 방법은 외적 사실로부터의 추론뿐이라며 논리학적이고 기호학적인 입장을 제시했다. 그런 퍼스는 해석체와 기호작용의 관계에 있어서 사고의 중요성을 인식하고 "사고-기호(thoughts in signs)"라는 개념을 사용했다. 그리고, 기호와 사고의 동일성과 불가분성을 자신의 기호학에서 효시적으로 다루었다. 그런 퍼스는 통찰에 바탕하는 가추법을 기호작용의 본질적 수단으로 인식했다. 하지만 '통찰(insight)'을 사고의 본질적 기관으로 생각하지는 않았다.

윌리엄 제임스(1842-1910)는 우리의 '지각' 경험이 '무의식'적인 추정으로 이루어진다고 생각했다. 아울러, 천재에게 가장 두드러진 사실은 유사성을 인식하는 재능이며, 그러한 '유사 연합' 능력은 "설명할 수 없는 우리의 정신적 자질"이라고 하였다.[1)]

베르그송(1859-1941)은 "일체의 분석은 번역이요 기호에 의한 전개"로서 실증과학은 기호를 사용하여 실재를 분석 사고로써 파악한다

---

1) William James. 『심리학의 원리』Ⅲ(정양은 역). 아카넷. 2005. p. 1878.

고 보았다. 반면에 형이상학은 기호를 사용하지 않는 과학으로서 직관 사고를 사용한다고 하였다.[2] 그러한 베르그송의 직관 역시 사고작용의 내재적 원리에 따른 개념이 아니다. 과학적 사고의 세계관에 대한 비판에서 비롯된 베르그송의 사고론은 사고의 본성과 운용의 원리를 다루지 않는다.

후설(1859-1938) 역시 과학적 이성주의를 비판하며 본질 파악의 직관에 관한 방법론적 철학을 탐구했다. 하지만 그의 현상학 또한 대상(노에마)에 관한 형상적·선험적 환원의 이념을 논할 뿐 직관의 본성과 작용(노에시스) 시스템에 관해서는 비껴갔다.

20세기 초에 독일의 뷔르츠부르크학파는 A. 비네의 연구에 바탕하여 이미지를 수반하지 않는 사고에 주목했다. 한편, 형태심리학자 쾰러·코프카 등은 준비·부화·영감·검증 단계로 구별하는 문제해결 이론을 전개하였다. 사회심리학자 왈라스(1858-1932)는 문제해결 과정을 '아하!' 하는 경험 즉 직관(이 책의 필자의 통찰)을 중심으로 준비·부화·발현·검증의 단계로 설명했다(1926).

그리고, 아다마르(1865-1863)는 헬름홀츠(1821-1894)와 푸앵카레(1854-1912)의 논의에 바탕하여 준비·부화·조명·검증의 네 단계로 구별했다. 왈라스나 이후의 다른 연구자들과 달리 아다마르는 부화기에 무의식이 작용하며 후일에 직관의 결과가 조명단계에서 나타난다고 했다. 그런 아다마르는 사고를 직관과 논리적 사고로 구별했다.

초현실주의 운동을 이끈 앙드레 브르통(1896-1966)은 자신이 명명

2) Henri Bergson. 『사유와 운동』(이광래 역). 문예. 2012. p. 191 이하.

한 자동기술법이 의식계 너머 인간의 심원한 정신계를 불러낼 수 있음을 알고 있었다. 하지만 그 또한 비의식의 창조적 정신작용의 원리를 설명하거나 이를 보다 효과적으로 사용할 수 있는 곳으로 나아가지는 않았다.

신칸트학파의 일원이었던 카시러(1874-1945)는 칸트의 이성비판 철학을 초월하여 수학 · 과학은 물론 신화 · 언어 · 예술 등을 아우르는 상징 기능론을 제시했다(1923-9, 1944). 그러나 사고를 의식에 기반한 정신기능으로 여기는 카시러 또한 '비의식'의 통찰 개념에 관심을 보이지 않았다. 카시러는 '상징'이 관계적 사고를 이룬다고 생각할 뿐, 상징이 사고임을 인식하지 않았다. 아울러, 상징을 '기능'이라는 추상적이고 개념적인 문제로 다룸으로써 실체론적 논의의 개입을 스스로 차단했다.

1945년에 노벨 물리학상을 수상한 볼프강 파울리(1900-1958)와 『자연의 해석과 정신』(1952)을 출간한 칼 융(1875-1961)은 양자물리현상과 심리현상이 본질에서 그 실체를 같이하는 작용의 다른 두 측면일 것이라고 했다.[3] 아울러 "정신의 본질에 관한 이론적 고찰"(1946)에서 "정신의 객관성은 단지 생리학적이고 생물학적인 현상일 뿐만 아니라 물리학적인 현상, 그것도 핵물리학 현상과 가장 밀접한 관련이 있을 것"이라고 했다.[4] 융은 의식의 세계가 무의식에 기반하며, 무의식은 원형적 이미지의 표상을 비롯한 창조적 정신작용이 발현하는 기

---

3) C. G. Jung, "꿈의 심리학에 관한 일반적 관점". 한국융연구원C.G.융저작번역위원회. 『융기본저작집』Ⅰ. 솔. 2001. p. 204 이하.
4) 같은 책 Ⅱ. p. 149.

반으로 이해했다. 융은 이러한 사고에 '직관'이라는 용어를 사용했다. 하지만, 융은 직관의 본성과 작용의 원리에 관심을 갖지는 않았다.

크리스테바(1941-)는 정신분석학에 기호학을 접목한 "기호분석이론"에서 규범적 상징계(le symbolique)에 대립하는 기호계(le sémiotique)를 상정했다. 크리스테바의 '기호계(le sémiotique)'는 창조적 에너지가 약동하는 정신작용계이다. 그러나 크리스테바의 "기호분석이론" 역시 창조적 사고의 본성과 실체적 운용원리의 규명으로 나아가지 않았다.

감각질과 의식을 비롯하여 사고작용에 관한 양자물리학적 접근의 연구는 20세기 중엽 이후 시도되어 오고 있으며, 그러한 노력은 근년에 와서 보다 활발해지고 있다. 이만갑 교수는 사회학자로서 팔순을 향하는 나이에 (『의식에 대한 사회과학자의 도전; 자연과학적 전망』이라는 제목에서도 보듯) 사회학의 토대로써 인간 개인의 의식(정신)을 탐구하기 위해 새로운 영역의 세계에 노구를 바쳤다. 이만갑(1921-2010) 교수의 자료 중에서 일부를 간략히 소개한다:

1979년 스페인 골드바의 심포지움에서 노벨상 수상자 조셉슨, 데이비드 봄, 프리조프 카프라, 드 보르갈 등이 '양자역학과 의식의 역할'에 관하여 토의한바 있다. 그들은 과학적 사고와 연구방법에 집착하지 않고 폭 넓게 초심리적인 측면이나 동양에서 강조하는 사고방식에 대해서도 깊은 관심을 갖고 논하였다.

1989년 스탭(P. Stapp)은 『의식의 양자이론』에서, 1990년 스콰이어스(E. Squires)는 『물리적 세계에서의 의식적 정신』에서 양자물리학을 중심으로 의식을 다루었으며, 조할(D. Zohar)의 『양자자아』(The Quantum Self, 1990)와 『양자사회』(The Quantum Society, 1984)는 양자물리학적 입장에서 자아와 사회를 사변적으로 고찰하였다. 또한 스텝은 『정신, 물질, 양자물리학』(1993)에서 의식과 뇌의 과정을 하이젠베르크의 물질개념과 윌리엄 제임스의 정신개념을 통합함으로써 설명코자 하였다.[5)]

초양자장이론을 전개한 데이비드 봄(1917-1992)은 뇌신경계에서의 의미화 작용을 홀로그램이론으로 설명하려 했다. 한편, 크릭(F. H. C. Crick, 1916-2004)과 코흐(C. Coch, 1956-)는 '분자적 신경 상관물'(NCC: neuronal correlates of consciousness)을 연구함으로써 의식을 효과적으로 설명할 수 있다고 생각한다. 그들은 감각질을 기억에 필수적인 것으로 인식하며, 감각질이 개념과 경험들을 부호화하는 '기호'의 역할을 한다고 생각한다.

비의식의 과정을 연구하는 코흐는 "'사고(thought)'라고 할 때 내가 의미하는 것은, 감각적이거나 좀더 상징적인 데이터와 유형들을 대상으로 하는 모든 종류의 조작을 말한다."고 한다. 그런 코흐는 『의식의 탐구: 신경생물학적 접근』(*The Quest for Consciousness: A Neurobiological Approch*)에서 감각질이 전전두와 전대상피질에서 일어나는 계획 단계와 밀접한 연관이 있는 것으로 생각한다.

물론, 이 책의 필자의 관점에서, 그들이 말하는 "감각적이거나 상징적인 데이터에 관한 모든 유형의 조작"의 본질적이고도 원형적인 패턴은 '동일화'이다. 신경・생물학자 코흐와 크룩은 의식과 비의식을 이 책의 필자와 마찬가지로 인지작용과 사고작용으로 분리하여 다룬다.

---

5) 이만갑.『의식에 대한 사회과학자의 도전; 자연과학적 전망』. 소화. 1996. pp. 59, 408.

그러나 이들은 뇌신경 작용의 연구에 집중하고 있어 아쉽게도 창조적 사고작용의 기능과 원리에 관해서는 다루고 있지 않다.

뇌신경계의 연구는 현재 크게 두 갈래로 나뉘어져 있는 것 같다. 하나는 양자물리학적 접근의 논의이고, 다른 하나는 분자생물학적 접근을 주장하며 전자의 세계를 비판하는 학자들이다. 로저 펜로즈(Roger Penrose, 1931-)는 『황제의 새 마음』(*The Empeor's New Mind*, 1989)에서, 괴델의 불완전성 원리와 같이 수학의 형식화에도 한계가 있듯이 뇌에도 알고리듬적 계산을 넘어서는 영역이 있다고 생각한다.

펜로즈는 의식을 이루는 근본 물질 또한 계산이 불가능한 특성을 지닐 것이라는 가정 아래 양자역학이 적용될 수 없는 10^{-33}cm보다도 작은 차원에서의 상대성을 지적하고, 양자역학을 확장하는 양자중력이론을 통해 의식의 신비를 밝힐 수 있을 것이라고 한다.

그런 로저 펜로즈는 스튜어트 하메로프(Stuart Hameroff, 1947-)와 함께 양자중력이론에 바탕한 "조화로운 객관적 파동수축(Orchestrated Objective Reduction)"이라는 이론을 연구했다. 이에 따르면 뇌의 미세소관(microtubule)을 구성하는 단백질인 튜블린(tubulin)의 파동함수가 수축할 때 감각질이라는 의식이 경험된다고 한다.

펜로즈가 주장하는 요지는 이러하다: 짚신벌레나 아메바와 같은 단세포 동물의 행동 제어는 신경계가 아니라 '세포골격'의 일부임이 분명하다. 뉴런은 단일 세포이며 '자신의' 세포골격을 지닌다. 세포골격은 다양한 형태의 구조로 배열된 단백질 분자들인 액틴, 미세소관 그리고 중간섬유로 이루어져 있다.

미세소관은 속이 빈 원기둥형 관으로서 직경 약 25nm, 안쪽 직경은 약 14nm로서 '튜불린'(tubulin)이라는 하부 단위로 이루어진 단백질 중합체이다. 미세소관은 뉴런의 핵 가까이 있는 중심소체로부터 뻗어나가 축색돌기의 시냅스 말단 근처까지 이어진다. 어떤 것은 수축성 액틴을 거쳐, 시냅스 후말단을 형성하는 수상돌기로도 이어진다.

양자 결맞음은 뉴런과 뉴런 사이의 시냅스 장벽을 뛰어넘는다. 따라서 미세소관에 일종의 '양자 컴퓨팅'이 일어난다고 볼 수 있다. 세포골격의 적절한 작동 시스템이 없으면 의식은 사라진다. 반면에 세포골격의 기능이 회복되는 즉시 의식은 돌아온다. 미세소관은 시냅스의 강도를 유지하며, 필요 시 강도를 조절한다. 따라서 두뇌 작용에 근본적으로 영향을 미치는 지점은 '세포골격이 제어하는 시냅스 연결'로 추정된다.

물론, '의식' 현상이 세포골격의 활동, 특히 미세소관과 관련되어 있다는 직접적인 증거가 '있다'. 마취기제가 개별 신경 세포 속으로 스며들면 보통의 화학적 성질과는 직접적 관련이 거의 없는 전기쌍극자 성질이 미세소관의 활동을 차단한다. 이것은 상당한 양의 상이한 미세소관들이 동일한 양자 결맞음 상태에 참여할 것이라는 점을 시사한다. 이것이 펜로저의 생각이다.[6)]

그러나, 분자생물학적 입장의 뇌신경생리학자 에델만(Gerald Edelman, 1929-2014)은 그러한 펜로즈를 비판한다. 에델만은, 우주론자인 펜로즈가 '뇌, 특히 대부분의 행동이 일어나는 시냅스에서는 궁극적으로 양자 법칙들을 따르는 입자들로 이루어져 있어 양자중력의 설

6) Roger Penrose. 『마음의 그림자』(노태복 역). 승산. 2014. pp. 529, 543-567.

명이 의식에 실마리를 제공할 것'으로 생각한다며, "이것이 대리 유령으로서의 물리학"이라고 비판한다.

에델만은, 펜로즈가 의식의 문제를 이해하는 데 꼭 필요한 심리학적, 생물학적 지식을 무시하여 그 문제에 대해서는 말해주는 바가 없다고 한다. 아울러, 그런 색다른 물리학보다는 생물학적 과정에 근거한 마음의 이론을 구성하고 시험하는 것이 훨씬 더 현명할 것이라고 주장한다.[7] 에델만은 마음이 뉴런의 작용으로 나타나며, 뇌 구조와 기능에 마음이 체현(embodied)되어 있다고 생각한다. 그리고, 스스로 신경다윈주의(neural darwinism)라고 주장하듯, 신경세포 집단들 사이에서 일어나는 진화론적 선택 메커니즘이 언어와 의식 등의 정신작용을 가장 잘 설명할 수 있을 것이라고 한다. 에델만이 주장하는 요지는 이러하다:

의식은 척추동물의 진화과정에서 시상피질계의 재유입회로가 가치평가를 담당하는 전두엽의 기억시스템과 지각을 담당하는 후두엽의 피질시스템을 연결함으로써 나타난다. 그 결과 역동적인 핵심부를 구성하는 재유입회로에서 수많은 통합이 이루어지고 자극들을 식별할 수 있는 능력이 크게 증가한다.

그러한 의식은 사물이나 개체가 아니라 엄청난 종류의 감각질(qualia)로 구성된 하나의 과정이다. 의식은 시상피질핵의 광범위하고 극도로 역동적인 활동으로 얻어지는 식별력이다. 의식은 피질과 시상 사이의 재유입과 피질과 피질하 구조 사이의 상호작용, 그리고 피질

7) Gerald Edelman, 『신경과학과 마음의 세계』(황희숙 역). 범양사. 1998. pp. 319-20.

내에서의 상호작용에 의해 발생한다. 일차의식은 진화과정에서 시상피질계가 크게 확장되고 특정 시상신경핵의 수가 증가하며 대뇌피질이 확장되면서 나타났다.

피질의 여러 영역을 연결하는 일련의 축중된 재유입을 진화시킨 동물은 고도의 식별력이나 변별력을 발달시킬 수 있었다. 예컨대 그 개체는 수많은 감각신호를 서로 통합하고 많은 지각자극을 범주화하며, 나아가 그것들을 여러 가지 조합으로 기억에 연결시킬 수 있다. 일차의식은 지각적 범주화를 가치범주(value-category)에 대한 기억과 연결시키는 재유입으로 생성된다.

이러한 재유입 과정에서 뇌는 대체로 자기 자신과 신호를 교환한다. 여기에서 결국 핵심적으로 강조되는 것은 시상피질의 핵 속에서 일어나는 여러 체계들 사이의 '상호작용'이다. 따라서 우리는 더 이상 의식이 특정 영역의 기능에 의해 발생한다는 생각은 하지 않아야 한다. 의식은 시종일관 재유입핵을 구성하는 신경집단의 복합적인 활동과 인과적 힘에 기반을 두고 있다.

사고는 가장 상위의 추상적 수준에서 기호적 능력에 의존하는 기술(skill)로서, 신경과학의 자료만으로는 사고를 설명할 수 없다. 심리학을 신경과학으로 환원하려는 시도는 실패할 것임에 틀림없다. 사고는 하나의 기술로서 은유에 의존할 뿐 아니라 사회・문화적 상호 작용과 규약 그리고 논리에도 의존한다.[8)]

수백만 개 이상의 신경세포 내에서 일어나는 활동을 정확하게 기록

8) Gerald Edelman(황희숙 역). 같은 책. pp. 256, 258.

하고 분석할 수 있다고 하더라도, 그 기록 자체만으로 문장의 내용을 정확히 기술할 수는 없다. 한편 그런 대뇌관찰기구의 개발을 가정할 수는 있으나, 뇌의 복잡성 · 축중성 · 인과적 경로성과 특수성 등을 고려할 때 타당성이 없어 보인다.

뇌의 작동에 대한 상세한 설명은 아직 초기단계에 머물러 있다. 뇌가 어떻게 작동하여 언어를 생성하는지에 대한 이해는 이제 겨우 걸음마 단계로서 신경과학이 궁극적인 설명을 위해서는 필요하나 충분한 것은 아니다. 하지만 그럼에도 불구하고 신경과학적 연구를 통해, 우리는 분명 인간이 지식을 획득하는 과정에 대해 일반화된 이론을 발전시킬 수 있을 것이다.[9] 이것이 신경다윈주의자 에델만의 분자생물학적 관점의 주장이다.

5.2. 사고에 관한 의미작용계와 신호작용계 연구의 특성과 한계

'뇌의 기능과 작용'에 대한 설명과 '뇌의 기능과 작용'에 따라 기호를 연결하는 원리에 대한 설명은 서로 다른 분야의 일이다. 사고는 뇌 기능과 그 작용에 기반하여 기호를 사용하는 의미작용의 세계이다. 뇌의 기능과 작용은 불수의적이다. 그러나, 뇌의 기능과 작용에 따라 기호를 연결하는 일은 수의적이다. 전자는 신경생리적인 전기화학적 신호작용의 세계로서 하나의 자연현상이다. 그러나, 후자는 의미작용의 기호 세계로서 문화적 활동이다. 그러한바, 사고의 연구에 관한 상황

9) Gerald Edelman(김창대 역). 같은 책. p. 85.

은 의미론적 측면의 연구와 신호작용적 연구의 두 측면에서 살펴볼 수 있다.

신경생물학적 접근의 연구는 뇌 기능과 작용을 설명할 수 있는 반면에, 기호를 연결하는 사고를 직접 다루지는 않는다. 그런 까닭에 신호작용계의 연구는 사고의 본성과 원리에 대한 언급이 제한적이고 간접적일 수밖에 없다. 반면에, 의미론적 접근의 연구는 신경생리적 과정과 현상을 설명할 수는 없으나 기호의 세계인 사고의 본질과 원리를 직접 다룰 수 있다. 따라서 의미론적 접근의 연구는 사고 이론을 직접적이고도 포괄적으로 다루고 구성할 수 있다. 그러한바, 신경생물학적 연구는 의미론적 접근의 연구를 지원하는 관계에 있다고 할 수 있다.

운전을 하면서 네비게이션의 지시를 참고하듯, 수학문제를 풀어나가는 우리의 정신작용에 관한 실시간적 신경생물학적인 설명이 문제를 푸는 우리의 숙고를 직접 해결해주지는 않는다. 우리는 신경생물학적 지식의 유무와는 별개로 자신의 사고에 대한 내적 관찰에 의해서 사고가 비의식 상태에서 수행된다는 사실을 알 수 있다. 그리고, 사고의 본성 또한 매개를 사용하여 어떤 대상을 다른 것으로 대리하는 '동일화'라는 사실을 통찰할 수 있다. 그것은 사고가 기호를 기초 단위로 사용하여 수행되는 까닭이다.

하지만, 뇌 기능과 그 작용을 해부학적이고도 신경생물학적 측면에서 추궁하는 신호작용계의 연구와 달리, 의미론적 접근의 연구는 언제나 사태를 객관적으로 인식하기 위한 현상학적 태도의 견지와 함께 내성적 관찰에 있어서 특별한 주의와 집중을 기울이지 않으면 사고의 본성과 원리를 비롯한 사고 작용의 시스템을 성공적으로 밝혀내기 어렵다. 그것은 서구 전통 철학의 사례에서도 확연히 드러난다:

데카르트 · 칸트 · 헤겔 · 후설 · 퍼스 · 하이데거 등을 보더라도 그들은 '의식'에 기반하여 사고에 관한 논의를 하였을 뿐, 사고가 비의식 상태에서 수행됨을 인식하려 하지 않았다. 그런 까닭에 그들은 한결같이 논리학을 철학의 기반으로 삼았다. 유비적 사고의 원리를 인지한 헤겔은 형식논리학과 칸트의 인식론적 선험논리학을 비판하며 변증법적 존재론의 논리학으로 이행하였다(『정신현상학서설』, 『대논리학』등).

또한 헤겔은 『미학강의』의 여러 곳에서 상징이 '무의식'적 생산물임을 시사하며, 그와 달리 "수수께끼는 의식적인 상징 표현"이라 한다. 이러한 사실은 헤겔 역시 그가 말하는 상징이 '비의식'의 산물임을 인식하였음을 시사한다. 하지만, 그럼에도 불구하고 헤겔은 더 이상 나아가 사고의 본질과 수행의 원리를 통찰하려 하지 않았다.

그처럼 전통 철학에서 사고에 관한 논의는 '추론'에 한정되었고, '통찰'이나 '영감적 사고'에 관한 논의는 진행되지 않았다. 엄격히 말해서 전통 철학은 반쪽 세계의 사고이론을 펼친 것이다. 한편, 카시러의 경우는 이성적이고 논리학적 철학 태도에서 전향적으로 벗어나 '상징형식의 철학'을 기술했다. 하지만 그럼에도 불구하고 그 역시 상징이 '비의식'에서 수행된다는 사실에 눈을 뜨지 않았다.

그는, '직관'과 '지속'의 개념을 주장함으로써 사고의 '비의식(무의식)' 개념을 시사하였던 베르그송과 '기호적 사고'의 의의를 두고 논쟁을 벌이기도 했다. 베르그송은 카시러의 기호적 사고인 '개념적 사고'의 필요성을 받아들였으나, 카시러는 베르그송의 비의식적 '직관' 개념을 상징 이론에 수용하지 않았다. 그는 데카르트나 칸트와 마찬가지로 의식적 명석판명주의에 머물렀다.

한편, 사고와 무의식(이 책의 필자의 비의식)에 대해 19세기 후반에 물리학자이자 생리학자인 헬름홀츠, 심리학자이자 철학자인 윌리엄 제임스, 20세기 초엽에 뷔르츠부르크학파, 수학자 아다마르 등에 의해 단편적으로 언급이 있었으나 행동주의심리학의 위세로 곧 잊혀졌다. 그리고, 20세기 중반 들어 인지심리학의 태동에 이어서 20세기 후반 들어 레이코프와 공동연구자 존슨 그리고 이들의 은유(상징)적 사고론을 함께 공유하는 에델만을 비롯하여 신경생물학계와 인지과학계 등에서 사고와 비의식, 사고와 상징(은유)의 문제에 관해 거론되기 시작했다. 하지만, 전통 철학은 이러한 사실에 여전히 침묵하고 있다.

한편, '상징'의 문제 역시 그러하다. 칸트의 경우 우리의 경험인식이 물자체를 직관하지 못하고 '현상'으로 재구성한다는 사실을 간파하였음에도 그러한 인식과 지성의 본성이 곧 '상징'이라는 사실을 간과했다. 그리고, 사고의 이러한 속성에 대해 의미론적 측면에서 카시러(1923-9, 1944)가 '상징'이라는 용어로, 한편 인지과학과 신경생물학적 관점에서 레이코프와 존슨(1998) 그리고 에델만이 각각 '은유' 또는 '패턴' 등의 개념으로 주장했다. 하지만 그럼에도 서구의 전통 철학에서는 사고가 명석판명한 의식 상태에서 논리규칙에 따라 수행되는 정신기능이라는 생각에 변함이 없는 것 같다.

5.2.1. 칸트와 카시러 사고론의 한계

사고에 관한 의미작용계 측면의 주요한 연구로는 칸트와 카시러의 이론이 대표적이다. 이에 관해서는 별도의 장에서 상술된다. 여기서는 앞에서 언급한바 있듯, 의미론적 접근의 연구에 있어서의 문제 요인을 지적하기 위해 개요적 측면에서 주제문을 중심으로 간략히 소개한다.

이들 외에도 윌리엄 제임스・찰스 퍼스・베르그송, 후설 등의 선구적 사고 이론들이 있는데, 이들 역시 뒤에서 별도의 장을 통해 상술된다.

칸트는 사고가 동일화 정신작용의 '상징'이며, 그 본성이 '동일화'라는 사실과 그러한 우리의 사고가 비의식 상태에서 수행된다는 사실을 간과했다. 우리의 사고가 상징 기능에 의한다고 생각한 카시러 역시 칸트와 마찬가지로 사고의 비의식 수행 사실을 고려하지 않았다. 칸트는 물론, 카시러 또한 (상징의 연구와는 달리) 사고 이론의 전개에 있어서는 사실 자체에 바탕한 현상학적 태도를 견지하기보다, 아리스토텔레스적 논리주의와 데카르트의 명석판명한 의식주의를 의심 없이 받아들였다.

한편 그러한 문제에도 불구하고, 칸트의 인식론은 특유의 명석성으로 우리의 정신계와 사고 기능에 대한 근본 범주적 개념들을 제시하고 있다. 그가 『순수이성비판』에서 기술한 "선험적 논리학"은 인공지능 연구의 기초이론인 형태재인의 지각 이론으로서뿐 아니라, 오늘날 창의성과 인공지능의 원리를 탐구하는 인지과학과 신경과학적 연구의 의미론적 토대에 도움이 될 수 있는 본질적 원리들을 보여준다.

카시러의 상징형식의 철학은 논리학과 이성에 바탕하여 전개되어 온 서구 철학의 전통과 달리 인간의 본성을 창의성의 원리로 간주되는 '상징'과 '상징기능'의 관점에서 고찰하였다는 점에서 효시적이다. 미국 공화당을 겨냥하여 민주당에 프레임이론을 제시한 인지언어학자 레이코프와 분석철학자 존슨은 언급했듯이 사고가 은유적이고 무의식적이라며 형식논리와 의식의 문제를 비판했다. 그리고, 이천 년 이상의 전통 서구철학이 더 이상 예전과 같을 수는 없음을 지적했다. 하지만, 은유적 사고론에 있어서는 그들 이전에 카시러의 상징형식의 철학이 선구적인 연구이다.

칸트는 '선험적 논리학'의 "선험적 분석론"에서 선천적 인식의 능력을 오성 · 판단력 · 이성으로 구별하고, 오성은 경험인식에 사용되며, 판단력은 특수를 보편에 포섭하는 능력으로, 이성은 추론 능력으로 구별한다. 그리고, 순수한 이성만으로 새로운 지식을 확장할 수 있는 선천적 종합판단이 가능한 수학만이 보편 · 필연적 지식을 확장할 수 있다고 생각했다. 아울러, 초경험적 형이상학은 용인되지 않으며, 영혼의 불멸, 신의 존재에 관한 일은 도덕적 실천의 자유와 이성적 신앙의 세계에 속하는 문제임을 지적했다.

칸트의 그와 같은 사고 관련 개념들은 '사고'의 내적 구조와 원리에 의한 것이 아니라, 인식 · 도덕 · 미의 판단원리를 규명하는 수단으로써, 기능적으로 한정하고 개별화한 것들이다. 일례로, 인식론을 다루는 『순수이성비판』에서 오성은 경험인식을 위한 범주 능력이면서 판단력과 이성을 모두 아우르는 개념이며, 이성은 오성과 달리 추론 기능에 사용되는 용어이다.

그리고 미적 이념을 논하는 『판단력비판』에서 판단력은 경험인식을 위해 범주와 사물의 인상을 비교하는 규정적 판단력과 추론을 수행하는 반성적 판단력으로 그 성격이 보다 엄격하게 구별되어 정의된다. 그런 점들로 인해 칸트의 비판철학에서 사고의 성격과 기능들은 전체적 관점에서 중첩되기도 하고 서로 충돌하는 모순을 드러내기도 한다.

칸트는, 오성의 일반적 성격이 판단하는 능력인바, 그것은 오성이 사고하는 능력이기 때문이라고 한다(B 94). 그렇다면 사고능력인 '오성은 판단능력'이며, 판단은 또한 단순히 경험 인식을 위한 규정적인 것일 뿐 아니라 추론을 위한 반성적인 것이기도 하다. 따라서 '오성은 곧 이성의 추리능력'이기도 하다. 아울러, 오성은 사고능력이기도 하므로, 오성 · 판단력 · 이성(추리) · 사고는 모두가 공통의 기능을 갖고 있다. 그럼에도 이 용어들을 한편으로 범주인식 · 경험인식 · 판단 · 추론이라는 각각 다른 기능의 관점에서 구별하여 사용하고 있다.

칸트의 "선험적 분석론"의 핵심 개념이자 사고의 기능소인 범주 · 오성 · 판단력 · 이성은 필자의 관점에서 동일화의 심도를 달리할 뿐, 모두 그 본성이 '동일화'이다. 스스로 형식주의자이기를 자처하는 칸트는 그 면밀함과 깊은 학적 사유를 바탕으로 한 내용의 견고함에도 불구하고 순수이성 비판 수행의 관점에서 사고의 유형을 구별함으로써 사고의 기능소들에 대한 형식적 관계의 정합성을 결한 문제를 안고 있다. 이것은 칸트가 그러한 사고의 기능소 배면에 자리하는 통일적이고도 본질적인 성격과 사고의 내적 원리를 고려하지 않은 까닭이다.

칸트에게 상징은 인식을 구성하는 기능이 아니라 미적 이념을 구현하는 직관, 다시 말해 반성적 판단의 한 형식이다. 칸트에게 상징은 유비에 의한 개념의 간접적 현시의 수단으로서 반성적 판단력이 수행하는 미적 이념의 형식이다. 그러한 상징이 단순한 수사학적 형식에서 나아가 '보편적 사고 기능'과 관련하여 언급됨은 칸트의 사후 한 세기가 훨씬 더 지나 카시러에 이르러 비로소 형식의 측면에서이지만 시도된다.

사실, 서구 전통 속에서 상징은 질베르 뒤랑이 지적한바 있듯, 유일신 사상과 성상파괴주의에 의해 금지된 우상의 표상과 관련 지워졌다. 그리고 철학적으로는 배중률이 용인되지 않는 형식논리의 전통 아래 모호하고 불확실한 것으로서 배제되어왔다. 이러한 가운데 칸트는 『판단력비판』에서 상징을 미적 이념의 표현 형식으로 규정함으로써 비로소 철학사에서 상징은 그 의미를 부여받았다고 할 수 있다.

그러나, 칸트는 상징이 유비적 형식임을 인식했을 뿐, 상징이 유비적 판단의 사고 그것이라는 인식으로 나아가지는 않았다. 그러한바, 상징은 여전히 수사학적 관점의 한 특별한 '형식'에 머물렀다. 그리고, 신칸트학파의 일원인 카시러에 의해 비로소 상징이 보편적 사고 기능과 관련하여 논의된다. 카시러는 인간 본성의 규명에 관한 아리아드네의 실은 이성이 아니라, 인간 문화의 고찰을 통해 찾을 수 있다고 생각했다.

카시러는 수학과 수학적 자연과학의 세계만을 담보하는 칸트의 이성비판철학과는 달리 신화・예술・언어・역사를 비롯한 인간의 전 문화세계를 관류하는 보편적 정신기능을 파악코자 했다. 그런 카시러는 마르부르크 도서관의 주제 중심의 장서 배열에서 상징형식의 철학의 단초를 통찰했다.

그런 카시러의 상징이론은 전・후기로 구별된다. 전자는『상징형식의 철학』을 중심으로 한 인식론적 '상징기능'의 논의이고, 후자는『인간론』에서 언급되는 '관계적 사고' 중심의 '상징'에 관한 인식의 시기이다. 전자의 경우 카시러는 상징과 기호의 구별에 관심을 보이지 않는다. 그러나, 후기에는 상징과 기호를 엄격히 구별함으로써 이 책의 필자가 논하는 상징의 실체에 한 걸음 더 접근하고 있다.

카시러는 '인간 지성은 사변적 오성으로서 이질적인 두 요소에 의지하는바, 직관 없는 개념은 공허하고, 개념 없는 직관은 맹목적'이라는 칸트의 말을 상기한다. 그리고 인간 지성은 '표상을 필요로 한다기 보다' 오히려 상징을 필요로 한다며 "인간을 이성적 동물(animal rationale)로 정의하는 대신, 상징적 동물(animal symbolicum)로 정의하지 않으면 안 된다"고 말한다.

그런 카시러는 이렇게 전제한다. "인간은 이제 다시는 현실에 직접적으로 얼굴을 부딪칠 수 없으며, 또 마치 얼굴을 맞대는 것처럼 그것을 볼 수 없다. 물리적 현실은 인간의 상징적 활동이 전진함에 따라 뒤로 물러가는 것처럼 보인다." 이와 같이 "인간은 언어 형식, 예술적 심상, 신화적 상징, 그리고 종교적 의식에 깊게 둘러싸여 있어 그러한 인위적 매개물의 개입에 의하지 않고는 아무 것도 볼 수 없고 또 알 수 없다."고 한다.[10)]

그리고 카시러는 문화의 창조가 상징 기능으로 가능함을 규명한다. 하지만, 카시러는 상징의 근원적 실체와 작용원리 나아가 '상징'이 개별 문화 창조의 과정에서 어떻게 기능하는지를 드러내 보이지는 않는다. 카시러는 문화와 상징의 관계를 기술함에 있어서 최초의 공리적 명제로부터 출발하여 상징형식의 문화를 드러내는 원심력적 연역 방식을 취하지 않는다.

그는 마치 고고학자이기라도 한듯 유물 탐색 작업과도 같이 언어 · 신화 · 예술 · 종교 · 역사 · 과학 등의 개별 문화 형식들에 관한 자료들을 분석하고 검토해나간다. 그런 가운데 상징의 형식이 드러나게 하고 나아가 상징 기능이 작용함을 드러나도록 한다. 그와 같이 카시러는 귀납적 사실들로부터 문화 현상의 형식과 배면의 상징 기능을 드러내는 구심력적 연구 방식을 취한다.

---

10) Ernst Cassirer. 『인간이란 무엇인가』(최명관 역). 서광사. 1988. pp. 95, 51, 50.

하지만, 문화가 상징의 산물이라는 점에서 상징의 개념과 작용원리가 구체적으로 무엇인가에 대한 물음은 피할 수 없을 것이다. 그러한 바, 비록 카시러가 상징의 개념이나 본성을 구체적이고도 명징하게 진술을 하지는 않지만, 『인간론』에서 행한 카시러의 우회적 언급들을 통해 그가 지닌 상징 개념의 요체를 추측해 볼 수 있다.

그리고, 우리는 카시러가 '비유적 전용'이라는 보편적 개념을 상징의 공리적 정의로 받아들였음을 확인할 수 있다. 카시러는 "우리의 문제 전체를 간결하게 내포하고 있는 것은 바로 이 '비유적 전용'"이며 이것들은 일정한 의미를 전달하는 상징적 기능으로서 사용된다고 말한다.

아울러, 카시러는 "관계적 사고가 상징적 사고에 의존"하며 "인간 우주를 끊임없이 재형성하는 능력을 부여하는 것은 바로 이러한 상징적 사고"라고 한다.[11] 그런데, '관계적 사고'란 이 책의 필자가 말하는 '동일화 정신작용'으로서 다름 아닌 '상징' 그것이다. 카시러가 말하는 '관계적'이란 '인과성'에 대한 다른 표현으로서 '동일화'의 또 다른 표현에 다름 아니다.

그런 카시러의 상징 이론의 주요 개념은 '상징 · 상징형식 · 상징기능'의 셋이다. 카시러에게 상징은 '관계적 사고의 의미화 정신기능'이라고 말할 수 있다. 그리고, 상징형식은 관계적 사고를 지원하는 정신기능이며, 상징기능은 상징형식을 형성하고 수행하는 정신기능이다. 한편, 상징형식은 감성 · 상상력 · 오성의 조화나 그 영향에 따라 신화

---

11) 같은 책. pp. 184, 68, 103.

적 표현 · 예술적 직관 · 과학적 개념의 사고 형식을 이룬다고 카시러는 생각한다.

여기서, 칸트와 카시러의 사고에 관한 논의를 정리하면, 칸트가 말하는 판단하는 능력으로서의 오성과 추론능력의 이성이 지니고 있는 본질적 속성은 다름 아닌 '동일화'이다. 그러므로, 오성과 이성 그리고 상징은 본질에서 동일한 기능을 가진 사고기관이다. 이러한 사실에서, 이성보다도 상징이 보다 근원적 사고기능이라고 생각하는 카시러의 견해는 칸트를 비껴갔다고 할 수 있다. 그리고 칸트 또한 오성과 상징이 '동일화 정신작용'의 '사고' 그것이라는 점을 인식하지 않았다는 점에서 사고의 본성을 간과했음을 알 수 있다.

카시러의 상징 이론이 [상징학]의 사고이론에서 중요한 것은, 상징을 '상징기능'이란 관점에서 '보편적 사고 기능'과 관련하여 다루었기 때문이다. 고대 그리스 시대로부터 근 · 현대의 기호학과 상징론에 이르기까지 상징과 기호에 관한 논의들은 '상징'의 '형식'과 '상징물'에 관한 수사학적 영역에 머물렀다.

그러한 가운데 카시러는 보편적 사고 기능의 관점에서 상징을 고찰함으로써 상징이 인간 문화 창조의 지렛대임을 확인하였다. 그러한바, 상징에 관한 논의는 카시러에 이르러 비로소 새로운 차원으로 들어섰다고 할 수 있다. 그러나 카시러 또한 상징의 본성과 함께 그 실체인 정신작용의 원리와 시스템을 다루지 않았다는 점에서 그와 같은 상징형식의 철학 역시 넓은 의미에서 여전히 '형식론'으로 분류된다. 한편, 상징의 본성과 실체적 정신작용에 관해선 20세기 후반에 인지언어학자 레이코프와 언어분석철학자 존슨 그리고 신경생물학자 에델만 등에 의해 신경생물학적 기반을 토대로 논의된다.

제 형식의 문화가 상징에 의해 형성되는 것이라면, 문화 텍스트 창작의 현장에서 상징의 정체성과 그 운용의 원리를 아는 일은 너무도 중요하다. '동일화 정신작용'의 사고는 경험인식만이 아니라, 언어 · 시 · 예술은 물론 과학 이론의 창조에도 동일하게 요구된다. 그러나 카시러는 '상징'을 '기능'의 문제로 제한하여 상징에 관한 실체론적 논의의 개입을 스스로 차단했다.

이것은 칸트가 그러하였듯, 당시의 정보 수준 상태에서 카시러 역시 심리학적이고도 신경생리학적인 세계의 논의로 빠져들고 싶지 않았기 때문일 것이다. 하지만 그럼에도 불구하고 보편적 사고 기능과 관련하여 상징의 성질들을 규명해나간 것은 상징론과 철학사에 있어서 또 하나의 코페르니쿠스적 전환이라 할 것이다.

하지만, 상징의 기능을 아는 것이 상징의 실체를 아는 것은 아니다. 상징의 기능을 아는 것은 상징작용의 결과에 대한 표피적 이해에 그칠 뿐이나, 상징의 실체를 아는 것은 상징 작용을 원리적 측면에서 이해하고 연구하게 한다. 이러한 사고의 실체인 우리의 동일화 '정신작용'에 관한 연구로는 19세기 말의 윌리엄 제임스의 유사연합 이론과 베르그송의 직관론 그리고 20세기 초엽의 뷔르츠부르크학파의 무심상 사고 이론 등을 들 수 있다. 그러나, 카시러 사후에 모습을 드러내기 시작한 인지심리학을 비롯하여 신경생물학과 뇌과학 등에 바탕한 인지과학 등을 통해 사고작용에 관한 연구는 본격적으로 수행된다.

5.3. 사고에 관한 신호작용계와 의미작용계 연구의 상보적 필요성

여기서는 사고의 본성과 원리 그리고 사고의 구조 등에 관해 의미론적 관점에서 이 책의 필자의 사고론의 윤곽을 개략적으로 스케치한다. 그리고 신경생물학적 뇌기반의 연구와 의미론적 연구의 상호보완적 관계와 그 필요성을 언급한다.

'상징 즉 사고'의 본성은 '유비적 원리(A=Ā)에 바탕한 동일화(A=C)이며, 사고의 실체는 동일화 정신작용이다. 사고는 매개기호(B)를 사용하여 대상기호(A)를 목표기호(C)로 동일화(A=C)하는 일이다. '동일화'는 형식을 통해 의미를 구현하는 일로서, 형식과 의미는 불가분의 관계이다.

동일화의 형식은 동질성과 동일성이 있다. 동질성은 시·예술의 본질적 형식인 은유와 과학적 가설의 통찰을 수행하는 사고의 형식이다. 동일성은 그러한 통찰의 내용을 추론으로써 전개하는 사고의 형식이다. 시·예술의 비평이나 과학적 통찰에 대한 설명 등에 사용되는 형식이 그것이다.

동일화 정신작용의 사고는 비의식 상태에서 수행되어 의식에 표상된다. 비의식 상태에서 수행되는 우리의 모든 사고는 본질에서 통찰적이다. 통찰적이라 함은 인과적 동일화의 과정들이 전일적이고도 통일적으로 이루어짐을 뜻한다. 그러한 통찰은 비의식 상태에서만이 가능하다. 의식은 비의식의 사고를 합목적적 방향으로 수행토록 지원한다.

우리의 사고는 본질에서 통찰적이나, 동일화의 심도에 따라 지각,

통찰, 추론, 영감적 사고로 구별된다. 지각 · 통찰 · 영감적 사고는 기호체계를 따르지 않는 '원사고(原思考)'이고, 추론은 원사고의 내용을 설명하거나 통찰의 내용을 학습하는 사고로서 '방법적 사고'이다. 우리의 사고는 비의식 상태에서 수행되므로 그 내용을 논리 · 문법 · 수식 · 화성학 등의 규칙을 사용하여 객관적으로 드러낼 필요가 있다. 이러한 때 수행되는 사고가 방법적 사고의 추론이다.

동일화 정신작용의 사고는 기호를 사용하여 또 다른 기호를 생성한다. 기호는 상징 즉 사고의 표현물로서 상징물이다. 이러한 기호는 사고의 결과물로서 우리의 정보체에 내장된다. 우리의 모든 기억물은 지식의 의미체들이다. 이러한 지식의 의미체들은 불변의 고정물이 아니라, 동일화의 맥락 속에서 유동적 관계로 존재한다. 이 책의 필자는 이러한 우리 정보체의 지식들을 '활성기호'라고 한다. 모든 기억은 단순암기에 의하지 않은, 인과적 맥락의 동일화에 의해 이루어져야 한다. 그러한 지식의 기호들만이 우리의 정보체에 오랫도록 남아 있을 수 있다.

또한, 그럼으로써 우리의 동일화 정신작용은 새로운 의미체의 기호를 생성할 수 있다. 각인된 암기의 기호는 자유로운 동일화의 정신작용을 방해한다. 교육이나 학습이 규칙이나 원리의 암기나 단순 이해가 아니라, 규칙이나 원리의 생성 이유를 추궁하는, 원리의 원리에 관한 규명이어야 하는 이유이다.

동일화 정신작용의 사고는 동일화를 위한 매개기호를 탐색하고, 매개기호를 중심으로 대상기호와 목표기호를 하나로 동일화 한다. 그 과정에서 대상기호 · 매개기호 · 목표기호의 동일화 가능성 여부에 관해 비교 · 검토하며, 최종적으로 우리의 정신이 동일성 여부에 관한 가치판단을 내림으로써, 인식이 이루어진다.

그러한 동일화 과정에서 우리의 정신은 대상기호・매개기호・목표기호와 동일화 과정의 판단들을 최종 인식에 이르기까지 비의식 상태에서 파지하고 있어야 한다. 그래야만 사고가 이루어질 수 있다. 일상생활에서 이루어지는 직각 사고의 실행 과정에서 수의적으로 이루어지는 지식 기호의 파지를 '작업기억'이라 한다면, 사고의 수행 중에 의식하지 않는 가운데 이루어지는 지식 기호의 파지는 '비의식 작업기억'이다.

우리의 동일화 정신작용은 기호를 수단으로 하여 수행되고, 시・예술 작품이나 과학적 리포트와 같은 텍스트를 통해 기호로써 표상된다. 이러한 기호들은 전통 기호학에서 논의되는 '외현기호'와 사고의 수행 과정에서 사용되는 '내현기호'로 구별된다. 외현기호는 시・예술 작품에서 사용되는 '자연적 기호'와 수학이나 과학에서 사용되는 '자의적 기호'로 구별된다.

내현기호는 지각을 위해 경험인상에 의미를 부여하는 과정에서 사용되는 범주적 도식의 '도식기호', 통찰 수행 중에 사용되는 지식 기호인 '비의식기호', 사고의 결과 상상력의 표상력에 의해 우리의 의식에 나타나는 '심상기호'로 구별된다. 외현기호는 사고를 표현하지만, 내현기호는 사고와 외현기호를 일원적으로 연결한다.

상징은 동일화 정신작용으로서 기호가 아닌 사고이다. 기존의 전통 기호학은 상징과 기호를 대체로 동일시하나, 기호는 상징을 형성하고 표상하는 수단이다. 그러한 기호는 사고 즉 상징의 결과물인 지식이요 의미 또는 의미체이다. 사고의 결과물인 기호는 우리의 기존의 정보체와 동일화 과정을 통해 기억된다. 그리고, 상상력에 의해 회상된다.

상상력은 놀라운 통찰이나 환상적인 구성력의 사고가 아니다. 상상력은 그러한 놀라운 통찰이나 환상적인 구성력의 통찰 사고를 의식에 나타내는 표상력이다. 상상과 회상은 아세틸콜린이라는 신경전달물질의 활성과 관련이 있다. 한편, 아세틸콜린의 활성 상태인 회상이나 공상 중인 때에는 세타파(3.5-7Hz)를 보이고, 사고 활동 시에는 베타파(13-30Hz)가 나타난다.

에델만의 설명에서도 볼 수 있듯, 감각질과 그 감각질을 지각하는 의식은 신경생물학적 연구의 결과로 그 뇌기반적 기능과 연결의 윤곽이 거칠게나마 드러나고 있다. 하지만 신경과학자들이 토로하듯 문제가 그렇게 간단하지만은 않다. 문제는 감각질의 성격이다. 칸트 역시 언급한바 있듯 감각질은 경험 인상에 사고가 개입된 것이다. 다시 말해 감각질은 사물의 인상에 의미가 부여됨으로써 얻어진다. 그런데, '의미 부여'는 곧 사고작용 그것이다. 그러한바, '감각질'은 곧 사고와 사고의 결과물을 함께 아우르는 용어이다.

사고의 본성과 원리에 대한 의미론적 이해가 전제되지 않으면 사고에 관한 신경생물학적 해석이나 인지과학적 접근의 해석이 방향을 잃고 표류할 수 있다. 어떤 경우, 뇌 손상 환자의 병인이나 인지검사 결과의 해석 등에 있어서 사고의 본성과 원리에 대한 선 이해는 중요하다. 해마 손상 환자의 병인이나 인지검사 결과를 보다 잘 이해하기 위해서는 의미 조작의 영역인 사고의 본성 · 원리 · 시스템 등을 이해해야 한다(이에 관해서는 이 책의 "v. 11. 통찰에서의 '비의식작업기억' 기관: 해마" 편 참조하실 것).

우리의 사고는 언급하였듯이 '동일화' 정신작용이다. 그리고 사고의 본성은 형식을 통해 의미를 구현하는 '동일화'이다. 그러한 우리의 사고는 매개를 사용하여 어떤 것을 다른 어떤 것으로 대신하는 일이다. 그것은 시 · 예술의 은유나 과학적 논리나 모두 마찬가지이다(이에 관해서는 "ⅲ. 3. 동일화의 유형" 편 참조 바람).

지각을 비롯하여 우리의 모든 동일화 정신작용은 본질에서 복합판단이 관계하는 '통찰' 사고이다(이에 관해서는 'ⅴ. 7. 지각' 편에서 상술되고 있음). 그러니까, 감각질의 획득 역시 과거나 현재의 어떤 판단의 과정들이 개입되는 동일화 정신작용의 산물이라는 사실이다. 그러한 까닭에 감각질의 생성과정에 대한 신경생물학적 추적과 설명은 필연적으로 사고에 대한 설명으로 이어진다. 다시 말해, 감각질과 사고는 분리되어 언급될 수 없다는 사실이다.

통찰은 수많은 판단의 과정들이 비의식 상태에서 전일적으로 이루어지는 동일화 정신작용으로서 우리의 정보체 내의 수많은 감각질의 기호들을 우리가 의식하지 않는 가운데 유형적으로 선택하여 비교 · 판단하고 결정한다. 신호작용계의 논의는 이러한 우리 정신의 심층 내부적 상황들을 설명해내어야 한다. 우리의 사고는 기호를 토대로 이루어지며, 기호는 사고를 통해 새로운 기호로 전환된다. 그러한 기호는 의미 또는 의미체로서의 감각질이다.

그러한 감각질은 장미와 같은 어떤 사물에 대한 구체적이고 개별적인 표상이기도 하다. 우리가 울타리에서 장미를 보았을 때 우리는 하나의 감각질을 얻었다고 말할 수 있다. 그러한 표상은 칸트의 논의를 빌리면, 직관된 경험인상에 우리의 사고능력인 '오성'이 작용하여 개념을 부여함으로써 이루어진다. 그리고 필자의 사고론에 의하자면, 장미의 경험인상을 도식화하고 어떤 목표 관념으로 '동일화'함으로써 얻는 것이 표상이요 감각질이라고 할 수 있다.

그러니까, 감각질의 표상은 '동일화'라는 우리의 사고능력이 개입함으로써 이루어진다. 그런데, 이러한 동일화 과정의 구조는 칸트가 상술한바 있듯, 경험인상과 비교·검토하기 위한 범주적 도식의 설정, 도식과 경험인상과의 합치성 여부 판단, 그리고 최종적 가치 판단에 따른 인식이 이루어진다. 한편, 장미에 대한 그와 같은 인식의 과정에서 우리는 판단을 위해 먼저 경험인상을 파지하고 있어야 하며, 또한 범주적 도식의 회상과 그에 대한 파지 또한 있어야 한다.

그러한 상태에서 우리의 정신은 경험인상과 범주적 도식을 비교할 수가 있고, 장미인지 아닌지 여부에 대한 가치 판단을 내린다. 여기서 우리는 우선 두 가지 사실에 주목해야 한다. 하나는 비교에 의한 판단 과정이고 하나는 판단에 대한 최종 결정의 추인 행위이다. 전자는 전전두엽을 중심으로 이루어지며, 후자는 뇌간과 변연계를 중심으로 이루어진다. 그리고, 비교를 위한 도식의 회상은 측두엽 내지 두정엽을 중심으로 이루어진다.

주목할 것은, 이러한 인식을 위한 사고의 과정이 우리가 인지하지 못하는 비의식 상태에서 진행되고 이루어진다는 사실이다. 그러면, 인식이 이루어지기까지의 과정에서 경험인상과 범주적 도식 그리고 그에 부합하는 '장미'라는 정보 이 세 가지를 우리의 정신은 어떻게 파지하는 걸까? 그것은 해마의 기능으로 추정된다(이에 관해선 "v. 11. 통찰에서의 '비의식작업기억' 기관: 해마" 편 참조하실 것).

그러한 뇌 기반과 동일화 과정을 통해 우리의 사고는 이루어진다. 한편, 우리의 의식에서 경험인상 이미지의 생성은 아세틸콜린이라는 화학물질의 활성화와 관련이 있는 것으로 알려져 있다.[12] 사고의 수행이 있고 나면 우리는 그 결과가 마음속에 나타나는데 그것이 심상기호이다. 물론, 그것은 감각질들이다. 그러한 감각질들 역시 사고의 결과에 따라 우리가 상상력이라고 말하는 표상작용에 의해 의식에 나타난다.

사고는 본질적 측면에서 의미작용계의 연구 분야이다. 하지만, 앞에서 칸트와 카시러의 예를 살펴보았듯, 의미작용계의 연구 역시 사고의 수행에 관한 내적 관찰에 면밀한 주의를 기울이지 않으면, 사고의 비의식 수행과 사고의 매개적 동일화의 수행을 알아차리지 못한다. 이와 달리, 신경생물학적 접근의 연구는 사고의 토대를 이루는 '감각질의 기호'가 패턴적 은유의 신경작용으로 이루어진다는 사실과 아울러 사고 역시 은유적이며 비의식 상태에서 수행된다는 사실을 잘 인식하고 있다.

레이코프 · 존슨은 『몸의 철학』(1998) 서두에서 "마음은 본유적으로 신체화되어 있고, 사고는 대부분 무의식적이며, 추상적 개념들은 대체로 은유적"이라고 한다. 그리고 에델만은 "공통점이 없는 실체들을 연결할 수 있는 은유적 능력"은 연상작용이 가능한 재유입축중체계(reentrant degenerate system)로 가능하다고 한다. 아울러, "은유의 특성은 패턴을 형성하는 선택적 뇌의 작동과 분명하게 일치한다."[13]며 사고의 은유적 수행에 관해 레이코프 · 존슨과 견해를 함께 한다.

그런 신호작용계의 연구는 신경생물학적 측면에서 뇌 기능과 작용을 추적함으로써 사고가 이루어지는 과정과 그 수행 원리를 자연스레 추론할 수 있다. 이와 같이 사고의 본성이나 일부 원리적 측면에서 철

12) 박문호. 『그림으로 읽는 뇌과학의 모든 것』. 휴머니스트출판그룹. 2013. p. 622.
13) Gerald Edelman(김창대 역). 같은 책. p. 78.

학이나 심리학보다도 신경생물학적 접근의 연구가 더 이해가 깊은 것은 뇌 기능과 작용의 원리를 규명하고 이를 토대로 상위 수준의 의미작용을 유추할 수 있기 때문이다.

하지만, 사고에 관한 신경생물학적 또는 인지과학적 신호작용계의 의미론적 성과는 의미론적 접근의 연구에 비해 상대적으로 제한적인 것이 사실이다. 이것은 두 가지 측면에서 그 이유를 생각해볼 수 있다. 하나는 뇌 작용의 복잡성과 미시성으로 인해 현재로서는 신경생물학적 설명에 한계가 있다는 점이다. 그리고 다른 또 하나는, 무엇보다도 사고가 본질적으로 의미 기호를 사용하는 수의적 문화 활동의 기술적 영역이라는 점이다.

사고작용에 관한 연구는 마이크로 분야의 발전과 더불어 20세기 중반 이후 신경생물학・양자물리학・인지과학・뇌과학 등을 중심으로 진행되어왔다. 특히 뇌 활동에 따른 뇌혈류의 산소량을 측정하는 기능성자기공명영상촬영(fMRI)과 뇌 활동에 따른 포도당 증가 여부를 측정하는 양전자방사단층촬영(PET) 같은 뇌 영상기록장치의 발달에 힘입어 사고작용에 관한 연구는 급속한 발전을 보이고 있다. 하지만, 이러한 연구는 신경・생물학적 자료의 축적과 알고리듬적 수리・계산화에는 성공하고 있으나, 그러한 자료들을 토대로 사고작용의 원리를 탐색하고 의미화 하는 일에는 여전히 어려움을 겪고 있다.

사고가 무의식적이고, 이성은 '은유적'이며, '범주화와 원형에 근거'한다고 주장하는 레이코프와 존슨은 그러나 사고의 본성을 은유 그것으로 생각하지는 않는다. 그들과 의견을 함께 하는 에델만 역시 "사고의 형식은 패턴인식과 논리 그 두 가지"라고 하면서도 사고의 본성을 '은유' 그것으로 지칭하지는 않는다. 이것은 그들이 사고 즉 상징의 본성에 확신을 갖고 있지 않음을 의미한다.

레이코프와 존슨을 비롯한 인지과학 분야의 연구자들 그리고 에델만과 코흐 같은 신경생물학적 접근의 연구자들은 우리의 사고가 비의식에서 매개적 동일화의 방식으로 수행된다는 사실을 분명히 인식하고 있다. 하지만 그럼에도 자신들의 연구결과를 사고의 본질적 원리에 따라 보다 직접적이고도 명확히 의미론적으로 기술하지 않는 것은 신호작용계의 연구자들이 사고의 본질과 원리에 관한 분명한 인식을 아직은 준비하고 있지 않은 때문이라 하겠다. 이것은 또한 의미작용계의 연구자들이 신경생물학이나 신경생리적 신호작용의 세계를 충분히 설명할 수 없는 것과 마찬가지이다.

일찍이 융은 정신과 물질이 둘 다 비가시적인 초월적 요소들에 근거하고 있으며, 물질과 정신이 동일한 것의 서로 다른 두 측면일 가능성이 있다고 생각했다. 그런 융은 "생리학과 뇌병리학, 다른 한편으로 무의식의 심리학이 서로 손을 잡을 수 있기까지는 많은 기간이 경과해야 할 것으로, 그때까지 그 둘은 분리된 길을 나아갈 것"이라고 하였다. 하지만, 융은 "우리의 통찰이 아직은 두 기슭, 눈에 보이고 만질 수 있는 뇌의 실체와 비물질적인 정신 현상을 하나로 결합하는 다리를 찾아내는 것을 허락하고 있지 않으나, 그러한 다리가 존재한다는 것은 분명하다."고 말한다.[14)]

우리는 양자물리학적 접근이든 분자생물학적 접근이든 뇌지도학의 커넥톰이든 그들의 연구가 현재의 상황과는 달리 종국에는 어떤 형태

14) C. G. Jung. "정신분열증". 한국융연구원C.G.융저작번역위원회. 같은 책. p. 353.

로든 정신의 보다 완전한 설명에 이를 수 있을 것으로 기대한다. 하지만, 신호작용계와 의미작용계는 자연현상과 문화현상이라는 별개의 유리된 세계임은 사실이다.

그리고, 엄밀히 말해 '사고'는 의미작용계의 연구분야로서, 신경생물학 등에 의한 신호작용적 측면의 연구는 의미작용계의 연구를 지원하는 성격의 것이라 할 수 있다. 그것은, 신경생물학적 설명이 뇌의 기능과 작용에 대한 기술(記述)이라면, 사고는 우리가 뇌기능을 사용하여 기호를 인과적으로 연결하는 수의적 기술(技術)의 세계이기 때문이다.

하지만 앞에서도 살펴보았듯이, 의미론적 측면의 연구가 기존의 학적 경향과 전통을 초월하여 사고작용 자체를 현상학적 관점에서 통찰하지 않을 때 사고에 관한 연구는 신화의 안개와 베일에 가려 새로운 세계로 나아가지 못한다. 상징 · 사고 · 상상력 · 기호 · 의식 · 무의식 같은 개념들이 아리스토텔레스의 『시학』과 그의 논리학 저작들인 『오르가논』에서부터 오늘날 인지과학의 논의에 이르기까지 혼미와 혼란을 거듭해오고 있음은 그러한 연유이다.

물론, 사고는 의미작용의 세계로서, 사고의 본성과 구조 등에 관해서는 신경생물학과 같은 신호작용계 연구의 도움 없이도 인식이 가능하다. 우리의 사고가 합목적적이고도 신속히 수행되는 것은 의식과 비의식이라는 정신작용으로 가능하다. 이러한 사실 역시 사고의 본성과 그 구조의 이해에 바탕하여 사고의 수행 상황을 면밀히 관찰할 경우 충분히 인지 가능하다. 사실, 이 책의 필자는 다른 연구자들의 이론적 주장과는 별개로 사고의 본성과 그 구조 그리고 사고와 의식 · 비의식의 관계 등을 순수한 자기 관찰로써 인지하였다.

하지만, 이러한 내관적 결과의 사실들은 스스로 체험을 통해서 경험하지 않는 한 개인의 주장에 불과한 것으로 여겨질 수 있다. 이러한 상황에서 신경생물학적 연구와 인지과학적 연구 자료들은 내관적 관찰 결과를 뒷받침하는 더 없이 분명한 객관적 자료가 된다. 이와 같이 사고에 관한 연구는 의미론적 측면의 연구와 사고작용계의 연구가 서로 참조하고 지원할 필요가 있다.

앞서 우리는 상징이 동일화 정신작용의 사고이며, 상징의 본성인 동일화는 형식을 통해 의미를 구현하는 정신작용이라는 사실과 아울러, 시 · 예술 · 과학을 비롯한 모든 동일화 현상은 궁극적으로 자연과 인간에 대한 이해의 문제로 귀결되고 수렴된다는 사실을 살펴보았다. 이제 다음장부터는 의식과 비의식에 기반한 사고의 유형들과 사고 관련 기능소들의 상호작용이 '동일화'라는 일원적 원리 아래 어떻게 기능하는지 다루고자 한다.

6. 지각

6.1. 지각

'지각' 등의 직각은 대개 다 일상적인 사고이다. 그것은, 일상생활의 영위에 필요한 사고들 예를 들어, 사물들에 대한 지각을 비롯하여 더울 때 창문을 열어야겠다는 생각, 창문을 열 때 방충망 있는 쪽 창문을 열어야 한다는 생각, 주위에 방해가 되지 않도록 텔레비전 볼륨을 낮추어야 한다는 생각, 액자를 걸 때 적당한 크기의 못을 고르는 생각 등과 같이 깊은 통찰이나 논리적 추론이 없이 대체로 즉각 떠오르는 판단들의 생각이다.

이러한 직각의 사고는 단순하고 쉬워 보이지만 동물들은 좀처럼 쉽게 할 수 없는 통찰의 사고이다. 동물들이 더울 때 창문을 열어야 한다는 생각을 갖도록 하려면 많은 시행착오의 훈련이 필요하다. 하지만, 동물들이 훈련을 통해 겪어야 할 시행착오의 과정들을 우리는 기억 능력으로 쉽게 지식화하여 대체한다. 그런 까닭에 동물의 경우 심오한 통찰이 요구되는 일이 우리 인간은 언제나 '직각'의 사고로 곧 바로 해결할 수 있는 것이다.

지각은 오늘날 우리의 현실 삶에 있어서 그리고 창의성 함양의 문제와 관련해서 볼 때 통찰과 추론에 비해 그다지 중요하지 않은 것으로 생각하기 쉽다. 그러나, 철학과 심리학 등 인문학과 인지과학은 '지각'에 관해 많은 연구를 진행해왔다. 철학의 경우는 지식 생성 능력인 인식론의 측면에서, 인지과학은 인공지능을 개발하고 활용하기 위해서 인간 사고의 출발점인 지각의 원리를 연구한다.

지각은 감각과 결부되어 있다는 점에서 통찰이나 추론과 다르다. 철학에서는 칸트가 『순수이성비판』(1781)에서 대표적으로 지각론을 개진하였다. 그는 지각 구성의 사고를 오성이라 하고, 추론 사고를 이성이라 했다. 그런 칸트는 지식이 이성의 산물이라는 라이프니츠와 볼프의 관념론과 지식이 경험에서 비롯한다는 흄 등의 경험론을 검토하고, 지식은 현상적 인상에 선험적 오성이 작용하여 얻는 것이라는 결론을 내렸다.

칸트는 순수이성 능력의 한계를 비판하기 위한 전제로서 감성 · 오성 · 상상력에 바탕한 '지각론'을 기술했다. 그것은 자연이 인간의 정신에 자신을 있는 그대로 투사하는 것이 아니라, 인간의 불완전한 인식력이 자연을 현상에 관한 개념으로 재구성한다는 것이다. 그런 칸트는 (선천적 종합판단이 가능한) 순수이성만으로 진리의 생성이 가능한 수학만이 보편 · 필연적 지식을 확장할 수 있다고 생각했다.

그리고 영혼, 신, 우주의 존재에 관한 일은 신앙의 세계에 속하는 문제이며, 경험인식에 바탕한 이성의 철학은 초경험적 세계의 지식을 구할 수 없다고 생각했다. 아울러, 오성은 '사고의 근본형식'인 범주를 제공한다며 칸트는 사물의 인상이 범주에 속하는지 여부를 (도식을 사용하여) 비교 · 판단함으로써 인식을 얻는다고 한다. 그러한 칸트는 결국, 인상과 범주를 비교함으로써 지각이 성립하는 것으로 생각한다고 볼 수 있다.

한편, 찰스 퍼스는 그러한 칸트의 선험적 인식론을 비판한다. 형이상학이 인간 의식의 연구만을 중시하여 개념분석에만 빠진다면, 내적 표상에 관한 증명이라는 선험주의적 비판체계의 탐구에 그칠 뿐이라는 것이다.[1)]

그런 퍼스는, "우리는 내성 능력을 전제할 아무런 이유도 없으며, 심리적 물음을 탐구하는 유일한 방법은 외적 사실로부터의 추론"이라며 논리학적이고 기호학적인 입장을 제시한다. 그리고, "내적 세계에 관한 지식은 외적 사실들에 관한 지식으로부터 비롯하는 가설적 추론에 의해 도출된다고 한다".[2)]

한편, 선험철학에 대한 비판은 먼저 헤겔에게서 강하게 나타났다. 칸트가 지각의 인식능력으로 규정한 오성을 헤겔은 객관적 현실에 대

1) C. S. Peirce.『퍼스의 기호학』(제임스 홉스 편. 김동식, 이유선 역). 나남. 2008. p. 44.
2) 같은 책. pp. 95, 107.

립된 자기 인식의 즉자적 인식능력으로, 그리고 추론 능력인 이성은 현실과 조화를 이루고 실현하는 대자적이며 즉자대자적 인격의 인식 능력으로 전환했다. 헤겔은 물자체와 내성론에 바탕한 선험철학을 변증법적 존재론의 철학으로 바꾼 것이다.

1875년에 하버드대학에서 심리학 강의를 맡으며 미국 최초로 실험 심리학연구소를 개설한 윌리엄 제임스는 『심리학의 원리』(1890)에서 뇌신경생리학적 실험 관찰에 바탕한 지각이론을 개진했다. 그런 윌리엄 제임스는 감각과 지각의 구별에 관해 이렇게 말한다:

> ‘뜨겁다’, ‘차다’와 같이 ‘감각은 다만 그 대상이나 내용이 극히 단순하다는 점에서 지각과 구별된다.’ 감각 기능은 단순히 사실을 지적으로 아는 것일 뿐이다. 이와는 달리 지각의 기능은 분류, 비교, 측정, 정의 등에 관한 식적(識的) 지식을 얻는 것이다. 이와 같이 ‘특정한 물질적 사물을 감각하여 얻는 의식이’ 지각이다. 지각은 감각에 여러 지적 사실들이 연합되었다는 점에서 감각과 구별된다. 우리는 감각 과정과 뇌에서 재생되는 과정의 결합으로 지각을 얻는다.[3]

시몬(T. Simon)과 함께 최초로 공식적인 지능검사인 「비네-시몬검사」를 만든 프랑스의 심리학자 비네(A. Binet, 1857-1911)는 『추리 심리학』(La Psychologie du Ratsonnement)에서, 지각이 3개의 항으로 이루어지는 추정이라고 했다. ① ‘현존 감각 또는 신호’에 의해 ② ‘암시

3) William James. 『심리학의 원리』Ⅱ(정양은 역). 아카넷. 2005. pp. 1248, 1386.

되었거나 추정된 것'들은 ③ '과거로부터 불러낸 중간에 개입된 심상'과의 접촉에 의한 연합물이라고 한다.

이에 대해 윌리엄 제임스는 쇼펜하우어 · 스펜서 · 하르트만 · 분트 · 헬름홀츠는 물론 최근에는 비네까지 '지각을 다소간 무의식적으로, 그리고 자동적으로 수행된 추리 조작의 일종'으로 생각한다고 비판한다. 지각과 추리는 심리적으로 관념 연합으로 알려진, 뇌생리적인 습관 법칙으로서 별개의 두 심리과정인바, 지각을 무의식적 추리라고 말하는 것은 서로 다른 두 심리 과정에 대한 혼동이거나 불필요한 유추에 의한 결과라는 것이다.[4] 그런 제임스는 지각은 매개항이 요구되지 않는 2개항으로 구성된다고 주장한다.

> 우리는 색 조각을 감지하면서 '먼 곳에 있는 집'이라고 말하고 냄새가 휙 지나가면 '스컹크의 냄새'라고 말하며 희미한 소리에도 '기차 소리'라 말한다. 많은 예를 들 필요도 없다. 왜냐하면 현존하지 않는 감각을 그처럼 추정하는 것이 우리 지각 생활의 주요 부분을 형성하고 있기 때문이며, '제19장('사물' 지각)'은 착각에서나 현실에서나 이런 추정으로 가득 차 있었다. 그리고 그것들은 무의식적 추정이라 불렸다. 이때 보통은 추정하고 있다는 사실을 우리는 전혀 의식하지 않는 것이 확실하다. 신호와 그 신호가 의미하는 것이 융합함으로써 우리에게는 단일 사고 박동의 대상으로 보이게 된다. 형식 논리학이 더 전문적 용도로 이미 이런 표현을 갖고 있지 않다면 '직접 추정'이란 말이 이런 두

4) 같은 책. p. 1440.

개 항만을 요구하는 단순 추리 활동에 적합한 이름일 것이다.[5)]

제임스는, '직접 추정'의 단순 추리에는 ① 신호, ② 그 신호로부터 추정되는 사물, 그 둘 이상의 항을 가정할 필요가 없다며 "이 두 항 어느 것이나 복합적일 수 있지만, 본질적으로 A가 B를 불러올 뿐 중간항은 요구되지 않는다"고 한다. 아울러. "상호 암시만 하는, 단순히 이전에 경험한 구체적인 것들로 되어 있는 경험적 사고와, 추리라고 분명하게 말할 수 있는 사고가 서로 다른 점은 전자는 재생산을 할 뿐이지만 후자는 새로운 것을 생산하는 데 있다"고 한다.[6)]

그러한 제임스의 견해에 대해 퍼스는 "마음이 실제로 삼단논법의 과정을 통과할까? 하나의 결론이 마음속에서 두 개의 전제를 순간적으로 대체하는지는 정말 의심스럽다."면서도 그러나 "삼단논법의 과정과 동등한 어떤 것이 유기체 안에서 일어난다."며 지각이 '무의식적' 추론임을 주장한다.[7)]

하지만 제임스는, 지각에 있어 그와 같은 "군더더기의 우회 과정이 있다고 가정할 어떤 근거도 없어 보인다."며 모든 지각이 추정이라면 그런 분류를 하기 위해서는 그에 앞선 또 다른 삼단논법이 있어야 할 것이고, 이런 일은 한없는 퇴행을 초래하게 된다."고 한다.[8)]

칸트는 2항적 직접 추정과 3항적 추리라는 그와 같은 지각 논쟁 이

5) 같은 책 Ⅲ. p. 1828.
6) 같은 책 Ⅰ. p. 832.
7) 같은 책 Ⅰ. pp. 108-09.
8) 같은 책 Ⅱ. p. 1441.

전에 지각의 문제를 선험적 분석론에서 상술하였다. 먼저 결론부터 말해, 칸트는 지각을 '추론'적인 것으로 생각하지 않았다. 칸트는 이렇게 말한다. "직접 인식되는 것과 추리되는 것은 구별된다. 세 직선의 도형에 세 각이 있다는 것은 바로 인식된다. 그러나 세 각의 합이 두 직각과 같다는 것은 추리로써 가능하다. 우리는 부단히 추리하나 그것이 습관화되어서 종내는 직접적 인식과 추리의 차이를 모르게 된다"(B. 359).

칸트에게 '추론'은 '이성'의 기능이다. 이와 달리 경험 인식의 '지각'은 개념을 구성하는 오성의 일이다. 칸트 역시 퍼스 등과 마찬가지로 지각 구성이 3개의 항(인상 · 범주 · 개념)으로 이루어진다. 칸트의 선험적 논리학에서 제임스나 퍼스의 '지각'에 해당하는 '경험 인식'은 감성에 의해 직관된 인상들이 사유의 근본형식인 해당 범주들에 포섭되는지 여부를 비교 · 확인하는 판단으로써 얻는다.

판단은 일반적으로, 특수(현상)를 보편(규칙 · 원리)에 귀속시키는 일이다. 그런데, 지각 인식의 경우와 같이 보편(범주라는 규칙)이 이미 주어져 있어 그 범주에 인상이 포섭되는지 여부를 비교 · 확인하는 경우의 판단을 칸트는 규정적 판단이라 한다. 그와 달리 매개항을 중심으로 일반적 규칙의 원리인 대전제와 특수한 현상인 소전제를 구성해내는 사고는 반성적 판단이다. 칸트에게 추론은 이와 같은 반성적 판단력이 사용된다.

"모든 마음의 움직임은 추론으로 되어 있다."[9]고 말하는 퍼스의 경우, 판단은 무한히 소급되는 '이유'를 갖는다. 그러나 칸트의 지각 판단은 그러한 무한 소급의 이유와 추론을 원천적으로 허용하지 않는다. 칸트는 지각을 위해서 인상이 어떤 범주의 개념에 속하는지 여부를 검토하는데 이때의 범주는 다른 설명이나 판단이 요청되지 않는 수학적 공리와 같이 자명한 것으로, 우리 내부에 있는 표상의 근본형식인 원형들이라 할 수 있다.

칸트에게 지각은 대상을 경험하는 순간에 자명한 범주를 상기하고 대상의 인상이 마음속에서 떠오른 범주와 동일한 것인지 여부만을 비교 · 확인을 하기만 하면 된다. 인상과 범주의 비교 · 확인만을 행하는 인식기능을 칸트는 '오성'이자 '규정적 판단력'이라 하였다. 그와 달리 추론 능력은 이성이며 반성적 판단력이다. 그러한 칸트에게 감각지각은 추론에 의한 것이 아니다.

칸트의 지각 인식은 '인상 · 범주 · 개념'의 3항적 구조를 갖지만, 그것은 추론(이성 추리)이 아닌 규정적 판단력에 의한 '직접 인식(오성 추리)'이다. 칸트에게 추론은 이성의 기능이 수행하며, 지각은 오성의 기능이 수행한다. 또한 추론은 반성적 판단력에 의하며, 지각은 규정적 판단력에 의한다.

비의식으로 이루어지는 통찰 사고의 개념을 갖고 있지 않는 칸트는 지각을 3항적 구조의 '직접 인식'이라 한다. 그리고, 판단력을 규정적 판단력과 반성적 판단력으로 나누어 지각은 규정적 판단력의 작용이라 한다. 그러나, 사고의 본성은 '동일화'이다. '동일화'는 본질 면에서 '판단'의 다른 표현이기도 하다. '동일화'에는 규정적 또는 반성적으로 구별되는 본질적 소인이 내재되어 있지 않다. 다시 말해 동일화는 판단 형식 이전의 어떤 형식으로도 환원되지 않는 사고의 근본형식이다.

---

9) C. S. Peirce. 『퍼스의 기호학』(제임스 홉스 편. 김동식 외 역). 나남. 2008. p. 154.

순수이성의 한계를 지적하기 위한 칸트는 오성과 이성의 기능을 명확히 구별코자 했다. 판단력을 규정적이고 반성적인 것으로 구별하는 것은 그러한 비판적 논리체계의 정합성과 형식적 균형을 위한 조치이다. 본질 면에서 판단력이 그와 같은 두 가지 성격의 것으로 구별되는 것이 아니다. 그것은 경험 인식과 개념적 추론의 용도에 바탕한 화용적 구별일 뿐, 판단이나 동일화에 관한 본성론적 구별이 아니다.

본질 면에서, 동일화의 사고는 그 심도와 생성기호의 유형에 따라 구별된다. 그리고, 생성 기호에 의한 분류 역시 동일화의 심도에 따른 것이다. 칸트가 말하는 '직접 인식'과 '추리' 역시 동일화의 심도를 달리하는 사고이다. 우리가 대상에 대한 직접 인식이 가능한 것은 추리를 해야 하는 경우보다 그 대상에 관해 사전 지식을 더 보유하고 있기 때문이다.

칸트는 "세 직선의 도형에 세 각이 있다는 것은 바로 인식된다. 그러나 세 각의 합이 두 직각과 같다는 것은 추리로써 가능하다."며 직접 인식과 추론이 구별됨을 사례적으로 보여준다. 아울러, 그와 같은 구별은 '습관'에 의한 것이라고 칸트는 말한다. 처음에는 추리(이성 추리)되었던 것이 나중에는 자연히 직접 인식(오성 추리)된다고 칸트는 부연하고 있다:

> 직접 인식되는 것과, 단지 추리되는 것은 구별된다. 세 직선에 싸인 도형에 세 각이 있다는 것은 직접적으로 인식된다. 그러나 이 세 각의 합계가 두 직각과 같다는 것은 추리로써 얻을 수 있다. 우리는 부단히 추리를 하지만 종내는 습관화되어 직접적 인식과 추리의 차이를 모르게 된다.

> 이른바 감관의 착각 경우처럼, 우리는 추리한 것을 때로 직접 지각한 것으로 생각하기도 한다(B. 359).

우리는 삼각형이 세 각으로 이루어져 있다는 것을 알고 있다. 하지만, 세 직선에 싸인 도형이 삼각형이라는 사실을 모를 수도 있다. 이 경우 우리는, 세 직선의 도형에 세 각이 있다는 것을 알 수 없다. 따라서, 이때는 세 직선의 도형이 삼각형이라는 사실을 먼저 확인해야 한다. 그런 연후에 우리는 "세 직선의 도형은 삼각형이며, 삼각형에는 세 각이 있다."는 사실을 근거로 해서 "세 직선의 도형엔 각이 세 개다."라는 인식을 가질 수 있다.

한편, "세 각의 합이 두 직각과 같다."라는 명제의 경우, 삼각형의 내각의 합이 180°이고 직각은 90°라는 사실을 우리가 알고 있다면, "세 각의 합이 두 직각과 같다."는 사실은 추론을 할 필요가 없이 곧바로 알 수 있다. 이와 같이 '직접 추정'과 '추리'는 문제의 성격에 따라 사용되는 것이 아니다. 그 사용은 관련 정보의 유무 여부에 따라 결정된다.

그러니까, 어떤 대상에 관하여 우리가 ① 완전히 이해하고 있는 경우, ② 그 사실을 알 수 있는 단서를 알고 있는 경우에 따라 수행되는 사고가 다르다. ①과 같이, 삼각형의 세 각의 합이 두 직각과 같다는 사실을 완전히 알고 있는 경우는 직접 인식이 가능하다. 그것은 내장된 지식이 추론의 수고를 덜어주기 때문이다. 그러나 ②와 같이, 그 사실을 알 수 있는 불완전한 어떤 단서만을 알고 있는 경우에는 추론이나 통찰이 요구된다.

인지 기능을 연구하는 엘크호논 골드버그(Elkhonon Goldberg)에 의하면, 양전자방사단층촬영(PET)의 뇌영상 결과, 사물이나 단어 같은 자극을 반복하여 주면 좌반구가 계속 활성 상태로 있다. 반면에 우반구는 새로운 자극이나 과제가 주어질 때만 활성화 된다. 자극이나 과제가 연습을 통해 익숙해지면서 우반구의 활성이 줄어드는 반면, 좌반구는 그 자극을 처리하기 위해 계속 활성화 된다.[10] 이것은, 어떤 문제에 대한 단서의 인지 여부에 따라 통찰 또는 추론을 수행하다가도, 완전한 지식을 획득하게 되면 지각의 직각 사고로써 인식하게 됨을 보여주는 실험결과이다.

> ☞ 우리는 추론으로도 지식을 얻을 수는 있으나, 추론은 비의식의 사고 중에 필요시마다 의식 상태로 돌아오게 되므로 사고의 흐름이 끊기게 된다. 그래서 추론은 통찰보다 깊은 숙고를 할 수가 없다. 통찰이 창조적 사고이고, 추론이 이해나 설명, 학습의 사고로 기능하는 것은 그러한 까닭이다.

살펴보았듯이, 직접 인식이냐 추리이냐 하는 문제는, 내장된 사전정보의 보유 여부에 따른 선택의 문제임을 알 수 있을 것이다. 우리는 기존의 지식을 바탕으로 새로운 지식을 구한다. 그리고, 새로운 지식은 우리 정신 속에서 기억의 과정을 통해 기호화(지식화) 되어서 새로운 판단을 돕는다. 그럼으로써 사고의 수고를 덜어준다. “우리는 부단히 추리하나 그것이 습관화되어서 종내는 직접적 인식과 추리의 차이를

10) Eric Hoffmann. 『이타적 인간의 뇌』(장현갑 역). 불광. 2012. p. 564.

모르게 된다"는 건 그러한 까닭이다. 사전 정보의 보유가 동일화의 심도를 덜어준다. 그럼으로써 추론 이전에 직접 인식이 가능하다.

칸트의 3항적 '직접 인식'의 지각론은 앞에서 보았듯이 충분한 설명이 되지 못한다. 그것은 제임스의 2항적 직접 추정이나 퍼스의 3항적 무의식적 추론 역시 마찬가지이다. 이들 견해의 문제는 근본적으로 ❶ 통찰과 추론 사고를 본질 면에서 명확히 구별하여 인식하고 있지 않다. 특히, 칸트의 경우 사고를 지각과 추론으로만 이해하고 '통찰' 개념을 갖고 있지 않다. ❷ 제임스와 퍼스는 무의식(이 책의 필자의 비의식) 개념을 갖고 있으나, 퍼스와 달리 제임스는 통찰 개념을 갖고 있지 않다. 또한 그들은 정신언어인 비의식기호 개념을 갖고 있지 않다.

그러한 관계로 제임스는 무의식으로 이루어지는 동일화의 지각을 2항적 구조를 지닌 "단순 추리" 또는 "직접 추정"이라고 한다. 그리고 퍼스는 지각이 '추론' 과정을 지닌다고 하면서도 "마음이 실제로 삼단논법의 과정을 통과할까?"하는 의문을 떨치지 못한 채 3항적 지각 구조와 사고과정을 분명하게 기술하지 못한다.

칸트가 오성적 지각의 직접 인식과 이성적 추리를 구별하였듯이, 윌리엄 제임스는 직접 추정의 지각과 추리를 구별한다. 다만, 지각의 경우 칸트가 3항적 견해를 지닌 것과 달리 제임스는 2항적 입장을 견지한다. 그런 제임스는 직접추정은 재생산을 할 뿐이나 추리는 새로운 것을 생산한다고 말한다. 그러나 지각은 비의식으로 수행되는 비의식기호를 사용하여 복합판단을 수행하는 3항적 통찰 사고이다.

윌리엄 제임스는 "무의식적 추정"이라는 표현을 하는데, 이것은 이 책에서 말하는 '비의식의 통찰'에 해당한다. 제임스는 "이때 보통은 추정하고 있다는 사실을 우리는 의식하지 않는 것이 확실하다."고 말한다. 이것은 '추정'을 행하고는 있으나, 의식되지는 않는다는 의미이다. 그러한 까닭으로 제임스는 지각을 '무의식적 추정'이라고 한다.

그런 제임스는 추정의 과정을 매개항이 없는 인식으로 생각한다. 그러나, 이것은 지각이 매개항을 사용하는 복합판단임을 간과한 것이다. 우리의 사고는 비의식 상태에서 비의식기호를 사용한다. 비의식기호는 내장된 정보의 지식으로서, 비의식 상태에서 회상되고 사용되는 전기화학적 신호작용의 의미작용이다.

언급했듯이 제임스는 지각은 "본질적으로 A가 B를 불러올 뿐 중간항은 요구되지 않는다"고 생각한다.[11] 하지만, 지각을 비롯한 우리의 모든 사고는 중간 항을 사용하는 통찰 사고이다. 그러한 과정이 단지 의식되지 않을 뿐이다. 우리는 사고를 하는 중에 중간항에 해당하는 어떤 의미들을 파지하지만 사고를 수행하는 중에는 그러한 사실이 의식되지 않는다. 우리의 신경생리작용으로서의 사고는 심상기호나 외현기호의 언어를 사용하지 않으며, 감각적 분절체계나 구조를 초월한 정신 언어로써 수행되는 까닭이다.[12]

우리는 언제나 직접, 불현듯 새로운 지식이나 결과물을 얻게 된다. 이러한 통찰의 내용이나 과정을 명료히 설명하거나 이해하고자 할 때

---

11) William James(정양은 역). 같은 책Ⅱ, p. 1828.
12) 정신언어와 관련하여: 이 책의 필자는 통찰의 수행 시 파지되는 "비의식기호" 개념을 창안하여 사용해왔다. 그런데 이 책의 필자가 비의식기호 개념을 사용하기 훨씬 이전에 인지과학자이자 철학자인 제리 포더 교수는 1975년에 필자의 비의식기호 개념과 유사한 맥락에서 "사고 언어 가설(language of thought hypothesis)"을 제시했다. 그리고, 언어심리학자이자 인지과학자인 핑커(Steven Pinker, 1954-) 교수는 포더의 견해를 이어받아 "정신문법", "보편적 정신어"라는 용어를 사용해왔다.

우리는 논리규칙을 사용한다. 이때 비로소 우리는 통찰에 매개항이 사용되었음을 인식하게 된다. 한편, 이러한 매개항은 논리규칙이 유도해내는 것이 아니라 우리의 정신이 찾아낸다. 우리는 이러한 매개항을 사용해서 대상을 인식한다.

한편 제임스는 "지각에 있어 그와 같은 군더더기의 우회 과정이 있다고 가정할 어떤 근거도 없어 보인다."고 하는데, 이것은 언급한 바와 같이 지각이 비의식에서 수행되는 때문이다. 그리고 제임스는 "지각이 추정이라면 그런 분류를 하기 위해서는 그에 앞선 또 다른 삼단논법이 있어야 할 것이고, 이런 일은 한없는 퇴행을 초래하게 된다."고 말한다.[13)]

물론, 제임스가 우려하는 바와 같은 무한 퇴행을 초래한다. 그리고 우리가 모든 지각을 의식 상태에서 제임스가 말하듯 2항적 도식의 추정이나 퍼스와 같은 3항적 논리형식으로 수행한다면 아마 우리의 정신은 정보처리의 과부하로 견디기 어려울 것이다. 제임스 또한 "우리의 뇌 회로에 습관이 형성되지 않아 에너지의 소비를 효과적으로 제어하지 않으면 곤란할 것"이라며 "습관은 '일정한 결과를 성취하는 데 요구되는 신체 운동을 단순화하고 더 정확하게 만들어 피로를 줄인

이와 같이 유사하거나 동일한 취지 · 개념 · 이론 등을 전혀 영향을 주고받지 않고서 독자적으로 동시에 또는 동시적으로 구현해내는 상황에 대해서 Orburn · Thomas(1922), Borring(1971), Lamb · Easton(1984) 등이 연구한바 있으며, 이 책의 필자 역시 독자적으로 융의 "동시성 원리"와 연계하여 원형론 등으로 언급해왔다. 그리고 이 책의 "원형과 사고" 편에서도 그러한 내용을 기술하고 있다. 그런데, Borring(1971) 역시 이 책의 필자와 마찬가지로 융의 동시성 개념을 빌려서 그에 관해 논의했다는 것을 이 책의 필자는 뒤늦게 알았다.

13) 같은 책 Ⅱ. p. 1441.

다'"고 말한다.[14)]

우리는 사고의 본성을 'A=C'라는 도식으로 표현한다. 그것은 우리의 사고가 'A=B, B=C'라는 이유를 내포함을 의미한다. 우리는 자연현상을 원인과 결과라는 패턴으로 형식화하며, 모든 현상에는 원인이 있다고 생각한다. 그러한 까닭에 쇼펜하우어는 절대 시초의 무제약적 원인을 인정하지 않았고 퍼스 역시 해석체의 기호론과 함께 무한 소급의 추론을 주장했다.

이 책의 필자 역시 사고의 본성을 'A=C'라고 표기함으로써, 모든 사고는 원인이나 이유를 추궁함을 나타내고 있다. 우리의 사고는 근원을 향해 무한히 추궁한다. 하지만 이것은 인간의 사고의 본성이 그러하다는 것이다. 실제의 사고 시에 우리는 이미 알고 있는 문제나 경험한 대상에 대해서는 더 이상 사고를 진행하지 않는다.

우리는 처음 경험하거나 모호하여 통일적 개념의 인상을 얻기가 곤란한 사물을 접할 경우 의식 상태에서 (퍼스나 제임스 등이 그러하였듯) 사물에 대한 분석과 추정이나 추론을 행한다. 그러나 그 사물을 다시 접하는 경우 우리는 처음과 같은 추론을 하지 않고 곧바로 어떤 사물임을 알아차린다.

그러하듯 우리는 경제적이고 효율적인 사고를 하는 타고 난 재능을 갖고 있다. 그것은 다름 아닌 '비의식'이며, 또한 '비의식기호'를 사용하는 일이다. 다행스럽게도, 우리는 추론이나 추정의 지각을 제임스와 퍼스가 생각한 바와 같이 무의식적(이 책의 필자의 비의식)으로 수행

---

14) 같은 책 Ⅰ. p. 203.

한다. 그리고 또한, 우리의 정신은 이미 알고 있는 내장된 정보기호들을 활용하여 슬기롭게도 무한 퇴행의 사고를 멈추고 결론적 인식을 구성한다.

지각의 경우 외견상으론 칸트나 제임스가 말하듯 직접인식이나 직접 추정으로 여겨지는 게 사실이다. 우리는 '장미꽃'이라는 언어적 표현 이전에 먼저 장미꽃의 이미지(인상)를 얻는다. 그것으로 '지각'은 완성된다. "장미꽃이다!"라거나, "이것은 장미꽃이다!"라는 도식적 표현들은 우리의 '지각'이 아니라, 지각 이후에 '언어'로써 재확인하는 행위이며, '지각을 표현한 말이나 문장'이다.

생리학자이자 뇌과학 연구자 베넷과 분석철학자 해커는 『신경 과학의 철학: 신경 과학의 철학적 문제와 분석』에서 지각은 가설적 추론이 아니라 "하나의 사건이나 일어나는 일"이라고 한다.[15] 그리고, 한 세기도 더 전에 베르그송은 지각이란 세계에 대한 순수 인식이라기보다는 세계와 상호 작용하는 생명체의 운동 경향으로 생각했다. 지각은 관념론자나 실재론자가 상정하듯이 순수하게 인식적인 능력이 아니며, 살아 있는 신체로서의 생명체가 주어진 환경과의 상호작용 속에서 형성할 수밖에 없는 운동적 성향으로 베르그송은 이해했다.[16]

또한, 지각의 추론성을 부정하고, 지각을 '동물-환경' 단위체계의 창발적 속성으로 이해한 J. J. Gibson은 지각이란 최소한의 심적 노력

---

15) M. R. Bennett, P. M. S. Hacker. 『신경 과학의 철학: 신경 과학의 철학적 문제와 분석』(이을상 외 역). 사이언스북스. 2013. p. 279.
16) 김재희. 『물질과 기억 Matière et mémoire: 반복과 차이의 운동』. 살림. 2008. pp. 84, 93.

이 필요할 뿐, 별도의 복잡한 해석적 분석과정이나 표상과정이 필요하지 않은 것으로 생각한다. 다시 말해 지각 내용은 구성되거나 추론되는 것이 아니며 직접적으로 지각되는 것이라는 말이다. 베넷과 해커, 베르그송, 깁손의 경우는 지각을 단지 신경생리작용의 자연현상 그것으로 이해한다고 볼 수 있다. 사실, '의미'나 '사고' 같은 개념을 부여하기 이전에 우리의 지각이나 통찰은 생명체로서의 이러한 신경생리작용에 다름 아니다.

제임스가 말하는 2항적 추정이나 칸트의 3항적 인식은 지각과는 또 다른 사고이다. 그것은 지각의 내용을 이해하거나 설명하기 위해 언어와 문법, 논리규칙 등의 인위적 형식에 따라 다시 풀어낸 추론 사고이다. 지각은 대상을 다만, 알아차리는 일이다. 이러한 알아차림으로서의 지각은 2항이나 3항적 관계의 기호들의 연결 형태로 인지되는 것이 아니라, 전일적이고 총체적인 단일항의 형태로 인지된다.

칸트가 말한 직접 인식 또는 제임스가 말한 "단일 박동"이 그것이다. 하지만, 이러한 외견상의 물리적 지각현상이 지각의 전 면모는 아니다. 지각의 과정은 우리가 외견상 인지하는 상황과는 다르다. 언급했듯 사고의 본성은 동일화이다. 그러하듯 지각의 본성 역시 '동일화'이며, 따라서 지각은 '통찰' 사고이다. 통찰은 의식되지 않는 비의식의 상태로 동일화를 수행한다.

그러한 까닭에 우리는 지각을 '직접 인식'이나 '직접 추정'으로 인지하게 된다. 언급했듯이, 칸트나 제임스는 통찰 개념을 상정하고 있지 않다. 그들은 사고를 지각과 추론의 두 유형으로 구별한다. 그런 제임스는 지각을 추리와 구별하고 변별성을 매개항의 존재 여부에서 찾는다(『심리학의 원리』, 제22장 추리).

그리고 앞에서도 보았듯이, 칸트와 제임스는 감각자극에 대한 사고만으로 직접 지각에 이르는 것으로 설명한다. 칸트에게 지각은 감성에 의해 주어진 직관의 상에 (오성의 범주인식과 규정적 판단력의) 사고가 작용하여 얻어진다. 그와 같이 칸트는 범주를 도식화하여 인상과 비교하지만, 그것은 규정적 판단력에 의한 것으로 추론이 아니라고 칸트는 주장한다. 그리고 제임스는 또한 감각신호에 의한 무의식적 추정을 통해 지각을 얻는다고 한다.

물론, 일상생활에서 접하는 대상들은 대부분이 동일하거나 유사한 것들로서, 우리는 늘 접하는 그러한 사물이나 반복되는 학습의 내용물은 애써 기억하지 않고 무관심하게 지나친다. 늘 경험하는 대상의 경우 우리는 '3항적 무의식의 추론'도, '2항적 추정'도 행하지 않는다. 단지, 대상에 대한 감지만을 할 뿐이다. 그러나, 이러한 경우는 제임스가 말한 바 있는 '식적 지각'이 아니라 '감각' 또는 칸트가 말한 개념 없는 직관으로서의 단순한 '인상'의 지각이라고 해야 할 것이다.

하지만, 우리는 일상생활 속에서도 단순한 지각에 그치지 않고 분명한 '인식'을 갖는 경우가 있다. 이때 우리의 단순한 감지 현상으로서의 지각은 기억작용에 의해서 기호화하거나 또는 재인식을 수행한다. 이와 같은 기호화나 재인식의 인식은 과거에 이미 획득된 정보들에 대한 조회와 참조를 통해서 이루어진다. 그러한바, 이러한 지각은 실제 내용상으론 복합판단을 거치는 통찰사고이다. 다만, 우리가 비의식기호를 사용하는 까닭에 그러한 사고가 복합판단의 통찰임을 인식하지 못할 뿐이다.

이와 같이 지각을 비롯한 우리의 모든 사고는 본질적으로 통찰이다. 다시 말해, 복합판단의 사고이다. 그러한바, 여기서 우리가 확인할 수 있는 것은, 순수한 지각은 없다는 사실이다. 모든 지각은 이미 주어진 정보에 바탕한 사고로써 성립한다. 다만 그러한 사고의 과정이 비의식 상태에서 비의식 기호로써 수행되는 까닭에 지각의 과정에서 우리가 사고를 수행함을 인지하지하지 못하는 것이다.

지각은 윌리엄 제임스가 생각했듯 대상과 현재표상에 의한 '2항적 추정'이 아니다. 지각은 '대상 곧 표상(A=C)'이라는 즉각적 알아차림의 동일화 정신작용, 즉 '직각'이지만, 내용은 통찰적이다. 그리고 깁손과 같은 자연주의자들 역시 우리의 사고가 비의식 상태에서 비의식기호로써 수행되며 아울러 사고가 기억 시스템과 하나를 이룬다는 사실을 고려하지 않는다. 우리의 지각이 비의식 상태에서 비의식기호를 사용하여 수행되는 까닭에 "지각 내용은 구성되거나 추론되는 것이 아니"라고 생각하게 된다. 물론, 지각은 추론 사고가 아니다. 그러나, 지각은 추론적 내용들로 환원된다. 퍼스가 "마음이 실제로 삼단논법의 과정을 통과할까? 하나의 결론이 마음속에서 두 개의 전제를 순간적으로 대체하는지는 정말 의심스럽다."면서도 그러나 "삼단논법의 과정과 동등한 어떤 것이 유기체 안에서 일어난다."고 한 까닭이다.

찰스 퍼스 이전에 헬름홀츠(1867)는 지각이 "무의식적 추정"으로 이루어진다고 주장했다. 물론, 윌리엄 제임스는 이를 비판했다. 그런데, 헬름홀츠는 시지각 과정에 무의식적 처리가 있음을 확인했으며, 또한 촉지각 연구에서, 신경세포 축삭의 전기신호가 초속 약 27m로 매우 느리다는 것을 알아내었다. 이를 통해 헬름홀츠는 뇌의 많은 감각 정보 처리과정이 무의식적으로 이루어진다고 생각했다.[17]

심리학자 Matthew Olson과 신경생리학자 Eric Kandel 역시 지각이 무의식적 추론으로 이루어진다는 생각을 갖고 있다. 그들은 모두 착시 그림을 증례로 든다. 물론 이 책의 필자의 관점에서, 착시 그림의 경우는 우리의 사고가 불완전한 그림의 빈틈을 무의식적 추론에 의해 매웠다고 생각하기 보다는 우리의 시각이 빈틈을 매운 것으로 생각한다.

따라서, 착시 그림의 경우는 무의식적 추정이 아니라, 무의식적 감각의 문제로 이해해야 할 것이라 생각한다. 그러나 한편으로, 착시를 일으킨 이유가 완전한 형태의 그림으로 보고자 하는 의도에 따라 이루어졌고 그 과정에서 추론이 일어났다고 하는 주장이 있을 수도 있을 것이므로, 아무튼 이들의 생각을 들어보자. Matthew Olson은 형태주의 심리학자들의 "폐쇄 원리"에 관해 언급한다:

> 형태주의 이론가들이 연구한 지각 원리들 중에 '폐쇄 원리'가 있다. 우리가 작은 틈이 있는 원 모양의 곡선을 볼 때, 우리는 그 벌어진 틈을 메워서 완전한 원으로 보는 경향이 있다. 불완전한 것을 완전한 것으로 지각하는 이러한 '폐쇄 원리'는 통일된 의미를 구현하려는 '함축성의 법칙'에 따른 것이다. "우리가 감각적으로 경험하는 것은 불완전한 원이지만 의식적으로 경험하는 것은 완전한 원이다." 우리는 함축성의 법칙에 따라 뇌에 의해 정보가 변형된 후에만 정보를 경험한다. 형태주의자들에 따르면 뇌는 함축성의 법칙에 따라 들어오는 감각 정보를 역동적으로 변형한다.[18]

17) E. R. Kandel. 『통찰의 시대』(이한음 역). 알에이치코리아. 2013. p. 254.
18) M. H. Olson. 『학습심리학』(김효창 외 역). 학지사. 2009. pp. 357-58.

Gaetano Kanizsa, 카니자 삼각형, 1950

위의 그림은 이탈리아 화가이자 심리학자인 가에타노 카니자(Gaetano Kanizsa, 1913-1993)가 그린 작품이다. Eric Kandel은 이 착시 현상을 일으키는 그림을 통해 우리의 지각이 무의식적 추론을 수행한다고 설명한다:

> 우리 마음은 두 개의 겹친 삼각형 이미지를 구축한다. 하지만 두 삼각형을 규정하는 듯이 보이는 윤곽은 전적으로 착각의 산물이다. 이 이미지에 삼각형이라고는 아예 없으며, 그저 세 개의 각과 세 개의 잘린 원만이 있을 뿐이다. 뇌가 이 감각 정보를 처리하여 하나의 지각으로 만들 때, 윤곽선이 따로 없는 삼각형이 한 삼각형의 윤곽선을 가린 형상이 출현한다. 뇌는 헬름홀츠의 무의식적 추론을 써서 이 이미지를 만들어 낸다.
>
> 우리는 애매한 이미지를 본 뒤 우리의 기대와 과거 경험을 토대로 그

이미지가 토끼 또는 오리라고 무의식적으로 추론한다. 이것은 헬름홀츠가 말한 하향식 가설 검증과정이다. '루빈 꽃병'도 지각이 경쟁하는 두 해석 사이를 오가고 뇌가 무의식적으로 하는 추론에 의존하는 사례다.[19)]

루빈의 꽃병

그러나, 지각과 추론은 엄연히 다르다. 캔들은 〈루빈의 꽃병〉 그림을 보는 우리의 지각이 추론에 의해서 이루어지는 듯 얘기한다. 그러나 이 책의 필자는 생각을 달리한다. 이 그림에 대한 지각의 경우, 우리는 지각 사고를 하거나, 추론 사고를 하거나 둘 중의 하나의 사고를 할 뿐이다. 우리는 처음 그림을 본 순간 지각을 즉시 하거나, 또는 판

19) E. R. Kandel(이한음 역). 같은 책. pp. 261, 260.

단을 하지 못하고 얼굴일까, 꽃병일까, 이리저리 생각해보다가 인식을 완료하기도 한다. 이때, 전자의 경우는 추론 사고 없이 지각 사고를 행한 것이고, 후자의 경우는 추론 사고를 행한 것이다.

추론 과정 역시 우리의 의식에서 인지되는 것이 아니다. 그리고, 우리의 뇌는 삼단논법의 순서대로 판단과정을 수행하지도 않는다. 우리는 통찰의 결과(A=C)를 토대로 'A=B, B=C'라는 동일화 과정이 있었을 것임을 추론적으로 가정하고 추인하여 인정함으로써 그렇게 이해할 따름이다. 그러니까, 추론 사고는 믿음이나 확신을 전제로 하는 하나의 가정적 사고라 할 수도 있다.

우리는 통찰을 결코 삼단논법과 같은 순서나 질서에 따라 수행하지도 않으며, 아울러 통찰 사고를 수행하면서 동시에 그 내용을 인지할 수 있는 것도 아니다. 우리의 통찰 사고는 말이나 문자와 같은 외현기호에서 볼 수 있는 언어체계의 형식과 문장구조를 따르지 않는다. 비의식기호를 사용하는 우리의 통찰 사고는 의식되지 않는 정신계에서 마치 입체 영상의 홀로그램을 구성하듯 의미들을 연결하여 직조한다.

삼단논법과 같은 질서정연한 체계적 질서의 형식은 통찰 사고의 종료 후 추론 사고에 의해 우리가 사후적으로 정리해낸 것들이다. 통찰 사고는 매개를 사용해 대상기호를 목표기호로 동일화한다. 이러한 인과적 매개의 동일화에 의해 우리의 통찰 사고는 의미의 홀로그램을 형성한다. 우리는 그러한 통찰의 내용을 추론 사고로써 언어기호와 문법적 질서 그리고 논리규칙에 따라 다시 선형적(lineir) 형태로 풀어낸다.

지각 사고 역시 마찬가지이다. 매개적 정보로써 어떤 대상을 조회하여 하나의 의미체로 인식하는 지각의 과정은 3항적 구조의 동일화 형식을 갖는다. 일견, 지각이 윌리엄 제임스가 말하듯, (어떤 것으로부터 다른 어떤 것을 생각해내는) 2항적인 것으로 여겨지는 것이 사실이다. 그리고, 보다 엄밀히 들여다보면, 2항적이 아니라 역시 제임스가 말한바 있듯 “단순 사고 박동”의 전일적 양태로 수행된다. 이와 같이 지각이 직접 인식이나 2항적 직접 추정의 형식으로 이해되는 것은 매개적 동일화의 과정이 비의식 상태에서 전일적으로 이루어지기 때문이다.

감성은 대상의 상을 만드는 감각기능이요, 사고는 감각기능이 만든 상을 의미화하고 나아가 통찰을 수행하는 상징기관이다. 그러한 사고는 감각기관의 연장이다. 우리의 정신은 감각으로 상을 포착하며, 감각이 미치지 않는 부분을 사고로써 파악한다. 매우 역설적으로 들리겠지만 사고는 감각의 보조기관으로서, 사고는 감각의 연장이다. 이와 같이 사고의 근원이자 출발이 감각이고, 감각은 신경생리적 동일화 신호작용에 의한 상징의 작용이다.

아울러, 감각에서 비롯한 ‘지각’의 본성 역시 동일화의 상징이다. 감각은 지각을 이루며 기호화되고 기호들은 보다 새로운 지각과 통찰을 가능하게 한다. 그러한 사고의 과정을 설명하는 것이 추론이다. 우리가 산에서 작은 다람쥐와 같은 동물을 본 기억이나 노트를 가득 메운 복잡한 고차방정식을 푼 경험의 기억이나 그것은 동일한 하나의 기억이다.

우리는 새로운 사물을 접하거나 어려운 문제에 부딪혔을 때 무한 퇴행의 인과적 추론 대신 그와 같은 내장된 정보를 활용한다. 튤립을 보는 우리가 장미로 생각하지 않는 건, 튤립의 모든 인상과 특징을 관찰하고서가 아니라, 하나의 단서를 통해서 예전에 본 튤립 이미지의 원형을 떠올릴 수 있기 때문이다. 아무리 복잡한 문제를 접하더라도 얼마 간의 숙고와 정보의 습득 끝에 문제를 해결하는 것은 예전의 지식을 회상할 수 있기 때문이다.

우리가 회상하는 지식들 역시 현재 어려운 문제를 풀 듯 예전에는 힘겹게 숙고하여 풀었던 문제들이다. 그러한 결과로 지식으로 내장되어 우리의 정보체계 내에서 맥락적으로 자리하고 있었던 것이다. 우리는 그러한 지식의 정보기호들을 회상함으로써 논자들이 말하는 무한퇴행적 추론의 수고를 하지 않아도 된다. 이것은 단순한 지각이나 심층 통찰의 경우나 마찬가지이다. 다만, 이러헌 과정들이 의식되지 않고 비의식으로 이루어지는 까닭에 우리는 그러한 사실을 인지하지 못할 뿐이다.

우리가 지각의 연구에서 얻을 수 있는 가장 큰 의미의 하나는 감각과 감각의 연장인 사고 그것의 본성은 동일화이며, 나아가 모든 사고의 실체는 동일화 정신작용이라는 사실이다. 즉각적 앎의 사고인 직각은 추론이나 통찰과 달리 상대적으로 창조적이지 않을 뿐, 본질에서 통찰의 사고이다. 그러한 우리의 사고는 비의식으로 수행되며 그 결과가 의식에서 인지된다. 그것은 창의적 통찰만이 아니라 단순한 '지각' 역시 마찬가지이다. 지각의 과정은 "0.1초 정도로 순식간에 무의식적으로 처리"된다.[20] 이와 같이 찰나적으로 이루어지는 까닭에 지각이 비의식으로 이루어진다는 사실을 인지하지 못할 뿐이다.

---

20) 박문호.『그림으로 읽는 뇌과학의 모든 것』. 휴머니스트출판그룹. 2013. pp. 716-17.

전통적으로 철학과 심리학을 비롯한 제 인문학에서는, 통찰과 추론을 본질적 측면에서 분리하여 연구하고 있지 않다. 그리고, 사고와 기억, 기억과 기호, 기호와 상징, 상징과 사고 등의 인식소들의 본질적이고도 유기적인 상호관계를 연계하여 다루지 않는다. 상징 · 사고 · 기억 · 기호 · 지식 · 상상력 · 지각 · 통찰 · 추론 그리고 의식 · 비의식 등의 용어와 기능들은 유기적이고도 전일적 관계를 이루고 있다. 그러한바, '지각'의 문제 또한 사고와 기억, 통찰과 추론 등의 관계 속에서 살핌으로써 그 본질적 속성을 이해할 수 있다.

6.2. 지각과 인공지능

인공지능 연구의 첫 번째 목표는 지능 생성의 원리에 대한 이해로서, 지능의 본질을 밝히는 것이다. 그리고 컴퓨터에 활용하는 일이다. 인지과학은 지능의 본질을 지각능력, 의사소통 능력, 창조성 등과 같이 지능이 발현되는 여러 상황들에서 그 요인을 찾는다. 인지과학에서 논의되는 지각이론은 대체로 다음과 같은 것들이 있다.

Ⓐ 1930년대 코프카와 쾰러 등이 제시한 전체적 통일체의 구조로서 바라보는 형태주의(Gestalt). Ⓑ 자극과 감각된 신호자료들에 대한 다양한 추론과정의 결과라는 구성주의(Gregory, 1972). Ⓒ 자극의 상과 저장된 다양한 형판과의 비교로 대상을 인식한다는 형판이론. Ⓓ 대상과 저장된 원형과의 일치 정도에 따라 인식한다는 원형이론. Ⓔ 저장된 세부특징(세로선, 가로선, 둥그런 선, 꺾어진 선, 원 등)과 대상의 비교로 인식이 된다는 세부특징이론.

Ⓕ 지온(36개의 구성 요소)의 선택적 조합에 의한 상과 기억 표상의 대

조로 인식한다는 비더만의 구성요소 재현 이론. Ⓖ 강약 차이의 점들의 집합인 자극입력 단계, 명암 처리의 시각1단계, 지각자 중심으로 영상 특성을 만드는 2-1/2차원 이미지단계, 대상 중심으로 만들어내는 시각3단계로 구분하는 마(David Marr, 1982)의 계산지각 모형이론. Ⓗ 지각은 구성되거나 추론되는 것이 아니라, 환경과 상호 작용에 의한 것으로 단지 정보를 취하기만(pick-up) 하면 된다는 Gibson의 생태학적 접근의 직접적 지각이론 등이 있다.

물론, 이러한 지각이론들은 각종 자극을 표상 · 저장 · 활용하는 형식에서 설명할 수도, 또 다른 설명의 틀을 취할 수도 있다.[21] 사실, 이론적 설명만이 아니라, 실제 우리의 지각 과정 또한 저마다의 습관에 따라 다를 수 있다. 개인에 따라 보다 어떤 방식이 효과적일 수는 있겠으나, 모두가 동일한 방식으로 지각을 하거나, 해야만 하는 것도 아니다.

한편, 이들 이론은 대략 세 가지 특징적인 유형으로 구별되는데, ① 3항적 추론의 구성, ② 마(Marr)의 직접 인식의 계산지각 모형이론, ③ 깁슨의 직접 지각론이다. 그런데, 지각은 감각 지각(감지)과 식적 지각으로 구별할 수 있다. 필자는 앞에서 식적 지각을 중심으로 다루었는데, 이것은 우리의 논의의 중심이 '사고(통찰)'이기 때문이다. 그런데 인공지능 분야의 경우는 통찰력 못지 않게 감각지각에도 관심을 갖고 있다.

현재, 외부 자극으로부터 시각은 어떻게 뇌에 인식되는지 전달과정은 어떠한지와 같은 시각 지각의 연구와 관련하여 MIT의 승현준 교수

---

21) 이정모. 『인지과학: 학문 간 융합의 원리와 응용』. 성균과대학교 출판부. 2009. pp. 321, 378-88.

는 쥐의 망막 특정 구간을 잘라 348개 뉴런 커넥톰(뇌지도)을 완성하는 '아이와이어' 프로젝트를 진행 중이라고 한다. 그리고 이러한 작업 이후 더욱 고등한 동물로 올라가 궁극적으로 인간 뇌의 커넥톰에 도전할 것으로 향후 20-30년을 예상하고 있다고 한다(『게넥톰, 뇌의 지도』, 2014).

그런데, 놀라운 후각능력의 개, 열 감지능력을 지닌 뱀, 초음파 탐지능력을 지닌 박쥐 · 돌고래 · 상어, 자외선을 감지하는 새들과 꿀벌 등의 경우처럼 감각지각 능력은 우리보다는 동물들이 월등히 뛰어나다. 그런데, 감각지각 능력 역시 통찰 능력과 결부되어 있다. 단지, 그들은 기호를 정교하고도 체계화할 만큼 '동일화'의 상징 능력과 각성력이 부족하여 감각지각의 통찰 과정과 그 내용을 추론화하여 우리들만큼 기호로 표상하지 못할 뿐이다.

우리가 지각을 감각 지각과 식적 지각으로 구별하는 건, 우리가 동물보다도 열등한 감각 지각을 지녔지만 우리는 그러한 감각을 보다 정교하게 의미화하고 기호화하며, 그러한 지식들을 무한히 활용하여 '새로운 지각'과 '통찰'을 할 수 있기 때문이다. 그러한바, 컴퓨터나 로봇이 인간에게서 취할 것은 무한한 기호화와 통찰 사고의 능력 그리고 이러한 능력을 발휘하게 하는 뇌신경 기반이다. 감각 지각력은 오히려 다른 동물들로부터 영감을 받을 수 있다.

결국, 우리가 인공지능 분야에 제공할 수 있는 것은 우리 인간의 '통찰의 원리'로 귀착된다. 지각의 과정에서 살펴보았듯, 우리의 통찰 원리는 '비의식기호를 사용한 동일화'이다. 그런데, 컴퓨터의 경우 '비의식'이나 '의식' 개념은 무의미하다. '비의식'은 우리 인간의 경우에만 의미가 있다.

왜냐하면, 우리의 인지작용인 의식은 사고의 결과물만을 표상하는 기능이다. 따라서 원천적으로 의식 상태에서는 사고를 수행할 수가 없고, 비의식 상태에서만이 사고를 수행할 수 있다. 우리에게 의식은 상상력이 활동하는 장소로서, 깊은 사고를 수행하려 할수록 우리는 의식을 떠나 비의식 깊은 곳으로 내려가야 한다. 하지만, 컴퓨터는 본래 의식이 없는 전기적 작용의 기계로서, 굳이 얘기하자면 비의식만을 갖고 있다.

우리 인간의 경우 추론은 의식을 활용함으로써 가능한데, 추론은 기호체계와 논리규칙 등의 사용 하에 수행되는 얕은 통찰 사고이다. 그런 까닭에 사고를 수행하는 중에 규칙들이 제대로 사용되고 있는지를 확인할 필요가 있다. 그러한바, 비의식 상태에서는 추론 수행이 곤란하다. 하지만, 컴퓨터는 인간의 사고작용 시스템과는 반대이다.

비의식 상태에서도 컴퓨터는 아무런 지장 없이 추론을 수행할 수 있다. 오히려 그러한 추론능력은 우리 인간보다도 훨씬 뛰어나다. 하지만, 또 달리 컴퓨터는 비의식 상태를 유지하지만 통찰의 능력은 인간에 비해 매우 취약하다. 이와 같이 컴퓨터의 세계에서 비의식 개념은 그 자체가 무의미하다. 그러한바, 컴퓨터에게는 의식이나 비의식 그리고 비의식기호 개념의 문제를 떠나, 순수하게 '통찰의 원리'에 대한 이해와 적용만이 요구된다.

언급했듯이, 지각과 추론 모두 통찰 능력이다. 우리의 사고는 감각 → 지각 → 통찰 → 추론의 순서로 나타난다. 감각은 지각을 이루고, 지각은 통찰을 생성하며, 통찰은 추론으로 명료화된다. 한편, 통찰의 내용을 명료하게 하는 추론은 의식을 활용하며 또한 그런 까닭에, 추론이 통찰 성격의 사고이지만 창조적 사고인 ‘심층비의식’의 통찰 보다 깊이 있는 사고를 수행하지 못한다.

현재 컴퓨터나 로봇에 적용하는 인공지능의 수준은 그와 같은 ‘추론’ 단계의 것이다. 언급이 있었듯이 통찰이 기호와 논리규칙을 초월하여 수행되는 사고이나 추론은 그러한 규정들의 엄격한 준수하에 수행되는 사고이다. 컴퓨터는 인간 사고의 능력 중 이미 주어진 규칙 내에서의 사고는 기계적으로 수행하나, 모호한 대상에 대한 규칙의 적용 여부에 대한 판단은 제대로 수행하지 못한다.

다시 말해, 인공지능은 형상 이면에 자리하는 숨겨진 속성이나 원리의 인과성을 발견하는 능력을 아직 충분히 갖고 있지 않다. 따라서, 주어진 규칙을 벗어나 또 다른 규칙을 스스로 생성하는 능력이 부족하다. 그런 관계로 현재의 컴퓨터는 인간의 사고(통찰) 중에서도 학습 수준의 추론 사고의 수행에 머무르고 있다.

이러한 컴퓨터 · 로봇의 학습 능력은 “새로운 기호(상징) 정보 습득과 이를 효과적으로 적용할 수 있는 능력의 습득의 문제”로 한정되고 있다. 컴퓨터의 연산적 사고는 주어진 논리규칙 내에서만 수행될 뿐으로, 그러한 형식논리적 규칙을 초월한 ‘동일화’의 수행이 인공지능의 관심사라 할 것이다.

현재는 인공지능 초기의 알고리듬적 추론의 연구에서 벗어나 사례에 기반한 확률기반 추론의 연구가 활발히 진행되고 있다. 고전적 기호체계에서 강조한 명시적 지식에 기반한 논리적 탐색보다는 불확실하고 불완전한 정보 상황에서 암묵적인 그리고 자동화된 추론 측면의 연구가 주목을 받고 있다. 이러한 추론의 시도는 곧 통찰 작업으로의 이행이다.

초기의 인지과학은 정보의 '저장' 개념에 바탕하여 컴퓨터에 입력된 자료를 프로그램화 된 계산원리에 따라 재구성 · 산출하는 방식을 취하였다. 하지만 1990년대 이후 최근까지의 인공지능 연구는 기호체계와 신경망 체계를 혼합한 혼합체계(hybrid system)를 연구해 오고 있다.

예전에는 조직적이고, 체계적이며, 논리적인 데이터베이스, 표상구조를 강조했다. 그러나 지금은, 입력된 의미지식에 의한 연결 구조보다는 주어진 개념들에 대한 경험 빈도에 의해 연결강도가 결정되는 신경망의 구조가 강조된다. 다시 말해 상징모형과 연결주의모형을 위계적으로 결합하는 혼합(hybrid) 모형이 활용된다.

그리고, 신경과학의 발전과 함께, 구체적 몸 개념을 지닌 로봇과 환경과의 상호작용적 행위에 관련된 인공지능 문제를 탐색하고 있다. 이를 통해 과거의 내장형 지식표상의 비중이 약화되고 환경과 맥락적 상황에 적응하여 학습하는 '인지적 컴퓨팅(Congnitive Computing)' 시스템이 부각되고 있다.[22)]

하지만, 그와 같이 논리규칙 형의 계열처리와 함께, 통찰 형의 병렬분산처리체계를 사용한다고 하지만, 아직도 그것은 주어진 규칙 하에 이루어지는 동일화의 방식이다. 예를 들면, 컴퓨터가 번역을 수행하고, 통계를 작성하여 신문의 스포츠나 경제 지면의 기사를 작성하는가 하면 스스로 승용차를 운전하여 도심을 주행하기도 한다. 하지만, 그러한 컴퓨터나 로봇도 우리에게 의미심장하거나 흥미로운 유머를 선사하지는 못한다.

---

22) 같은 책. pp. 348, 329, 463

그러기 위해선 스스로 어떤 가치를 결정하고 그에 따라 정보를 구성하는 규칙이나 원리를 자유롭게 구상하는 통찰력이 요구된다. 하지만, 이러한 문제의 해결을 위해서는 무엇보다도 통찰의 본성과 원리에 관한 명확한 인식이 먼저 요구된다. 그러한 기호체계와 논리적 규칙을 초월한 '동일화'는 다름 아닌 '통찰' 능력이며, 그러한 통찰의 본질적 원리는 '유비'이다. 이러한 '유비의 능력'은 스스로 개념을 구성하는 능력으로 가능하다. 스스로 어떤 원리나 규칙을 설정할 수 있음으로써 새로운 개념이 구성되고 그러한 원리나 규칙 하에 또 다른 개념을 탐색하여 '동일화'를 수행함으로써 '유비적 동일화'의 통찰이 가능하다.

한편, 형식논리적 규칙에 따른 '판단'은 컴퓨터가 인간을 이미 앞질렀다. 이제 컴퓨터에게 필요한 것은, '무엇'을 사고할 것인가를 생각할 수 있는 능력을 비롯한 심층적 통찰 능력이다. 하지만, 컴퓨터나 로봇이 어차피 단백질 소자의 방대한 뉴런의 연결망 조직을 갖출 수가 없다면, 그리고 화학적 조작에 의한 전압조절로써 의미세계를 구현하는 뉴런의 시냅스와 전기 전도 시스템을 갖출 수 없다면, 굳이 인공지능이 인간의 사고의 원리를 모방하려 할 필요는 없을 것이다.

오히려 컴퓨터의 경우 정보의 저장 개념에 있어선 인간보다도 월등한 능력을 갖추고 있으며 이 점은 향후 더욱 발전할 것임은 의심의 여지가 없다. 오히려, 단순반복의 전기작용 시스템으로써 인간보다 효율적인 동일화 작업을 수행할 수 있다면 그러한 시스템 위에서 장점을 극대화 하는 방향으로 연구를 해나가는 것이 바람직 할 것이다.

그러한바, 인공지능이 인간의 사고기능과 원리를 참조하되, 독자적인 형식과 방법으로 전개할 필요가 있다고 하겠다. 앞에서 살펴보았지만, 우리들의 사고가 비의식과 의식의 바탕 위에서 통찰과 추론이 수행되는 반면, 컴퓨터는 의식 · 비의식 · 비의식기호 개념을 초월한다. 그러한바, 인공지능의 경우는 추론과 통찰의 개념 또한 무의미하여 사실은 추론이라 하든, 통찰이라 하든 아니면, '동일화'라고 하든 상관이 없다.

결론적으로 요약하면, 지각은 물리적 자극의 재구성을 요구하지만 그와 함께, 내장된 지식의 활용으로써 가능하다. 아울러 인공지능은 ① 스스로 인식을 생성하고, ② 인식된 기억을 활용하여 새로운 지식을 생성(창조적으로 통찰)할 수 있어야 하며, ③ 스스로 인식 대상을 선정(주어진 규칙 밖의 통찰 사고) 할 수 있어야 한다는 사실이다.

인공지능은 스스로 지식을 생성할 수 있어야 함은 물론, 스스로 무엇을 추구하고자 하는 판단 즉 욕망의 능력이 전제되어야 한다. 다시 말해, 자신이 알고자 하는 것을 스스로 원망하고 수행할 수 있어야 한다는 말이다. 그것이 주어진 규칙을 넘어선 통찰 능력의 선결조건이다. 아울러, 인공지능은 또한 자신의 욕망이 사회적 가치에 부합하는지 여부를 스스로 판단할 수 있어야 한다. 그렇지 않음으로 인한 문제는 이미 우리들 인간세계의 탐욕과 반사회적 양태들로 인한 제 현상들에서 이미 충분히 드러나 경험되고 있는 바이다.

더욱이, 생각할 수 없는 양의 정보를 보유하고 놀라운 연산능력과 함께 스스로 규칙과 원리를 생성하는 인공지능이 자신의 욕망에 대한 사회적 가치 판단을 지니지 못한다면 이를 제어하고 수습하는 사회적 비용과 손실은 계산하기 어려울 것이다. 그러한바, 인공지능의 욕망과 의지를 스스로든 우리 인간이든 제어하지 못할 것이라면, 욕망의 능력 다시 말해 인간을 닮은 통찰의 본원적 능력을 부여하지 않는 것도 좋은 방안일 것이다. 그리고, 인공지능과 인간이 수행해야 할 일을 근원적 측면에서 구별해두는 것도 하나의 방안이 될 것이다.

7. 통찰

7.1. 통찰의 본질 · 특성

우리의 모든 사고는 어떤 것을 다른 것으로 나타내는 상징 행위이다. 우리는 동일화를 통해 사물을 인식한다. 그러한 인식들은, 동일화의 형식을 사용해 동일화의 연결로써 새로운 인식을 얻는다. 그러한 우리의 사고의 본성은 동일화(A=C)이며, 사고의 실체는 동일화 정신작용이다. 사고의 본성 동일화가 'A=C'로 표현되는 것에서도 볼 수 있듯, 우리 사고의 배면엔 언제나 그러한 동일화 판단을 이루는 전제적 동일화 과정들이 내재한다. 다시 말해 우리의 동일화 정신작용의 판단 'A=C'는 언제나 'A=B, B=C'라는 전제들을 내포하며 그러한 전제들은 또 다른 전제적 동일화 과정들을 내포한다. 그러한 동일화의 결과로 'A=C'라는 동일화 판단이 성립한다.

그것은 지각 역시 마찬가지이다. 지각은 표면적으로는 단일판단이나, 내용적으로는 복합판단들로 이루어져 있다. 다만 그러한 전제적 판단들이 '기억' 된 지식들로 대체됨으로써 단일판단의 동일화로 인식된다. 다시 말해 지각이 단일판단으로 여겨지는 것은 '기억의 내용' 즉 과거에 경험된 많은 판단의 내용들이 암묵적으로 파지되어 경험 인상과 대조되나 그러한 과정이 비의식 상태에서 이루어져 우리가 의식하지 못하는 때문이다.

언급하였듯, 지각이 전제적 판단들을 내포하고 있음에도 단일판단의 사고로 인지되는데, 통찰의 경우는 주의집중을 기울인 동일화 판단의 과정들이 있음에도 역시 '단일판단'의 사고인 듯 여겨진다. 그것은 사고의 과정들이 모두 비의식 상태에서 비의식기호들에 의해 이루어지는 관계로 막상 사고가 종료된 순간에는 사고의 결과만 의식 상태에서 인지되는 까닭이다.

그러한바 통찰은, 추론으로써 의식에 그 내용을 나타내지 않는 한 앞서 전제적으로 진행되었던 숙고의 과정들이 인지되지 않고 소위 말하는 '아하(Eureka)' 하는 순간의 판단만을 인지하게 된다. 물론, 결론적 깨달음이 있기 전에 우리는 그에 필요한 많은 과정의 내용들에 관해 부분적으로 검토와 연구를 거친다. 하지만 우리의 비의식의 통찰은 그러한 여러 과정의 동일화 내용들이 생략된 채 순간적이고도 전일적으로 이루어진 것처럼 여겨진다.

지각은 우리의 일상생활 속에서 수시로 수행되는 사고로서 일상비의식의 사고라고하며, 이와 달리 통찰은 숙고의 과정을 거치는 까닭에 심층비의식의 사고라 한다. 이러한 심층비의식의 통찰은 지각과는 달리 시 · 예술 창작이나 과학적 연구 또는 학습활동과 같이 어떤 문제를 해결할 때 사용되는 사고로서 특별히 주의를 집중하여 동일화 과정을 수행하게 된다.

이러한 우리의 동일화 사고의 과정들은 의식비의식의 지각이든 심층비의식의 통찰이든 인지되지 않는 비의식 상태에서 수행되는 관계로, 특히 통찰의 경우는 외현기호에 의해 표상되어야 우리에게 분명히 이해될 수 있다. 우리는 종종 타인과의 암묵적이거나 일반적인 의사소통에서 실패한다. 그것은 심층비의식의 통찰이 중층적 판단과정들을 내포하고 있기 때문이다. 통찰은 그러한 유기적 관계의 판단들을 전일적이고도 동시적인 방식으로 수행한다.

그와 같은 우리의 통찰 사고는 이질성 가운데 동일성을 찾아내는 유비적 동일화를 특징으로 하는데, 그러한 통찰은 도약적이다. 다시 말해, 'A=C'라는 동일화 판단을 위해서는 'A=B, B=C'라는 전제적 판단들을 세워야 하며 그러기 위해서는 무엇보다도 'B'라는 매개체를 찾아내어야 한다. 그런데 이러한 매개체의 탐색은 어떤 논리규칙이나 문법규칙 같은 것이 인도하여 주지 않는다. 그것은 대상 기호들에 대한 순차적 조회와 검토를 통해서 찾아지는 것이 아니라 오직 우리의 신비스런 초월적이고도 전일적인 '통찰력'에 의한다.

그러한 신비를 흄은 자연이 준 습관의 힘이자 원리로 이해했다. "이성은 우리 영혼에 있는 놀랍고도 이해할 수 없는 직감"이다. "이 직감은 과거의 관찰과 경험에서 발생"하는 것으로 "자연만이 그런 결과를 낳을 것이라는 것 외에 어떤 궁극적인 이유를 제시할 수 있는 사람이 있을까? 습관에서 발생할 수 있는 것은 모두가 자연이 산출한다는 것은 확실한 듯하다. 뿐만 아니라 습관은 자연의 원리들 가운데 하나에 지나지 않으며, 습관의 힘은 모두 자연이라는 그 기원에서 유래한다." 고 흄은 말했다[『인간 본성에 관한 논고』 I 오성에 관하여(*A Treatise of Human Nature, I Of The Understanding*, 179)].

이와 같은 사고의 본성인 동일화는 동질성과 동일성이 있다. 동질성의 동일화는 통찰 사고이고, 동일성의 동일화는 추론 사고이다. 시 · 예술 작품의 창조와 과학에서의 가설의 발견은 동질적 동일화 사고인 통찰에 의하고 시 · 예술 작품의 감상과 비평 그리고 과학적 가설의 입증과 설명은 동일성의 동일화 사고에 의한다. 동일성의 동일화 표상은 설명적이며, '자의적 기호'를 사용한다. 자의적 기호는 임의적 약속에 의한 표현 기호이다.

동질성의 동일화는, 시와 예술에서는 '은유'의 형식을 통해 자연적 비의식기호로써 수행되고 자연적 기호의 이미지로 표현된다. 그리고 과학 · 학술 · 예술비평에서는 자의적 비의식기호로써 수행되고 자의적 기호로 표현된다. 하지만, 사고의 수행은 비의식 상태에서 수행되므로 자의적 비의식기호로 수행되느냐 아니면 자연적 비의식기호로 수행되느냐 하는 것은 실제 사고의 수행에 있어서는 별 다른 의미가 없다.

'자연성'은 외관은 다르나 그 어떤 속성상 동일함에 바탕한 동일화 형식이다. 그러나, 시 · 예술의 경우 원관념과는 전혀 무관한 듯한 자의적 관계의 자연적 기호를 사용함으로써 이지적이고 추상적 미학을 구현한다. 그것은 오늘날 실험예술의 세계에서 확인할 수 있다. 의미 중심의 개념미술, (소위 병치 은유나 데빼이즈망 같은) 확산 은유의 기법 등은 자의적인 파격적 원거리의 동일화를 추구함으로써 은유의 행간과 여백을 넓혀 해석과 감상의 여지를 풍부하게 한다.

한편, 동질성의 동일화는 또한 근거리 동일화와 원거리 동일화로 구별할 수 있다. 원거리 동일화는 동일화의 대상기호와 목표기호의 거리가 먼 동일화이다. 다시 말해 원거리 동일화는 근거리 동일화에 비해 그 전제적 판단들이 상대적으로 많이 내재되어 있어 그 심도가 깊다. 과학의 경우 유사한 현상이나 유사한 원리의 배면에 자리하는 본질적인 원리를 포착하기도 하지만, 전혀 다른 현상이나 원리들의 심층 배면에 작용하는 본질적 원리를 깨닫게도 된다. 짙은 먹구름이 몰려오는 것을 보고 우리는 소나기가 내릴 것임을 쉽게 알 수 있다. 이것은 먹구름과 소나기의 관계가 인과적으로 가깝기 때문이다. 하지만, 지구중력이 질량을 불문하고 모든 물체를 동일한 가속도로 낙하운동을 하게 한다는 걸 알기는 쉽지 않다.

우리는 무거운 물체가 가벼운 물체보다 빠른 속도로 낙하함을 일상생활에서 흔히 경험한다. 바위는 나뭇조각보다 빨리, 나뭇조각은 천조각보다 빨리 바닥으로 떨어진다. 그러한 까닭에 우리는 습관적이고도 본능적으로 무거운 물체가 가벼운 물체보다 빨리 지상으로 떨어진다고 생각하게 된다. 하지만 낙하 물체에 대한 공기 저항 문제와 지구중력 자체의 속성 그 추상적 원리의 문제만을 두고 보면, 우리의 경험적 현실과는 달리, 무거운 것이나 가벼운 것이나 같은 속도로 떨어지는 것이다.

과학자들은 우리가 흔히 경험하는 일상에서의 경험 밖으로 얼굴을 내민 내면의 어떤 특수한 현상들에 시인 · 예술가들 이상으로 예민하게 반응하는 남다른 감수성을 갖고 있다. 그들 과학자는 이러한 현상을 놓치지 않고 그 배면의 세계를 추적한다. 시인과 예술가는 현상계의 이질적이고 모순적인 형상들을 초월적으로 받아들임으로써 그들

내면세계의 본질적 속성을 통찰해낸다.

하지만, 과학자는 일상적 현상과는 모순되는 특수한 상황이 그 배경으로 삼고 있는 우리의 일상적 현상들은 물론 그 기억의 흔적들조차 과감하게 지워낸다. 과학자는 이제는 진부해진 일상의 경험적 세계를 깡그리 해체함으로써 세계의 내면에 작용하는 본질적 속성과 원리를 통찰해낸다. 이제 그러한 과학자들의 특별한 초월적 해체의 능력들이 어떻게 특별한 통찰을 이루어내는지 과학사에서 잘 알려진 몇 가지 흥미진진한 사례들을 만나보자.

물, 불, 흙, 공기의 4 원소 중에서 흙이나 물 성분을 많이 지닌 물체는 우주의 중심을 향하는 성질이 있고, 그런 성질은 무거운 물체일수록 더 지니고 있다고 생각한 아리스토텔레스는 오늘날 우리가 그러하듯 무거운 물체가 가벼운 물체보다 더 빨리 떨어진다고 생각했다. 그러나 존 필로포누스(490-570)라는 비잔틴의 학자는 같은 높이에서 무게가 다른 두 물체가 떨어지는 데 걸리는 시간은 거의 같다며 아리스토텔레스의 권위에 의문을 제기했다.

1586년에는 네덜란드의 시몬 스테빈(1548-1620)이 30피트 높이에서 질량이 10배 차이 나는 납으로 된 두 개의 구가 거의 동시에 떨어지는 소리가 들린다고 주장했다. 그리고 갈릴레이(1564-1642) 역시 무거운 물체가 가벼운 물체보다 빨리 떨어진다는 것은 논리적으로 모순이라며 금, 납, 구리, 돌 등을 경사면에 굴려 내리는 낙하실험을 했다. 갈리레이는 그 실험을 통해, 매질의 저항을 완전히 없애면 모든 물체는 같은 속도로 떨어질 것이라는 결론을 내렸다.

이런 중력 실험은 20세기 들어서도 계속되었다. 1971년 아폴로

15호 우주인 데이브 스코트는 달 표면 위에서 망치와 깃털을 떨어뜨려, 망치와 깃털이 동시에 달 표면에 떨어짐을 확인했다. 그리고, 아인슈타인은 1915년에 일반 상대성 원리를 통해, 중력은 4차원 시공간의 변형이 그 원인이라고 공표했다. 중력이 휘어 당긴 시공간 속에 행성들과 빛이 위치하게 된다는 것으로, 아인슈타인은 중력이론을 새로운 관점에서 제시했다.

그와 같이 과학자들의 원거리 동일화의 통찰은 언제나 새로운 모험의 감행으로부터 나온다. 우리가 알고 있듯, 정지한 물체를 움직이게 하려면 힘을 가해야 한다는 건 명약관화한 일이다. 하지만, 움직이는 물체를 계속 움직이게 하기 위해서도 힘을 가해주어야만 할까? 뉴턴은 외부에서 힘을 가하지 않으면 운동하는 물체는 계속 같은 속도로 운동하며 정지한 물체는 계속 정지해 있다고 생각했다. 그것이 '관성의 법칙'이다. 운동에는 힘이 필요하다는 아리스토텔레스의 생각이 수정되어야 한다고 뉴톤은 선언한 것이다.

우리가 시속 300Km로 달리는 KTX 고속열차를 타고 있다면 우리가 쥐고 있는 동전이나 나이프 또한 시속 300Km로 달리고 있다. 만약, 열차만 달리고 동전이나 나이프가 제 자리에 머물러 있다면, 우리가 동전이나 나이프를 떨어뜨릴 경우 그 물체들은 시속 300Km의 무서운 속도로 우리의 뒤쪽으로 날아가버릴 것이다. 하지만, 신은 자연에 관성의 법칙을 부여하여 동전이나 나이프도 열차와 같은 속도로 달리게 함으로써 그러한 사고가 발생하지 않도록 했다.

상대적으로 운동하는 계에서 측정한 물리량들 사이의 관계를 나타내는 갈릴레이 변환식에 의하면 빛의 속도로 달리는 열차에서 쏜 총탄의 속도는 빛의 속도에 총탄의 속도를 더한 것이 된다. 그런데, 마이컬슨(1852-1931)과 몰리(1838-1923)의 실험 결과, 빛의 속도는 관측자나 광원의 운동 상태와는 관계없이 항상 같은 값으로 측정되었다. 관측자의 운동 상태에 따라 속도가 다르게 측정된다는 갈릴레이 변환식이 빛에는 성립하지 않았다.

그리고, 로렌츠(1853-1928)는 빛의 속도가 광원이나 관측자의 상대속도에 관계없이 항상 일정하다는 마이컬슨과 몰리의 실험결과를 운동하는 방향으로의 길이가 수축하기 때문임을 설명하기 위한 변환식을 제안했다. 그런 로렌츠 변환식에 의한 속도 가법에 의하면 빛의 속도로 달리는 기차에서 다시 빛의 속도로 총알을 발사해도 총알의 속도는 빛의 속도가 될 뿐이다.

이러한 사실에 바탕하여 아인슈타인은, 달리는 사람이나 서 있는 사람이 측정한 빛의 속도가 항상 같은 값이라면 갈릴레이 변환식이 틀렸을 것으로 가정했다. 그런 아인슈타인은 빛의 속도가 측정하는 사람의 운동 상태와 관계없이 항상 같은 값으로 측정된다는 사실을 만족시키는 새로운 변환식을 제시했다. 아인슈타인은 로렌츠 수축이 시간의 연장과 함께 시공간의 근본적인 성질이라는 것을 간파하여 특수 상대성이론으로 공식화한 것이다.[1)]

그러한 아인슈타인의 이론 결과, 전혀 새로운 또 하나의 결과가 나타났다. 그것은 물체의 질량이 시간과 마찬가지로 절대적이라고 생각해온 고전 물리학과 달리, 질량이 물체의 고유한 양이 아니라 물체의 속도에 따라 변한다는 것이다. 뉴턴의 역학법칙에 의하면 물체에 힘을

---

1) 홍준의, 최후남, 고현덕, 김태일, 『살아 있는 과학 교과서』Ⅱ. 휴머니스트퍼블리싱컴퍼니. p. 229.

가하면 그 물체의 속도와 운동에너지를 무한히 증가시킬 수 있다. 그러나 아인슈타인은 질량과 에너지를 상호 변환 가능한 동등한 양으로 생각했다. 질량은 속도의 증가에 따라 증가하는 양인 것이다. 이러한 에너지와 질량 간의 변환식이 '$E=mc^2$'이다. 이 식의 원리가 오늘날 원자력 에너지의 생산을 가능하게 한다.

1915년에 아인슈타인은, 역시 빛의 속도가 불변이라는 원리에 바탕하여 4차원 시공간이 중력의 원인임을 설명했다. 태양 주위의 시공간은 태양의 중력으로 함몰되어 있어 태양 주위의 모든 물체들이 태양계에 묶여 있다는 것이다. 그런 아인슈타인에 의하면 중력 작용은 변형된 시공간과 물체 사이의 상호 작용이다. 뉴턴은 사과가 지구로 떨어지는 것은 지구와 사과 사이에 서로 잡아당기는 힘이 존재하기 때문이라고 했다. 하지만 아인슈타인에게는 지구가 만들어 놓은 시공간의 웅덩이 속으로 사과가 굴러 떨어지는 것이다.

아인슈타인은 아주 중력이 강한 곳에는 뉴턴의 중력 이론과 일반 상대성 이론에 의한 중력의 영향이 다르기 때문에 빛의 경로가 휘어지는 정도를 다르게 예측한다고 생각했다. 그런 아인슈타인은 일반 상대성 이론을 발표하기 전인 1912년 초에 어윈 프로인들리히(1885-1964)와 빛의 경로를 측정하여 자신의 이론을 증명하는 문제에 대해 의논했다. 그리고, 프로인들리히는 1914년 8월 21일 크리미아에서 일어날 일식 때 태양 부근의 별들을 촬영하기 위해 크리미아로 출발했다. 하지만, 1차 세계대전이 발발하였고 그는 간첩 혐의로 러시아의 포로가 되어 관측이 무산되고 말았다.

한편, 케임브리지 천체연구소 소장이었던 아서 에딩턴(1882-1944) 또한 그 관측 여행을 희망했다. 하지만, 그는 종교상의 이유로 인한 양심적 병역 거부자로서 수용소에 가야했다. 이에, 천문학자 프랭크 다이슨은 에딩턴을 군에 보내는 대신 1919년 3월 29일에 있을 개기일식 관측 임무를 맡기자고 정부에 제안하여 그것이 받아들여졌다.

1919년 3월 8일 에딩턴은 두 그룹으로 나누어 한 팀은 브라질의 소브랄로 향하고 에딩턴의 팀은 서부 아프리카 적도 부근의 프린시페 섬으로 향했다. 그런데, 일식이 가까워지면서 소브랄과 프린시페 모두 천둥과 번개를 동반한 폭우가 쏟아졌다. 다행히도 달이 태양의 가장자리를 가리기 시작한지 한 시간 전쯤 프린시페에 폭우가 약해지고, 구름 사이로 태양 빛이 조금씩 드러났다. 하지만, 프린시페 팀이 찍은 사진 대부분은 구름이 별들을 가려 쓸모가 없었다.

그런데 구름이 걷히는 아주 짧은 순간에 프린시페 팀은 중요한 한 장의 사진을 찍을 수 있었다. 그리고 소브랄에서도 마지막 순간에 태양 주위에 있는 별들의 사진을 찍는 데 성공했다. 사진의 분석 결과, 태양 주위의 별들의 위치변화가 프린시페의 것이 1.61±0.3초, 소브랄의 것이 최대 1.94초였다. 그것은 아인슈타인이 예상한 값(1.74초)의 오차 한계 내에서 일치하는 것이었다. 태양의 중력으로 태양 주위의 시공간과 별빛이 휘어짐을 증명하는 순간이었다.

에딩턴은 관측결과를 1919년 11월 6일 왕립천문학회와 왕립협회가 공동 주관한 모임에서 발표했다. 다음날 타임지는 "과학의 혁명-우주에 관한 새로운 이론-뉴턴의 이론이 무너졌다."라는 타이틀을 걸었다. 며칠 후 뉴욕 타임지는 "하늘에서 빛은 휘어진다. 아인슈타인 이론의 승리"라는 제목의 기사를 게재했다.[2)]

---

2) 곽영직. 『과학기술의 역사』. 북스힐. 2009. pp. 218-226 참조.

특수 상대성 원리는, 이질적인 '관성계의 물리법칙'과 '광속도'에 대한 동일화의 통찰에서 비롯한다. 그리고 일반 상대성 원리는 이질적인 '중력질량과 관성질량'의 동일화 통찰에서 비롯하며, 그러한 통찰들은 종국적으로, '중력이 시공간을 휜다'는 통찰을 끌어낸다. 물론, 아인슈타인의 그와 같은 이질적 원거리 동일화의 통찰은, 그 전제적 판단들로서 일련의 수학적 통찰과 추론 과정들이 미분적이고도 인과적인 동일화 과정들을 이루고 있음은 말할 것이 없다.

시와 예술의 창작에도 근거리 동일화와 원거리 동일화가 수행된다. 전자는 감정에 호소하고, 후자는 지성에 호소하는 비유이다. 근거리 동일화는 쉬운 비유의 은유를 통해 감동을 일으킨다. 반면에 원거리 동일화는 난해한 비유의 은유를 통해 지적 쾌감을 일으킨다. 전자는 원관념과 보조관념이 1: 1의 대응을 이루는 단순한 은유이고, 후자는 원관념이 생략되고 보조관념만이 명시된 은유로서, 원관념과 보조관념이 1: 多 또는 1:∞의 모호한 은유이다. 수사학은 이러한 은유에 '데빼이즈망'이나 '상징' 같은 용어를 사용한다. 이러한 용어들의 형식은 본질에서 모두가 다양한 의미를 생성하는 '확산 은유'이다. 우선, 근거리 동일화 시편의 경우를 보자.

> 엄마야 누나야 강변 살자
> 뜰에는 반짝이는 금모래 빛
> 뒷문 밖에는 갈잎의 노래
> 엄마야 누나야 강변 살자.
>
> - 김소월, 「엄마야 누나야」, 개벽 19호, 1922. 1.

위 시편은 시인이 생업마저 잃은 막막한 상황에서 어린 시절 강변의 풍경을 자신의 현실 삶에 은유적으로 되비추어 노래한 시편이다. 김소월(1902-1934)은 시편을 제작함에 있어서 별다른 은유의 기교를 구사함이 없이 "금모래"라는 강조적 비유와 "갈잎의 노래"라는 활유법과 같이 간단한 문채적 은유로써만 꾸몄다. 그리고, 어릴 적 고향 집 주변의 강변 풍경을 애잔하고도 환상적으로 그려냄으로써 우리를 아련한 추억 속으로 데려가 잃어버린 실낙원을 동경하게 한다.

군중 속의 환영 같은 얼굴들
젖은, 검은 가지 위의 꽃잎들.
(The apparition of these faces in the crowd;
Petals on a wet, black bough.)

- 에즈라 파운드, 「지하철역에서(In a Station of the Metro)」

위 시편은 지하철 역사의 군중들의 얼굴을 "젖은, 검은 가지 위의 꽃잎들"로 묘사하는 한편 그러한 군중들의 얼굴을 또한 '환영'으로 은유했다. 그러하듯 에즈라 파운드(1885-1972)의 이 시편은 달리 더 설명할 필요도 없이 가까운 비유를 사용함으로써 김소월의 「엄마야 누나야」와 마찬가지로 시편을 대하는 순간 시어들이 감성을 자극하여 우리의 감정을 동요케 한다.

하지만, 이 시편은 매우 역설적인 심층구조를 지니고 있다. '군중 속의 얼굴들'을 "환영"으로, '환영'을 다시 '젖은, 검은 가지 위의 꽃잎들'로 표현하는가 하면, 군중이나 '지하철 역사' 또한 "젖은, 검은 가지"에 비유한다. 이와 같이 에즈라 파운드는 밝고 아름다운 얼굴들을 음울한 배경의 '젖은 검은 가지'와 대비시키는 한편, 군중 속의 환한 얼굴들을 어둠 속에 홀연히 나타나는 환영이나 유령으로 묘사함으로써 매력적인 아름다움을 극적으로 드러내려고 애썼다.

이처럼 에즈라 파운드의 「지하철역에서」는 우리의 감각에 극적으로 호소하기 위해 악마주의적이라 할 만큼 역설적이고도 아이러니한 구조를 취함으로써 환한 얼굴과 어두운 배경의 콘트라스트를 극대화하고 있다. 하지만, 그런 만큼 우리는 또한 이 시편을 전혀 다른 관점에서 받아들이게도 된다. '젖은, 검은 나뭇가지'를 동원하여 빗댄 '환영'은 창백하고 핏기 없는, 생기 잃은 얼굴들을 떠올리게 한다. '검고 젖은 나뭇가지'와 '환영 같은 얼굴들'이란 표현에서 우리는 군중들의 처진 어깨 위에 창백하게 일그러진 채 얹혀 있는 침묵 속의 표정들을 떠올리게 된다.

에즈라 파운드의 그와 같은 극단적 처리의 이미지는 환영처럼 아름다운 얼굴들을 떠올리게 하기 보단 과학만능주의와 패권주의에 젖은 당시 유럽 사회의 정신적 몰락과 제1차 세계대전의 발발을 목전에 둔 징후적 인상을 지하철역사의 군중들의 표정을 통해 드러내 보여준다는 생각을 갖게 한다. 아무튼, 이 시편은 '얼굴(A)=환영 · 꽃잎(C)' 그리고 '군중 · 지하철역(A)='젖은, 검은 가지(C)'로 이어지는 비교적 근거리 동일화의 비유를 사용했지만, 그 아니러니성으로 인해 한편으로는 이질적인 원거리 동일화 비유의 효과까지도 내포하고 있다.

언급했듯이, 우리의 사고 즉 상징의 본성은 '동일화'이다. 사고 즉 상징은 기호로 표상된다. 시인의 통찰 역시 시편에 기호로 투영된다. 그러한바, 시인의 텍스트엔 시인의 통찰 내용이 투사되어 있다. 말할 것도 없이, 시의 본질은 비유이다. 그러한바, 시편의 기호들은 비유를 목적으로 한다. 이러한 비유의 동일화 'A=C'에서 대상기호 A는 원관념이고 목표기호 C는 보조관념이다. 우리는 이와 같은 시편의 기호들에서 시인의 통찰이 투영된 원관념과 보조관념을 파악해야 한다. 그럼으로써 시를 이해할 수 있고 나아가 감상이 가능하다.

박청륭(1937-) 시인의 「데드마스크 : 도스또웹스키」는 간질과 도박으로 피폐한 삶과, 사회주의적 사상으로 인해 사형선고와 감형을 받고 시베리아 유형의 길을 떠났던 도스토예프스키의 고독하고도 치열한 작가로서의 초상을 그린 시편이다. 박청륭 시인은 현대 문명에 대한 비판 정신과 치열함으로써 고독한 시인 자신의 역설적인 삶을 도스토예프스키의 작가 정신과 작업관에 오버랩 시켜 그려내었다. 이질적이고 모순된 삶의 배면에 작용하는 시인의 유비적 동일화의 통찰들이 파노라마처럼 펼쳐지는 것을 볼 수 있을 것이다.

시의 생성이 인식 즉 상징으로 이루어진다는 점에서, 새로운 시편의 제작은 새로운 인식의 노력이 요구된다. 그것이 곧 실험정신이다. 자기 확인과 자기 실험의 정신을 갖지 못하다면 더 이상 '시인'은 존재하지 않는다. 우리는 이 작품에서 고독과 어둠 속에서 자신만의 세계를 구축해 나가는 시인의 치열한 정신을 엿볼 수 있다. 그러한 시인은 "성탄일 밤에도 삐딱한 노새가 어둔 광야를 보고 있다" 라며 자신의 영혼의 피사체인 '노새'를 통해 어둠 속에 잠겨 있는 현실세계를 비판적으로 통찰한다.

1. 간질

태양의 곪고 곪은 뇌세포가 폭발한다.
끝없이 이어지는 연쇄 핵폭발
북위 40여도까지 휘몰아치는
자기장 오로라가 연출하는
단청 춤사위.
전력과 통신은 단전 혹은 두절된다.
밤이 아니어도 지구는 암흑이다.
모든 컴퓨터는 폐기되고
통제 불능의 댐은 물론
각종 저장 탱크의 물질이 터져 나온다.
휩쓸려가는 크고 작은 건물들.
오염된 강과 호수,
바다 끝-입 밖까지 밀려나온 게거품.
화농한 세포들을 폭발 섬멸시키는
자정력自淨力이 가동된다.
마비된 신경세포로 오그라들었던 사지와
암흑의 시야는 서서히 회복된다.
훨훨 털고 일어선
다시 문 그의 파이프에서 연기가 피어오른다.

2. 유배

새들이 떠난 하늘에 까만 어둠이 찾아 왔다
두터운 외투를 걸친 사람들이 웅성웅성 모여 있다.

더욱 깊어진 어둔 장막은 걷힐 것 같지 않다.
멀리 가는 자의 그림자가 지워진다.
얼어 터진 어둠 끝에 바람마저 잠들고
폭설에도 묻히지 않는 말들의 그림자가 보인다.
백양나무 숲, 통나무 막사에 피어오르던 연기도 사라졌다.
닳고 닳은 발목의 쇠사슬이 들어낸 하얀 속살.
발정기에 들어선 늑대들의 울음소리가 들린다.
파랗게 밝아야 할 강설의 밤이 더욱 어두워진다.
아직도 혼자인 한쪽 발이 짧은 노새가 삐딱하다.
성탄일 밤에도 삐딱한 노새가 어둔 광야를 보고 있다.

3. 도박

충동 조절 능력을 잃은 전두엽,
이젠 구식 랜턴도 아닌
활활 타는 횃불이 필요한 때가 왔다.

4. 집필

손바닥만이 아니라
온몸 여기저기 못이 박힌 도시,
달빛 가득
핏빛 그림자에 젖는다.
달빛은 죽는다.

한밤 달이 진 뒤에도 파랗게 죽는다.
희미한 가스등이 가물거리는
새벽 두시,
점점 짙어지는 안개 속을
빈 마차가 지나간다.
엎질러진 독주,
보드카에 불이 붙는다.
개들이 물어 나른
녹슨 유골.
도끼날에 찍힌 데드 마스크,

-「데드 마스크: 도스또웹스키」 전문

시인의 정신에 비의식기호로서 자리하고 있는 시편의 원관념 A와 그 A를 지시하고 의미하는 보조관념으로서의 외현기호 C의 관계를 살펴보면, 제1연의 제목 "간질"은 광기와 천재성을 의미한다. 제1연의 제1행에서 제5행 "태양의 곪고 곪은 뇌세포가 폭발한다 (…) 단청 춤사위"는 몰입과 집중으로 인한 에너지의 충일과 폭발 직전의 광기를 의미한다. 제6행에서 제9행은 광기에 창조적 규칙을 부여코자, 일순간 비의식계로의 몰입으로 인한 의식계와의 단절을 의미한다. "각종 저장 탱크의 물질이 터져 나온다"라는 제10행은 크리스테바가 언표한 바 있는 '기호계(le sémiotique)'의 전복적 충동의 힘 즉, 무한 창조의 에너지를 뜻한다. 제11행에서 제14행은 재창조를 위한 광기 어린 비의식계의 표출을 의미한다. 제15행에서 제17행은 고통스런 몰입의 작업이 끝난 뒤, 탈진에서의 회복을 의미한다. 제18행과 제19행은 재창조의 기운이 충전되고 자신감에 찬 여유를 보인다.

제2연의 제목 "유배"는 새로운 실험 세계로 떠남을 의미한다. 제2연의 제1행 "새들이 떠난 하늘에 까만 어둠이 찾아왔다"는 시인의 완성된 작업에 대한 자기 검증의 결과이다. 시인은 이미 낡은 '상징계(le symbolique)'에 속해 버린 자신의 텍스트에 안주하지 못한다. 시인의 영광과 환희의 태양이 지고, 시인은 다시 고통스런 작업을 준비한다. 제2행에서 제10행은 어둠 속 재창조를 요구하는 고뇌를 의미한다. 제11행과 제12행은 '노새'를 통한 시인의 문명 비판이다.

제3연의 제목 "도박"과 본문의 "충동 조절 능력을 잃은 전두엽,/ 이젠 구식 랜턴도 아닌/ 활활 타는 횃불이 필요한 때가 왔다."는 극단적 실험과 자기 파열을 통한 재창조의 자각을 의미한다. 제4연의 제1행과 제2행 "손바닥만이 아니라/ 온몸 여기저기 못이 박힌 도시,"는 창작의 십자 형틀 위에 몸을 던진 시인을 묘사한다. 제3행과 제4행 "달빛 가득/ 핏빛 그림자에 젖는다."는 못에 박힌 영혼에서 흘러내리는 피를 상징한다. 제5행에서 제7행 "달빛은 죽는다./ 한밤 달이 진 뒤에도 파랗게 죽는다./ 희미한 가스등이 가물거리는"은 연금술의 흑화 과정을 의미한다. '흑화'는 금을 얻기 위한 최초의 카오스적 합일을 의미한다.

제8행에서 제10행 "새벽 두시,/ 점점 짙어지는 안개 속을/ 빈 마차가 지나간다."는 정신과 기운의 상승을 의미한다. 제11행 "엎질러진 독주,"는 극단의 실험 양식의 유출을 의미한다. 제12행 "보드카에 불이 붙는다."는 폭발처럼 터져 나오는 비의식의 자동기술과 그 원색의 상징물의 생성과 불꽃의 환희를 의미한다. 제13행에서 제15행 "개들이 물어 나른/ 녹슨 유골,/ 도끼날에 찍힌 데드마스크,"는 몰이해 속의 독자들의 차가운 시선 또는 시인 스스로의 텍스트에 대한 냉혹한 검열과 장인정신에 의한 재출발을 의미한다.

그러나, 보다 중요한 문제는, 제2연의 제목 "유배"와 "새들이 떠난 하늘에 까만 어둠이 찾아 왔다"라는 제1행에서 보듯, 죽음을 헤매는 듯한 창작의 고통 속에서 깨어난 시인은 또 다시 재창조를 위한 암흑의 세계로 몸을 던져야 하는 것이다. 그것은 시인이 말한 "깊고 어두운 진흙구덩이 속을 헤매는 두더지다. 정해진 길도 없고 소리도 없다. 심해에 비치는 막연한 그림자 찾기"이다.

살펴보았듯, 시편 「데드 마스크: 도스또웹스키」는 제1연을 원관념(대상기호인 A의 텍스트)으로 삼고, 2-4연을 보조관념(목표기호인 C의 텍스트)으로 삼는 구조를 갖고 있으며, 아울러 시편의 각 시어나 시구들은 원관념이 생략된 확산적 은유의 보조관념들로서, A와 C의 동일화 판단 이전의 여러 전제적 동일화 판단들이 내재된 원거리 동일화 형식을 사용하였음을 알 수 있다. 물론, 지금까지의 추론적 해석에서 "시인"은 '문명 세계'나 '현실 세계'로 환치할 수 있다, 이것은 확산 은유 형식의 특장이다.

이제 파격적으로 원거리 동일화의 비유를 실행하는 전위적 실험 시인 성귀수의 시편을 살펴보자. 시는 시인의 정신에 내재하는 유동적 실체이며, 텍스트는 그 질료적 구체화이다. 시인의 시는 질료적 텍스트에 감각적 형상으로 투사된다. 시인의 '시' 가 투사된 텍스트는 시인의 또 다른 육체이자 그 영혼이 자리하는 피라미드라고도 할 수 있다.

성귀수 시인은 미발표 「시작 메모」[3]의 〈시와 수학〉(2-2.)에서 "예전에 내가 '시(詩)란 단일한 어떤 관념의 체계적인 확장과 심화'라고 주장한 적이 있"다며, 발레리가 그러하였듯, "내가 시를 쓰기로 마음먹었을 때 제일 처음 한 것은, 내 몽상 속에 날개 달린 영감이 찾아들어 휘갈겨지는 아름다운 시를 거부하기로 한 결정(決定)이었다."며 "나는 '숨겨진 형식'이 모든 것을 좌우할 것으로 판단했고, 비트겐슈타인이 브람스에게서 기계소리를 들을 수 있었노라고 말했을 때의 바로 그 '기계소리'를 내 시에 부여하고 싶었다."고 한다.

또한, 성귀수는 「詩作 메모」에서 "시라는 '불가지성(不可知性)'의 총칭(總稱)으로 무언가를 의미할 수 있으리라고는 더 이상 생각지 않는다. 필요한 것은, 언어의 유전공학자가 기호 DNA들 간의 다양하고 완벽한 결합가능성을 연구, 작성하여 제출해놓은 한편의 실험보고서"[4] 라고 쓰고 있다.

내가나와비
틀리게도사
린자신을부
서지도록만
져보는슬픔

이 삼각형을 밤샘해야 한다. 이 삼각형에다가 심각한 삼각형 같은 움

---

3) 성귀수 시인의 '시작 메모'는 두 가지이다. 하나는 시집에 실린「詩作 메모」이고, 또 하나는 미발표 '시작 메모'이다. 이 글에서 전자는「詩作 메모」, 후자는「시작 메모」로 표기한다.「詩作 메모」와「시작 메모」의 '세부' 각 단락은 '〈 〉'로 표시한다.
4) 성귀수. 『정신의 무거운 실험과 무한히 가벼운 실험정신』. 문학세계사. 2003. pp. 201-02.

> 직임을 부과해야만 한다. 그것은 아름다운 일이다 야광 같은 홀몸으로 심각한 움직임의 윤곽을 연마하는 일. 손아귀로 수정을 가지고 노는 것처럼 어둠의 속이 조각나기 시작한다. 밤이라는 완벽한 표면구조의 분할된 광택들이 한밤중을 정교하게 진동시킨다. 부서지고 있는 중인지도 모른다 갑자기 무수한 교차각들로 조작되는 일종의 시간적인 결정체처럼. 어떤 극심한 핀셋을 사용하여 이 풍부한 입체 속에 도사리고 있을 비틀림입방체의 도사림을 고정시킬까. 보다 적극적으로 죽어간다는 것의 네모난 삼각형을 해석할 수 있어야 할 것이다. 죽음을 파고들어가듯이 집요하게 변조되는 중의 사각세모. 바로 그 네 꼭지점 중의 한 점이 삼각형을 깨고 튕겨나갈 때. 저것은 빛이라는 형용할 수 없는 공간적인 거미줄의 해체다.
>
> -「독실한 세공사」 제6연

위의 시편은 성귀수 시인의 〈독실한 세공사〉의 제6연이다. 위 시편에서 'A=C'의 관계를 살펴보면, 원관념 A는 시인의 정신계에 비의식 기호로서 은닉되어 있고, 보조관념 C만 제시되어 있다. '당신은 장미이다!'의 경우는 A(당신)=C(장미)의 구조로서 원관념과 보조관념이 모두 제시되어 있다. 하지만, 위 시편은 원관념이 제시되어 있지 않고 시편 전체가 모두 보조관념인 C에 관한 묘사나 진술들로서만 구성되어 있다.

그러한 까닭에 위 시편의 경우 우리는 C를 통해서 A를 미루어 추측해볼 수밖에 없다. 현대의 새로운 양식을 추구하는 시인들의 시는 많은 경우가 위의 시편과 같이 A는 제시되어 있지 않고 C만 제시되어 있어 시편들이 마치 초현실주의 그림이나, 또는 정신병 환자의 언설처럼 보이기도 하여 논리의 특성인 인과성을 초월해 있다. 그런 까닭에 감상에 있어서 독자들로 하여금 추론 사고를 넘어 원거리 동일화의 통찰을 수행하게 한다. 이런 경우 우리는 텍스트의 바다와 산해경을 끝없이 여행하고 환타지를 경험하게 되는데, 이러한 까닭에 오늘날 현대의 실험적 텍스트에 대해 이 책의 필자는 '의미란 발견이 아니라 발명'이라고 말한다.

사실, 이전까지 시인들은 시인 자신만의 '표현'에 초점을 맞추었다. 그런 까닭에 시인은 타인의 감정과 생각을 불러일으키도록 하는 문제, 다시 말해 독자가 시인의 텍스트를 매체로 하여 새로운 의미와 감정의 창출을 수행토록 자신의 시편을 제작하는 문제를 고려할 필요가 없었다. 그러나, 오늘의 시인들은 '표현'에 있어서, 독자가 동일화의 통찰과 감정을 불러일으키도록 텍스트를 구성한다. 이것은, '시'에 대한 정체성, 제작 기법, 생산 수단, 작품의 의의와 기능 등에 관한 일체의 인식의 변화를 가져오게 한다.[5)]

그런데, 여기서 우리는 시 창작의 일반적 원리를 기술코자 하는데 목적이 있는 것이 아니라, 시인이 원거리 동일화의 통찰을 어떻게 수행하고 구사하는지를 보여주는데 목적이 있다. 그러한바, 이제 위 시

---

5) 허쉬는 작가가 부여한 의미의 수용에 충실하고자 하였고, 소통 기호학적 입장에 충실한 에코는 독자의 자의적 해석을 경계했다. 그러나, 가다머는 작품의 여러 존재가능성 중 해석자가 의미를 지금 현재에서 재현해내는 추창조론을 내세웠고, 바르트는 저자의 죽음을 선언하며 열린 책읽기를 주장했다. 나아가, 리처드 로티는 텍스트의 고정 의도는 없다며 '영감적 읽기'를 주장했다. 그런데, 가다머, 바르트, 로티 등이 생성적 해석과 읽기를 표방하지만 저자의 의도 자체가 열린 읽기를 염두에 두고 써진다는 사실을 고려하지는 않았던 것 같다. 하지만, 이 책의 필자나 성귀수 같은 시인은 제작 단계에서부터 창조적 해석의 상징을 그 목적으로 시편을 제작한다.

편에서 원관념 A가 지시하는 보조관념 C를 밝혀내어 비교해보자. 그러기 위해서 우선, 위 시편에서 고딕체의 직사각형의 격자 속에 입체적으로 쌓여 있는 문장들을 일직선으로 해체하여 평문으로 변환할 필요가 있다. 변환된 문장의 시문은 "내가 나와 비틀리게 도사린 자신을 부서지도록 만져보는 슬픔"이다.

이 문장을 단순화하면 결국, '나는 슬프다'이다. 시인은 '나는 슬프다'라는 의미를 나타내기 위해 자신의 분신을 설정한다. 그리고 분신을 비틀리게 도사린 형상으로 재구성하였다. 그런 한편, 시인은 '비틀리게 도사린' 자신을 '부서지도록' 만지며 어떤 심각한 '슬픔'을 느끼는데, 그것은 자신이 '비틀리게 도사린' 때문인지, '부서지도록 만져보아야만 하는' 어떤 이유 때문인지, 아니면, 만져서 형상이 부서지기 때문인지, 그것도 아닌 다른 이유들이 있는지 그 궁금증은 풀리지 않는다.

아무튼, 결론적으로 정리하면 위 시구에서 시인은 '나는 슬프다'라는 하나의 단순한 감정을 입체적으로 구문화 해내었다. 그러니까, 시인은 중층적이고 심층적인 슬픔의 문제를 겹겹으로 내면 구조화한 것이다. 시인은 그 입체적 문장을 직사각형의 격자틀 속에 띄어쓰기나 행간격 등을 무시하고, 견고한 고딕체로 강제하여 집어넣었다. 그 사각형으로 보이는 격자 틀도 사실은 그 어떤 입방체로서 직육면체인지, 원통인지, 사각뿔인지 알 수가 없다.

성귀수 시인은 하나의 감정, 나아가 '슬픔'이라는 한 '영혼의 상태'를 한 줄의 문장으로가 아니라, 겹치고 뒤틀린 복잡한 심층 '구조물'로써 독자에게 제시해 놓았다. 그의 이러한 작업물 앞에서 우리는 마치 설치미술가의 조형물을 보고 있는 듯한 느낌을 받을 수 있을 것인데, 그 단순한 격자틀 속의 조형물은 그러나 매우 기묘하고 착잡한 감정을 불러일으킨다. 시인의 유비적 동일화의 통찰이 투영된 이 텍스트는 우리로 하여금 환상적 통찰의 추론적 해석을 유도한다. 그런데, 이러한 유도가 성귀수 시인의 정신세계에 자리하는 원관념 A의 의도라 할 수 있다.

「독실한 세공사」의 제2연 역시 그러하다. 시인은 그 첫 문장에서 "이 삼각형을 밤샘해야 한다"고 말하여, 이 문장의 '삼각형'이 단순한 평면도로서의 삼각형이 아닌, 어떤 심각한'작업'의 '대상'임을 암시하고 있다. "밤샘해야 한다"라는 행위의 자동사는 '무엇을' 또는 '왜'와 같은 의문을 일게 하여, '삼각형'이 단순한 평면의 도형이 아니라 어떤 '행위적 내용'임을 추측케 한다.

그런데, "삼각형을 밤샘해야 한다"라는 구문과 "극심한 핀셋"이라는 구문은 통사규칙을 위배하고 일탈하여 어법을 왜곡한 것이라는 비판을 받을지도 모르겠다. 그러나 이러한 형식의 구문은 일상의 구문이 아니라 시문이라는 특수한 체계에서의 구문이라는 점을 생각할 필요가 있다. 이미 고대에, 아리스토텔레스는 "예술에 대하여 동일한 정당성의 기준이 적용될 수 없다"(『시학』, 1460b 10-15)며 시에 관해 비평가들이 유의해야 할 점을 이렇게 언급한바 있다:

> 불합리한 것에 대해서는, 그것이 세인들의 견해라고 말하거나, 혹은 불합리한 것도 때로는 불합리하지 않을 때가 있다고 답변함으로써 정당화할 수 있다. (…) 시인의 언어에서 발견되는 모순점을 검토할 때는 (…시인이…) 건전한 판단력을 가진 사람의 견해와 모순된 말을 하고 있다고 단정하기에 앞서, 우리는 그가 과연 동일한 사물을 동일한 관계에서 동일한 의미로 말하고 있는지 검토하지 않으면 안 된다(같은 책,

1461b 10-20).

사실은 아리스토텔레스의 이 말은 현대의 비평적 관점에서는 지극히 상식적인 것이다. 성귀수 시인은 기존의 문법 규범과 '일상'의 일들을 기술한 것이 아니라, 영혼의 문제에 관한 탐색을 새로운 형식의 시문으로 구현한 것이다. 우리는 아리스토텔레스의 지적과 마찬가지로 성귀수 시인의 시문을 일상적 사건의 일들과 "동일한 관계에서 동일한 의미로 말하고 있는지 검토하지 않으면 안"된다. 우리는 시인의 「독실한 세공사」에서 어떠한 통찰이 논리를 깨뜨리고, 아니 논리를 찾지 못해 논리의 벽을 깨뜨리고 뛰쳐나오는 원거리 통찰의 사유와 감각을 형성하는 힘을 볼 수 있다.

내가움직이
며열리는이
미지로나를
잃어가는결
의어지러움

지금 눈동자가 그 반지름을 움직이는 것이 보인다. 그 방법은 노랗게 3등분된 붉은 원반처럼 푸르다…영롱하게 오무려지는 시야로 무한수렴하는 튤립형 응시의 황홀하고 화려한 휘어짐. 겹겹이 빛에 긁히며 나타났다가 사라지는 비가시적인 선들의 운율인 공간의 망. 순결한 비율이야말로 이와 같이 포물선을 발휘하여 자명한 것의 보이지 않는 영역을 열어보일 수가 있는 것이다. 그러나 영원한 변화를 가져오려는 쌍곡선

> 을 조심해야 한다. 그것의 부피는 자신의 부력으로 가득한 거대한 굴곡을 말아올려 속으로 부풀어오르는 성질을 가지기 때문이다. 물론 그것은 더욱 어둡고 무거운 곡면으로 짜여질 아주 오랜 공간을 가질 것이다.
>
> -「독실한 세공사」 제5연

어떤 텍스트의 경우 시인의 정신을 찾아 항해하는 기쁨 이상의 기쁨을 불러일으키는 것이 있기도 한데, 성귀수 시인의 「독실한 세공사」의 제5연은 순수 추상의 '아름다움'을 볼 수 있다. 수학의 언어는 자연적 형상을 배제함으로써 완전한 추상을 이룬 시공간의 결정체이다. 그런데 성귀수 시인의 위 인용 텍스트는, 자연적 형상을 수용함으로써 아름다운 추상을 감상하게 한다.

더욱이 수학적 추상을 감각적 현상으로 기술하는 시인의 원거리 은유의 동일화 통찰과 그 깊이를 마음껏 음미하게 한다: "순결한 비율이야말로 이와 같이 포물선을 발휘하여 자명한 것의 보이지 않는 영역을 열어보일 수가 있는 것이다. 그러나 영원한 변화를 가져오려는 쌍곡선을 조심해야 한다. 그것의 부피는 자신의 부력으로 가득한 거대한 굴곡을 말아올려 속으로 부풀어 오르는 성질을 가지기 때문이다. 물론 그것은 더욱 어둡고 무거운 곡면으로 짜여질 아주 오랜 공간을 가질 것이다."

우리가 기호의 음향이 지시하는 동일화의 의미를 배제할 때, 시편의 시어들은 무한 공간에 단지 흩어져 있을 뿐이다. 그 각각의 시어는 우주의 밤하늘에서 행성이나 혹성처럼 뿔뿔이 흩어져 제 혼자서 외로운 빛을 파편처럼 쏘아내고 있을 뿐이다. 허공의 무한 거리에서 떨어져 있는 의미의 불빛들을 우리의 정신에서 꺼버릴 때, 그 별들은 무의미한 소음의 파편들로 부딪힐 뿐이다. 하지만 그러한 별들의 음향이 멜로디와 화음을 이루어 시어와 시어들이 교향악을 이루는 것은, 시인이라는 창조자가 저마다의 다른 질량과 인력의 별들을 동일화의 통찰로써 붙잡아 두었기 때문이다.

우리가 시의 세계를 항행할 때 그 우주의 신비로움에 감탄하게 되는 것은 시인의 우주가 근원적 동일화의 힘으로 코스모스를 이루기 때문이다. 그러한 동일화의 음향이 지시하는 감미로운 진동은 통일적 동일화의 리듬으로 파동 짓고 있으며 그러한 음향들이 드러내는 별들의 형상과 질량, 부피 등은 또한 우리의 통일적 동일화의 감각을 일깨우는 빛을 발산한다.

시인은 음향과 의미의 결합으로 사물의 일면을 논증한다. 그러한 시인의 동일화의 리듬은 곧, 기호 생성과 그 연결의 통찰 결과이다. 마찬가지로 과학자들은 전혀 다른 두 현상의 배면에 동일한 하나의 원리가 있음을 통찰한다. 질량이 다른 자유낙하를 하는 두 물체는 동시에 지표면에 닿는다. 하지만 이것은 공기가 물체들의 자유낙하를 방해하는 현실세계에서는 일어나지 않는 일이다. 그런데 과학자들은 어떻게 이와 같이 현실에서는 일어나지 않는 상황들을 진리로 주장할 수 있는 것일까? 과학자들이 그럴 수 있는 것은, 현실세계의 감각적 지각으로 경험되는 현상들을 초월할 수 있는 원거리 동일화의 통찰력을 지녔기 때문이다.

현실세계에서는 경험할 수 없는 일이 일어난다고 하거나, 당연히 일어나야 할 일이 일어나지 않는 현상들에 대해 과학자들은 그 이유를 놀랍게도 찾아낸다. 과학자들은 시인이 그러하듯 형상이나 현상을 초월하여 그 배면에 자리한, 모순되게 보이거나 부조리한 일들이 일어나는 원리들을 인지하는 능력을 지니고 있다. 그것은 곧 '어떤 것을 전혀 다른 어떤 것으로' 동일화하는 유비적 통찰의 능력이다.

감각적 현상의 세계에 가려져 있는 초현실의 세계를 지배하는 원리나 규칙들을 포착하는 과학자 · 시인 · 예술가들은 많은 전제적 판단들을 통일적으로 연결하는 궁극적이고도 본질적인 원리를 포착할 수 있다. 그러한 본질적 인식은 특별한 유비적 사고의 능력을 가진 모험가들에 의해서 이루어진다. 그러한 통찰력의 소유자들은 때로 통찰의 내용에 대한 추론적 설명에 어려움을 겪거나 실패할 수도 있다. 하지만, 그들의 통일적 동일화의 통찰은 언제나 그 자체로 유의미하다고 할 수 있다.

7.2. 창의성: 유비적 사고의 동일화 정신작용

7.2.1. 창의성의 본질

우리는 "원형과 사고" 편에서 보았듯이, 유비적 인식의 사고력이 없다면 비약적인 학문의 발전을 기대하기 어렵다. 라이프니츠와 뉴톤의 미적분 발견, 라부아지에와 프리스틀리의 산소 발견과 같은 개념적 원형의 통찰에 의한 순수한 독창적 창조의 경우가 아니더라도, 우리는 많은 이론과 학문, 예술들이 유비적인 측면에서 영향을 주고받는다는 사실을 보게 된다. 오이디푸스 신화에서 영감을 받은 프로이트의 오이디푸스 콤플렉스론, 소쉬르의 언어학과 구조주의, 주역사상에서 취한 닐스 보어의 상보성론 등은 그러한 사례의 하나들이다.

창의성의 본질은 차이를 인지하고 동일성을 파악하는 능력이다. 우주는 변화하며, 차이는 언제나 우리의 눈앞에서 일어나고 있어 쉽게 지각할 수 있는 일이다. 문제는 변화하는 사물이나 일들이 지니고 있는 본질적 속성을 파악하는 일이다. 변화하는 이질적 현상들 속에서 우주가 하나의 동일체로서 갖고 있는 본질적 속성을 파악하는 눈, 다시 말해 이질적 동일성의 동일화 사고의 능력이 창의성의 본질이라 할 수 있다.

그러한 이질적 동일성의 동일화 능력은 줄여서 말해 유비적 사고이다. 그리고 그 본성은 '동일화'이다. 논리학에서는 동일화와 유사한 개념으로서 '판단'이라는 용어를 사용한다. 하지만, 판단이 단순한 인식적 앎의 단일 판단의 선언(예를 들면 A=B)에 그치는 것으로 사용되는 반면에, 동일화는 그 전후로 궁극적인 물음들이 수행됨을 함의한 동적인 개념이다.

그런데, 동적인 개념으로서의 동일화는 형식에 관한 표현이며, 형식에 대응하는 동일화의 내용은 서두에서 언급한 차이와 동일성에 관한 유비적 인식력이다. 이러한 우리의 정신의 능력에 대해 흄은 자연의 원리의 하나로서 자연이 준 습관의 힘이자 원리로 이해했다(『인간 본성에 관한 논고』Ⅰ 오성에 관하여, 179).

오늘날 창의성에 관한 이론과 관련 서적들은 매우 다양하게 전개되고 출간되고 있다. 하지만, 이 책의 필자의 관점에서, 창의성의 본질적 성질에 관한 가장 근접된 인식은 칸트와 에버딘 대학의 논리학 교수 배인(Alexander Bain, 1818-1903) 그리고 윌리엄 제임스에게서 이미 볼 수 있다.

그리고, 이 책의 필자의 견해 역시 그들과 그리 다르지 않다. 오늘날 창의성에 관한 많은 연구자들은 칸트나 배인, 제임스와 같은 본질적인 견해를 제시하지 못하고 있다. (이것은 아마 이론 정보의 홍수 속에서 하나의 문제에 예전처럼 집중을 하지 못함으로 인한 것이 아닌가 생각된다.)

동일화의 능력인 판단력에 관해 칸트는 의미 있는 언급을 하였다. 특수를 보편에 귀속시키는 "판단력은 명백히 하나의 특이한 재능에 속하는 것이어서, 그것은 가르쳐지지 않고 실지로 연마될 뿐이다. 판단력은 소위 타고난 특수한 능력인바, 어떠한 학교 교육도 판단력을 보충할 수가 없다."고 했다(B 172).

또한 칸트는, 미적 이념을 구현하는 유비적 판단은 상상력과 오성에 의한 규칙 창조의 능력 즉 천재에 의한 것이라고 말한다. 그리고, 천재의 표징인 상징(아리스토텔레스의 은유)은 "개념을 대상에 적용하고, 그러한 규칙을 다른 대상에 적용하는 유비적 판단의 형식"이라고 하였다(KU 256).

특히, 배인 교수는, 이 책의 이질적 동일성의 동일화 즉 유비적 사고와 같은 맥락의 것으로 "유사 연합"이라는 용어를 사용했다. 배인 교수는 "유사 연합이 천재가 지닌 제1의 속성"이며 "일치와 차이의 지각, 기억력, 그리고 접촉과 유사라는 연합의 두 종류가 근본적 지성의 모든 것을 구성"한다고 생각했다.

그리고, 제임스는 "베인의 연합에 관한 설명을 영국학파의 가장 훌륭한 표현으로 간주하는 것에는 공통된 의견일치가 있다."며 "천재란 항상 이야기된 것처럼 탁월한 유사 연합 능력"의 소유자라고 하였다. 아울러, "유사연합은 예술이나 문학이나 과학이나 실용적인 일이나 다 같이 잘 할 수 있는 1차적 조건"이라고 한다.[6)]

---

6) William James. 『심리학의 원리』Ⅱ(정양은 역). 아카넷. 2005. pp. 1061 이하, 1878.

이러한 "차이와 일치의 지각" 능력에 바탕한 배인의 "유사 연합" 능력은 칸트가 말한 특수를 보편에 귀속시키는 "타고난 능력"인 판단력에 관한 보다 본질적 표현이다.

칸트의 판단력과 배인 교수의 유사 연합 능력은 이 책의 '동일화' 능력과 같은 맥락의 것이라고 할 수 있다. 다만, '동일화'는 몇 가지 다른 속성을 갖고 있다. 배인은 유사 연합 능력에 관해 사고의 본성의 형식(유사 연합)에 대해 '일치와 차이의 지각에 기초한다'는 내용을 제시하고 있다. 윌리엄 제임스는 '유사 연합'이라는 형식에 대해, 차이에 기초한 "종의 근거"를 "지각하는 능력"을 그 내용으로 제시하고 있다.

한편, 칸트는 유와 종 다시 말해 보편과 특수를 구별하는 방법에 관해서는 언급이 없으며, 단지 보편에 특수를 귀속시키는 능력이라고만 한다. 물론, 선험적 논리학의 전체 기술을 통해 볼 때 범주와 동일률 등이 판단의 개념을 뒷받침하고 있다. 그러나, 판단력의 정의에 있어서는 그러한 언급을 하고 있지 않다는 것이다.

이와 달리, 이 책의 '동일화'는 다음과 같은 속성들이 있다. ① 형식면에서 매개적 이행의 판단(A=B, B=C ∴ A=C)들을 내포하는 'A=C'이다. ② 따라서, 모든 판단의 전후로 무한 추궁의 판단들이 이어지는 ' 동적'인 성격을 갖고 있다. ③ 내용 면에서, 유비적 동일성을 함의하는 A=Ā이다. ④ 동일화(A=C, A=Ā) 인식은 인과성에 바탕한다.

7.2.2. 창의성에 관한 논의들

아리스토텔레스는 '유비' 능력에 관하여는 가르쳐 줄 수 있는 것이 아니라 타고난 능력이라 하였다. 그러한 유비의 능력은 사실, 모든 학문에 있어서 기본적으로 요구되는 동일성의인식력 즉, 이것은 저것과 같은가, 다른가? ‘A=A 인가, 아닌가?’를 가늠하는 능력에 기초한다. 그에 바탕한 유비는 이질성 속에서의 동일성 파악이라는 본질 파악의 능력이다. 아리스토텔레스는 은유의 유형에 관한 설명에서, 종과 유간의 전용 등과 함께, 유추에 의한 전용을 설명한다.

> ☞ 유추에 의한 전용은 A에 대한 B의 관계가 C에 대한 D의 관계와 같을 때 가능하다. 왜냐하면 그럴 때에는 B대신 D를, 그리고 D대신 B를 말할 수 있기 때문이다. 그리고, 때로는 은유에 의하여 대치되는 말의 관계어가 은유에 부가될 때도 있다. 예컨대 잔(B)이 주신(酒神) 디오니소스(A)에 대하여 갖는 관계는 방패(D)가 군신(軍神) 아레스(C)에 대하여 갖는 관계와 같다. 따라서, 잔을 ‘디오니소스의 방패’(A+D)라고 말하고, 방패를 ‘아레스의 잔’(C+B)이라고 말할 수 있을 것이다. 또는 저녁때(B)가 날(A)에 대해 갖는 관계는 노령(老齡)(D)이 인생(C)에 대해 갖는 관계와 같다. 따라서 저녁때(B)를 ‘날의 노령’(A+D)이라고 하든지, 혹은 엠페도클레스와 같이 표현할 수 있을 것이다. 그리고 노령(D)을 ‘인생의 저녁’ 혹은 ‘인생의 일몰’(C+B)이라고 할 수 있을 것이다.[7]

아리스토텔레스 글의 요체는 사물간의 전용 혹은 말의 전용이다. 아리스토테렐스는 유비를 설명하면서 ‘유추’라는 용어와 함께 A=B라는 1 : 1의 등식 개념을 사용한다. 그러나, 1 : 多 혹은 1 : ∞의 확산 은

---

7) Aristoteles. 『시학』(천병희 역). 문예. 2002. pp. 125-26.

유는 유추가 아니라 유비에 의해 생성된다. 유추는 추론의 과정에서 수행되는 통찰 사고로서 원사고의 통찰에 비해 상대적으로 심도가 얕아서 1 : 1의 은유는 가능하나 확산 은유는 불가하다.

유추는 논리규칙 등의 기호체계에 따라 수행되는 방법적 사고로서 원사고의 통찰이 아닌 추론의 통찰이다. 유추와 달리 유비는 엄격한 동일성에 바탕한 형식논리적 동일화가 아니라, 유사 동질성의 동일화이다. 유사 동질성의 동일화 사고는 직각이나 추론의 통찰이 아닌 심층비의식의 통찰에 의한다. 아리스토텔레스는 이러한 통찰 사고의 은유 능력을 칸트와 마찬가지로 타고난 재능으로 이해했다.

칸트에 의하면 유비(상징)는 개념의 간접적 현시의 방법으로서, 개념을 대상에 적용하고, 그러한 규칙을 다른 대상에 적용하는 유비적 판단의 형식이다(KU 256). 미적 이념을 구현하는 유비적 판단은 상상력과 오성에 의한 규칙 창조의 능력 즉 천재에 의한 것이라고 칸트는 말한다.

칸트는, 천재란 예술에 규칙을 부여하는 천부적이고 생득적인 능력으로서 규칙화할 수 없는 것을 산출하는 재능인바, 그 어떤 규칙에 의해 습득할 수 있는 숙련적 소질이 아니라고 한다. 그리고, 동일한 작품을 생성할 수 있는 준칙을 만들어 다른 사람들에게 제공하는 일도 창작자로선 할 수 없다고 한다(KU 182). 그런 칸트는 "학습이란 다름 아닌 모방이므로, 아무리 뛰어나다 하더라도 그것이 학재에 그친다면 결코 천재라고 할 수 없다."고 한다.

> 뉴톤이 자연철학의 원리에 관한 그의 불후의 저작에서 (…) 아무리 위대한 두뇌가 필요했다 할지라도 우리는 그것을 모두 배울 수가 있다. 그러나 (…) 재기발랄한 詩作을 배울 수는 없다. 뉴톤은 기하학의 기본

원리로부터 위대하고 심원한 발견에 이르기까지 모든 단계를 자기 자신은 물론 다른 사람도 명백히 알 수 있도록 보여줄 수가 있다. 그러나 호메로스나 뷔일란트와 같은 시인은 사상과 상상으로 넘치는 이념들이 어떻게 그의 뇌리에 떠올라 정리 되는지를 밝힐 수가 없다.(KU 184)

이와 같이 칸트는 학재와 달리 “아마도 천재 Genie라는 말은 수호신 genius에서 유래되었을 것”(KU 182)이라며 시 · 예술의 창작은 천재에 의한 것이라 한다. 또 한편 칸트는 “학자의 재능은 인식과 인식에 의존하는 모든 이익이 끊임없이 진보하여 보다 큰 완성을 기하기 위한 것으로 천재라고 불리어지는 영예를 받아 마땅한 사람들보다 더 우월한 장점이 있다. 왜냐하면 예술에는 하나의 한계가 그어져 있어, 천재에게 있어서 예술은 어딘가에서 정지하게 마련이기 때문”이라고 한다(KU 185 이하).

이상의 언급에서 우리는 칸트의 인식론적 사고이론에 어떤 한계가 있음을 볼 수 있다. 우선 칸트는 사고가 비의식으로 수행된다는 사실을 고려하지 않는다. 그런 까닭에 칸트는 사고를 지각과 추론으로만 분류하고, 통찰 사고를 다루지 않는다. ② 또 그런 까닭에 칸트는 시 · 예술을 창조하는 유비적 판단력을 천재의 능력으로 분류하고, 뉴톤과 같은 창조적 과학자의 사고를 천재가 아닌 학재로 이해한다.

언급했듯이 사고의 본성은 동일화이고, 동일화의 심도에 따라 사고는 지각, 추론, 통찰, 영감적 사고로 나타난다. 그런 우리의 사고는 비의식으로 수행되며, 사고의 종료 후 의식에서 표상된다. 지각은 그 수행과정이 약 0.1초 정도로 짧다. 다시 말해 지각은 약 0.1초 동안 비의식 상태에서 지각의 결과물을 생성하여 의식에 그 결과물을 나타낸다. 그런 까닭에 우리는 언제나 사물이 의식 상태에서 지각된다고 생각하게 된다.

추론은 심층비의식의 통찰과 달리, 하나의 과제가 완료되는 동안 얕은 통찰 사고와 직각 사고를 번갈아 가며 수행한다. 추론은 원사고인 심층비의식의 통찰 내용을 이해하거나 설명하기 위한 사고이다. 따라서, 추론은 수행된 심층비의식의 통찰 내용을 직각 사고로써 이해할 수 있도록 분절하여 언어와 같은 기호와 문법질서 · 논리규칙 등의 절차를 활용하면서 수행한다.

그런 까닭에 추론 사고는 얕은 통찰을 수행하면서 분절 단위마다 직각 사고로써 그 내용을 의식 상태에서 확인한다. 이와 같이 추론은 사고의 수행 중에 빈번히 비의식 상태에서 의식 상태로 돌아오게 된다. 그런 까닭에 우리는 추론 사고가 지각 사고와 마찬가지로 언제나 의식 상태에서 수행되는 것으로 생각한다. 사고가 명석판명한 상태에서 수행된다는 데카르트적 전통을 이어받은 까닭도 있겠으나, 칸트가 통찰 사고를 다루지 않은 것은 이러한 이유들로 인해서이기도 할 것이다.

그러나, 지각이나 추론과 달리 심층비의식의 통찰은 몇 십초 혹은 몇 십 분 동안 지속될 때도 있다. 다시 말해 심층비의식의 통찰 사고의 수행은 그러한 긴 시간 동안을 의식을 떠나 비의식 상태에서 진행된다는 말이다. 이 책의 필자는 또한 그와 같이 짧지 않은 시간 동안을 비의식 상태로 사고를 수행했다.

사고가 수행되는 동안은 어둠 속에 있듯 어떤 잡념이나 이미지도 나타나지 않는다. 한편, 이러한 사실은 내성적 자기관찰로 확인이 가능하다. 특히 이 책의 "v. 2.1. 비의식에 대한 인식 상황" 편에서 상술되고 있지만, A. 비네의 실험에 참여한 소녀의 대답은 필자의 내성적 관찰의 경우와 너무도 일치하여 놀라게 했다. 다시 한 번 소녀의 말을 인용한다.

> 내가 심상을 갖기 위해서는 아무것도 생각하지 않아야 한다. 하나의 단어가 수많은 상념을 나에게 암시할 때, 이런 때에는 결코 심상이 떠오르지 않는다. 이 단어에 대해 모든 사고가 고갈되었을 때에 비로소 심상이 떠오른다. 그리고 다시 사고가 시작되면 심상은 사라지고, 심상이 나타나기 시작하면 사고는 사라진다.

사고가 비의식으로 이루어진다는 사실은 오늘날 인지과학계에선 일반적인 사실로 여겨지고 있다. 인지언어학자 레이코프와 분석철학자 존슨은 "무엇보다도 인지과학은 대부분 우리의 사고가 무의식적이라는 사실을 발견"했다고 한다. 아울러, "의식적 사고는 거대한 빙산의 일각에 불과"하며 "무의식적 사고가 모든 사고의 95%라는 것이 인지과학자들 사이에서는 경험상의 일반원리로 통하는데, 그것은 심각할 정도로 과소평가한 것일지 모른다."고 주장한다.[8)]

신경생물학자 크리스토프 코흐는 "인지 과학자들의 경우 창의력이 보고할 수 없는(즉, 비의식적인) 과정들과 관련된다는 가설을 지지해왔다(Schooler, Ohlsson, Brooks, 1993; Shooler와 Melcher, 1995)"고 말한다. 아울러, "창의력의 많은 부분은 의식되지 않는다고 오랫동안 주장되어 왔다"며 영감에 인지적으로 접근할 수 없다는 사실은 문제 해

---

8) Gorge Lakoff, Mark Johnson. 『몸의 철학: 신체화된 마음의 서구 사상에 대한 도전』(임지룡 외 역). 박이정. 2002. pp. 13, 25, 40, 123.

결에 관한 더 근래의 연구에 의해서 확인되었다고 한다.[9] 뿐만 아니라, 이에 관한 증언들은 “비의식” 관련 장에서 보았듯이 줄을 잇고 있다. 그러나, 칸트 당시의 학문적 상황을 고려하면 내성주의자인 칸트가 통찰을 다루지 않은 것이 일면 수긍이 가지 않는 것은 아니다.

언급이 있었듯이, 칼 융은 비인과적 원리로서의 동시성 개념을 55세 되던 1930년에 사용하기 시작했다. 그러나 발표를 미루다가 75세 되던 1950년 7월에 노벨 물리학수상자 볼프강 파울리의 논문과 함께 『자연의 해석과 정신』이라는 책으로 출간하면서 공표했다. 그리고, 베르그송은 ‘직관(이 책의 필자의 통찰)’ 개념을 “형이상학 입문”(1903)에서 다루었으나, 오랫동안을 망설여 오다 30여 년이 지난 뒤에 그의 주저의 하나인 『사유와 운동』(1934)에 포함시켰다.

『신화의 힘』에서 조셉 캠벨과의 공동 저자 빌 모이어스(Bill Moyers)는 “신학을 앞서가는 신비 체험을 서구인들이 이해할 수 있을까요? 샤만이나 이야기할 법한 이 궁극적인 바탕을 과학자들, 우리의 현실 감각을 장악하는 문화권의 하느님의 이미지에 갇힌 사람들이 어떻게 체험할 수 있겠습니까?”하고 묻자 캠벨은 주저하지 않고, 중세에는 화형을 당했다고 말한다.

칸트는 영적 교감을 한다는 스웨덴의 과학자이자 신비주의자인 스베덴보리에 대해 주저 없이 “정신병원 입원 순위 1후보자”라고 하고, 스베덴보리의 사상에 자극 받아 『순수이성비판』을 저술하였다는 얘기가 있다. 그리고, 『순수이성비판』의 목적이 경험을 초월한 순수이성의

9) Christof Koch. 『의식의 탐구: 신경생물학적 접근』(김미선 역). 시그마프레스. 2006. pp. 325-26.

독단적 사변을 경고하고, 영혼 · 자유 · 우주 등에 관한 물음은 철학이 다룰 문제가 아님을 지적하였다. 이러한 사실들을 보면, 칸트가 주변의 시선을 의식하는 등의 문제로 비의식과 통찰 개념을 인지하고서도 배제하거나 배척하였다고는 생각하기 어렵다.

아무튼, 비의식 개념과 통찰 사고의 개념을 고려하지 않은 관계로 칸트는 시 · 예술을 창조하는 유비적 판단력을 천재의 능력으로 분류하고, 뉴톤과 같은 창조적 과학자의 사고를 천재가 아닌 학재로 이해했다. 하지만, 천재적 사고는 다름 아닌 유비적 사고의 통찰로서, 시 · 예술은 물론 수학 · 철학과 과학 등의 학문에서도 본질적으로 요구되는 능력임은 말할 것이 없다.

판단력은 연역체계를 세우는 능력이기도 하다. 그러한 연역에서 중요한 것은 전제와 결론의 연결고리인 매개를 통찰하는 일이다. 동일화를 본성으로 하는 우리의 사고는 매개를 이용해서 어떤 사태나 기호를 또 다른 사태나 기호로 이행시키는 정신작용이다. 매개를 통한 동일화 정신작용의 능력에 의해서 우리는 전혀 다른 두 세계나 기호를 하나로 통일하거나 전환할 수 있다.

그것은 시에서 은유를 떠올리는 일이나 과학에서 이론적 가설을 떠올리는 일이나 마찬가지이다. “너는 장미다!”라는 은유는 ‘예쁘다’라는 매개적 속성으로 가능하다. 만약에 우리가 사물들 사이에서 이러한 매개적 속성을 떠올리지 못한다면 결코 사람과 꽃을 마법처럼 하나로 묶는 일을 할 수 없다.

수학이나 과학 역시 마찬가지이다. 우리가 복잡한 수식들을 아주 간결하게 표현할 수 있는 것은 복잡한 수식의 항들 사이에 내재된 공통

인수라는 매개를 발견할 수 있기 때문이다. 또한, 우리는 이런 생각을 할 수도 있다. “얼음은 운동이다.” 이것은 분명한 사실인데, 그것은 얼음과 운동 모두 에너지란 매개물을 갖고 있기 때문이다.

중요한 것은 이 에너지 보존의 열역학 제1법칙에 대한 발견이다. 과학에서, 중요한 것은 이질적 형상과 규칙의 배면에 자리하는 법칙의 발견이며 매개어 · 대전제 · 소전제를 발견하는 통찰력이다. 언급했듯이 이러한 발견은 논리규칙이 유도하여 주지 않는다. 오직 우리의 정신이 비의식의 세계로 자신을 내던짐으로써 가능하다.

매개를 사용해서 다른 두 기호나 현상을 동일화하는 우리의 사고는 본질에서 모두 통찰적이다. 우리는 복잡다단한 통찰의 내용을 이해하고 설명하기 위해 단순한 판단들로 분절하여 문자와 같은 외현기호와 그 체계인 문법 그리고 인과성의 논리규칙 등을 사용하여 의식에 제시한다.

본질적으로 은유적 통찰이나 만유인력의 발견에 관한 통찰 등은 논리규칙을 사용한 설명과 이해를 통해 도달할 수 있는 일이 아니다. 하나의 은유나 과학적 원리에 대한 ‘이해’는 그와 같은 형식의 절차적 사고에 의해서 가능하다. 하지만, ‘은유나 과학적 원리에 대한 발견’은 논리규칙을 초월하여, 의식되지 않는 비의식 상태에서 불현듯 깨닫는다. 그것이 통찰의 속성이다.

언급했듯이 동일화의 결과 ‘A=C’는 ‘A=B, B=C’라는 전제들이 요구된다. 그러나, 실제 우리의 사고는 그러한 외현기호들로 구성된 판단을 수행하지 않는다. 우리의 동일화 정신작용은 단순히 전기 · 화학적인 신호작용에 의한 비의식기호로 이루어진다. A=C라는 형식은 동일화 정신작용의 결과에 대한 외현기호적 표현이며, 전제들인 ‘A=B,

B=C'는 동일화의 결과인 'A=C'를 토대로 그 이유를 추론으로 재구성하여 외현기호로 표현한 것이다.

그와 같이 전기 · 화학적 신호작용으로 이루어지는 우리의 동일화 정신작용의 사고는 비의식 상태에서 비의식기호로 수행된다. 이러한 비의식기호를 사용하는 우리의 사고는 정신의 시공간에서 홀로그램을 생성하듯 구현된다. 이러한 사고의 세계에서는 외현기호의 표상체가 지닌 조사나, 접속사, 어미나 어간 등을 사용하지 않는다. 마치 보이지 않는 그림이나 홀로그램을 구성하듯 순수한 의미로써만 연결되고 결합된다.

그러한 우리의 통찰 사고는 삼단논법과 같은 순서나 질서에 따라 수행되지도 않으며, 통찰 사고를 수행하면서 동시에 그 내용을 인지할 수 있지도 않다. 추론과 달리 통찰은 줄곧 비의식 상태로 수행된다. 시 · 예술 작품과 과학 등의 규칙과 원리의 창조를 위한 사고는 완전한 비의식 상태에서 이루어지는 관계로 우리는 자신이 사고하는지조차도 자각하지 못한다.

우리는 항상 원사고의 통찰에 뒤이은 후속 사고로서, 추론을 수행한다. 언급했듯이 통찰은 비의식으로 수행되는 까닭에 통찰의 수행 중에 현재 사고되는 내용들은 인지되지 않는다. 그런 까닭에 통찰이 수행되고 나서 타인에게 구두로든 문서로든 전달을 하려면 추론 사고로써 통찰의 내용을 정리해내어야 한다. 그러니까 우리는 통상적으로, 사고를 이중으로 하는 셈이다.

칸트를 비롯하여 전통적 철학계와 논리학 등에서 언급되는 추론은 사실은, 통찰 사고에 대한 이해나 설명을 위한 사고들이다. 그들이 통찰 사고의 개념을 갖고 있지 않다고 하여서 통찰 사고를 하지 않고 추론 사고만을 하는 것은 아니다. 그들은 통찰 사고를 하지만, 그러한 사고의 과정은 일체 다루지 않는다. 그러한 통찰 사고가 있은 뒤의 추론 사고에 대해서만 언급을 한다. 그것도 형식적 측면에서만 다룰 뿐, 추론 사고의 수행 상황이나 그 원리 등에 대해선 다루지 않는다.

논리학자들과 달리, 칸트의 경우는 지각 사고가 실재로 이루어지는 과정을 감성 · 오성 · 상상력과 같은 심성 요소들의 상호관계적 작용성과 인상 · 범주 · 도식 · 규정적 판단력 등과의 형식적 통일의 관계를 기술함으로써 드러내었다. 이러한 칸트의 작업은 사고의 형식과 내용의 일치를 구현하기 위한 것으로서 논리학의 새로운 장을 열었다고 평가할 수 있다. 실제로 칸트의 이러한 선험적 논리학의 영향으로 헤겔은 변증법적 논리학을 전개할 수 있었고, 그러한 의미론적 논리학의 계보를 이어받아 하이데거는 존재론적 논리학을 펼칠 수 있었다.

칸트의 선험적 논리학은 형식과 함께 의미를 고려하고 아울러 사고 수행과 관련된 심인들의 상호작용과 형식들을 정신현상학적으로 다루었다. 그런 공이 있지만, 그러나 칸트는 지각 사고와 추론 사고만을 규정하고 다루었을 뿐, 통찰과 영감적 사고의 세계로 의견을 펼치지는 않았다. 사실, 철학과 논리학 등에서의 이러한 상황은 사고의 반쪽 세계만을 다루었다고 말할 수밖에 없다.

그러한 결과의 하나로 칸트의 경우, 시 · 예술의 미적 이념에 관한 표상의 통찰력(칸트의 유비적 판단력)을 천재의 문제로 간주하게 된다. 뿐만 아니라, 칸트는 과학자의 이론 세계의 통찰을 학재라고 하면서도 또 한편으론 그 판단력에 대해서 타고난 것으로서 연마될 수 있을 뿐, 그 어떤 학교교육도 미약한 판단력을 함양시킬 수 없다고 말한다.

하지만, 이 책에서는 창의성이나 천재 등으로 언급되는 사고의 유형들에 대해서 단지 "통찰 사고" 또는 그냥 "사고"라고만 하는 것을 볼 수 있을 것이다. 정상적인 뇌 기반을 갖추었다면, 사고력은 칸트도 지적했듯 "연마"함으로써 함양할 수 있다. 사고의 원리를 안다면 그 원리에 따라 훈련함으로써 사고력의 함양은 가능하다. 이 책의 목적 또한 거기에 있다.

통찰 사고에 관심을 갖지 않고 사고를 지각과 추론의 측면에서만 탐구한 관계로 칸트는 시 · 예술과 과학 분야에서의 창조적(칸트의 '생산적') 사고를 천재와 학재로 분류했다. 그러면서도 칸트는 또한, 학재의 판단력에 대해서도 "명백히 하나의 특이한 재능에 속하는 것"이며 가르쳐지지 않는 "타고난 특수한 능력"이라고 한다.

판단력의 실체는 매개를 사용하여 다른 두 기호를 동일화하는 정신작용이다. 그러한 판단력은 의식되지 않는 비의식기호를 사용하여 수행된다. 앞서 언급이 되었듯, 칸트는 판단력을 지각과 추론의 수단으로서 이해했다. 하지만 판단력은 동일화 정신작용의 기능으로서 의식되지 않는 상태로 진행되는 심층비의식의 통찰 수단이기도 하다.

그와 같이 매개체를 발견하고 대 · 소 전제를 세우는 추론 과정에서의 통찰 역시 "규칙에 좇아서 습득될 수 있는 숙련의 소질"이 아니며, 과학자 또한 어떻게 그러한 매개체를 포착하는지 "스스로 기술하거나 또는 학적으로 밝힐 수"가 없다. 본질 면에서 시 · 예술과 과학 분야에서의 창조적 사고는 동일한 하나의 사고이다.

과학은 텍스트만을 두고 보면 추론에 의해 엄격한 동일성의 동일화 사고를 수행하는 것으로 보인다. 하지만 그것은 통찰의 내용에 대한 증명 과정에서 사용된 것일 뿐이다. 과학 역시 가설의 발견과 연역체계를 세우기 위해선 유비적 동질성의 동일화 사고를 수행한다. 과학적 원리와 규칙을 생성하는 통찰 사고 역시 시 · 예술의 통찰 사고와 마찬가지로 형상 내면의 이질적 동일성을 쫓는 사고로서 곧 자연이 부여한 재능이다.

때로, 우리는 논리가 논리학이나 논리규칙과 결부된 용어로서, 논리는 수학이나 과학에만 사용되며, 시 · 예술의 창조와는 무관하거나 수사법과는 상반된 사고의 원리로 생각하는 것을 볼 수 있다. 하지만 수사학의 수사법 역시 논리에 바탕한다. 논리적 정신은 시 · 예술은 물론 수학이나 과학의 창조 작업 모두에 사용된다. 과학과 예술은 본질적 측면에서 모두 인과적 동일화를 추구하는 논리기관이다.

되풀이되지만, 사고의 본성은 '동일화'로서 유일무이한 하나이다. 시 · 예술의 창작에서 요구되는 동일화 사고는 과학적 이론 창조에서의 동일화 사고와 본질을 달리하지 않는다. 어느 분야, 어떠한 상황에서 요구되는 사고이든 그 본질적 원리는 동일한 하나로서 다름 아닌 '동일화'이다. 다시 말해, 매개를 사용해서 다른 두 기호나 현상들을 본질적 측면에서 연결하는 일이다.

물론, 사고의 본성인 동일화는 사용 기호의 유형에 따라 '동질성'과 '동일성'의 동일화로 구별되기도 한다. 동질성은 시 · 예술에 사용되는 이미지와 같은 자연적 기호를 활용하는 형식이고, 동일성은 과학에 사용되는 개념적 형태의 자의적 기호를 활용하는 형식이다. 전자는 창조적 통찰 수행의 형식이고, 후자는 설명적 추론 사고의 수행 형식이다.

하지만 우리의 사고는 언급했듯이 비의식 상태에서 그리고 비의식 기호로써 수행된다. 그러한바, 우리가 사고를 수행함에 있어서는 시 · 예술의 자연적 기호이든, 과학 분야에서의 자의적 개념의 기호이든 그 운용에 있어서 아무런 차이가 없다. 그것은 우리의 사고가 비의식으로 수행되기 때문이다.

이것이 또한 우리가 유일하고도 단일한 하나의 사고로써 시 · 예술 · 과학 · 기술 · 운동 등을 모두 동일하게 잘 수행할 수 있는 이유이다. (앞에서 윌리엄 제임스는 "유사 연합" 능력이 이 책의 필자가 말하는 '동일화'와 마찬가지로 예술 · 문학 · 과학 · 실용적인 일 모두를 잘 할 수 있는 "1차적 조건"이라고 하였음을 상기할 수 있을 것이다.)

한편, 앞에서 언급된 시 · 예술과 과학에서 요구되는 사고의 수행에 관하여 부연하면, 시 · 예술은 착상과 표현 모두 '동질적 동일화의 사고(통찰)'를 수행하는 반면, 과학은 착상만 동질적 동일화의 통찰을 수행하고 텍스트 작성은 대체로 '동일성의 동일화 사고(추론)에 의한다. 시 · 예술의 창조 작업이 과학에서의 창조 작업보다 힘이 드는 것은 이러한 까닭이다. 실제로, 교수직에 있는 시인들이 논문 작성보다 시 창작이 훨씬 더 어렵다고 토로하는 것을 심심찮게 볼 수 있는데, 그것은 앞에서와 같은 이유로 인해서이다.

그렇다고 해서 논문 작성이 쉬운 것만은 아니다. 괴학적 진술의 기록은 통찰 사고의 내용을 추적하여 언어기호와 문법질서, 논리규칙의 체계와 질서에 따리 표기해야 한다. 그리고, 추적된 통찰의 내용을 직각 사고로서도 이해할 수 있게 더 이상 분절될 수 없는 단위의 판단들로 분절해서 나타내어야 한다. 또 그러한 과정에서 우리는 얕은 통찰과 직각 사고를 지속적으로 반복해서 수행해야 한다.

그래서 통찰과는 달리 추론은 매우 세심한 주의력이 요구되며, 이러한 점에서 추론은 통찰보다 귀찮고 까다로운 사고이다. 그리고, 무엇보다도 창작자들로서 곤란한 것은 창조적 작업의 수행 뒤에도 다시 이러한 추론에 많은 시간을 써야 하는 까닭에 창조적 사고의 시간을 빼앗긴다는 것이다. 그런 까닭에 추론 사고의 작업을 적대시 하게 되기까지 한다.

한편 칸트는, 학자의 재능은 인식의 진보와 함께 보다 큰 완성을 이루어나가는 장점이 있으나 예술에는 하나의 한계가 그어져 있어 천재의 예술은 어딘가에서 정지하게 마련이라고 한다. 노벨문학상 수상 시인 옥타비오 파스(1914-1998) 역시 "시가 닫혀 진 질서처럼 보이는 반면에, 산문은 열리고 직선적인 건축물의 모습이 되려고 한다."며 "시는 진보나 진화를 무시"한다고 말한다.[10)]

물론, 과학은 도식의 체계를 확장적으로 형성해나간다. 그 결과 과학은 이론과 학문이라는 큰 틀의 체계를 구축한다. 하지만, 시 · 예술에서 진보와 진화는 칸트 역시 주지하듯 시문의 구조적 체계와 정치함을 목적으로 하지 않는다. 동일화의 통찰을 수행하는 시 · 예술의 창조 작업 역시 원리론적 도식의 체계들이 연구된다. 시인의 사상과 시론에서 도출되는 창작론은 정리된 수사적 기교로써 시문에 투사된다. 다만, 시문으로 직접 기술되지 않을 뿐이다. 시문에서 그러한 체계적 논의들은 형식으로 집약되고 수렴된다. 시 · 예술에 있어서 진보와 발전은 미학적 울림의 또 다른 형식들로 나타난다.

판단은 매개를 통해 대상을 통일적으로 이해하고 인식하는 능력이다. 이러한 판단의 내재적 원리와 구조에 관한 언급 없이, 칸트는 단지 특수를 보편에 귀속시키는 능력에 주목한다. 이러한 인식은 사고가 본질적으로 비의식의 통찰이라는 사실을 간과하게 한다. 또한 그러한 결과로 칸트는 미적 이념을 구현하는 시 · 예술 창조의 사고를 탐구할 수

---

10) Octavio Paz. 『활과 리라』(김홍근 외 역). 솔. 1998. p. 87.

없는 '천재'의 영역으로 분류한다. 아울러, 과학적 창조의 사고를 시·예술 창조의 사고와는 다른 성질의 것으로 생각하게 된다.

유비적 사고의 능력은 많은 이들에 의해 천재의 징표로 여겨져 왔다. 윌리엄 제임스는 "유사 속에서 차이를 발견하고, 차이 속에서 유사를 발견한다"며 '유사 연합'이라는 용어로써 이질적 동일성의 유비적 사고에 관한 본질적 견해를 보여준다: 사람에 따라 유사에 더 민감하고 쉽게 찾아낸다는 것은 사실이다. 그런 사람은 예지자로서 시인들이며 발명가들이고 과학자들이며 실천적 천재들이다. 배인과 그 전후의 다른 사람들도 '모든 차원의 천재에게 가장 두드러진 사실은 유사를 지각하는 천부적 재능'으로 간주했다고 말한다.

그러한 제임스는 "차이와 유사가 있는 곳을 각각 정의하도록 사물을 분석하는 것을 비교라 한다. 차이는 하나의 종의 여러 속들 사이에 있는 것이다. 그리고 종의 근거가 되는 유사를 지각하는 우리 능력은 속의 원인이 되는 차이를 지각하는 능력과 마찬가지로 궁극적이고 설명할 수 없는 우리의 정신적 자질"이라고 한다.[11]

그리고 "인간의 정신과 짐승의 정신 사이의 가장 기본적인 유일한 차이는 짐승의 정신엔 유사에 의한 관념 연합이 결핍되었다. 일반적으로 동의하는 바에 의하면 천재들은 유사 연합을 월등히 발전시켰다는 점에서 보통 사람의 정신과 다른 것으로 간주된다."고 한다.[12]

아울러, 제임스는 '연합'에 관한 배인 교수의 말을 제시한다: "우리

---

11) William James(정양은 역). 같은 책 Ⅱ. p. 953 이하.
12) 같은 책 Ⅲ. pp. 1860, 1878.

정신이 동력이란 한 가지 조건에만 몰두하면 말과 증기기관과 물의 낙차와의 차이가 뒤로 물러난다. 이들의 차이가 그것들이 지닌 본질적 일치성을 오랫동안 감춰왔다는 것은 의심의 여지가 없으며, 민감하지 않은 사람은 이와 같은 일치의 발견이 영원히 불가능할 수도 있다(The Senses and the Intellect. pp. 491-3)."

그런 제임스는 무미건조한 재현의 상기에만 매달리는 사고의 뇌와 유사법칙을 샘솟게 하는 뇌에 관한 물리적 차이나 화학적 차이를 지적할 수 있다면 이는 가장 중요한 생리학의 발견 중 하나가 될 것이라고 한다. 아울러, 그 차이가 어떠한 것이든 그것이야말로 천재와 재현적 틀에 박힌 사고를 하는 사람과의 특징적 차이일 것이라고 한다.[13)]

그러하듯, 제임스가 말하는 '유사 지각 능력은 종의 근거를 지각하는 능력'으로서, 신경생물학자 제럴드 에델만(1927-)이 언급하듯, "공통점이 없는 실체들을 연결할 수 있는 은유적 능력"이다. 아울러, "연상작용을 하게 하는 은유의 특성"이자 "패턴을 형성하는 선택적 뇌의 작동"에 의한 능력[14)]이다. '유사 지각 능력' 다시 말해 '유사 연합'은 '은유의 능력'이며, 그것은 곧 이질성 속에서 동일성을 찾아내는 유비적 사고의 능력으로 창의성의 본질이다.

창의성을 연구하는 예일대 심리학 교수 Stemberg와 Grigorenco · Singer는 "한 분야에서 창의적으로 사고과정을 학습한다는 것은 다른 어떤 분야에서든 그 분야와 관계되는 창의적 과정을 이해할 수 있

---

13) 같은 책 Ⅱ. pp. 1082, 1050.
14) Gerald Edelman. 『세컨드 네이처』(김창대 역). 마음. 2009. p. 79.

는 훈련을 하고 있다는 의미가 될 수 있다. 다시 말하면, 창의적인 사람들은 자신의 분야와 전혀 상관없는 영역에서도 개인적으로 공헌할 수 있는 일반적 창의성을 소유하고 있다."고 한다.

그리고, "특히 중요한 것은 Root-Bernstein과 Root-Bernstein이 기술한 예술과 과학에서 창의적인 사람들이 공통적으로 사용하는 사고도구에 대한 것"으로 이것에는 "상상, 신중한 관찰, 패턴화하는 것 등과 비유를 찾고 모델을 만들려는 노력 등이 포함된다."고 말한다.

아울러 그들은 "새로우면서도 평범하지 않은 방식으로 지식을 연결하는 상상력 풍부한 그러한 과정과 각 학문 분야를 넘나들며 대중과 소통할 수 있는 상호 관련 있는 재능들에 대해 완전히 이해하게 될 때, 비로소 인지과학 분야에서의 창의적 사고에 대한 비밀은 밝혀지게 될 것"[15]이라고 하는데, 그것은 올바른 지적이다.

Mark A. Runco는 "확산적 사고에 관한 아이디어가 창의성 문헌에 속속들이 배어 있다는 것은 놀라운 일이 아니"라고 한다. 그리고, 『창의성-이론과 주제』에서 그가 소개한 연구들의 상당수가 확산적 사고검사를 창의적 사고의 잠재력 측정치로 사용했다고 말한다.[16] 그런데, Stemberg · Grigorenco · Singer 그리고 Root-Bernstein과 Root-Bernstein, Mark A. Runco 등이 언급하는 '패턴화', '비유', '모델화', '확산적 사고' 등은 모두가 어떤 것을 또 다른 것으로 동일화하려는 '유

---

15) R. J. Stemberg, E. L. Grigorenco, J. L. Singer. 『창의성: 그 잠재력의 실현을 위하여』(임웅 역). 학지사. 2009. pp. 205, 315, 235.
16) M. A. Runco. 『창의성-이론과 주제』(전경원 외 역). 시그마프레스. 2009. p. 129.

비적 동일화' 다시 말해 동질적 동일화의 통찰을 그 본성으로 한다.

Stemberg · Grigorenco · Singer는 "철학자 John Dewey와 과학역사가인 Howard Gruber가 말하는 것처럼 우리 역시, 다양한 취미와 이를 이해하는 다양한 방식들을 통합할 수 있는 네트워크를 형성하는 능력이 창의적인 사고의 근본이라고 믿는다(Dewey, 1934; Gruber, 1988)."고 한다.[17] 그런데, "다양한 방식들을 통합할 수 있는 네트워크를 형성하는" 창의적 사고의 근본은 다름 아닌 '동일화 정신작용'이다.

기술역사가 David Pye는 "예술가로서 무언가를 창작할 수 있는 능력을 가진 사람은 유용한 발명 역시 해낼 수 있는 능력을 지니고 있다"고 하였다(Ferguson, 1992: 23-26). 이 말은 시 · 예술 · 과학 창조의 원리가 모두 동일화 정신작용이라는 이 책의 관점을 대변한다고 할 수 있다.

또한 Stemberg 등은 "일반적으로 일어나고 있는 예술 과목의 평가절하 혹은 배제의 관행들이 어쩌면 모든 학문 분야의 창의성 발현에 심각한 해를 끼칠 수 있다는 것을 알게 될 것"이라고 한다. 아울러 "예술 과목을 제한적으로 운영하거나 아예 배제하는 것은 분명 엄청난 문제를 초래할 것"[18]이라고 말한다.

Mark A. Runco는 "자주 교실에서 페이딩하는 것으로 시 쓰기 과제를 사용한다"는 Hennessay(1989)의 말을 인용한다. 그리고 룬코 역시 "나는 짧고 잘 구조화된 시를 활용한다. 이것은 쉬운 과제로 시작할 수 있게 해 주며 구조화가 잘 되어 있다. 예를 들어, 나는 학생들에게 다음의 요구조건을 갖춘 시를 쓰라고 요구한다."고 말한다.

---

17) R. J. Stemberg, E. L. Grigorenco, J. L. Singer(임웅 역). 같은 책. p. 226.
18) 같은 책. p. 205.

> 다섯줄을 포함해야 한다. 첫 번째 줄은 하나의 명사만을 포함한다.(나는 '곤충' 같은 명사를 그들에게 준다) 마지막 줄은 하나의 명사만을 포함하는데 그것은 첫 줄에 있는 것과 같은 것이다. 시의 두 번째 줄은 두 개의 단어를 포함하는데, 그것은 첫 줄에 있는 명사에 적용할 수 있는 형용사이다. 시의 세 번째 줄은 세 개의 단어만을 포함하는데, 각각은 그 명사에 적용할 수 있는 행위를 나타내는 단어이다. 네 번째 줄은 단어 수나 단어 종류가 어떤 것이어도 좋다.[19)]

룬코의 이러한 구조의 시편은 수미일관한 통일적 동일화의 과정을 전개토록 하는 것으로, 기본적으로 동일화 과정의 훈련에 합당한 요구이다. 사고 · 통찰 · 천재의 본성은 공히 'A=Ā'이라는 유비적 사고를 원리로 하는 '동일화(A=C)'의 능력이다. 그러한바, 통찰 사고능력의 함양은 동일화 능력을 키우는 일이다.

이 책의 필자는 시 창작 훈련이든 학문적 사고의 훈련이든, 전혀 다른 둘을 하나로 인식코자 하는 모험적 사고의 훈련을 요구한다. 그 훈련은 간단하다. 전혀 다른 두 사물이나 관념 등을 일단 동일하다고 가정한다. 그리고 그 이유를 만들어나가는 것이다. 이러한 훈련은 궁극적으로 모든 현상과 존재자들을 하나로 묶게 된다. 일종의 화두선과도 유사한 맥락의 방법론이다.

이질적 양태의 다른 두 사물을 동일화 하는 과정에서 두 현상의 배면에 자리한 근원적 동일성과 유사성을 통찰하는 힘이 길러진다. 그리

---

19) M. A. Runco(전경원 외 역). 같은 책, p. 248.

고, 두 사물의 이질적 동일성에 관한 설명을 해나가는 가운데 자신의 통찰에 대한 추론 사고의 능력이 함양된다. 물론, 훈련의 대상인 이질적 동일성에 관한 대립 쌍이 자신의 현재 학습이나 창작에 관련된 것들이라면 효과는 보다 직접적일 것이다.

심리학자이자 통계학자인 찰즈 스피어먼(Chares Spearman, 1863-1945)은 통계학에서 발견된 요인분석법을 사용하여 일반지능요인의 g-요인과 특수인지요인의 s-요인으로 분석하였다. 전자는 모든 지능검사 문항에 공통된 지능이고, 후자는 음악이나 기계 분야 등과 같은 개인 특유의 지능이다. 그리고 스피어먼은 언어지능과 같은 요인에서 높은 점수를 받는 사람은 전형적으로 공간능력이나 추리능력과 같은 다른 요인에서도 평균 이상의 높은 점수를 획득한다는 사실에 주목했다.

미국의 심리학자 서스톤(L. L. Thurstone, 1887-1955)은 사람들에게 56가지 서로 다른 검사를 실시하고, 일곱 개(단어 유창성, 언어이해, 공간능력, 지각속도, 수학능력, 귀납추론, 기억)의 기초 정신능력(primary mental ability)을 확인해내었다. 하지만, 다른 연구자들은 일곱 가지 일차적 능력 군집에서 어느 하나가 뛰어난 사람은 다른 능력에서도 높은 점수를 받는 경향이 조금은 있다는 사실을 발견하였다. 이러한 사실은 결과적으로 g-요인을 뒷받침한다.

일반적으로, 오늘날 지능에 대한 사전적 정의는 배우고 이해할 수 있는 능력 또는 새롭거나 복잡한 상황에 대처할 수 있는 능력으로 정의되고 있다(Webster's New Collegiate Dictionary). 대부분의 연구자들은 지능을 보다 포괄적으로 정의하는데, 종종 사고과정을 통칭한다(Anderson, 1985; Carroll, 1993).

방법론이나 주요 개념만을 보면 창의성 연구는 지능 연구와 상당히 유사하다. 그럼에도 불구하고 지능 연구자들은 창의성 연구자들이 충분한 증거가 없이 논의를 전개한다고 불평한다. 하지만 이런 상황에도 불구하고 창의성 연구자들은 지능과의 관계를 통해 창의성을 규정하고자 노력해왔다. 문제는 그 관계를 규정하는 방식이 너무 다양하다는 사실이다. Haensly와 Reynolds(1989)는 창의성을 지능의 일부분으로 보는 견해와 지능을 창의성의 일부분으로 보는 견해를 통합하여 창의성과 지능을 동일한 개념으로 보는 모형을 제안했다. 한편, Sternberg와 O' Hara(2000)는 여기에 다음의 네 가지를 추가해 다섯 가지로 세분하였다: ① 창의성은 지능의 한 진부분집합(subset), ② 창의성이 지능의 상위집합(superset), ③ 지능과 창의성은 서로 다르지만 많은 부분 중첩된다는 견해(overlapping), ④ 지능과 창의성은 서로 완전히 무관하다는 견해(disjoint set)이다.[20]

또 한편, 정양은 교수는 지능과 관련된 주요 요인을 세 가지로 정리하였다: ① 방향을 설정하고 그 방향을 계속적으로 유지하려는 경향, ② 목적에 알맞은 수단을 적용하는 능력, ③ 자기비판과 풀리지 않는 문제를 못 풀었을 때 만족하지 않는 경향이다.

그런데, 아이러니하게도 최초로 지능검사법을 만든 A. 비네는 지능의 개념을 정의하지 않았다.[21] 그리고, 현재 관련 학계의 견해 역시 잠정적이고 모호하다: "지능과 창의성의 관계는 다양하고 어떤 합의에

---

20) 이정모 외. 『인지심리학』(한국실험심리학회 편). 2판. 학지사. 2003. pp. 485-86,
21) 정양은. 『심리학 통론』. 법문사. 1985. p. 256.

이를 가능성도 없어 보인다. 굳이 구분하자면 지능은 정보의 습득과 활용으로 창의성은 정보의 생성, 변용, 확장으로 특징 지을 수 있다. 하지만 이들이 중첩됨은 분명하다."[22]

7.2.3. 창의성의 본질: 동일화 정신작용

스피어먼이 언급한 일반지능 요인의 본질적 속성과 원리는 바로 '동일화'이다. 이것은 매개를 사용해서 서로 다른 두 기호를 통일하는 일이다. 동일화는 지능 · 창의성 · 통찰과 같은 사고 능력에 없어서는 안 될 본질적 성질의 정신작용이다. 이러한 사고의 본성이자 원리인 '동일화'는 우리의 다양하고도 특수한 여러 문화 형식들을 이루는 본질로서 가장 근원적 형식이자 '원형'이다.

또한, 아리스토텔레스의 '은유', 칸트의 미감적 이념의 '상징', 카시러의 '상징 기능', 베인과 윌리엄 제임스의 '유사 연합', 레이코프 · 존슨의 '무의식적 은유', 에델만의 '범주화 · 패턴화' 등 역시 시 · 예술은 물론 수학 · 과학을 구성하는 사고의 본질적 속성인 '동일화' 그것의 다른 이름들에 다름 아니다. 이 모두는 외관상으로는 달라 보이나 내면적 속성은 동일성을 지닌 이질적 동일성의 인식에 관한 유비적 사고 능력의 다른 표현들이다.

사고의 본성이 '동일화'라는 것은, 창의성의 근본적이고도 본질적인 원리 또한 '동일화'임을 의미한다. 베인이나 제임스가 '천재'의 특성으

---

22) 이정모 외(한국실험심리학회 편). 같은 책. p. 401.

로 간주한 '유사 연합' 능력은 물론, 아리스토텔레스나 칸트가 '천분'이나 '천재'로 여겼던 '은유'나 '상징' 능력의 본질 역시 다름 아닌 '동일화'이다. 시 · 예술 · 과학 등의 전문 분야에서 수행되는 심층비의식의 통찰과 영감적 사고는 일상의 지각이나 여타 판단들과 달리, 그 동일화의 심도를 달리할 뿐이다.

Mark A. Runco는 현재 미국의 창의성은 하향세라고 한다. "Florida(2004)는 미국이 2차 세계 대전 이후 세계에서 가장 혁신적인 국가라고 많은 사람들이 생각하고 있는 것과 달리, 미국의 창의성이 세계 11위 정도라는 것을 암시하는 자료를 제시하였다."고 한다. 여러 이유가 있겠지만 Mark A. Runco는 다음과 같은 토인비(1964)의 주장에서 그 이유를 찾는다.

> 내 생각에 현재 미국의 부유한 다수들은 저항할 수 없는 변화의 물결을 필사적으로 저지시키려고 한다. 이들은 평안한 부를 획득하도록 해준 사회와 경제체제를 보존하는 일에 몰두하고 있다. 오늘날 미국의 여론은 사회적 순응을 크게 장려하고 있다. 성인의 삶 속에서 사람들의 행동을 표준화하려고 하는 이러한 시도는 창의적 능력을 약화시키고 아동기에 평등주의적 교육정책을 시행하도록 요구한다.["미국은 창의적 소수자를 무시하고 있지 않는가?"(Is America Neglecting Her Creative Minority)][23]

23) M. A. Runco(전경원 외 역). 같은 책. p. 8. 재인용.

오늘날 과밀도의 집중된 도시화와 그로 인한 치열한 생존경쟁 구조의 우리사회를 돌아보면, 상황판단을 중시하는 추론사고를 활용할 수밖에 없을지 모르겠다. 상황판단에 관심 없는 비의식 속에서의 통찰 사고는 경쟁체제에서의 평가중심, 단세포적 성과중심의 사회 속에서는 도태될 수밖에 없다. 한편으로, 우리의 대학이나 연구사회는 통찰 사고의 기회가 충분히 주어져 있지 않느냐고 반문할지 모르겠다. 하지만 문제는 그들 역시 학습 시기의 현장에서 통찰 사고를 할 기회를 완전히 빼앗겼을 뿐만 아니라, 연구사회 속에서도 그들이 경쟁체제의 조급한 성과평가를 위한 추론 사고의 요구에 노출되었다고 보지 않을 수 없다.

심층비의식의 통찰은 전문 세계에서의 활성적 기호의 축적으로 가능하다. 그리고, 활성적 기호는 끊임없는 동일화 정신작용으로 생성된다. 창조적 통찰은 중단 없는 동일화 정신작용의 훈련으로 함양된다. 세계가 동일화의 끈으로 연결된 구조체라는 생각이 유의미하다면 동일하지 않은 것들을 동일한 것으로 다루는 동질성의 동일화 즉, 시적 비유의 사고 그것은 새로운 길을 열어나가는 열쇠임에 틀림없다.

7.3. 통찰 · 기억 · 기호

7.3.1. 통찰과 기억

사고의 본성은 동일화이고, 동일화는 동일성이나 동질성의 형식을 통해 의미를 구현하는 일이다. 의미는 곧 기호로서 심상이나 질료적 매체를 통해 표상된다. 우리의 사고는 그러한 기호를 대상으로 해서 또 다른 기호를 생산한다. 다시 말해, 사고는 어떤 기호 A를 또 다른 기호 C로 표현하는 동일화(A=C) 정신작용이다.

그러한 사고된 지식 즉 의미는 기호이고, 기호는 기억의 내용인 사고된 의미체이다. 우리의 사고는 기억된 지식의 기호를 바탕으로 해서 또 다른 기호를 생산한다. 그러한바, 사고와 기억과 기호는 불가분의 관계이다. 우리의 지각 · 통찰 · 추론 등의 결과는 기호화 되어 내장되고, 다시 지각 · 통찰 · 추론 등의 수단으로 활용된다. 그러한 우리의 사고는 기호적 지식들로부터 생성된다.

우리의 감각은 지각이 되고, 지각은 통찰을 이루며, 통찰은 추론에 의해 의식화된다. 그러하듯 우리의 사고는 감각의 연장이다. 감각이 닿지 않는 미지의 영역에 관하여 우리는 감각 대신에 사고를 수행한다. 그런데, 이러한 사고가 가능한 것은 먼저 대상을 그 어떤 기호로 의미화하는 동일화의 상징 능력에 있다. 하지만, 이와 더불어 또 하나의 중요한 능력은 의미화 된 기호를 내장하는 재능이다.

기억은 감각되고 사고된 의미들을 우리의 정신에 내장한다. 그럼으로써 사고는 시작되고 확장된다. 모든 우리의 사고는 의미화 되어 우리의 정신에 어떤 흔적을 남긴다. 지식과 개념은 그러한 사고의 결과물인 의미이며, 또한 그 의미들은 기호이다. 그런 의미들은 질료 매체를 통해 표현된다. 그것이 외현기호이다. 질료적 매체에 투사되기 이전에 우리의 의식에 표상되는 의미는 도식기호와 심상기호이다. 그리고 의식에 표상되기 이전의 순수한 의미는 비의식기호이다.

우리의 모든 감각과 사고의 결과물은 우리의 정신에 하나의 순수한 추상의 '의미'로 존재하며, 그러한 의미들은 사고의 수행 시에 비의식기호로 작용한다. 만약, 우리가 사고할 수 없다면 어떤 기억도 수행할 수 없지만, 우리가 기억할 수 없다면 또한 우리는 그 어떤 사고도 수행하지 못한다. 우리의 사고는 토끼=의자나 토끼=현관 같은 단절되고 고립된 지시작용이 아니다. 우리의 사고는 'A=C'와 같이 'B'라는 매개체를 중심으로 하여 'A=B, B=C'라는 동일화의 과정을 지닌 통찰 행위이다.

그런데, 'A=C'라는 결론적 판단에 이르는 통찰 사고 과정에서 A나 B를 파지하는 그러한 '능력이 전제되지 않는다면 'A=C'라는 우리의 사고는 이루어 질 수 없다. 또한, 그러한 사고과정의 능력이 없다면 어떠한 기억도 가능하지 않다. 그러한바, 우리는 기억 능력을 잃은 환자의 경우 먼저, 사고 과정에서 요구되는 작업기억 능력의 상실을 생각해볼 수 있다.

우리가 사전에서 외국어를 찾기 위해서는 그 낱말을 잠시 동안 의식의 상태에서 파지(인지)하고 있어야만 하는데, 이러한 기억의 유지를 '작업기억'이라 한다. 마찬가지로, 통찰의 수행에 있어서도 비교 · 검토 · 판단 과정에서 대상 기호들에 대한 파지를 요하는, '작업기억'에 상응하는 정신작용이 요구됨은 물론이다. 다만 그러한 사고과정에서의 작업기억이 의식이 아닌 비의식의 상태에서 수행된다는 점이 다를 뿐이다.

물론, 사고 수행 시의 작업기억과 수첩에서 찾아낸 전화번호로 전화를 거는 (배들리 등이 말한) 작업기억과는 그 성격이 다르다. 전자의 비의식작업기억은 사고 과정에서 사용되지만, 후자의 의식이 관계하는 작업기억은 단순한 지시적 인식 성격의 것이다. 전자는 해마가 관여하나, 후자는 해마의 관여 없이 전전두엽만으로 수행이 가능하다. 그러한 단순한 지시적 성격의 작업기억 능력만을 지닌 (해마 부위 손상 환자) 경우는 정상적인 사고를 수행하지 못한다.

해마 부위 손상 환자들이 학습능력을 상실하고 심지어는 새로 만나는 사람들의 이름을 기억하지 못하는 것은 그들이 단순히 '토끼=의자'나 '토끼=현관' 같은 지시적 동일화 능력만을 지녔기 때문이다. 그러한 '사고 작업기억' 능력 상실 환자의 경우 설령, '토끼=동물'과 같은 의미 있어 보이는 지시적 동일화를 수행한다고 하더라도 그것은, "토끼는 식물이 아니다"라거나 "스스로 이동할 수 있는 생물"이라는 등의 매개 의미를 근거로 해서 얻어낸 통찰작용에 의한 것이 아니라, 의미관계가 고려되지 않은 채 행해진 것이다. 그러한 '토끼=동물'은 사실은 '토끼=의자'나 '토끼=현관'과 같은 맹목적 지시 성격의 것이다.

이러한 단순 지시적 동일화는 '사고'가 아니다. 이와 같은 맹목적 동일화만을 수행하는 환자는 비록 작업기억 능력은 지녔다 하더라도 맥락적 이해의 동일화 정신작용의 사고를 수행하지 못한다. 그러한 까닭에, 어떤 각인적 요인에 의해서가 아니라면 그가 행한 지시적 동일화의 결과물인 토끼=의자나 토끼=현관 또는 토끼=동물은 물론 처음 만나는 사람의 이름 등은 장기기억화 할 수가 없다. 새로운 사람의 이름을 익히기 위해서는 그 사람의 어떤 특징을 매개 의미로써 사용해야 동일화 사고가 이루어지고, 맥락적 이해에 의한 장기기억이 가능하다.

기억은 사고의 지식(기호)화로서, 특히 장기기억은 어떤 '의미'를 보다 용이하게 회상할 수 있도록 뇌신경세포의 연결회로를 형성하는 일이다. 이러한 기억 작용은 측두엽 등에서 이루어진다. 뇌과학은 "내측두엽과 대뇌피질의 상호작용으로 공고화된 기억은 두정엽과 측두엽의 연합피질에서 저장되어 장기기억이" 된다[24]고 한다. 이러한 우리의

24) 박문호. 『그림으로 읽는 뇌과학의 모든 것』. 휴머니스트출판그룹. 2013. p. 648.

'기억'은 단순한 '저장'이 아니라 복잡다단한 뇌신경집단의 회로 구성으로 이루어진다.

기억 인출의 회상 또한 "단순한 탐색을 통해 주소를 찾아 꺼내는 기계적인 과정이 아니라 인출 시에 주어진 단서와 자신이 알고 있는 지식을 토대로 목표 항목 내용을 재구성해서 그 결과가 목표자극인가 아닌가를 결정하는 과정이다. 우리가 일상적으로 어떤 대상을 기억해 낸다는 것은 이러한 재구성 과정에서 그 자극이 이전에 경험한 것인가 아닌가를 통계적으로 판단하고 결정하는 과정이 개입된다."[25] 그러한바, 맥락화되지 않은 경우 기억이 되지도 않지만, 단순한 동일화의 맥락화로 기억이 되었다 하더라도 그러한 기억의 내용은 회상 시에 부분적 또는 전체적인 회상에 실패할 수 있다.

우리는 처음 접하는 사물이나 내용에 대해선 즉각적으로 인식하지 못하고 사물에 대한 관찰과 관련 지식들을 떠올려 추론 과정을 거친 후 하나의 통일적 의미체로서의 결론을 내려서 인식을 완료한다. 하지만 이미 알고 있는 것이라면 추론이나 통찰에 의하지 않고 직접 지각한다. 이것이 가능한 것은 앞서 언급이 있었듯이 우리의 정신은 사고의 결과를 내장하여 필요시 회상할 수 있기 때문이다.

찰스 퍼스는 지각에 관하여, "하나의 결론이 마음속에서 두 개의 전제를 순간적으로 대체하는지는 정말 의심스럽다."면서도 "하지만 삼단논법의 과정과 동등한 어떤 것이 유기체 안에서 일어난다."며 지각

25) 이정모.『인지과학: 학문 간 융합의 원리와 응용』. 성균관대학교 출판부. 2009. p. 440.

이 '무의식적' 추론임을 주장했다.[26] 하지만 윌리엄 제임스는 새로운 것을 생산하는 것이 추론이고 이전의 경험에 관한 것들은 재생산일 뿐으로, 지각은 추론이 아니라 무의식적 추정에 의한 것이라고 했다.

하지만, 예전의 경험 지각이나 추론 등의 내용은 기억으로 전환되어 우리의 정보체에 내장된다. 그러한 내장된 지식을 활용하여 비의식 상태에서 비의식기호로써 동일화 과정이 전일적으로 이루어지는 까닭에 사물을 경험하는 우리는 추론에 의하지 않고 지각할 수 있다.

앞에서 언급된 칸트의 삼각형과 추론에 관한 예를 다시 한 번 정리하여 보면, 칸트는 "세 직선의 도형에 세 각이 있다는 것은 바로 인식된다. 그러나 세 각의 합이 두 직각과 같다는 것은 추리로써 가능하다."고 한다(B. 359). 하지만, 언제나 그런 것은 아니다. 삼각형의 세 각의 합이 두 직각과 같다는 사실을 ① 완전히 알고 있는 경우 ② 그 사실을 알 수 있는 단서를 알고 있는 경우 ③ 그 사실을 알 수 있는 어떤 단서도 없는 경우 등에 따라 수행되는 사고가 다르다.

①의 경우는 추론을 할 필요가 없이 '직각'으로써 알게 된다. 왜냐하면, 어떤 사실을 알고 있는 경우 우리는 다시 추론을 할 필요가 없으며, '기억하고 있는 지식'을 회상하기만 하면 그 즉시 '직각'되기 때문이다.

②의 경우, 즉 원의 각도는 360°라든가 하는 간접적 자료를 갖고 있을 때 우리는 원의 각도로부터 삼각형의 한 변의 연장선이 180°라는 사실을 추론하고, 빗변에 대한 평행선을 긋는 등의 방법으로 결국 삼각형의 내각이 180°임을 증명할 수 있다. 이와 같이 하나의 동일

---

26) C. S. Peirce. 『퍼스의 기호학』(제임스 훕스 편. 김동식 외 역). 나남. 2008. p. 107-09.

화 판단을 근거로 하여 다른 하나의 새로운 사실을 얻고 그것에 기초하는 방식으로 최종의 결론적 판단을 할 수 있는데, 이때의 사고는 추론이다.

그런데, ③과 같이 어떤 간접적 지식의 단서도 갖고 있지 않은 경우 우리는 증명을 위한 그 어떤 단서를 찾아내어야만 한다. 이때 우리는 통찰을 수행한다. 그리고, 하나의 단서를 통찰해내었다면, 이제 어떻게 그 단서로부터 삼각형의 내각의 합이 180°라는 사실에 이르게 되었는지를 누구나 이해할 수 있도록 논리적으로 기술하게 된다. 이때 추론이 사용된다.

언급하였듯이 우리의 사고인 동일화 정신작용의 내용은 지식으로 내장된다. 그러한바, 통찰의 대상을 지식으로써 이미 알고 있는 경우 우리는 다시 그에 관한 통찰을 수행할 필요가 없다. 과거에 우리가 행한 통찰 내용을 단지 회상함으로써 우리는 '직각'한다. 그리고 단서가 있는 경우 추론을 사용하고, 어떤 단서가 없는 경우 통찰을 수행한다. 한편, 우리가 통찰의 내용을 추론으로써 설명하는 이유는, 결론에 이르는 단서의 발견과 단서로부터 결론에 이르는 과정이 비의식 상태에서 이루어지기 때문이다.

7.3.2. 통찰과 비의식기호

통찰(A=C)은 비의식 상태에서 대상(A)과 목표대상(C)과의 유비적 동일성의 관계를 비교 · 검토함으로써 이루어진다. 그런데, 사람들은 비교 · 검토가 일반적으로 의식 상태에서 수행되는 것으로 생각한다. 하지만 그것은 추론의 수행 과정에서 있는 일이고, 통찰 시는 사고의 효율성 문제로 '의식'의 도움을 받지 않고 비의식 상태에서 수행된다.

A와 C의 유비적 동일성의 관계를 비교 · 검토하는 과정에서는 먼저 매개체 B를 탐색하고 대 · 소 전제를 세워야 한다. 이러한 일련의 과정 역시 우리는 모두 비의식 상태에서 수행한다. 그런데 이때 사용되는 매개 기호 B와 대 · 소 전제의 기호들은 모두 의식되지 않는 비의식기호이다.

우리는 동일화 정신작용의 사고가 기호에 바탕한다고 말한다. 그런데, 사고가 기호에 바탕한다고 함은, 외현기호로써 사고가 수행된다는 의미가 아니다. 우리의 사고는 비의식 상태에서 수행되며, 이와 같은 우리의 사고는 전기 · 화학적 신호작용으로 수행된다. 이러한 신경생리적으로 진행되는 전기 · 화학적 신호작용이 지시하는 의미들을 필자는 '비의식기호'라 한다. 우리의 실제 사고 수행의 과정에서 사용되는 것은 의식되지 않는 이러한 '비의식기호'이다.

우리의 정신은 사고에 있어서 문법이나 논리와 같은 기호 체계를 고려하지만, 외현적 기호의 감각적 구조나 문자적 조사(助詞)체계를 따르지는 않는다. 우리의 정신은 그러한 구조와 체계의 형식들을 뉴런계의 신경생리적 신호작용에 의해 의식되지 않는 비의식기호로 변환하여 사고를 수행한다.

실제의 사고작용은 비의식에서 이루어지는 화학적이고 전기적 신호들에 의한 신경생리작용이다. 그러한 사고의 수행 결과로 의식에 나타나는 기호가 도식기호와 심상기호이다. 또한 그와 같은 기호들을 질료매체에 투사해낸 것이 외현기호이다. 이와 달리, 비의식기호는 회상가능한 뇌 신경회로의 흔적들로 환원되어 있다. 사고는 그러한 비의식기호들을 탐색하고 비교 · 검토함으로써 수행된다.

한편, 비의식기호는 사고의 수행 중에 파지되는 '의식되지 않는 의미'이기도 한데, 이것을 이해하기 위해서는 우선 사고의 과정을 간략히 살펴볼 필요가 있다. 사고(A=C)의 과정은 ① 기호 A의 선택 ② 매개체 B의 탐색 ③ A와 C에 대한 유비적 동일성 여부 판단이다. 우리의 사고는 A를 파지한 상태라야 매개체 B를 탐색할 수 있고 또한 C와의 유비적 동일화 여부의 검토가 가능하다.

그런데, 만약 그러한 기호들에 대한 파지가 이루어지지 않는다면 우리는 왜 C를 탐색하는지, 그리고 무엇을 C와 비교 · 검토해야 하는지 알 수 없을 것이다. 실제로 해마 손상 환자의 경우는 이와 같은 일련의 과정으로 이루어지는 사고 즉 통찰이 이루어지지 않는다. 그것은 종국적으로 사고 과정에서의 비의식기호에 대한 파지가 이루어지지 않음을 시사하는 것이다.

7.3.3. 통찰과 활성기호

온기찬은 전문가연구(Ericsson & Smith)에서 지능은 지식구조가 얼마나 잘 형성되어 있느냐로 보는 경향이 있다며 전문가들의 사고 수행의 특징은 직관적이며 자동적인바, 전문가는 곧 직관적인 인간(Benderly, 1989)을 의미한다고 말한다. 여기서 직관은 필자의 통찰에 해당한다. 그리고 '지식구조'란 정보 기호들의 맥락적 연결체계로 이해할 수 있다.

통찰은 유기적 관계의 판단들이 내포된 사고이며, 각각의 판단은 A=C의 형식과 같이 또 다른 판단들을 내포한다. 통찰은 이와 같은 중층적인 유기적 판단들의 구성으로 이루어지는바, 원활한 동일화의 통찰을 위해서는 '활성기호'의 축적이 반드시 전제된다. 단순한 연결의 동일화에 의한 암기에 의해 내장되었거나 특정한 관점에서만 이해된 기호들은 원활한 동일화를 이루지 못한다.

보편적 성질은 특수한 현상들을 아우르고 특수한 현상이나 성질들은 보편적 원리나 성질들로부터 발현된다. 과학자들은 상이한 현상의 배면에 작용하는 보다 보편적 현상의 원리를 탐구한다. 상징학은, 수사학 · 기호학 · 시학 · 철학 · 인지심리학 등과 같은 개별적 특수 영역의 '상징' 개념을 포괄적으로 아우르는 상징의 본성과 작용원리를 탐구한다. 이러한 상징학은 제 학문에서 언급되는 상징이론들에 본질적인 개념과 원리들을 제공코자 한다. 이러한 점에서 상징학은 제 학문들에서 논의되는 상징이론의 기초적 기반을 이루는 학문이라 할 수 있다.

수사학의 상징은 칸트가 기술한 무한 의미작용의 유비적 형식이고, 기호학의 상징은 무한 의미를 발산하는 기호이며, 철학에서의 상징 개념은 유비적 전용의 정신 기능으로 수렴된다. 한편, 인지심리학은 인문학의 상징개념을 수용하면서 상징과 기호를 동일시한다. 이러한 것들은 대표적이고 대체적인 관점을 예시한 것일 뿐, "ⅱ. 상징과 기호의 구별" 장에서 볼 수 있듯 개별 철학자들과 기호학자들 그리고 상징 연구자들의 상징 개념은 저마다 그 성격을 달리한다.

이러한 특정한 관점에서의 상징 개념들의 기호는 서로가 이질적 차이성만을 강조하고 드러낼 뿐, 통일적 동일화의 체계를 형성하지 않는다. 이러한 상황에서 상징 개념의 본질을 논한다는 것은 쉽지 않다. 나아가 그러한 개별적 특수한 관점의 상징 이론들을 상호 호환케 하고 활용토록 하는 것은 불가능하게 여겨질 것이다.

마찬가지로, 보편적 개념으로서의 기호는 횡적이고 종적 계열의 기호들에 관한 어떤 동일화 작용도 수행할 수 있다. 하지만 단일의 특수한 관점의 기호는 이웃한 또 다른 성질의 기호와 쉽게 동일화를 이루지 못한다. 그러므로 이질성 속의 동일성을 구하는 통찰 사고를 위해서는 보다 보편적 원리에 바탕한 다양체로서의 활성기호들의 축적이 전제된다. 어떤 기호든 내장된 기호는 전체의 정보들과 동일한 하나의 원리 아래 인드라의 그물처럼 통일적으로 연결되어 있어야 한다.

기호는 기억의 내용인 사고된 '지식'이다. 맥락화된 기호의 체화된 지식은 동일화를 이룬 '사고의 그물망'으로 자리한다. 우리의 사고에 의해 기억된 기호의 지식은 기존의 지식들과 동일화를 이루어 보다 풍부한 내용의 지식체계를 이룬다. 피아제는 동일화를 동화(assimilation)와 조절(accomodation)로 설명했다. 새로운 경험 내용은 기존의 정보체계에 의해 해석되어 동화되며 또한, 새로운 경험 내용에 의해서 기존의 정보체계는 수정되고 재형성 된다.

우리가 무엇을 내장하고자 할 때 기호의 의미와 기표의 음운을 중심으로 수행하는 경우가 있는데 이것 역시 맥락적 관계를 이용한 동일화의 하나이다. 하지만, 이러한 방법은 비본질적인 것으로 차선책에 불과하다. 본질적인 맥락화는 기호와 기호 간의 인과적 이해에 의한 동일화를 통해서 이루어진다.

Mark A. Runco는 "수업(instruction)은 교수를 나타내는 반면에 지시는 단순히 개인을 안내하는 것으로 엄격한 의미에서는 가르치는 것이 아니"라고 한다. 그는, 피아제의 논문 "이해하는 것은 발명하는 것이다"(1976)를 인용한다. 어떤 교사는 단지 암기와 피상적인 학습으로만 이끄는데, 그러나 실제적 이해는 지시적 안내가 아닌 교육과 수업으로써 가능하며, 그것은 학생들로 하여금 정보에 대해 사고하고 이용

토록 하는 것이라고 피아제는 말한다.[27)]

'지시적 안내'란 맥락화가 아닌 일종의 각인으로서, 이러한 비 원리적 동일화 방식의 하나인 '벼락치기 공부'와 관련하여 윌리엄 제임스 또한 엄격히 비판한 바가 있다: 학기 내내 공부를 않다가 시험 몇 시간 전 또는 며칠 동안 요점 중심으로 하는 공부는 다른 자료들을 연합하지 못한다. 그러한 학습은 특정한 뇌 회로만을 구성하여 상대적으로 회상의 내용이 적다. 하지만, 같은 자료라도 매일 다른 맥락과 관점에서 고찰하면, 수많은 정보 체계의 회로가 열리고 기억은 영구화 된다.[28)]

한편, 심리학자들은 단순 동일화의 암기를 "기능고착"이란 개념으로 설명한다: 기능고착은 문제 해결을 방해하는 또 하나의 장애이다. 기능고착이란 익히 알고 있는 도구나 자료들의 용도를 특정 기능에만 한정하여 고착시키는 것이다. 망치는 못을 치는 것으로도 사용할 수 있지만 노끈을 매달아 추로 사용할 수도 있다. 그렇지만 사람들은 망치가 추의 기능을 할 수 있을 것이라고는 거의 생각하지 못한다. 망치는 못을 박는데 쓰인다는 기능고착에 빠져 있기 때문이다.[29)]

단순히 암기된 도식과 지식의 기호들은 동일화의 운동성을 갖지 못한다. 다양한 동일화 가능성의 에너지를 지닌 기호는 끊임없는 동일화의 정신작용으로 획득된다. 동일화의 연결에 의한 활성적 기호의 생성

---

27) M. A. Runco(전경원 외 역). 같은 책. p. 237. 재인용.
28) William James(정양은 역). 같은 책Ⅱ. p. 1193.
29) 박천식, 이희백, 한수미.『재미있는 심리학』. 교육과학사. 2010. p. 249

은 끊임없는 사고의 반복과 지속으로써 가능하다.

우리는 한 순간 주의집중력을 높일 수 있다. 그러나, 이것은 뇌신경세포와 그 기관들의 기능을 신속하고 원활하게 할 수 있을 뿐이다. 평소에 많은 의미화 작업이 이루어져 있지 않다면 사고의 결과는 빈약하다. 천재는 상대적으로 질 좋은 하나의 기능이나 기관에 다름아니다. 동일화 정신작용의 의미화 작업이 축적되어 있지 않다면 우리는 해당 분야에서 결코 창의성을 발휘할 수 없다. 우리의 지식이 각인이 아닌 맥락적 동일화에 의한 것, 다시 말해 통찰과 추론의 산물이어야만 하는 까닭이다.

8. 집중과 주의

8.1. 집중력: 동일화 사고 능력

뇌과학자 에릭 호프만은 "창의성은 직관적이고, 직관(이 책의 필자의 통찰)은 몰입에 기반을 둔다. 따라서 창의성, 직관, 몰입은 서로 밀접한 관계가 있다."고 말한다.[1] 미국의 심리학자이자 교육자인 미하이 칙센트미하이(Mihaly Csikszentmihalyi) 박사는, "창의적인 사람들은 서로 다 다르지만 한 가지 점에서는 일치하는데, 그들은 자신이 하는 일을

1) Eric Hoffmann. 『이타적 인간의 뇌』(장현갑 역). 불광. 2012. pp. 207-10.

대단히 사랑한다는 사실이며, 그들을 움직이는 것은 명예나 돈에 대한 욕심이 아니라 단지 좋아하는 일을 할 따름"이라고 한다.

'집중력' 대신에 '몰입(flow)'의 개념을 주장하며 몰입과 열정이 창의성을 완성시킨다고 말하는 칙센트미하이 박사는 몰입에 관해 이렇게 묘사한다. "그 자체만을 위해 한 활동에 완전히 빠진 상태다. 이기심이 전혀 없다. 시간 가는 줄을 모른다. 마치 재즈를 연주하는 것처럼 행동과 감정, 그리고 생각이 궁극적으로 한 곳만을 향해 있다. 사람의 모든 것이 그곳에 빠져 능력을 최대한으로 발휘하는 그러한 상태다."

오늘날 영재에게 요구되는 중요한 조건은 상상력(필자의 통찰)과 집중력이며, 창의적 인재의 조건은 풍부한 지식 기반과 몰입(또는 집중력)으로 이해되고 있다.[2] 이와 같이 천재나 창의적 인재의 공통적 요건으로 생각되고 있는 집중력은 교육이나 지식을 통해 키울 수 있는 것이 아니라 그 사람의 성향이나 체질에 관련된 것으로 이해되고 있다.

우리는 한 순간 에너지를 모아 '영감적 사고'의 상태에서 창작을 하거나 문제 해결을 할 수 있다. 그러나, 이러한 수의적 노력은 단지 동일화 정신작용을 원활하게 함으로써 기존의 지식을 통해 새로운 지식을 생성하게 할 뿐으로 우리는 기억되지 않은 지식을 활용할 수는 없다. 영재이든, '영감적 사고'에 의해서이든 평소에 동일화 정신작용에 의해 풍부한 지식이 갖추어져 있지 않다면 한 분야에서 결코 창의성을 발휘할 수 없다.

따라서, 문제는 어떻게 하면 집중이 가능하느냐 하는 것이다, 그런

---

2) 박천식, 이희백, 한수미.『재미있는 심리학』, 교육과학사. 2010. pp. 416-17.

데, 집중이 사고 외에 어떤 특별한 요령에 의해 이루어지거나 또는 어떤 방법을 요구하는 일은 아닌 것 같다. 집중 그 자체가 하나의 객관적으로 존재하는 기능은 아니라는 것이다. 물론, 우리는 에너지를 모아 영감적 사고에 이르기도 한다. 하지만 그것은 동일화 사고의 효율을 극대화하는 일 외에 다른 것이 아니다. 그러한 집중은 동일화 정신작용의 '몰입'에 대한 다른 표현의 용어로 간주할 수 있다.

'성향이나 체질'이란 곧 동일화 사고 능력에 대한 다른 표현이라고도 할 수 있다. 우리는 필요한 일을 계속 수행하도록 하는, 소위 '쾌감신경'으로 알려진 A_{10}신경계가 특별히 발달되어 동일화 정신작용을 끊임없이 지속토록 한다고 생각할 수도 있다. 그러나, A_{10}신경세포들 역시 필요한 자극이 있어야 활성화된다. 미각의 A_{10}신경세포들이 섭식을 통해서 자극을 받듯이, 전전두엽의 A_{10}신경세포 역시 자극이 필요하다. 그것은 결국 동일화 정신작용 즉 사고이다.

그러한바, 집중이나 몰입은 다름 아닌 동일화 사고 수행이나 그 능력의 결과로 나타나는 외현적 현상에 붙여진 표현으로 생각할 수 있다. 본질적 측면에서, 의지는 집중력을 생성하는 것이 아니라 의지는 사고를 시작하게 하고 지속하게 한다. 비록 의지가 있더라도 동일화 사고가 이루어지지 않으면 우리의 의식에는 상상력에 의한 무의미한 표상들만이 나타난다.

뇌과학자 에릭 호프만은 몰입 여부와 뇌파 작용에 관한 의미 있는 실험결과를 보고한다. 우리가 신체 영역에 몰입하고 있을 때 뇌는 알파파를 발산한다. 정신 영역에 몰입하고 있을 때는 빠른 베타파와 감마파가 전두엽에서 우세하게 나타난다. 초점의 대상을 바꾸거나 정신적 또는 정서적으로 어떤 것에 저항하는 순간, 뉴런들의 이런 응집이

사라지고 뇌파가 비동기화되어 진폭이 더 작고 더 느린 뇌파들이 등장한다.[3)]

동일화 정신작용의 집중은 흥미에 의해서 이루어지지만, 특별한 관심이나 소명 정신에 의해서도 이루어진다. 그러나 무엇보다도, 집중은 동일화 사고의 능력이 전제된다. 동일화 정신작용이 원만히 이루어지지 않으면 집중이 되지 않으며 상상력에 의해 공상이 우리를 지배하게 된다. 그러한바, 동일화 정신작용의 집중은 수의적 인내에 의해 이루어지는 것이 아니다.

다시 말해, 집중은 그것을 요구하거나, 집중을 위한 인내를 요구한다고 하여서 이루어지는 것이 아니다. 동일화 사고 능력이 전제되지 않으면 흥미와 집중은 일어나지 않는다. 그러한바, 집중은 곧 동일화 정신작용의 사고 그 자체라고도 말할 수 있는 것으로, 집중력은 동일화 정신작용의 능력에 비례한다고 말할 수 있다.

주의는 심층비의식의 통찰 사고와는 별 관련이 없으며, 추론 사고에서 요구되는 능력이다. 통찰은 문법이나 논리규칙을 초월한 정신언어인 비의식기호로써 수행된다. 이러한 통찰은 논리규칙과 같은 절차적 지식이 없는 어린이나 원시문명 사회의 사람들도 논리학자나 과학자와 마찬가지로 아무런 장애 없이 원활히 그리고 편하게 수행할 수 있다. 물론, 동일화의 심도는 활성기호의 축적이 필요하다.

그런데, 추론 사고는 많은 전문적 어휘 기호와 문법, 논리규칙 등에

---

3) Eric Hoffmann(장현갑 역). 같은 책. pp. 208-09.

체화되어 있어야 한다. 추론은 그와 같은 절차적 형식의 규칙들에 따라서 수행되는 관계로 그러한 절차적 단계들이 제대로 수행되는지를 수시로 의식 상태에서 직각 사고로써 확인해야 한다. 그리고 다시 얕은 통찰의 사고로 돌아가야 한다. 추론은 그러한 과정의 작업들이 지속적으로 반복된다. 그러한 까닭에 통찰과 달리 추론은 '주의'를 절대적으로 요구한다.

한편, 인지심리학이나 인지과학자들은 대체로 '집중' 대신 "주의"라는 용어를 사용하는데, 주의는 '의도'나 '의식'의 인지작용과 관련하여 요구되고, 집중은 '비의식'과 통찰에 요구된다. 따라서, '집중'의 정신작용에 "주의"라는 용어를 쓰는 것은 어법상 적확치 않으며, 이론적 정합성도 벗어난다. 집중과 학습 효과에 관한 관련 학자들의 진술을 들어보자. 이들의 진술에서 "주의"는 이 용어의 지시 대상이나 내용으로 미루어 보아서 '집중'이나 '몰입'으로 바꾸어 읽는 것이 보다 자연스럽다는 것을 알 수 있을 것이다

> '주의'는 제한된 자원이라서 '주의'가 동시에 여러 곳에 골고루 사용될 수는 없다. 따라서 사람의 '주의'를 한 곳에 집중하도록 유도하고 다른 쪽에는 가지 않도록 하는 실험을 통해서 '주의'가 기울여진 정보만이 기억된다는 사실을 보일 수 있었다. Dichotic listening과 Shadowing 등이 이러한 결과를 보고한 연구방법이었다.[4)]
>
> Nissen과 Bullenmer(1987)는 '주의'가 나누어지지 않는 single

4) 김광수 외.『융합 인지과학의 프론티어』. 성균관대학교 출판부. 2010. p. 140.

task 실험에서는 피험자에게 현저한 학습효과가 나타났는데 반해서 dual task에서는 학습이 일어나지 않았음을 보고했다.[5)]

톰린과 빌라(1994)는 '주의'와 '의식'은 분리될 수 있고, 학습은 '의식' 없이 '주의'만으로, 특히 'detection'(무의식적 인지, 비의식 상태에서의 파지: 이 책의 필자 삽입)으로 가능하다고 했다.[6)]

8.2. 집중력과 비의식 · 의식 · 상상력

"v. 2.1. 비의식에 대한 인식 상황" 편에서 관련 연구자들의 견해들과 함께 제시된바 있듯, 윌리엄 제임스는 사고가 의식 상태에서 심상과 함께 수행되는 것이 아님을 사고의 수행에 관한 내성적 관찰을 통해 인지했다. 제임스는 사고가 멈추면 심상이 나타나며, 심상으로 가득하면 사고가 중단된다고 하였다.

우리의 동일화 사고 과정은 비의식 상태로 수행된다. 창의적 사고의 수행 중에는 표상 작용이 일어나지 않으며, 일어나서도 안 된다. 우리의 상상력은 사고의 진행 중에는 활동하지 않는다. 언제나 상상력은 사고가 정지하면서 활동한다. 사고는 비의식에서 이루어지며 의식은 사고의 종료 후 사고된 결과로서의 '의미'를 확인하는 정신작용이다.

우리가 사고를 하는 중에 사고의 내용이나 또는 그 무엇을 의식한다는 건 사고의 중단을 의미한다. 다시 말해 더 이상 사고를 해나가지 못한다는 말이다. 그러한바, 심도 있는 사고를 수행함에 있어서 사고 중

5) 이혜문. "'주의'와 '의식': 언어습득의 인지심리학적 기제". 김광수 외.『융합 인지과학의 프론티어』. 성균관대학교 출판부. 2010. p. 141.
6) 이혜문. "'주의'와 '의식': 언어습득의 인지심리학적 기제". 같은 책. p. 142.

의 내용을 결코 의식하려해서는 안 된다. 앙드레 브르통은 자동기술법이라는 이름을 붙여서 "기억에 남지 않도록 또는 다시 읽고 싶은 충동이 나지 않도록 빨리 쓸 것"을 시 창작에서 요구하였는데, 이것은 시적 통찰의 사고가 의식에 의해 방해 받지 않도록 하기 위함이다.

고도의 집중을 요하는 순간에 무언가 표상된다는 건 상상력에 의해 사고가 방해받고 있음을 의미한다. 고도의 집중을 요하는 시 · 예술의 창조나 과학적 통찰의 경우 상상력이 작용하면 동일화 정신작용의 사고에 침잠할 수 없다. 창조적 사고의 수행 시에 상상력이 활동한다는 건 사고에 주의집중이 되지 않았음을 의미한다.

우리가 어떤 일에 집중하여 사고할 때 누가 이름을 불러도 들리지 않는다. 우리가 사고를 시작하는 순간 우리 앞의 사물은 어디론가 사라지고 의식되지 않는다. 하지만 사고를 멈추는 순간 우리의 상상력은 사고의 결과를 의식에 나타낸다. 뉴턴은 끓는 물에 달걀이 아닌 시계를 넣었다는 일화가 있다. 이것은 비의식 상태에서의 몰입 사고에서 의식의 상태로 미처 완전히 빠져나오지 않은 상황을 보여주는 사례의 하나이다.

집중력이 없는 상태에서 우리는 몽상이나 망상을 한다. 잠이 들면 그러한 표상 활동은 더욱 활발해진다. 꿈은 주의와 집중력이 작용하지 않아 동일화 정신작용이 제대로 이루어지지 않는다. 주의 · 집중력이 결여된 상태에서의 상상력은 전적으로 본능적 원망에 따라 수행된다. 주의 · 집중력이 약할수록 상상력은 활발하다. 그러나 심층 통찰이 수행되면 상상력은 완전히 자취를 감춘다.

일상생활에서 수행되는 지각을 비롯한 직각은 집중이 요구되지 않는 가운데 사고를 할 수 있는 까닭에 비교적 낮은 정도의 정신 에너지가 사용된다. 그런 까닭에 우리는 특별히 사고를 하고 있다는 인식을 하지 않는다. 평소에는 집중이 낮은 상태에서 사고를 하는 까닭에 상상력이 활발히 작용하여 사고가 언제나 깨어 있는 '의식' 상태에서 이루어지는 것으로 생각한다.

☞ 언급해오듯 사고는 지각, 통찰, 추론, 영감적 사고로 구별되는데, 통찰에는 '집중력(concentration)'이, 추론에는 '주의와 집중력(attention · concentration)'이 모두 요구된다. 통찰은 비의식 상태의 지속적 유지가 요구되지만, 추론은 동일화 정신작용의 과정을 확인하기 위해 수시로 비의식 상태에서 의식 상태로 돌아와야 한다. 추론은 그와 같이 주어진 문제가 해결될 때까지 비의식 상태와 의식 상태를 반복하게 된다. 그러한바, 추론에는 통찰과 달리 '주의'가 특별히 요구된다. 물론, 지각을 비롯한 직각은 통찰 · 추론 등과는 달리 특별히 집중이 요구되지 않는다.

시 창작 교육의 강단에서 종종, 의식 상태에서 시상을 떠올리도록 가르치는 것을 볼 수 있다. 이것은 사고의 원리에 부합하지 않는다. 하지만, 최대한 집중을 하여 시상을 떠올리라는 의미로 생각한다면 그리 잘못된 것은 아닐 것이다. 정신의 집중은 의식과 심층비의식이 동시적으로 수행되는 영감적 사고의 상태에 이르게도 한다. 집중된 사고는 의식을 배제하나, 영감적 사고는 강한 집중력으로 심층비의식을 의식의 지원 아래 목적적으로 수행하게 한다. 자동기술은 심층비의식 상태에서 이루어지나 고도로 집중된 영감적 사고에서는 보다 원활하고도 강력히 이루어진다.

비의식은 외부상황을 고려하지 않는 속성을 지니고 있다. 그러한 비의식은 본능적이고 자연적 상태의 정신작용이다. 전일적이고도 통일된 작품을 즉시적으로 생성하기 위해서는 심층비의식의 통찰 상태에서도 의식이 요구된다. 이때는 심층비의식과 의식이 매우 찰나적으로 교차 수행되지만 우리는 마치 의식과 비의식이 동시 병행적으로 수행되는 듯 생각하게 된다.

이러한 영감적 사고의 상태를 유지하는 건 특별한 에너지의 수의적인 노력이 요구되므로 매우 힘이 든다. 하지만 그런 만큼 창작물에 긴장감이 배어 있다. 아울러, 심층비의식의 통찰이 진행되는 가운데 작품의 통일적 형성을 의식이 확인해 나가므로 작업의 즉시적 완성도가 높다. 이것이 영감적 사고의 강점이다.

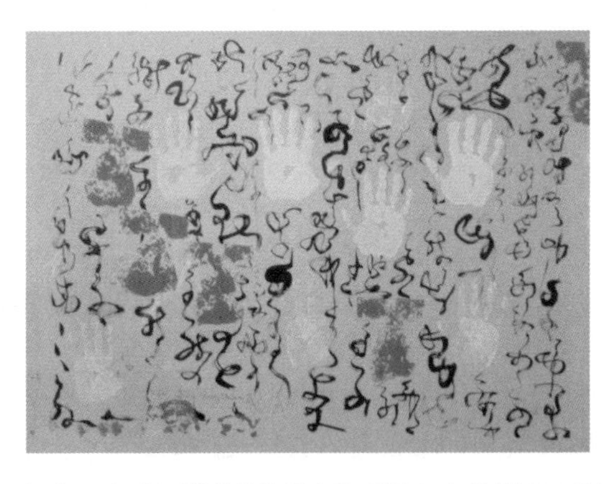

神語(No Title)/ 마분지 위에 먹과 아크릴릭 40호 변형/ 2002년

위 작품은 고도의 수의적 집중상태에서 제작된 방언화이다. 화가는 성령과의 교감 상태를 그만의 주술적 미술 언어로 표현했다. 화면의

검은 선들은 방언을 나타낸다. 붉은 얼굴의 형상들은 영적 상태를 나타낸 것이며, 손바닥 기호들은 영적 존재와 어떤 확신을 표현한 것으로 이해할 수 있다. 마분지 위에 먹과 아크릴을 사용한 〈神語〉(No Title)는 신의 말씀과 형상들이 신비로운 색감과 몸으로 불꽃처럼 타오르는 작품이다. 이러한 몰입된 영감적 사고에 의한 작품은 고도로 집중된 정신작용의 동일화 산물로서 즉시적이고도 전일적으로 통찰되고 표상된다.

8.3. 집중력과 뇌기반

『인지과학과 무의식』의 저자 Dan J, Stein 교수는 "사고와 정서간의 관계가 인지과학에서 다시 거론되고 있다."고 한다. 신경과학자 Antonio Damasio(1994) 역시 이러한 사실을 언급한다. 조지 레이코프에 의하면, 일반적인 수단-목적 합리성(means-endrationality)은 감정적인 관여가 있어야 한다. 이런 주장은 뇌손상을 받아 감정이 없어진 환자들을 관찰한 결과이다. 이 환자들은 일반적으로 목표를 달성하는 데 어려움이 있었고 곤란한 상태에 빠져들었다고 한다("어떻게 무의식적이고 은유적인 사고가 꿈을 만드나").[7)]

우리의 사고는 어떤 요구에 의해서 비롯된다. 요구 즉 원하는 마음이 없으면 사고는 수행되지 않는다. 무언가 원하는 마음의 상태에서 사고는 시작되며, 동일화의 대상을 탐색한다. 동일화'의 정신작용에

---

7) D. J, Stein.『인지과학과 무의식』(김종우 외 역). 하나의학사. 2002. p. 119,. 재인용.

있어서 무엇보다도 중요한 건 목표대상을 탐색하고 목표대상을 향해 방향 전환을 하고 최종 대상을 선택하는 일이다. 그러한 '동일화'를 위한 선택, 고도의 주의집중하에 초점적이고 목표 지향적인 활동을 전전두엽은 수행한다.

한편, 윌리엄 제임스는 "뇌 활동이 '초점화되는' 것이 추리적 사고에 기본 사실이라면 우리는 강력한 관심이나 집중된 열정이 왜 그만큼 더 진실하고 깊게 사고하게 하는지를 알게 된다."고 한다. 그리고, "중요한 주제의 특징을 의식에서 지속하여 유지함에 따라 특정 신경 회로에서 운동을 지속적으로 초점화하는 일이 뇌에서 일어난다"고 말한다".[8)]

전전두엽은 동일화의 사고를 위한 비교와 판단에 있어 중요한 기능을 수행한다. 정신을 집중하면 우뇌 전전두엽의 시냅스 전막에서는 활성신경전달물질인 글루탐산이 분비되어 시냅스 후막에 흥분성 전압파가 생성된다. 그리고, 전측대상회는 우리의 생각과 계획에 주의를 집중시키며 적합한 반응을 선택한다고 뇌과학은 알려 준다.

우리의 임무에 집중하게 하는 목표지향적 기능을 갖고 있는 전전두피질은 다양한 뇌 영역과의 연결을 통해 과제를 달성할 때까지 주의를 기울이도록 도와준다. 그러한 전전두피질은 우리가 집중해야 할 때 변연계와 감각영역에 억제 신호를 보내고, 다른 영역으로부터 들어오는 방해 요소를 제어한다.

그리고, 대부분의 시냅스 전막에는 전막에서 분비된 신경전달물질을 회수하는 자가수용체가 있다. 그러나, 전전두엽의 A_{10} 신경축삭 말

---

8) William James. 『심리학의 원리』Ⅲ(정양은 역). 아카넷. 2005. p. 1889.

단의 시냅스 접속부는 자가수용체의 결핍으로 도파민이 시냅스 공간에 잔류하며, 그로 인해 전전두엽은 계속 활성 상태를 이루어 창의적 사고에 몰입하게 된다.

집중은 흥분성 신경전달물질인 글루탐산의 지속적 분비가 요구되며, 상상력의 표상 작용은 아세틸콜린이라는 신경전달물질의 활동과 관련된다. 세로토닌은 체험과 상상을 구분하게 하고 노르아드레날린은 외부자극에 집중하게 하나, 꿈을 꾸는 동안에는 배외측전전두엽에서 세로토닌과 노르아드레날린이 거의 분비되지 않는다.

꿈은 연상작용을 일으키는 아세틸콜린이 강하게 활동하는 감정적, 비논리적 상태이며, 각성 상태를 조절하는 세로토닌과 노르아드레날린을 만드는 세포들은 비-램수면 동안 생산량을 절반으로 줄이고 렘수면 동안에는 완전히 생산을 중단한다.[9]세로토닌은 각성 상태를 유지케 함으로써 집중을 돕는데, 신경생물학자 에릭 캔들은 세로토닌의 작용성에 관하여 이렇게 설명한다.

> 세로토닌 신경세포들은 뇌간의 중앙선을 따라 아홉 쌍을 이룬 채 모여 있다. 이 세포들은 편도체, 선조체, 시상하부, 신피질 등 뇌의 몇몇 영역으로 축삭을 뻗고 있다. 이 뉴런들은 각성, 경계, 기분에 중요한 역할을 한다. 낮은 세로토닌 농도는 우울증, 공격성, 성욕과 관련이 있으며, 극도로 낮은 농도는 자살 시도와 상관관계가 있다. 사실 우울증에 가장 효과가 있는 약물 치료는 뇌의 세로토닌 농도를 높이는 약물을 처

9) 박문호.『그림으로 읽는 뇌과학의 모든 것』. 휴머니스트출판그룹. 2013. p. 622.

> 방하는 것이다. 높은 세로토닌 농도는 평온, 명상, 자기 초월, 종교적 · 영적 경험과 상관관계가 있다. 특정한 세로토닌 수용체 집단을 조절하는 LSD 같은 약물은 도취와 환각을 일으키며, 거기에 때로 영적인 요소가 섞이기도 한다.[10)]

깨어 있는 상태를 만들어 주는 각성 촉진 부위는 전뇌기저핵과 뇌간으로 알려져 있다. 전뇌기저영역에는 연상작용에 중요한 아세틸콜린이 분비되는 마이네르트 핵이 있다. 뇌간의 청반핵에서는 외부자극에 집중하게 하는 노르아드레날린이 분비되고, 뇌간 뒤쪽 정중앙에 수직으로 위치한 솔기핵에서는 각성을 일으키는 세로토닌이 분비된다.

그 핵들은 신경조절물질을 생산하는 그물형성체 신경세포로 구성되어 있다. 신경조절물질들은 신경세포의 축삭말단에서 분비되며, 그 축삭들은 대뇌피질 내에 확산적으로 길고도 광범위하게 분포되어 있다. 그물형성체의 축삭은 뇌간 피개영역에서 수평으로 길게 상하로 뻗어나가며 많은 곁가지들이 수직 방향의 위와 아래로 분포되어 있다. 이러한 신경섬유의 구조는 상행감각신경과 하행운동신경의 축삭들과 그물형성체의 신경섬유가 서로 시냅스하기에 쉬운 구조를 이루고 있다.

그물형성체의 대뇌피질로 확산되는 상행섬유들이 의식을 조절한다면, 척수로 내려가는 하행성분들은 운동을 조절한다. 상행각성 확산시스템인 상행성분 그물형성체의 신경축삭들에서 분비되는 신경조절물질들은 대뇌피질 신경세포의 대사성 수용체에 작용하여 각성을 위

---

10) E. R. Kandel. 『통찰의 시대』(이한음 역). 알에이치코리아. 2013. pp. 512-13.

한 뉴런들의 발화 확률을 조절한다.[11]

8.4. 주의 · 집중과 뇌파

뇌파는 몇 개의 주파수파로 나뉘는데, 델파파는 3.5Hz 이하, 세타파는 3.5-7Hz, 알파파는 8-12Hz, 베타파는 13-30Hz, 감마파는 30Hz 이상이다. 깨어 있을 때는 알파파 또는 베타파의 뇌파가 다른 뇌파들보다 우세하게 나타난다. 알파파는 파동의 폭이 비교적 규칙적인데 반해, 베타파는 불규칙적이고 진폭이 낮다.

델파파는 깊은 수면이나 혼수상태에서 나타나는데, 진폭이 가장 크고 느리며 각성이 떨어질수록 증가한다. 세타파는 기억을 회상하거나 명상 등의 조용한 집중상태에서 관찰되는데, 전뇌기저부에서 아세틸콜린이 대뇌피질 전체로 확산되는 현상과 관련되고, 중격핵에서 해마로의 신경신호 입력과 관련된다.

알파파는 휴식 상태의 후두엽에서 주로 발생하며 수면 상태에서는 약해진다. 베타파는 각성 상태와 집중적 뇌 활동 시에 나타나는데, 특정 주파수의 리듬과도 같은 베타파는 양반구에서 대칭적으로 분포함을 보여준다. 아울러, 베타파는 전두엽에서 활발하며 피질의 손상된 부위에서는 감소하거나 사라진다. 감마파는 의식적 각성상태와 렘수면시 꿈에서도 나타나며, 베타파와 중복되어 나타나기도 한다. 감마파는 피질과 피질하영역들 간의 정보교환과 관련이 있다.[12]

---

11) 박문호. 같은 책. pp. 597-600.
12) 같은 책. pp. 590-91.

일부 연구자들은 천재들이 좋은 착상이나 아이디어를 나타낼 때는 알파파 내지 세타파를 보인다고 한다. 그러나, 창의적 사고는 집중도가 높을수록 원활히 이루어진다. 따라서, 창의적 사고는 높은 주파수대의 베타파나 감마파에서 이루어진다고 볼 수 있다. 언급했듯이, 통찰 사고가 종료되고 주의 · 집중이 해제된 상태에서 비로소 상상력은 작용한다. 영감적 사고나 통찰의 결과물은 고도의 집중된 사고가 종료되고 난 뒤의 무심한 상태 그러니까, 세타파 내지 알파파 상태에서 우리의 의식에 나타난다. 다시 말해, 창의적 사고는 베타파나 감마파에서 이루어지고, 세타파나 알파파에서 인지되는 것이다.

9. 의미 생성의 뇌기반

캘리포니아주립대 심리학 교수 Mark A. Runco는 “유전자, 신경전달물질 그리고 그 밖의 다른 미세한 신체상의 과정들이 창의적인 사고에 있어 필수적이지만, 확실한 것은 어느 하나의 유전자, 구조, 위치 또는 화학 과정을 들여다보는 것보다는 뇌의 신경회로와 서로 다른 뇌의 구조들 간의 상호작용을 들여다보는 것이 훨씬 더 낫다”고 한다. 아울러 “창의성은 다양한 해부학적 구조와 신경 화학적 과정들 그리고 그들의 상호작용에 의존할 가능성이 높다.”[1]고 한다. 동일화 정신작용을

1) M. A. Runco. 『창의성-이론과 주제』(전경원 외 역). 시그마프레스. 2009. 같은 책. pp. 127-28.

가능하게 하는 의미체인 기호의 생성은 그와 같은 뇌신경계의 상호 호환적 연결에 의한다.

대뇌피질의 신경세포 사이에서 시냅스가 형성되며, 시냅스전신경원 말단에서 신경전달물질을 분비한다. 시냅스 구조에서 신경펄스를 송신하는 세포의 축삭말단을 시냅스전막이라 하고 수신하는 세포의 수상돌기 말단의 막을 시냅스후막이라 한다. 시냅스전막과 시냅스후막 사이에는 전막에서 분비된 신경전달물질이 확산되는 수십 나노미터의 간격이 있는데, 분비된 신경전달물질이 시냅스후막의 이온채널에 부착되어 이온채널이 열리고, 나트륨이온이 세포 안으로 유입된다. 그리고 칼륨이온이 세포 밖으로 유출되어 막전위에 변화가 일어나며, 그 결과 전압이 발생하여 미세한 전기가 흐르고 전기장과 자기장이 교대로 생성된다.[2)]

축삭돌기말단까지 전파된 전압펄스에 의해 소낭으로 포장된 신경전달물질은 화학적 확산으로 분비되어 시냅스후막의 수용기에 결합하는데, 수용기의 단백질에 신경전달물질이 결합되면 시냅스후막에 전압파가 생성되어 신경세포체로 전파된다. 한편, 신경세포는 그와 같은 방법으로 다시 화학물질을 확산시켜 자신의 흥분상태를 다른 신경세포로 전달하며 신경세포들 사이에서 그러한 과정은 필요시까지 반복된다.

신경세포가 전달하는 정보의 실체는 전압펄스로, 뇌가 만드는 감각 · 지각 · 사고는 모두 전압파의 생성과 그 전파 과정이다.[3)] 그리고, 액틴 단백질 사슬의 분해와 결합으로 세포원형질막의 돌출 부위가 끊임없이 유동적으로 움직이는데, 액틴섬유는 그와 같이 신경세포의 성장

2) 박문호. 『그림으로 읽는 뇌과학의 모든 것』. 휴머니스트출판그룹. 2013. p. 389.
3) 같은 책. pp 182, 185.

원추를 뻗어나가게 한다. 근육의 움직임과 사고작용의 바탕에는 이러한 액틴과 미오신이란 단백질의 활동이 있다.[4)]

외부에서 빛이나 소리 같은 자극을 받으면 뉴런은 시냅스를 통해 이웃 뉴런에 전기 · 화학적 신호작용으로 메시지를 전달한다. 한편, 특정 자극에 대해 처음 뉴런이 어느 뉴런과 연결되어나가는지, 그 모양과 패턴은 또한 어떠한지를 파악해 전체 뉴런들의 연결망(네트워크)을 그려낸 지도를 커넥톰이라 한다. 그러한 커넥톰 네트워크의 회선수는 150조 개를 넘을 것으로 추정되며, 신피질에만 200억 개의 뉴런이 있고, 이들은 또한 각 평균 7000개의 다른 뉴런들과 연결되어 있다. 그러한바, 뇌에는 약 150조 개를 넘는 연결 회로가 있을 것으로 추정된다.

잦은 생각과 강렬한 체험은 그러한 회로와 시냅스를 강화하고 반대의 경우는 연결이 끊어지고 시냅스가 약화되는데, 그러한 우리의 뇌신경계는 네 가지 작업(4R)으로써 회로를 변화시켜 나간다. 뇌신경은 ① 그들의 연결을 강화하거나 약화시키며(재조정·Reweight), ② 새 연결을 하거나 불필요한 연결을 끊고(재연결·Reconnect), ③ 신경가지를 내뻗거나 줄이며(재배선·Rewire), ④ 사용하지 않는 신경은 제거하고 새로운 신경을 생성한다(재생·Regeneration). 이와 같이 우리의 뇌신경계는 새로운 경험들로 시냅스가 생겨나고, 사용되지 않는 시냅스는 사라지며, 반복 경험을 통해 그 연결망이 점차 확대 · 강화된다.[5)] 1985년 다이아몬드(M. Diamond)와 샤이벨(A. Scheibel)은 아인슈타인과 천재들의 뇌에 대한 연구결과 뇌 신경세포의 신경가지(neuronal branching)가 다

4) 같은 책. pp. 212-13.
5) 같은 책. p. 537.

른 재능 있는 사람들보다 더 많았다고 한다. 또한 신경세포에 물질을 공급하고 화학적 환경을 조성하는 기능을 가진 희돌기신경교(稀突起神經膠, oligodendroglia) 세포가 네 배나 더 많았음이 확인되었다고 보고한다. 그러한 뇌신경계의 현상은 사고 속도를 보다 빠르게 하며 뉴런들 간의 연결이 보다 다양한 통로를 통해서 효율적으로 신속히 이루어진다는 것을 의미한다(Fein & Oliver, 1988 : 4-6).[6]

언급했듯이 '기억'에는 맥락적 이해와 단순 암기에 의한 각인의 방법이 있으며, 전자는 통찰과 추론의 동일화 사고작용에 의하고, 후자의 '각인'은 매개적 동일화 과정이 결여된 토끼=의자나 토끼=현관과 같은 형식의 맹목적 동일화의 산물이다. 그와 같은 우리의 동일화에 의한 의미체의 기억은 내측두엽과 대뇌피질의 상호작용으로 강화되어, 두정엽과 측두엽의 연합피질에서 부위별로 특화된 기능의 기억으로 저장된다.[7] 물론, 단순 암기에 의한 내장은 쉽게 사라진다.

기억은 맥락적 동일화에 의한 의미만이 효과적으로 이루어지고 회상될 수 있다. 한편, 뇌손상 환자들과 정상인의 뇌영상 연구에 의하면 의미지식들은 좌 외측 측두엽에 범주별로 저장되며, 일화기억의 부호화는 좌측 전두엽, 인출은 우측 전두엽과 관련되어 있다. 내용이 아닌, 사건의 시간적 순서, 기억의 출처 같은 기억의 상황이나 전략 등은 전두엽이 담당한다.[8]

---

6) 온기찬.『竝列分散處理 모델에 기초한 直觀에 관한 實驗的 硏究』. 교육학 박사학위논문. 전북대학교 대학원. 1997. p. 42.
7) 박문호, 같은 책. pp. 716-17.
8) 이정모.『인지과학: 학문 간 융합의 원리와 응용』. 성균관대학교 출판부. 2009. p. 470.

뇌 작용에 필요한 영양은 혈액으로부터 직접 받는 것이 아니라 뇌 속의 그물망처럼 얽힌 망상체의 기관들이 생성한다. 신경조절물질을 분비하는 망상체 신경세포들의 축삭은 뇌간 피개영역에서 수평으로 길게 뻗어나가며 많은 곁가지들이 위 아래의 수직 방향으로 분포되어 있다. 전뇌기저핵과 뇌간은 각성 촉진 부위로서, 그물형성체의 신경축삭들에서 분비되는 신경조절물질들이 대뇌피질 신경세포의 대사성 수용체에 작용하여 뉴런들의 발화 확률을 조절한다.

대뇌피질의 신경전달물질 20% 정도는 억제성이며 80% 정도는 기억 생성에 관련된 흥분성 신경전달물질로 알려져 있다.[9] 전뇌기저영역에는 연상작용에 관계된 아세틸콜린이 분비되는 마이네르트 핵이 있다. 그리고, 뇌간의 그물형성체인 청반핵은 외부 자극에 대한 반응과 관련된 노르아드레날린을, 뇌간 뒤쪽 정중앙에 수직으로 위치한 솔기핵은 각성물질 세로토닌을 분비한다.

시상하부 유두체 앞쪽의 유두체결절핵은 긴장 이완과 수면을 유도하는 히스타민을 분비한다.[10] 우리의 정신은 매 순간 글루탐산의 흥분작용과 GABA의 억제작용으로 상호조율되며, 도파민 · 노르아드레날린 · 세로토닌 · 아세틸콜린 등의 작용으로 의식의 상태를 결정한다. 언급되었듯, 세로토닌은 체험과 상상을 구별하게 하고 노르아드레날린은 외부자극에 집중케 하며, 아세틸콜린은 연상작용을 일으킨다. 그리고, 도파민은 신경충격의 전달을 억제한다.

---

9) 박문호. 같은 책. p. 193.
10) 같은 책. pp. 597-600.

10. 통찰에서의 비의식작업기억 기관: 해마

해마에 관한 연구는 종래의 '기억의 저장고' 개념에서 '기억 형성'과 '통찰 수행 관련 기관'으로 인식이 이행되어 왔다. 뇌 연구자 박문호는 해마의 기능과 관련하여 이렇게 말하고 있다: 해마는 기억을 만드는 기관이다. 해마에서 만드는 기억은 관계적이고 맥락적이며 연합적이다. 씨줄과 날줄로 촘촘하게 짜인 직물처럼, 기억은 의미 있는 맥락으로 서로 연결되어 있다.

아울러, 그는 "해마를 중심으로 한 내측두엽, 그리고 공포나 분노 같은 감정과 관련된 편도체가 상호작용해 자아 욕구와 바깥 세계의 정보를 그물처럼 얽어 기억"한다며, "해마와 편도체는 서로 연결"되어 있고, "내측두엽과 대뇌피질의 상호작용으로 공고화된 기억은 두정엽과

측두엽의 연합피질에서 저장되어 장기기억"이 된다고 한다.[1]

해마가 학습이나 창의성과 같은 통찰 수행과 밀접한 관련이 있다고 보는 이유는 ① 정상인의 문제풀이에 관한 양전자방사단층촬영 결과 해마의 뇌혈류 증가현상 ② 해마와 내측두엽 수술 후 새로운 학습을 수행하지 못한다는 사실 등이다. 1953년 27세의 H.M.은 심각한 간질로 수술을 받았다. 의사는 H.M.의 간질이 내측두엽에서 발생했다고 생각하고, 이 영역들을 제거했다. 수술 후에 H.M.은 인성, 운동 능력 그리고 유머 감각 등에는 전혀 손상이 없었다.

하지만, 그를 완전히 다른 사람으로 만든 중요한 변화가 있었다. 남은 일생 동안 그는 자신이 왜 그곳에 있는지 전혀 기억하지 못한 채 매일 아침 병실에서 일어났다. 그는 매일 만나는 간병인들의 이름도 익힐 수 없었고, 현재의 사건들을 설명할 수도 없었다. 그런 H.M.은 수술 이전의 오래된 일들은 기억하고 있었으나 수술 이후의 일들은 기억하지 못했다.

☞ 두 개의 해마는 양쪽 귀 바로 위에서 속으로 3cm 정도에 위치하고 있다. 좌측 손상 경우는 언어정보 기억에 어려움이 있으며, 우측 손상 경우는 시각 디자인과 위치 기억에 문제가 발생한다(Schacter, 1996).[2]

---

1) 박문호. 『그림으로 읽는 뇌과학의 모든 것』. 휴머니스트출판그룹. 2013. pp. 749, 648.
2) D. G. Myers. 『심리학』(신현정 외 역). 학지사. 2001. p. 454.

해마와 주변 부위를 포함하는 내측두엽 수술 후, H. M.은 단기기억과 지각 능력을 비롯하여 운동 능력, 사회 예절 관계와 같은 절차기억과 기술의 학습은 손상되지 않았다.[3] 하지만, 새로운 학습은 물론 사람들의 이름을 기억하지 못했다. 그의 사례에서, 해마를 포함한 내측두엽은 새로운 기억을 형성하고 저장하는 데는 핵심적이지만, 옛 기억을 유지하는 데는 아무 상관이 없었다. 이러한 사실은 해마가 기억의 저장고가 아니라 새로운 기억의 형성과 관계하며, 아울러 창의적 학습과 통찰의 수행에 관계한다는 것을 추측하게 한다. 한편, Mark A. Runco는 이렇게 말한다.

> 양전자 방사단층촬영에 의한 화상은 사람들이 풀 수 있는 철자 맞추기 문제를 받고 통찰의 느낌을 가질 때, 해마로의 국소대뇌혈류가 증가하는 것을 보여준다. Luo와 Niki(2003)도 풀 수 있는 문제와 풀 수 없는 문제를 비교하고 해마와 통찰에 관한 유사한 결과를 얻었다. Vartanian과 Goel(출판 중)은 '통찰에 관한 이 세(두뇌) 화상 연구의 결과는 통찰에 있어서 오른 쪽 측두엽(temporal lobe)과 특히 해마의 역할에 있어 수렴한다.'는 결론을 내렸다.[4]

☞ 뇌의 신경세포는 포도당만 에너지로 사용하므로 2-탈산포도당이

---

3) 이정모. 『인지과학: 학문 간 융합의 원리와 응용』. 성균관대학교 출판부. 2009. pp. 466-67.
4) M. A. Runco. 『창의성-이론과 주제』(전경원 외 역). 시그마프레스. 2009. pp. 120-21.

라는 포도당과 분자적으로 유사한 방사성 물질을 섞어서 혈관에 주사하면 활성 중에 있는 뇌의 부위를 알 수가 있다. PET는 그 원리를 이용한 뇌 단층촬영법이다.

뇌지도의 권위자 승현준 박사는 "시험공부를 열심히 하는 것은 의과대학 학생들의 두정엽 피질과 해마가 커지는 원인"임이 밝혀졌다고 한다. 그리고 "런던의 택시 운전사들은 오른쪽 후측 해마가 확장되어 있는데, 이 피질 영역은 경로 탐색과 관계가 있다"고 생각한다.[5] 이와 같이 승현준 박사는 해마의 기능에 관하여 보다 구체적으로, "경로 탐색과 관계가 있다"고 말하는데, '학습'과 도로의 '경로 탐색'이 가능한 것은 회상된 정보기호들을 통찰이 수행되는 동안 해마가 비의식 상태에서 파지할 수 있기 때문으로 이해된다.

연구자들이 언급하듯, 해마가 창의적 사고인 통찰의 수행과 밀접한 관련이 있는 것은 사실이다. 그런데, '통찰'은 뇌 신경계의 해부학적 구조의 전 기관이 상호 협력적으로 이루어져 수행되는 고도의 동일화 정신작용으로서, 해마가 통찰 작용의 그러한 전 과정을 전적으로 맡아 수행하는 것은 물론 아니다. 통찰의 동일화 정신작용은 뇌 기반의 다양한 해부학적 구조와 신경 화학적 과정들 그리고 그들의 상호작용 전반에 의존한다.

그러한바, 통찰의 원리와 그 수행 과정 그리고 해부학적 뇌기능을 토대로 그와 같은 구체적 이유에 관해 살펴볼 필요가 있다. 해마의 손상

---

5) 승현준. 『커넥톰, 뇌의 지도』(신상규 역). 김영사. 2014. pp. 66, 51.

시 통찰을 수행하지 못하는 것은 '비의식 작업기억'이라 할 수 있는 비의식기호의 인지기능 상실로 인해 전전두엽이 수행하는 자료 비교기능을 해마가 지원할 수 없기 때문으로 이 책의 필자는 생각한다.

그리고, 순행성 기억상실의 이유는 그러한 비의식작업기억이 이루어지지 않음에 따라 통찰의 수행에서 요구되는 맥락적 동일화가 이루어지지 않은 결과로 이해된다. H. M.의 경우 기억 형성에 직접적으로 관계된 내측두엽의 제거가 있었지만 그러한 수술이 아니더라도, 해마의 제거술만으로도. 특별한 각인의 경우 외에, 새로운 기억은 형성되지 않을 것으로 판단된다.

"ⅳ. 3. 활성기호" 편에서 언급되었듯이 기억은 새로운 정보를 기존의 정보체계에 수용하기 위한 사고이다. 따라서, 이 책의 필자는 '기억'은 '사고'의 다른 표현이라고 주장하고 있다. 왜냐하면, 기억은 반드시 기존의 정보기호들과 맥락적 동일화를 이룸으로써 이루어진다. 그런데 맥락적 동일화는 사고가 유일한 방법이다. 그러한바, '기억'에 관한 우리의 정신활동은 사고작용 그것 외에 달리 없다.

따라서, 우리는 사고가 수행되지 않으면 새로운 지식을 내장할 수 없다는 사실을 추론할 수 있다. 해마가 통찰 사고와 관련이 있다는 실험결과는 기호를 내장하는 '기억' 작업이 곧 '사고'의 작용이라는 이 책의 필자의 견해를 뒷받침한다. 해마의 기능이 상실되면 우리는 사고를 수행할 수 없다. 그런 까닭에 우리는 새로운 지식을 우리의 정보체에 내장(기억)할 수가 없게 된다.

사고의 원리는 '동일화'이며 그러한 동일화 정신작용은 본질에서 '통찰'이다. 그리고 학습과 이름의 습득 역시 동질적 동일화의 통찰 사고에 의한다. "해마와 주변 부위를 포함하는 내측 측두엽 수술 후, 새로운 학습, 사람들의 이름을 배우지 못했다."는 사실은 비의식작업기억을 수행하는 해마의 손상으로 창의적 '동일화(A=C)' 즉 통찰을 수행할 수 없음을 의미한다.

그로 인해 새로운 지식과 기존의 지식들 간에 맥락적 동일화가 이루어지지 않으며, 또한 기억이 형성되지 않는다고 생각할 수 있다. 특히 학습은 물론, 이름 또한 사람과 이름에 대한 매개적 관념을 통해 인과적 맥락의 동일화가 이루어짐으로써 비로소 기억될 수 있다. 따라서, '학습과 사람들의 이름을 배우지 못한다는 사실'은 추론적 동일화의 과정이 내재된 통찰 사고를 수행할 수 없음을 단적으로 보여주는 예이다.

우리의 경험과 사고는 기존의 정보자료를 매개체로 삼아 맥락화함으로써 기존의 정보체계와 결합되어 장기기억이 될 수 있다. 편도체의 활동이나 특별한 노력에 의한 경우를 예외로 하고, 일반적으로 각인에 의한 기억은 기존의 정보체계 속으로 진입하지 못하고 제 혼자 겉돌게 된다. 우리의 사고는 전두엽을 통해 비교 · 검토되고 간뇌 등이 이를 수용함으로써 완성된다. 그러한 동일화 정신작용의 결과가 맥락화를 통해 기억되기 위해서는 내측두엽을 비롯한 정보 저장에 관여하는 영역과 긴밀한 협력이 있어야 한다.

그것은 다름이 아니라, 기존의 정보기호들과 결합하는 일로서, 기존의 정보들을 매개로 해서 인과적 동일화를 이루는 일이다. 새로운 경험 · 사고의 결과물은 기존의 정보기호들과 맥락적으로 결합이 됨으로써 비로소 장기기억이 이루어진다. 만약에, 기존의 정보체 내에 매개체로 삼을 만한 것이 발견되지 않으면, 기억을 위해서는 즉석에서라도 새로운 매개물을 만들어야 한다. 그런데, 이런 경우 기억은 일시적으로는 유지된다. 하지만 기존의 정보체와 다양한 결합을 이루어내지 못한다면 그러한 뇌신경회로는 시간이 흐름에 따라 소멸되어 기억은 망각되고 만다.

기억의 형성과 통찰의 수행에 있어서 해마가 어떤 역할로써 기여하는지를 알아보기 위해서는 통찰의 원리와 그 수행과정, 그리고 통찰의 수행과 관련된 뇌신경계의 영역별 기능을 알아볼 필요가 있다. 우선, 통찰의 원리와 그 수행과정은 '동일화의 형식구조'와 그러한 형식의 실제 수행에 있어서 요구되는 '정신작용' 그 두 측면에서 살펴볼 필요가 있다.

먼저 동일화의 형식구조 면에 있어서 보면, 통찰은 하나의 결론적 판단을 유도하기 위해 (대전제 · 소전제 · 결론을 연결하는) 공통 인자인 매개체를 찾고, 아울러 결론을 유도할 대전제와 소전제를 세운다. 다시 말해, 통찰은 'A=C'라는 동질적 동일화의 정신작용으로서 'B'라는 매개체와 'A=B, B=C'라는 전제의 동일화 과정을 구성함으로써 이루어진다.

이러한 형식구조의 동일화 과정을 수행하기 위해 요구되는 우리의 '정신작용'을 알아보면, (이것은 우리 인간과는 달리 인공지능이 성취하기 어려운 문제인데) 먼저 우리의 자아가 어떤 통찰의 '필요성을 인식'해야 한다. 그리고 동일화 판단 과정에서 필요한 매개기호 · 대상기호 · 목표기호를 '탐색'한다. (대상기호와 목표기호는 삼단논법에서 대개념 · 소개념 · 매개념이다.) 물론, 이와 같은 탐색이 이루어지려면 그 전에 먼저 우리는 많은 활성기호들을 '내장'하고 있어야 한다.

필요한 기호들에 대한 탐색이 이루어지면, 동일화 판단에 있어서의 대상기호와 목표기호에 대한 동질성 여부에 관한 비교 · 검토를 수행한다. 여기서 중요한 것은, 이와 같은 비교 · 검토를 위해선, 탐색된 기호들과 구성된 판단들에 대한 '파지'가 이루어져야 한다. 그리고, 결론적 동일화 'A=C'에 대한 만족 여부에 따른 최종 승인의 인식이 있게 된다.

그런데, 통찰은 그와 같은 대전제 · 소전제 · 결론 그 세 개의 판단만으로 구성되는 것이 아니라, 필요에 따라 그러한 삼단논법적 구성체들이 우리가 만족할 때까지 이어지는 동일화 사고이다. 그와 같이 형식구조는 다중적이고 중층적이지만, 그러한 동일화 과정들의 수행에 있어서 요구되는 우리의 정신작용은 언급한 바와 같이 몇 가지 유형으로 한정된다.

통찰의 수행에 있어서 요구되는 정신작용들을 다시 정리하면, ① 활성기호의 사전 확보(내장), ② 통찰의 필요성 인식, ③ 기호 탐색 및 판단 구성을 위한 비교 · 검토, ④ 기호 및 판단들에 대한 파지, ⑤ 동일화 결과에 대한 가치 판단이다. 여기서 시적 통찰의 사례를 하나 들어보자.

우리가 창밖의 한 초라한 사내를 보고 생각 끝에 "낙엽 같은 삶"이라는 표현을 썼다고 하자. 이때 우리는 왜 그 우울한 정경을 '장미'나 '태양'으로 비유하지 않고, '낙엽'에 비유를 하는 걸까? 그리고 우리는 어떠한 생각의 과정을 거쳐서 그러한 낱말을 선택하게 되는 걸까? 주위의 여러 사물들, 사전 속의 온갖 낱말들 그 하나 하나를 차례대로 그 우울한 정경과 비교해 보는 과정에서 '낙엽'이라는 낱말을 얻는 걸까?

물론, 그렇지 않다. 만약에 그러한 방식으로 구하고자 한다면 그것은 얼마나 많은 시간이 걸릴지 알 수 없는 일이며 어쩌면 영원히 '낙엽'이라는 낱말을 취할 행운을 얻지 못할지도 모른다. 그러나, 우리는 그러한 번거로운 작업을 하지 않고서도 운 좋게 '낙엽'이란 낱말을 손에 쥐게 된다. 정말 그러한 행운은 아무런 의식적 비교작업도 하지 않은 가운데 마치 행운의 여신이 손바닥에 놓아두고 홀연히 떠난 듯 우리는 '낙엽'이 앞에 놓여 있음을 알게 된다.

그러면, 우리는 심상어휘사전 속의 그 많은 낱말들 중에서 어떻게 '낙엽'이라는 낱말을 선택할 수 있는 것일까. 이때 우리는 하나의 동일화 방식을 사용하는데 그것은 '범주'를 적용하는 일이다. 우리는 목표기호 'C'인 낙엽이란 낱말을 찾기 위해 '화려함'이나 '찬란함' 등과는 반대 되는 곳으로 눈길을 돌린다.

우리는 특징적 성격의 범주에 의해 탐색 대상의 영역을 축소하고, 축소된 영역들에 또 다시 그 어떤 특징적인 범주를 적용하여 대상 영역을 좁혀나감으로써 목표기호인 최종 대상을 선택한다. 그리고 마침내 우리는 마치 허공을 선회하던 솔개가 돌연히 지상의 한 목표물을 향해 수직으로 낙하하여 먹이를 나꿔채듯 '낙엽'이란 낱말을 집어든다.

우리의 사고는 어떤 요구에 의해서 비롯된다. 요구 즉 원하는 마음이 없으면 사고는 수행되지 않는다. 뿐만 아니라, '동일화(대상기호A=목표기호C)'의 통찰 과정에서도 필연적으로 대상기호에 관한 유비적 동질성의 목표기호(C)를 탐색하기 위한 관점 · 방향 등의 의사결정을 위한 과정이 전제되며, 또한 비교 결과에 대한 만족이나 확신 등에 관한 가치 평가가 요구된다. 그럼으로써 A에 대한 C의 '동일화'가 이루어진다.

앞의 예에서 살펴보면, "낙엽 같은 삶"이라는 비유는 '창밖의 우울한 정경'을 바라봄으로써 비롯한 것이다. 동일화의 비유를 위한 '범주'의 적용 역시 만족스런 비유를 위한 것이고, '낙엽 같은 삶'에서 비유작업을 종결한 것 역시 심미적이며 심리적인 만족에 이르렀기 때문이다. 그렇지 않다면 우리는 보다 적합한 비유를 얻기 위해 동일화의 통찰에 계속 몰입할 것이다.

물론, 만족스런 비유를 얻기 위해선 풍부한 활성기호들을 사고(기억)를 통해 우리의 심상어휘사전 속에 지니고 있어야 함은 말할 것이 없다. 그렇지 않고 각인된 어휘 기호만을 지녔다면 우리는 베르니케 영역 손상 환자의 경우처럼 두서없는 낱말들만을 쏟아낼 것이다. 또한, 그러한 기호들마저도 지니지 못했다면 우리는 마치 브로카 영역 손상 환자처럼 매우 제한된 어휘만을 반복해서 되풀이할 것이다.

우리는 '우울한 정경'에 부합하는 표현을 얻기 위해 특징적 범주들을 사용하여 불필요한 영역에 대한 탐색을 배제하고 대상기호(자신의 인생 여정)와 목표기호(낙엽 등)에 대한 효율적인 비교 · 검토를 수행한다. 아울러, 그와 같은 탐색과 비교 · 검토 등의 동일화 과정의 정신작용들은 모두 우리가 의식하지 않는 가운데 수행된다.

우리가 만약, 명석판명한 동일화 작업을 한다는 취지에서 의식적으로 사전 속의 낱말들을 하나씩 대응시켜 비교함으로써 동질성 여부를 확인해 나간다면 앞서 언급한바와 같이 언제 그러한 작업이 끝날지 알 수 없을 것이다. 하지만 우리는 '범주를 형성하는' 동질적 동일화의 상징 능력을 사용하여 시적 통찰을 손쉽게 성취한다. 이와 같이 시적 통찰의 과정에서 우리는 기억 · 욕구(동기) · 비교 · 비의식적 파지와 같은 정신작용들이 요구됨을 확인할 수 있다.

이제, 이와 같은 정신작용들에 대응하는 해부학적 영역의 뇌기능을 살펴보면, '① 활성적 기억'은 통찰에 의해서 이루어지는바, 전전두엽 · 측두엽 · 두정엽 등의 신피질 부위는 물론 해마 · 간뇌의 구피질, 그리고 뇌 속의 가속기관이라 할 수 있는 소뇌의 활동과 참여가 필요하다. 따라서, 문제를 단순화하기 위해 기억의 '내장' 측면만을 고려하면, 측두엽과 두정엽의 역할로 좁힐 수 있다. 그리고 '② 통찰의 필요성 인식과 ⑤ 동일화 결과에 대한 가치 판단'의 문제는 우리의 의지와 욕망의 근원처인 뇌간과 변연계의 주관 사항이라 할 것이다.

한편, 그러한 구피질의 생성물인 우리의 욕망은 동일화 정신작용의 이성에 부합되지 않을 수도 있다. 그런 까닭에 세속적 평론가나 정계의 인사들과 같이 형식논리를 앞세워 궤변을 꾸미기도 한다. 하지만, 우리는 수양과 훈련을 통해 욕망을 이성적 가치에 부합시켜 나갈 수 있다. 물론, 이러한 문제는 별도의 주제를 통해 다루어야 할 내용이다.

그러나 아무튼, 우리의 지성인 동일화 정신작용의 통찰이 욕망의 근원처인 뇌간과 변연계의 활동으로부터 시작되고 종결된다는 것은 부인할 수 없는 사실이다. 그리고, '③ 기호 탐색 및 판단 구성을 위한 비교(검토)'는 전전두엽이 주요한 역할을 하며, '④ 기호 및 판단의 도식들에 대한 파지'는 다름 아닌 해마의 기능으로 추정된다.

이제 통찰에 관련된 뇌 영역 기능을 좀 더 살펴보자. 뇌 과학자 박문호는 해마와 통찰의 관계를 이렇게 설명한다. 확장된 신피질을 가지고 있는 인간은 인과적으로 연관이 없는 세계의 각 부분들에 대한 범주화 작업을 상호 연관시킬 수 있고, 또 하나의 장면으로 묶을 수 있다. 장면은 시공간적으로 배열된 일련의 낯선 사건과 사물들이 맥락적 관계로 범주화된 것이다. 하나의 장면이 만들어내는 장점은 외부세계에서는 인과적으로 연관되어 있지 않았을지라도 과거의 경험을 바탕으로 새로운 사건에 연결될 수 있다. 그런데 장면을 만들어내는 것은 생존에

중요한 감각자극을 배경 신호와 함께 연결하는 해마의 기능에서 시작된다.[6)]

위에서 언급되는 '범주화', '상호 연관', '장면'화 등은 모두 '동일화 통찰 사고'의 결과와 그 작용에 의한 것이다. 기억이 "관계적이고 맥락적이며 연합적"이고 "범주화" 된 것으로서 하나의 '장면'으로 직조될 수 있는 것은, 우리의 사고가 경험에 대한 단순한 재현이 아니라 동일화 사고의 상징 능력에 의해 경험내용들을 창의적으로 재구성할 수 있기 때문이다.

범주화와 은유는 다중 판단의 동질적 동일화 정신작용을 의미하며, '장면' 또한 통일적 인상이나 이해를 위한 동일화 정신작용의 결과이다. 그러한바, 장면의 구성은 통일적 인과성의 동일화 정신작용에 의한 것으로, 앞서 열거한 탐색 · 비교 · 파지 · 결정 등의 정신작용들의 수행이 요구된다.

연구자 박문호는 또한 전전두피질의 일반적 기능에 관해 이렇게 말한다. 전전두피질은 행동을 주시하고, 감독하며, 집중케 하는 대뇌피질의 영역으로, 목표지향적이며 상황에 적절한 행동을 만들어준다. 특히 주의를 지속하는 능력, 판단, 자기 감찰과 감독, 문제 해결, 선견적 사고 등은 전전두엽이 다른 여러 뇌 영역과 어우러져 서로 신호를 처리한 결과이다. 이와 같이 초점적이고 목적지향성의 전전두피질은 다양한 뇌 영역과의 연결을 통해 과제를 달성할 때까지 주의(이 책의 필자의 "집중")를 기울이도록 도와준다.[7)]

---

6) 박문호. 같은 책. p. 648.
7) 같은 책. p. 652.

그리고, '인식 · 기억 · 작업기억'에 관해서는 이렇게 언급하고 있다. 우리가 대상을 인식하려면 전전두엽에서 현재 감각입력과 대뇌피질에 저장된 과거 경험기억이 비교되어야 한다. 이 비교 · 판단하는 과정이 작업기억으로서, 이러한 작업기억은 전전두엽에서 작동된다. 작업기억은 일상에서 매순간 상황에 맞게 행동하는 인간 기억의 특징이다. 작업기억은 단순히 기억의 한 형태라기보다는 우리의 의식 그 자체라고 여겨진다.

침팬지도 작업기억이 있지만, 인간에 이르러 전전두엽 발달로 인해 그 능력이 급격히 진화했다. 렘수면시 꿈에서 계산이나 논리적 사고가 힘든 이유는 작업기억을 담당하는 배외측전전두엽에서 노르아드레날린과 세로토닌의 분비가 각성상태에 비해 급격히 줄어들기 때문이다. 계속적으로 변하는 외부환경의 패턴을 감지하는 곳이 바로 배외측전전두엽이며, 작업기억을 처리하는 영역이다. 작업기억에서 요구되는 경험기억들은 신피질에 부위별로 특화된 기능을 갖는 기억으로 저장된다.[8]

한편, 배들리 등(Baddley & Hitch, 1974)이 제안한 '작업기억'에 이 책의 필자는 '비의식작업기호'라는 개념의 항목을 추가하고 싶은데, 전자가 의식적인 것인데 반해 후자는 비의식적인 성격의 것임은 앞서 언급한바 있다. 이 단락에서는 통찰과정에서 사용되는 비의식기호와 비의식기호의 '파지'에 관하여 기술한다.

---

8) 같은 책. pp. 719, 716-17.

언급하였듯이 통찰은 전제적 판단들로 이루어진 다중판단이다. 단순한 예로, '당신은 장미다'라는 은유의 통찰 구조를 보면, 이 표현은 '장미는 아름답다. 당신도 아름답다 그러므로, 당신은 장미다'라고 추론할 수 있다. 이와 같이 은유의 통찰은 추론으로 풀어낼 수 있는 동일화 과정들이 내포된 사고이다.

과학적 사고 역시 마찬가지이다. 제임스 와트는 난로 위의 주전자 뚜껑이 수증기로 인해 움직이는 것을 보고 증기기관의 착상을 통찰했다고 한다. 그런 와트는 곧 '수증기가 주전자의 뚜껑을 밀어 올린다. 수증기는 어떤 힘을 가졌으며, 그렇다면, 수증기로 증기기관을 만들 수도 있다.'고 하는 추론의 형식으로 통찰 내용을 정리해보았을 것이다.

이와 같이 시적 은유이든, 과학적 가설이든 통찰은 최소한 하나의 삼단논법의 구조를 내포한다. 통찰은 그러한 양태의 사고이다. 한편, 그러한 삼단논법 형식의 판단과정을 통찰은 추론과는 달리 의식에서가 아닌 순수한 비의식 상태에서 수행한다. 부연하면, 우리가 제시한 통찰의 구조와 과정들은 비의식 상태에서 전일적으로 수행되는 내용들을 의식의 상태에서 삼단논법의 형식에 따라 풀어내 보인 것이다.

실재로 우리가 통찰을 수행하는 과정에서는 질서정연한 삼단논법의 형식에 따라 생각이 되지 않는다. 부지불식간에 "아! 그렇다, 그럴 수도 있겠구나!" 하는 생각만이 불현 듯 의식에 나타날 뿐, 그러한 결론에 이른 과정의 생각들은 떠오르지 않는다. 그래서 우리는 추론으로써 사고의 과정을 정리해내는 것이다.

다시 말하면, 통찰의 '본성'은 다른 사고와 마찬가지로 '동일화'이고, 그 '특성'은 다중 판단이 내재된 사고로서 비의식으로 수행된다. 그런데, 여기서 우리가 주목해야 하는 것은, 그러한 유기적 관계의 여러 판단들이 어떻게 비의식 상태에서 수행될 수 있는가 하는 점이다. 문제는 '대상기호'와 탐색 결과로 회상된 '목표기호'와의 비의식 상태에서의 비교 · 확인 작업이다. 그런데, 이 작업이 이루어지지 않으면 판단은 불가하다. 우리의 정신은 판단을 위한 비교 · 확인을 위해서는 그러한 자료들을 비의식의 정신이 인지할 수 있어야 한다.

통찰이나 추론을 하기 위해서는 앞서 있은 판단들을 비의식의 상태에서 파지(인지)해야 한다. 그래야만 전제적 판단들을 사용해서 다음 판단을 수행할 수 있다. 하지만 그러한 비의식기호들을 파지하지 못한다면, 작업기억을 이용해 의식 상태에서 앞서 행한 판단들을 파지해야 할 것이다. 그러나, 이럴 경우 우리는 원천적으로 통찰을 수행할 수 없다. 언급했듯, 우리의 통찰은 불특정적이고 포괄적 영역의 정보들을 탐색하고 비교 · 검토해야 하는 등의 문제로 비의식 상태에서만이 수행이 가능하다. 또한, 그런 관계로 비의식 상태에서 회상 내용을 파지(인지)하는 기능이 필요한 것이다.

그와 같이 작업기억은 의식에서만 수행되는 것이 아니라, 통찰의 경우 비의식 상태에서도 그 수행이 요구된다. 하지만, 전자의 의식 상태에서의 수의적 작업기억은 추론의 과정에서 요구되는 직각의 단순 판단 등에 사용되는 반면, 후자의 비의식에서의 작업기억은 통찰 과정에 사용된다는 점에서 본질적으로 그 성격과 역할이 다르다. 또한, 전자의 작업기억은 표피적 맥락화에 의한 동일화의 결과물인 까닭에 장기기억으로 남지 않는다.

언급한바와 같이 통찰은 시종일관 비의식 상태에서 수행된다. 통찰의 수행 후, 우리는 추론에 의해 통찰의 내용이 여러 판단들로 구성될 수 있음을 알 수 있을 뿐이다. 사고의 수행 중에는 판단들을 통일적으로 구성하고 있음을 전혀 의식하고 있지 않다. 우리는 아무런 관념도 이미지도 의식(인지)하지 않는 상태에서 그냥, 골똘히 무엇인가 집중하고 있을 뿐이다.

쉬운 말로 하면 통찰은 '깜깜이' 사고인 것이다. 사고의 종결 후 우리는 의식의 상태에서 사고의 결과를 토대로 사고의 내용을 추론함으로써 비로소 확인할 수 있다. 그러면 우리는 그와 같이 깜깜한 비의식 상태에서 어떻게 질서정연한 판단들로 구성된 사고를 진행할 수 있는 것일까. 이러한 의문이 바로 해마와 통찰 사이의 관계를 보다 구체적으로 인식하게 하는 열쇠이다.

통찰의 수행 과정을 다시 한번 상기하면, 통찰(A=C)을 시작하는 출발점이 되는 대상기호(A)를 선정하고 동일화의 결과에 해당하는 목표기호(C)를 찾고, 그 과정에서 또한 우리는 전제 A=B, B=C를 찾는다. 언급했듯이 이러한 사실은 통찰의 수행 후 추론으로써 확인되는 바이다.

만약에 우리가 작업기억 능력이 미약해서 대상기호(A)를 통찰의 수행 과정에서 깜박하고 잊는다든가 혹은 어렵사리 구한 전제의 하나를 결론에 도달하기도 전에 그만 잊어버린다면 어떻게 될까? 또는 그러한 자료들을 불러내지 못하거나 비의식의 시야에서 놓쳐버린다면 어떻게 되는 걸까? 물론, 그런 경우 우리는 통찰을 제대로 수행할 수 없다.

필자는 사물을 감지하는 세 가지 방법을 알고 있다. 첫째, 우리는 눈으로 사물을 본다. 그리고, 시력이 닿지 않을 때 우리는 생각으로써 사물을 본다. 언급한 바 있듯, 우리의 사고는 감각의 연장이다. 우리의 감각이 닿지 않을 때 우리는 통찰과 추론 등의 사고를 한다. 멀리 있는 사람을 만날 수 없을 때 우리는 그 사람의 얼굴을 떠올리듯, 미시물리적 세계의 화학물질이나 원자의 내부구조 또한 우리의 통찰 사고로써 그려본다.

세 번째는 미스테리한 것으로, 필자는 군 복무 당시 '100시간 행군'이라는 훈련을 할 때 야산의 밤길을 졸면서 행군하기가 일쑤였다. 그런데, 행군 도중에 자신도 모르는 가운데 걸음을 멈추고 서 있는 때가 종종 있었다. 그런데 신기하게도, 눈을 떠보면 필자가 제 자리에 멈추어 서 있는 곳은 발아래 웅덩이가 있거나 고랑이 파여 있는 위험한 곳이었다. 그리고, 다른 동료들 또한 이해할 수 없다는 듯 자신들에게 그러한 일이 있었음을 필자에게 들려주곤 했다.

이 역시 초감각적 사고와 지각의 존재에 관한 것인데, 융은 가벼운 최면의 혼수 상태에서 출산 중인 환자가, 당황해하고 히스테릭한 행동을 하던 의사와 간호사의 행위를 소상하고도 정확히 관찰하였다가, 수술이 끝난 후 의사와 간호사에게 그러한 사실들을 알려줌으로써 그들을 놀라게 한 사실을 언급했다. 융은 그 같은 사실은 "뇌척수계와는 다른 교감신경계와 같은 신경 기체가 명백히 뇌척수계 만큼이나 쉽게 사고와 지각을 산출"할 수 있다는 결론에 이른다고 말했다.[9]

『평행우주』의 저자 미치오 카쿠 교수는 두정엽과 측두엽 사이에 전기충격을 가했을 때 환자가 유체이탈을 경험했다고 한다: "나는 허공에 2m쯤 떠서 내 몸이 침대 위에 누워 있는 모습을 분명히 보았다. 얼굴은 못 보고 다리만 봤는데, 분명히 내 옷을 입고 있었다"고 진술했다고 한다.[10]

---

9) C. G. Jung, W. Pauli. 『자연의 해석과 정신』(이창일 외 역). 청계. 2002. p. 174..

윌리엄 제임스 역시 언급한바 있듯, 우리는 잠을 자는 동안에도 잠들기 전에 사고한 정보들을 체계적으로 정리한다. 그리고 일찍이 왈라스와 형태심리학자들 또한 인식했듯, 우리가 숙고한 것들이 의식하지 않는 중에 정리가 되어서 미상불 의식에 나타난다. 뿐만 아니라 오늘날 인지과학은 우리의 사고가 대부분 비의식 상태에서 수행된다는 것을 기정사실화 하고 있다. 2008년에 독일의 헤인스 박사 팀의 경우, 우리가 자신의 의사결정 사실을 인지하기 전에 우리의 뇌신경계는 이미 7초 이전에 알고 있다는 사실을 실험을 통해 제시했다.

필자는 1991년 이전에 첫 시집의 원고를 작성할 당시부터 시 창작이나 법률 해석 등의 과정에서 사고가 의식되지 않는 상태에서 수행됨을 인지하고 사고에 '비의식'이라는 용어를 사용해왔다. 확산 은유는 결코 의식 상태에서 얻어지는 것이 아니다. 마찬가지로, 법률적 판단 역시 결코 의식 상태에서의 추론으로 구해지지 않는다. 물론, 복잡한 사안의 경우 그 동안의 통찰 내용을 토대로 사건 일지와 관련 법규들을 추론에 의해 도식화 하여 활용한다. 하지만 조사과정에서의 진상 파악과 사안별 해당 법조문의 적용을 위한 통찰의 수행 중에는 결코 의식 상태를 견지하지 않는다.

그것은 이 같은 상징학 이론의 전개를 위한 통찰에서도 마찬가지이다. 통찰 상태에서는 분명 눈을 뜨고는 있지만 마치 눈을 감고 있는 것처럼 오직 깜깜한 어둠만이 있을 뿐, 정신은 어떠한 이미지나 개념도 표상하지 않는다. 그 같은 몰입의 비의식 상태에서 돌연히 깨어나 '유

---

10) Micho Kaku. 『마음의 미래』(박병철 역). 김영사. 2015. p. 419.

레카!' 현상이 나타난다. '그렇다!' 하고는 통찰의 결과에 대한 추론적 설명과 해석이 시작된다.

시나 과학은 다 같이 유비적인 '동질성의 동일화' 통찰을 수행한다. 과학의 경우 가설에 관한 착상은 동질성의 동일화 통찰을 수행한다. 하지만, 자의적 기호 다시 말해 개념적 도식의 기호를 사용하는 보고서의 내용에 관한 진술은 동일성의 동일화 사고인 추론에 의한다. 그러나, 자연적 기호인 이미지를 사용하는 시 · 예술의 경우는 시편의 구상과 시편의 작성 모두 동질성의 동일화 통찰에 의한다. 시인이자 교수인 학자들이 논문작성 보다도 시를 쓰는 일이 어렵다고 토로하는 것은 그러한 이유에 기인한다.

몰입의 시간에 있어서도 법률적 해석과 판단을 위한 통찰의 경우 몇 분에서 몇 십 분씩 이어진다면, 시적 통찰의 경우는 최소한 두 시간 이상의 집중된 몰입이 요구되며, 세 시간에서 네 시간 여의 몰입이 있은 후 비로소 필자의 손은 내면의 통찰 결과를 기술해나가기 시작한다. 물론 이런 때의 원고는 거의 손을 다시 댈 곳이 없다. 속기된 기록을 정서하고 몇 군데의 군더더기의 제거로 작업은 완성된다.

분명한 것은 통찰의 경우 결코 의식 상태에서 수행되지 않는다는 사실이다. 창의적 사고의 통찰 수행 중에는 의식에서 표상 작용이 일어나지 않으며, 일어나서도 안 된다. 모든 동일화 정신과정, 심지어는 0.1초 내에 이루어지는 지각조차도 그 결과만 의식에 나타날 뿐, 비의식에서 이루어진다. 이러한 사고와 표상의 상반적 수행 현상은 일찍이 윌리엄 제임스에 이어서 뷔르츠부르크학파의 공동 연구 결과 등에서도 확인된 바가 있다.

통찰 과정에서도 의식 상태에서 수의적으로 수행되는 작업기억과 같은 '파지'가 비의식 상태에서도 수행된다. 이때의 작업기억은 불수의적인 전기 · 화학적 신경생리작용의 결과이다. 우리는 "모든 것을 다 의식화하여 기억할 수 없기에 상당한 부분의 지식을 무의식, 하의식 또는 암묵적 기억으로 밀어 넣고 또 이들을 필요할 때마다 순간적으로 활성화하여 활용해야 한다."[11] 그리고, 통찰의 과정에서 요구되는 비의식작업기억, 다시 말해 탐색 자료들에 대한 파지 또한 비의식 상태에서 수행된다.

예슈린(Yeshurun, 2009) 등은 감각적 자극과 기억 간의 관계에 대한 실험을 실시했다.[12] 후각적 연상, 특히 후각적 1차 연상을 떠올릴 때, 기억을 담당하는 해마와 편도체가 더 활성화되었다. 특히 좋은 냄새를 연상할 때는 해마의 왼 편에, 그리고 나쁜 냄새를 연상할 때는 편도체의 오른 편에 강한 반응이 나타났다. 이러한 사실 또한 해마가 내장된 기호를 파지한다는 이 책의 필자의 견해와 맥락을 같이 한다고 할 것이다.[13]

편도체의 개입이나 특별한 노력에 의한 각인의 기억이 아닌 경우, 기억은 맥락적 동일화에 의한 이해에 의해서만이 장기기억이 이루어진다. 창의적 사고 수행을 뒷받침하는 해마가 손상되면 맥락적 동일화의 통찰로써 의미화할 수가 없으며, 따라서 장기기억을 형성할 수가 없다. 그러한바, 해마의 손상 시 순행성 기억장애가 발생하는 것은 당연한 일

---

11) 이정모. 같은 책. p. 472.
12) 신현준, 이은주. "뉴로마케팅, 마케팅과 뇌과학의 행복한 만남". 김광수 외. 『융합 인지과학의 프론티어』. 성균관대학교 출판부. 2010. p. 186.
13) D. G. Myers. 『심리학』(신현정 외 역). 학지사. 2001. p. 454.

이다.

그러니까, 해마의 손상 시 기억 장애가 나타나는 것은 해마가 직접 기억에 관여하기 때문이 아니라, 해마의 손상으로 비의식의 작업기억이 제대로 수행되지 않아 맥락적 동일화가 이루어지지 않기 때문이다. 해마의 손상 시 (제한적으로 역행성 기억 상실을 보이는 경우도 있지만) 대체로 순행성 기억 상실과 연관된다(Hodges, 2007)는 점과 통찰 수행시 해마의 활성화 현상은 해마가 맥락적 동일화의 통찰을 위한 '비의식작업기억'을 수행한다는 사실을 뒷받침하는 증례이다.

단어조각완성과제나 단어어근완성과제, 지각파악과제와 같은 지각적 점화 과제 처리 능력은 기억상실환자에게서 손상되지 않는 것으로 알려져 있다.[14] 물론, 해마의 손상 경우 다중 판단의 과정에서 요구되는 비의식기호의 파지가 이루어지지 않으므로 단어조각완성과제는 수행이 불가하다. 하지만, 해마가 손상되지 않았다면, (과제 해결내용의 장기기억화 여부와는 별개로) 단어조각완성과제 · 단어어근완성과제 · 지각파악과제는 추론의 통찰이 요구되는 문제로서 해결이 가능하다.

형태재현의 지각 경우에 있어서도 이미 알고 있는 대상에 대한 단순한 재현이나 일반적인 회상은 해마의 손상과 상관없이 수행이 가능하다. 하지만, 인출 단서가 필요한 회상이나 모호한 대상에 대한 형태재현의 경우 역시 통찰과 추론이 요구된다. 흔히 경험할 수 없는 사물이나 낱말 · 규범 같은 추상의 상징물들은 추론이나 통찰로써 이해(의미화 · 개념화 · 기호화)해야 기억이 될 수 있고 회상 또한 가능하다. 그러한바,

---

14) 이정모. 같은 책. p. 470.

해마의 손상 경우 그와 같은 통찰적 지각은 수행이 불가하다.

과음했을 경우의 블랙아웃 역시 동일화의 통찰 사고가 이루어지지 않은 때문으로, 이것은 음주로 인해 전전두엽과 내측두엽 등의 기능이 마비된 까닭도 있겠으나, 해마 기능의 마비역시 주된 요인이라 할 것이다. 음주로 인해 의식 상태에서 단세포적인 지시적 판단 성격의 작업기억만을 수행할 수 있을 뿐, 비의식작업기억이 수행되지 않아 통찰이 불가하다. 그러한 까닭에 맥락적 동일화의 사고가 아닌 맹목적 동일화의 사고만 수행됨으로써 장기기억이 이루어지지 않는다.

다시 한 번 통찰의 과정을 요약하면, 탐색 · 비교 · 확인 · 결정 등의 과정을 거침으로써 통찰은 수행된다. 지식의 내장은 두정엽과 측두엽을 중심으로 이루어지며, 동일화 정신작용의 판단을 위한 비교 · 확인은 전전두엽에서 주도적으로 이루어진다. 그리고, 목표기호를 탐색하기 위한 기억된 신경회로의 재연결은 측두엽을 중심으로 해서 이루어지며, 탐색된 기호들과 동일화 과정의 판단들에 대한 파지(인지)는 해마를 통해 이루어진다.

서던캘리포니아대학교에서 연구팀을 이끄는 시어도어 버거(Theodore Berger) 박사는 "해마에서 기억의 실마리를 풀지 못한다면 다른 어떤 부위에서도 풀지 못할 것"이라고 했다. 그리고, 미치오 카쿠 교수는 "우리 뇌에는 모든 기억이 반드시 거쳐 가야할 장소가 있다. 장기기억이 형성되는 해마가 바로 그곳"이라고 한다.[15] 그러나, 해마의 임무는 기억을 하는 일이 아니라, 동일화의 과정에서 비의식기호를 파지하는

---

15) Micho Kaku. 같은 책. p. 175.

일이라는 게 이 책의 필자의 주장이다.

우리는 의식의 상태에서 수의적으로 수행되는 '작업기억(working-memory)과 같이 비의식 상태에서도 대상기호와 목표기호 등을 인지하는 그러한 '비의식의 인지' 능력을 지니고 있다. 통찰의 본성 · 원리 · 구조와 그리고 통찰 수행의 과정과 관련 뇌기능들을 고려할 때, 인지능력 시험의 양전자방사단층촬영(PET) 등을 비롯하여 H. M. 기억상실증 환자 등의 사례는 통찰 사고에 있어서 '비의식의 인지' 능력 다시 말해 비의식 상태에서의 작업기억을 수행하는 기관이 다름 아닌 '해마'라는 사실을 추론하게 한다. 결론적으로, 해마는 창의적 통찰의 사고 과정에서 비의식기호와 그 동일화 과정들을 파지하는 비의식작업기억을 수행한다고 말할 수 있다.

11. 추론: 얕은 통찰과 직각의 교차 수행 정신작용

11.1. 추론: 방법적 사고

두뇌계발 연구자 Richard Leviton은 선형적이고 논리적이며 합리적인 사고는 정신이 정보를 처리하는 근원적 방법이 아님을 지적한다.[1] 통찰 역시 논리적이고 합리적인 사고이지만 선형성(linear)까지 언급한 것을 보면 아마 레비톤은 추론 사고를 지칭한 것으로 보인다. 아무튼, 추론은 의식되지 않는 가운데 자연스레 수행되는 원사고(原思

1) Richard Leviton. 『두뇌 계발 비결』(김종석 역). 학지사. 2007. pp. 458-59.

考)의 통찰 내용을 우리가 의식 상태에서 직각 사고로서도 알 수 있도록 통찰 내용을 삼단논법의 형식에 따라 분절하여 수행하는 사고이다.

이러한 추론 사고는 언어 · 도상 · 음향 등의 기호를 사용하여 문법 · 논리 · 원근법 · 화성학 · 공식 등과 같은 도식체계의 규칙들에 따라 수행된다. 그러한 까닭들로 해서 추론은 시종일관 비의식 상태로 수행되는 심층비의식의 통찰과는 달리 상대적으로 얕은 통찰을 수행한다. 한편 추론은 이와 같이 주어진 절차적 형식들에 따라 얕은 사고를 수행함으로써 문제를 보다 쉽게 해결한다는 점에서 방법적 사고라고도 한다.

이러한 추론 사고는 세 가지 주요한 기능을 갖고 있다. ① 통찰의 결과를 토대로 그 내용을 객관적으로 드러내고, ② 주어진 자료를 토대로 어떤 문제를 해결하게 하며, ③ 창조자의 통찰 내용을 학습하게 한다. 이러한 추론의 기능은 곧 기호를 사용함으로써 가능하다. 그러하듯, 추론은 통찰과 달리 기호의 출현과 함께 진화되어온 사고라 할 수 있다.

기호는 이와 같이 추론 사고를 지원하며 또한, 지각 · 통찰 · 영감적 사고의 배경적 토대를 이룬다. 물론, 이것이 곧 우리의 동일화 정신작용의 사고가 외현기호를 사용하여 수행된다'는 뜻은 아니다. 우리의 사고인 통찰은 기호 즉 의미를 토대로 이루어지지만, 우리의 정신은 그러한 의미의 기호들을 전기 화학적 신호작용으로 환원하여 동일화를 수행한다. 이 책의 필자는 사고의 수행 중에 사용되는 그와 같은 의미 기호들을 '비의식기호'라고 한다.

일찍이 퍼스는 "모든 학습은 사실상 추론"이며, 모든 추론은 이미 획득된 지식과 더불어 학습된 지식들을 연결하여 전혀 새로운 것을 알게 한다고 한바 있다(C. S. 7.536). 그렇듯 추론은 어떤 단서나 자료를 토대로 학습을 수행하게 한다. 뿐만 아니라, 추론은 계획을 세우고 어떤 방법들을 사용하여 문제 해결을 함으로써 통찰의 수고를 덜게도 한다.

언급된 학습 수행 못지않게 중요한 추론 사고의 기능은 통찰(원사고)의 내용을 이해하고 설명하는 일이다. 추론은 우리가 행한 통찰의 결과를 명료히 드러내기 위해 비의식에서 진행된 사고의 과정을 의식에 심상기호로 표상하거나 문자 · 도상 · 음성 등의 외현기호로써 외부에 명시적으로 표현해낸다.

일차적으로 학습은 먼저 이러한 추론적 진술의 내용들을 이해하는 일이다. 학습자는 창조자의 통찰 내용을 추론적 절차에 의해서 습득한다. 물론, 추론적 설명이 비약적일 때 학습자는 비약으로 인한 공백 상태의 동일화 과정을 파악하기 위해 통찰을 수행한다. 그러나, 이때의 통찰은 검토 대상이 한정된 얕은 통찰로서 이 또한 추론 과정의 일부이다.

그 어떤 과제의 해결에 있어서 주어진 단서나 자료가 없어 그 어떤 방법도 강구할 수 없을 때 우리는 무제약적이고도 광범한 영역의 대상을 검토하는 통찰 사고를 수행한다. 우리는 비의식 상태로 수행되는 그와 같은 통찰로써 결론을 도출하고 다시 그에 대한 이해나 설명을 추론으로써 드러낸다.

그러하듯, 과학에서도 우리는 언제나 비의식 상태에서 먼저 가설을 통찰하고 추론에 의해 통찰의 내용에 대한 연역적 설명을 시도한다. 시 · 예술 역시 마찬가지이다. 우리는 동일화(A=C)의 목표대상인 보조관념(C)이나 'A=C'의 은유의 통찰을 먼저 얻고 그 전제적 이유들을 추론

한다. 한편, 이와 같은 추론에 있어서, 과학과 시 · 예술이 다른 점은 과학은 통찰에 대한 인과적 설명을 보고서나 논문으로 기술하나, 시 · 예술은 인과적 설명을 감상이나 비평의 몫으로 남겨두고, 통찰의 내용은 텍스트나 매체에 은유의 형식으로 투사한다.

선각자들의 통찰에 의해 구현된 이론적 체계와 지식들은 우리의 사고를 대신하여 덜어주는 기호이다. 그러한 방법론적 이론과 지식들은 통찰의 숙고 대신 추론으로써 문제를 해결하게 한다. 이와 같이 추론은 통찰로써 얻은 지식과 기호체계들을 활용하여 어떤 문제들을 힘들이지 않고 짧은 시간에 해결할 수 있게 한다. 이러한 방법론적 사고의 추론은 도식적 체계를 형성하는 과학에서는 물론, 고유의 형식을 요구하는 시 · 예술에서도 역시 요구됨은 말할 것이 없다.

1 1.1.1. 추론: 얕은 통찰

사고는 인과적 동일화의 깊이에 따라 지각 · 추론 · 통찰 · 영감적 사고로 구별된다. 통찰의 내용을 해석하고 이해하며 설명하는 추론은 기호와 기호체계를 사용한다. 본질에서 우리의 모든 사고는 통찰적인 것으로 추론 역시 통찰을 그 본질로 한다. 다만, 추론의 경우 주어진 지식이나 규칙 등을 활용하고, 또한 규칙의 준수 여부 등을 의식 상태에서 확인하는 관계로 동일화 판단의 과정이 상대적으로 단순할 뿐이다.

추론은 복합판단으로 구성된 통찰의 내용을 단일의 삼단논법적 판단들로 분절한다. 또한, 분절된 판단들로 구성된 기호 명제들을 통해 통찰의 내용들을 재구성하여 이해해나간다. 그러한바, 추론은 통찰과 달리 동일화의 심도가 얕다. 한편, 추론은 그와 같이 규칙 등의 도식과

의식의 지원에 따라 수행되는 까닭에 몰입의 정도가 깊지 않아 추론의 결과를 쉽게 의식에 투시할 수 있다.

11.1.2. 추론: 의식비의식 사고

지각과 통찰은 순수한 비의식의 사고이나, 추론은 의식이 개입되는 사고이다. 추론 사고는 비의식 상태에서 수행된 우리의 통찰 사고의 내용을 분절하여 수시로 의식 상태에서 인지할 수 있도록 수행해 나가는 까닭에 의식비의식 사고라고 한다. 한편, 추론과 달리 통찰은 문제해결을 위한 단서가 제공되지 않아 광범한 대상을 검토해야 하는 까닭에 통찰의 결과가 있을 때까지 의식의 개입을 불허한다.

추론은 원사고인 심층비의식의 통찰 내용을 이해하거나 설명하기 위한 사고이다. 그러한 추론은 절차적 단계들이 제대로 수행되는지를 수시로 의식 상태에서 직각 사고로써 확인해야 한다. 그리고 다시 얕은 통찰의 사고로 돌아가야 한다. 그러한바, 추론은 통찰 사고의 결과나 상황을 의식 상태에서 확인하는 단속적 사고를 반복적으로 수행하게 된다. 그와 같이 추론은 비의식의 통찰 사고와 의식의 인지작용을 빈번히 교차 수행하는 까닭에 추론 사고에선 의식 상태에서의 주의력이 사고력 못지않게 중요하다.

11.1.3. 추론과 주의 그리고 망아적 몰입

'주의력'이란 목적적이며 수의적인 정신작용이다. 원사고의 통찰은 사고의 방향이나 대상이 정해지면 주의를 다른 곳으로 돌리지 않고 본능적이고도 맹목적으로 오직 그에 관해서만 몰입하여 수행한다. 따라서, 의식의 수의적 의도가 개입되지 않으면 우리는 수평적 관계의 사안들을 유기적 전체로 통일하지 못한다. 통찰이 추론과 달리 분명, 전체적 통일을 추구하지만 한편 집중적 몰입으로 동일화의 깊이를 추구하는 까닭에 수평적 관계항들과의 유기적 통일을 이루기 위해선 때때로 의식 상태로의 귀환이 요구된다.

추론의 논리적 사고는 의식과 비의식의 교차가 빈번히 이루어진다. 기호체계를 활용하는 논리적 사고는 분절적 기호체계의 단계별로 사고의 방향을 바꾸어야 하므로 의식에 의해 상황을 확인하면서 의식과 비의식의 끊임없는 단속적 사고를 한다. 그러한바, 논리적 사고에선 '의식의 주의력'이 특별히 요구된다.

한편, 어떤 창조적 작업의 경우 비의식의 통찰은 수의적 제어로 조절될 필요가 있다. 우리의 정신이 의식에 의해서 제어되지 못하고 깊은 비의식의 세계로만 진행해 들어가는 경우 창조자는 현실 감각을 잊고 신화적 환상에 빠질 수 있다.

칸트는 미적 이념을 구현함에 있어서 시적 천재 즉 상상력의 현시와 오성이 조화를 이루어야 하지만, 그 중에서 하나가 희생되어야 한다면 오성이 아니라 상상력의 자유여야 한다고 하였다(KU 203). 한편, 발레리의 경우 또한 시적 창조의 과정에서 천재적 상상력의 표상을 배격코자 하였다. 그런데, 이러한 경우는 작품의 형식적 기교와 내용의 통일을 기하기 위한 것이다.

이와는 달리, 시인이나 작가가 원형의 세계에 동화되는 문제가 있다. 융이 언급하였듯 원형은 어떤 신성력과 연결되어 있다. 융은 '원형'이 단지 공허한 지적 용어로서만 존재하는 것이 아니라, 의식과 무의식의 해리로 인한 가공할 노이로제의 원형성 속에 숨어 있는 신성력 (numinose)임을 지적한다. 융은 살아 있는 이미지로서 원형의 신성력은 치료적일수도 파괴적일 수도 있다고 한다. 그리고 "선량한 의도로 가득 찬 악의 없는 인간의 낙원에 살고 있는 뱀"이라고도 한다.[2)]

맹목적 에너지의 움직임만이 있는 '비의식'은 '나'라는 자기 속의 일방적 자아의 진행과 팽창이 있다. 그러한 상황을 '의식'은 제어한다. 이 책의 필자의 경우, 첫 시집(『먼 나라 추억의 도시』, 1991)의 원고들은 거의 모두가 영감적 사고 다시 말해 초의식비의식 상태에서 작성되었다. 이러한 작업은 망아적인 상태에서 심층 비의식의 세계를 끌어내는데, 그 세계는 융의 말처럼 선도 악도 빛도 어둠도 존재하지 않는 곳이다. 인용하는 시편은 첫 시집에 실렸던「알 수 없는 길」이다. 망아의 비의식 상태에서 작성된 전형적인 원형적 시편의 하나로 생각되어 제시한다.

반짝이는 길 위에서 던진 돌이 푸른 뱀을 두 쪽으로 갈라놓았다. 붉은 피 고인 바위 위에 사과 껍질을 던지고 산 속으로 들어서며 마을에 폭우가 쏟아지길 바랬다. 밤이 오고 노란 전등불을 따라 산길을 거슬러 뱀의 바위로 가 앉았다. 번개가 소나무 위에서 춤을 추고 무엇을 꿈꾸는가 나는 가슴에 물었다 바람이 모래알을 쓸어 올리고 눈물을 흘리며 뱀의 머리가 말했다. 너는 네가 본 것밖에는 알 수 없으리라 어두운 길이 한 없이 깊은 어둠이 네 앞에 놓여 있으리라 너는 물을 수도 물어서

2) C. G. Jung.『인간과 무의식의 상징』(이부영 외 역). 집문당. 1993. pp. 70, 69, 137.

도 안 되고 너의 두 발만을 믿어 나아가야 할 아니, 그럴 수밖에 없을 것 이니……밤늦게 아이가 언덕길을 올라가고 있었다 빗방울이 떨어지고 사람들이 너는 누구냐 물었다 나는 핏자국을 가리키며 여기 죽은 뱀의 머리다 외치고 어둠 속으로 뛰어 들어갔다 깊은 어둠 속으로 죽은 뱀의 머리가 밟히는지 마을 사람들의 혀가 밟히는지 비척거리며 비척거리며

작가나 시인이 비의식의 세계에서 많은 시간을 머무는 건, 위험한 일이다. 1990년에 『문예중앙』이라는 월간 문예지로 등단하면서부터 비의식 세계의 시편을 작성해온 노태맹 시인은 “시를 쓰다가 시에 의해 내가 죽을지 모르겠다는 두려움이 더 컸다”(『현대시학』2008. 11월호)고 한바 있다. 소설가 박상륭은 무의식의 세계(필자의 비의식)가 “성숙한, 中道的 의식에 의해 어거(제어-필자 삽입)되지 못할 때, 그것을 통해 뭔가를 제작해낸 이나, 그 제작된 것을 접하는 이나, 양쪽을 다 곪겨, 미숙한 아이에 머물게 하거나, 나찰化 위험이 있다.”며 다음과 같이 기록하고 있다.

> 많은 경우, 글을 짓는다는 이들은, 그 잉크를, 지옥의 썩은 핏물에서 구해오며, 그림을 그린다는 이들은, 그 같은 물감으로 지옥의 풍경을 묘사해내려 하고, 소리를 짓는 이들은 이들대로, 지옥의 비명을 조직화하려 하고 있어뵌다.
>
> 詩나, 音樂, 美術 등, 宗教 밖에서 창작행위를 하는 이들의 작업들에서 (……) 말(言語)의 의식적 국면뿐만 아니라, 무의식적 국면도 잘 어거하기로써 (…) 산문꾼도 포함한, 모든 창조적 정신은, 이 비밀의 방문을 열고 들여다 볼 수 있는 능력을 개발해 갖출 때, 그 제작된 것의 뿌

> 리 밑에, 깊이의 무저갱을 열어놓을 수 있기는 할 테다. 그 안에 든 정신은 (…) 시퍼런 의식에 의해 통제되지 않을 때 (…) 光氣의 三頭毒狗(Gerberus)가 거기서, 그의 정신을 찢어발기고, 피를 핥으며, 골을 빨 것이다. 그 머리 하나는 Eros, 다른 하나는 Thanatos, 그리고 그 가운데 것은 그 속에 떨어져든, 그 당자의 것인 것. 바로 여기서, 모든 종류의 악몽 · 악환 · 시퍼런 色鬼들이 일어날 것이다. 바르도의 험난함이 그것일 테다[3)]

하지만, 그와 같은 몰입의 통찰과 달리 방법적 사고의 추론은 특정한 목적 아래 마련된 규칙들에 따라 수행되는 관계로 통찰 사고와는 달리 수시로 주의를 기울인다. 사실, 추론은 통찰과 같이 무아지경의 몰입 상태를 이루는 집중을 요구하지 않는다. 추론은 인과적 동일화 과정의 단계마다 의식 상태를 견지해야 하고, 또한 그때마다 사고의 진행 상황을 체크하는 등 합목적적인 방향으로 사고를 진행시키기 위해 면밀히 주의를 기울인다. 하지만 그러한 점에서 추론은 통찰과는 또 다른 어려움이 따르는 사고이다.

11.1.4. 논리규칙과 사고

고대 그리스의 철학자들은 의학적 증상이나 자연 징후 등의 기호(σημειον)를 추론의 단서가 되는 지표로 생각했고, 아리스토텔레스는

3) 박상륭. 『소설법』. 현대문학사. 2005. pp. 89, 143.

기호를 결론이 생략된 삼단논법으로 이해했다. 퍼스 또한 기호를 추론의 출발점으로 언급한바 있듯 문자의 출현은 곧 추론 사고의 출현을 의미하는바, 추론은 곧 기호적 사고라 할 수 있다.

베르그송은 기호를 사용하는 분석(이 책의 필자의 추론) 사고는 사물의 본성을 포착할 수 없으며, 비기호적 직관(이 책의 필자의 통찰) 사고가 과학적 세계관의 한계를 극복한다고 생각했다. 그러나 추론 사고는 언급하였듯이 통찰의 세계를 객관화하기 위해서 반드시 요구되는 사고이다. 비의식의 통찰 내용을 추론으로 기호화함으로써 통찰(베르그송의 직관)된 지식의 공유 또한 가능하다. 아울러, 그러한 분석적 사고에 의한 기호화 작업은 회상에 의지하지 않고 명시적 문헌에 의해 지식체계를 발전시켜나갈 수 있다는 편리함이 있다.

규칙이나 원리 등의 도식의 지식(기호)은 비의식의 세계에 대한 의식화이다. 그럼으로써 문명의 진보가 가능하다. 카시러 또한 형식주의와 직관주의(Intuitionismus)가 서로 배제되고 괴리되는 것이 아니라고 한바 있다(『상징형식의 철학』Ⅲ). 카시러가 말한 '형식주의'는 기호적 추론 사고에 해당하고, '직관주의'는 통찰에 해당한다. 카시러는 순수한 직관에서 그 의미를 따라 파악되는 것은 형식화의 과정을 통하여 확고하게 세워지고 보존된다고 생각했다.

추론은 단서에 의해 동일화 대상이나 그 범주의 영역이 한정적으로 이미 지정되어 있어 비교적 쉽게 동일화의 사고를 수행할 수 있다. 논리규칙은 우리가 그와 같은 사고과정의 내용을 설명하거나, 또는 문제해결을 목적적으로 보다 용이하게 수행하기 위해 사용하는 의도된 형식이다. 이러한 형식은 말 그대로 형식일 뿐 문제를 직접 해결하는 '능력'이 아니다. 문제를 해결하는 건 우리의 비의식의 '동일화 정신작용'

인 통찰 사고이다.

칸트는 "선험적 논리학"에서 이렇게 말하고 있다. 경험을 떠난 순수 논리학과 경험에 부합한 응용논리학을 아우르는 일반논리학(B 77)은 고급 인식 능력 즉 오성 · 판단 · 이성의 구분과 완전히 일치하는 설계도로 채워져 있다. 그러므로 개념 · 판단 · 추론 등을 다루는 일반논리학의 분석론은 통상 오성 일반[4]이라는 개괄적 이름 아래서 이해하는 심성 능력들의 기능과 질서에 잘 합치한다(B 169).

그런데, 논리학의 규칙이 사고의 기능과 구조에 잘 합치하는 건, 우리의 사고와 논리규칙 모두가 '인과성'에 기초한다는 점에서 당연한 일이다. 사고의 본성인 동일화는 인과성에 따라 수행되고 구현되며 논리규칙 또한 인과성을 충족시키기 위한 규칙이다. 다만, 통찰 사고가 인과적 동일화를 전기 · 화학적 신호작용(비의식기호)으로써 수행하는 것과 달리 추론 사고는 그러한 인과적 동일화의 정신작용을 외현기호와 그 규칙들에 따라 수행하는 차이가 있을 뿐이다.

논리규칙은 사고 즉 동일화 정신작용의 원리나 규칙이 아니다. 논리규칙은 동일화 다시 말해 인과성에 의해 이루어진 통찰 사고의 내용을 표현하거나 설명하고 이해하기 위한 도구이자 수단이다. 문법 규칙 역시 마찬가지이다. 우리는 문법규칙을 사용해서 사고하지 않는다. 그러한 규칙들은 사고내용을 이해하고 설명하기 위해 사용하는 수단들일 뿐이다.

논리규칙 · 문법 · 언어는 동일화의 산물인 상징물(기호)이며, 우리의

4) 칸트의 오성은 광의에서는, 개념능력 · 판단능력 · 추리능력 등을 포괄한다.

사고는 그러한 기호들을 비의식기호의 정신언어로 환원하여 전기 · 화학적 신호작용으로써 수행한다. 일례로, 수학자이자 이론물리학자인 로저 펜로즈의 증명과정과 알고리듬의 관계에 대한 예리한 통찰의 단상을 살펴보자.

> 어떤 사람들은 수학적 증명이 각 단계가 그 전 단계로부터 생성되는 논리적 전개라고만 생각할지 모른다. 그러나 새로운 명제에 대한 고안은 이러한 과정을 따르는 경우가 거의 없다. 수학적 명제를 구성하는 데는 전체성(globality)과 일견 분명치 않아 보이는 개념적 요소가 필수적이다. 그리고 이와 같은 요소는 순서적으로 제시된 증명을 완전히 이해하기 위하여 시간이 필요한 것과는 달리 시간과는 별 관계가 없어 보인다.
>
> 수학을 할 때 알고리듬을 찾기 위하여 애쓰지만 애쓴다는 것 자체는 알고리듬적 과정으로 보이지 않는다. 일단 알고리듬이 발견되면 그 문제는 어떤 의미에서 이미 풀린 것이나 다름없다. (…) 어떤 공리에서 시작하여 그를 통해서 여러 가지 수학적 명제들을 도출할 수 있다. 그 도출 과정은 물론 알고리듬적이다. 그러나 그 공리가 적합한가를 결정하기 위해서는 의식이 있는 수학자의 판단이 필요한 것이다. 이러한 판단이 필수적으로 알고리듬적이 될 수 없다.
>
> 적절한 판단을 형성해 나가는 과정은 분명한 알고리듬이 존재하지 않는, 혹은 존재하더라도 현실적으로 불가능한 과정일 것이다. 어쩌면 우리가 처한 상황이 애당초 판단을 형성하는 것보다 일단 판단이 내려지면 그 판단이 정확한가를 살펴보는 것이 더욱 알고리듬적인(혹은 어쩌면 단순히 쉬운) 경우인지도 모른다.[5)]

위의 인용문은 다소 모호한 진술 형태를 띠고 있으나, 추론 사고와 알고리듬 그리고 통찰의 관계에 관해서 상당히 본질적인 통찰들을 하고 있음을 보여준다. 이 책의 필자의 개념에 바탕하여 펜로즈의 말을 풀이하여 정리하면 이러한 내용이다:

① 증명 과정에서 필요한 (새로운 명제의) 알고리듬들을 찾는 건 논리 규칙의 전개에 의한 작업이 아니다. ② 선형적으로 제시된 증명의 이해에는 물리적으로 시간이 필요하나, 알고리듬의 발견에는 그만큼의 시간이 걸리지 않는 것 같다. 다시 말하면, 알고리듬을 발견하는 통찰은 즉시적으로 이루어지는 것 같다. ③ 알고리듬의 발견은 통찰의 종료로서, 문제는 이미 풀린 것이다. 이제는 추론으로써 그 내용을 설명하는 일로서, 이것은 시간이 요구될 뿐이다.

④ 어떤 공리로부터 수학적 명제들을 도출하여 기호의 도식으로 나타내는 건 물론 알고리듬적이다. ⑤ 하지만, 공리의 적합성에 대한 결정은 수학자의 통찰이 요구된다. ⑥ 이러한 알고리듬을 발견하는 통찰은 결코 알고리듬의 전개로써 이루어지는 것이 아니다. 판단 즉 통찰의 수행은 분명 비 알고리듬적인 사고 과정이다. ⑦ 그와 달리, 판단의 정확성을 살피는 추론 과정은 알고리듬적 전개가 요구되는 일이다.

야콥슨은 "내적인 사고 특히 창조적 사고"는 규범화되지 않은 융통성 있는 다른 체계의 언어를 사용함으로써 활력에 찬 자유로운 사고를 하게 한다고 한바 있다. 그리고, 철학자 제리 포더 교수는 우리의 장

5) Roger Penrose.『황제의 새마음』Ⅱ(박승수 역). 이화여자대학교 출판부. 1996. pp. 674, 625, 624.

기기억 속에 있는 의미 정보들을 '사고언어라고 하는 '사고 언어 가설'을 제시하였다(1975). 언어학자이자 인지과학자인 스티븐 핑커는 포더 교수의 견해를 이어받아 사고는 문법적 규칙들이 필요 없는 정신어로 행한다고 말했다.

인지심리학자 Robert J. Stemberg 등은 "사람들이 의사 소통에서 사용하는 것과 동일한 것(term)을 사용하여 사고한다(think)는 그들의 가정에는 강력하게 반대한다."며 "우리의 연구 결과는 사고하는 것과 의사소통하는 것이 매우 상이한 기술들을 요구하는 과정임을 보여 준다."고 한다. 그리고 "창의적인 창안물과 표현되는 산출물은 사고가 변환된 것"이며 "언어는 분명 인지에 기초하고 있지만, 인지는 언어에 기초하지 않는다."(Barlow, Blakemore, & Weston-Smith, 1990; Root-Bernstein & Root-Bernstein, 1999)[6]고 말한다. 물론, 추론은 기호를 사용하지만, 사고 자체는 전기 · 화학적 신호작용의 비의식기호로써 수행된다.

추론은 우리의 사고가 비의식에서 찾아낸 발견물을 의식에서 확인토록 대전제 · 소전제 · 결론의 인과적 순으로 나열하는 일이다. 어떤 발견을 함에 있어서 우리의 사고는 언제나 결론을 먼저 제시한다. 그런 후 이유가 되는 전제들을 확인한다. 이와 같이 논리적 형식은 사고를 사후적으로 재구성토록 하는 체계적인 규칙의 방법론일 뿐이다. 우리의 정신은 기호로써 사고하지 않는다. 언어나 논리규칙은 전기 · 화학적 신호작용으로 이루어낸 감각질의 내용을 우리가 이해하고 표현

6) R. J. Stemberg, E. L. Grigorenco, J. L. Singer. 『창의성: 그 잠재력의 실현을 위하여』(임웅 역). 학지사. 2009. p. 232.

하기 위해 고안한 도구적 수단이다. 우리는 그러한 논리적 방법론을 수행하는 과정에서도 매개어를 찾고 대 · 소전제를 세우는 일은 비의식의 사고에 의한다.

우리의 사고는 다름 아닌 하나의 자연 현상이다. 그러한 우리의 사고는 형식논리의 체계에 의해서가 아니라, 화학적이고 전기적인 신호작용에 의한 비의식기호의 의미들로써 구현된다. 어떤 믿음이나 확신을 갖게 하는 판단을 갖기 이전의 우리 뇌신경 작용의 사고세계는 의식에서 인지되지 않는다. 논리규칙은 이루어진 '사고'에 대해 그 내용을 추론에 의해 정리 · 확인하는 과정에서 사용되는 것들이다. 우리의 사고는 비의식으로 진행되는 전일적 동일화의 자연현상이요, 형식논리의 규칙은 그러한 자연현상으로서의 사고를 이해하고 설명하기 위해 우리가 고안한 수단이다.

12. 통찰과 추론

통찰과 추론의 차이에 대해선, 용어와 개념의 사용에 다소 그 성격을 달리하지만, 인지심리학과 인지과학 분야의 연구자들 중에서도 종종 언급이 있어왔다. 온스타인은 이성적 과정과 직관의 상호 보완성에 대한 생각은 역경(I Ching) 이전부터 전해 내려왔다며 직관에 대해, 물리학에서는 오펜하이머(1904-1967)를 비롯하여 철학 · 종교 · 심리학에서도 볼 수 있으며, 생리학적으로도 인식되고 있는 문제라고 한다.[1)]

물론, 그가 말하는 이성은 추론을 의미하고 직관은 통찰에 해당한

1) R. E. Ornstein. 『의식심리학』(이봉건 역). 수정증보판. 충북대학교 출판부. 2005. pp. 47-48.

다. 일찍이 베르그송은 추론의 분석 사고와 통찰의 직관 사고에 관해 언급한바 있으며, 프랑스 수학자 아다마르(Jacques-Salomon Hadamard, 1865-1963)와 영국의 사회심리학자 왈라스(Graham Wallas, 1858-1932)를 비롯하여 독일의 형태심리학자들은 창의적 문제해결 과정을 네 단계로 구별하여 설명했다.

물리학자 헬름홀츠(1821-1894)와 수학자 푸엥카레(1854-1912)의 일화를 바탕으로, 왈라스(1926)는 직관(이 책의 필자의 통찰)의 문제해결 과정을 준비(preparation), 부화(incabation), 발현(illumination), 검증(verification)의 4단계로 나누어 제시하였다. 첫 번째 과정은 문제해결 과정을 다각도로 검토 분석하는 준비단계이다. 두 번째 과정은 여행을 하거나 다른 일을 하면서 잠시 문제를 떠나 있는 부화단계이다. 세 번째는 문제의 해결책이 아주 우연찮게 생각지도 않은 가운데 떠오르는 발현단계이다. 네 번째 과정은 검증단계로, 섬광처럼 나타난 통찰의 결과를 토대로 그 내용을 검증하고 설명하는 단계이다.

그런데, 여기서 알 수 있듯 왈라스의 해결 방안 모색의 준비단계는 추론과 통찰이 모두 사용되는 과정이고, 부화 및 발현단계는 통찰 사고의 과정이며, 검증 및 설명의 마지막 단계는 추론 사고의 수행 과정임을 알 수 있다. 한편, 우리가 집중적 몰입의 통찰 과정에서 문제 해결이 이루어지지 않는 것은 너무 세부적으로 사고를 해 들어가 개개의 부분적 문제들에 매몰되어 있기 때문이다.

이때는 통찰 사고를 멈추고 세부적 문제의 나무들 속에서 빠져나와야 한다. 시인이나 작가의 경우는 집중으로 인한 긴장을 충분한 수면이나 술로 이완시키기도 하고 철학자의 경우는 스크린 가까이 바짝 붙어 앉아 영화에 몰입하기도 하며, 볼륨을 높여 음악에 귀를 기울이기도 한다. 사실, 이러한 방법은 멀리 여행을 떠나는 것보다 훨씬 시간을 효율적으로 사용할 수 있다.

아무튼, 이러한 가운데 우리는 세부적 사안들에 대한 숙고로부터 벗어나 그 동안의 문제해결 과정을 전체적 관점에서 바라보게 된다. 나무가 아닌 숲을 보게 되는 것이다. 이때 전체적 문제의 해결을 위한 통일적 동일화의 맥락을 파악하게 되고 버릴 것은 과감하게 버리게 된다. 이러한 때가 왈라스가 말한 발현단계로서, 자료 수집에서부터 시작하여 세부적 문제에 대한 집중적 탐색과 검토에 이어서 문제의 전체를 관통하는 핵심적 원리나 최종 판단의 논거를 파지하는 통찰에 도달한다.

왈라스는 문제를 벗어나는 과정을 부화단계라고 하였는데, 이 단계는 나무를 보는 단계에서 벗어나 숲을 보기 위한 과정이다. 이러한 숲을 보는 단계는 철저히 나무를 관찰하고 연구하는 과정을 거침으로써 가능한데, 나무의 세계에 대한 확신을 가짐으로써 우리는 비로소 전체를 볼 수 있는 힘을 얻게 된다. 우리가 몰입의 상태에서 깨어나 문제를 벗어나는 것은 세부적 사안들에 대한 숙고의 통찰들로부터 벗어나, 그러한 세부 사안들을 유기적이고도 통일적으로 연결하는 전체적 맥락을 중심으로 숲을 보기 위함이다.

왈라스는 통찰 사고 이후 그 결과를 객관적으로 기술하는 추론 사고의 과정을 '검증단계'라는 명칭을 사용하여 창조적 문제해결 과정의 사고에 포함하여 다루었다. 이러한 왈라스의 네 단계 과정의 분류는 통찰과 추론의 구별을 하지 않고 문제해결의 전체적 관점에서 사고를 다루고 있음을 알 수 있다.

직관이라는 문제해결의 틀에서 고찰된 이러한 전체적 관점의 견해는, ① 의식비의식 사고의 추론이 얕은 통찰이며 ② 심층비의식의 통찰이 추론으로써 객관화된다는 점에서, 굳이 통찰과 추론을 구별하지 않더라도 문제해결 과정의 설명에 있어서 문제될 것은 없다. 하지만, 다른 논의자들 역시 마찬가지이지만 왈라스는 부화기의 정신작용이 어떤 원리로 문제해결에 기여하는지, 의식이 왜 창조적 아이디어의 분출을 저해하는지, 그리고 문제를 해결하는 사고의 본성이 무엇인지에 관해서는 언급을 하고 있지 않다. 그러한바, 왈라스의 이러한 논의는 창의성의 본질을 다루었다고 할 수는 없으며, 단지 창의적 노력과 문제해결 과정의 양태를 밝혀서 보여주는 데 그치고 있을 뿐이라 하겠다.

아다마르는 헬름홀츠와 푸앵카레가 구분한 바와 같이 발명의 단계를 준비과정, 배태기(또는 부화기), 계시단계, 검증단계로 구별한다. 특히 배태기는 무의식이 중요한 역할을 한다. 배태기는 생산적 무의식이 일어나는 과정이기도 하지만, 그것은 잘못된 가정으로부터 벗어나기 위해 문제로부터 벗어나 다른 일을 하거나 휴식을 취하는 과정이기도 하다.

아다마르는 이것을 '망각설'로 명명한다. 그리고, 특히, 계시적 영감은 오랜 기간의 강도 높은 무의식 작업의 결과라고 한다.[2] 아울러, 아다마르는 사고를 직관적 정신과 논리적 정신으로 구분한다. 전자는 무의식 깊은 곳에서 아이디어가 결합하는 사고이고, 후자는 의식과 가까운 곳에서 아이디어가 결합하는 사고라고 한다.

그런 아다마르는 "클라인과 마찬가지로 푸앵카레도 논리적 정신과 직관적 정신의 구분에 대해 말하였다"며 "논리는 최초의 직관 다음에 개입한다"[3]고 정확히 지적한다. 하지만, 아다마르 역시 문제를 해결

---

2) Jacques Hadamard. 『수학분야에서의 발명의 심리학』(정계섭 역). 범양사. 1990. pp. 61, 41, 50.

하는 사고의 본성이나 원리, 그리고 의식과 무의식(이 책의 필자의 비의식)이 사고와 관련하여 어떤 역할을 하는지 등에 관해서는 분명하게 언급을 하고 있지 않다.

윌리엄 제임스는 "오셀로(Othello)의 죽음이 왜 관객들의 피를 그렇게 흥분시키면서도 동시에 조화된 느낌을 주는지" 셰익스피어 자신도 그 이유를 말할 수 없을지 모르는 일로서, 그것은 합리적이지만 논리를 더듬어 사고한 것이 아니기 때문이라고 한다. 그리고 "냉철한 비평가는 그 죽음의 이야기를 통하여 셰익스피어의 펜을 무어인의 죽음으로 인도한 교묘한 전제와 결론 사이의 관계를 지적해 낼 수 있다"고 한다. 아울러, 그러한 사실은 "한 사람이 두 천재가 되는 것이 드물다는 법칙을 증명"한다고 제임스는 말한다.

제임스는 "어떤 특정한 분석적 정신은 어떤 추론적 정신보다 우수하다고 절대적으로 말하는 것은 불합리하지만, 그럼에도 불구하고 분석적 정신이 더 높은 지적 단계를 대표한다는 것은 진실"이라고 한다, 그리고 이렇게 부연한다: 판단에 대한 분명한 이유를 제공할 수 있는 것이 희귀한 천재의 증표가 된다는 것은 보편적으로 인정되고 있다. 자신의 결심에 대한 이유를 결코 제공하지 말라는 신참 판사에게 주는 고참 판사의 충고는 이것을 예시한다. "결심은 아마 정당했을 것이나 이유는 잘못"일 것이 확실하다.[4)]

---

3) 같은 책. pp. 105-09.
4) William James. 『심리학의 원리』Ⅲ(정양은 역). 아카넷. 2005. pp. 1882, 1887

특이하게도 제임스는 사고를 분석사고와 추론 사고로 구분한다. 통찰 개념을 사용하지 않는 제임스에게 추론은 통찰을 비롯한 일반적인 사고로 이해할 수 있다. 그리고 분석은 그러한 추론 사고의 내용을 설명하는 사고로 이해할 수 있다. 그런 제임스는 분석(이 책의 필자의 추론)을 통찰보다도 더 근원적 능력의 깊은 사고로 생각함을 알 수 있다. 하지만 분석은 통찰의 내용을 객관적으로 드러내는 추론 사고로써 통찰에 종속된 부가적인 사고이다.

때로, 신참 판사의 분석 사고에 의한 판시 이유가 결심 판단을 내린 통찰 사고와 달리 잘못된 것일 수가 있다. 하지만, 그렇다 하더라도 부가적 설명의 오류가 합당한 결심의 판결에 영향을 미칠 수 없음은 달리 말할 필요가 없다. 방법적 사고인 추론은 원사고의 통찰을 설명하는 사고이다. 원사고인 통찰의 결과가 판결의 정당성을 담보하는 한 잘못된 분석 사고의 이유로 인해 판결이 무효가 되지는 않기 때문이다.

설명의 오류를 꺼려서 판결의 이유를 명시하지 않아서도 안 되지만, 지엽적 문제의 나무들에 대한 숙고에서 나아가 본질에 바탕하여 통일적으로 전체의 숲을 보는 경우, 판결의 이유를 잘못 작성할리도 없을 것이다. 우리는 그 같은 고참 판사의 말을 해당 판결의 본질적이고도 근간이 되는 이유만을 명기하라는 의미로 이해할 수 있을 것이다.

인지심리학자들은 우리의 정신을 컴퓨터 시스템에 비유한다. 그들은 의식비의식의 추론을 계열처리의 사고라고 하고, 심층비의식의 통찰을 병렬처리의 사고라 한다. 룸멜하르트(Rumelhart), 힌톤(Hinton), 맥클레란드(McClelland) 같은 신경회로망 또는 연결주의 입장의 인지심리학자들에 의하면 인간의 뇌는 속도가 매우 느린 수많은 컴퓨터가 병렬적으로 작동하며, 각각은 매우 세분화된 과제를 처리하는 것으로 생각한다. 그들은 우리의 인지를 동시다발적으로 이루어지는 병렬처리과정으로, 마음은 특수한 과제를 수행하도록 만들어진 수많은 컴퓨터의 연결물로 이해한다.[5)]

또한, 포즈너(M. I. Posner)와 스나이더(C. R. Snyder)는 사고를 자동적 정신과정과 주의적 정신과정으로 나누는데 우리의 관점에서 자동적 정신과정은 직각과 통찰이고, 주의적 정신과정은 추론에 해당한다. 포즈너와 스나이더(*Attention and cognitive control*, 1975)는 자동적 정신과정과 주의적 정신과정에 대해 "전자는 노력이나 의식적 감시 없이 일어나며, 진행중인 다른 정신 조작들과 결합될 수 있으나, 후자는 수의적 통제 하에 있고 의식적으로 감시되며, 때때로 힘이 들고, 다른 정신과정들과 결합될 때에는 간섭을 받는다"고 한다. 이에 대해 코헨(Gillian Cohen)은 전자는 직관적 사고(이 책의 필자의 통찰), 후자는 논리적 사고와 유사하며, 논리적 사고가 의식적 · 분석적 · 연속적 · 서열적인 반면에 직관적 사고는 훨씬 더 신비롭다며 자동적 · 주의적 정신과정을 설명한다:[6)]

> 그 산물은 추측, 육감, 통찰의 섬광인데; 그 과정은 의식적이 아니며. 내성할 수 없는 것이며, 수의적 통제 하에 있지 아니한다. 우리는 직관을 기술하기 위한 노력에서 다소 이상한 유추를 사용하는데, 그 중 가장 보편적인 것의 하나는 양계장(chicken farm) 유추이다. 일정 기간

---

5) Colin Martindale. 『인지심리학; 신경회로망적 접근』(신현정 역). 교육과학사. 1995. pp. 14. 20.
6) Gillian Cohen. 『인지심리학』(이관용 외 역). 법문사. 1984. pp. 163-64.

> 의 준비(혹은 달걀 선택?)에 이어, 부화기(period of incubation)가 존재하는 것으로 가정되며, 그 다음에 생각이 부화되어 나온다. 달리 설명하면, 직관은 붉은 포도주처럼 생각들을 '골똘히 하는'(mulling) 것을 포함한다.[7)]

추론은 계열적 처리 형식의 사고로서 주어진 정보를 바탕으로 해서 수행된다. 반면에 통찰은 사전 정보의 지원이 없거나 불충분한 상태에서 수행하는 사고로서 병렬처리의 사고에 해당한다. 한편, 그들은 추론의 주의적 정신과정이 "의식적으로 감시" 된다고 하는데, 그러나 그 감시는 사고의 결과에 대한 의식 상태에서의 확인을 말하는 것으로, 사고의 수행 중에는 일어나지 않으며 일어나서도 안 된다.

그와 달리 자동적 정신과정과 마찬가지로 주의적 정신과정의 사고 또한 비의식의 동일화 사고작용이다. 다만, 추론 즉 주의적 정신과정의 경우 자동적 정신과정의 통찰과 달리 주어진 지식체계를 따라 진행되는바, 사고 수행의 각 단계마다 인과적 동일화의 적절성 여부에 관한 확인이 있게 된다. 따라서 사고의 지속과 몰입이 통찰에 비해 상대적으로 짧은 시간 동안 수행된다.

자동적 정신과정의 통찰은 병렬적 사고 즉 복합적 정보처리 시스템의 사고작용으로서 비의식 상태에서의 집중된 몰입이 요구된다. 그 점이 기호체계를 따르는 주의적 정신과정의 추론과 다르며, 통찰이 의식에서 쉽게 현상되지 않고 많은 내용이 비의식의 세계로 넘겨지는 이유이다.

---

7) 같은 책. p. 164.

통찰의 결과물은 추론에 의해서 스크린과도 같은 2차원계의 의식에서 기호화된다. 그러나, 심층비의식에 의한 시 · 예술의 확산 은유나 과학적 가설 통찰의 경우 그 내용에 대한 추론화가 잘 이루어지지 않는다. 그것은 우리의 시각이 2차원의 지각적 한계로 인해 구겨진 부위의 글씨를 제대로 읽어낼 수 없는 것과 같다. 그러한 까닭에 심층비의식의 통찰 내용을 제대로 이해하기 위해서는 통찰의 결과를 토대로 추론에 의해서 그 내용을 선형적으로 펼쳐내어야 하는 것이다.

인지심리학자 이정모 교수에 의하면, 좌뇌가 초점 의미 처리 중심의 기능을 주로 수행한다면, 우뇌는 관련성이 약한 다양한 의미, 말하자면 '숲' 중심으로 처리하는 기능을 수행한다고 한다: '후자는 각종 추론을 가능하게 하며 은유라든가(Brownell, 1988), 글말의 전체적 구조 등을 이해하게 하는 바탕이 된다'고 할 수 있다. '우뇌 손상 환자가 이야기의 줄거리 이해 및 기억이나(Brownell & Martino, 1998), 해석 · 추론 · 통합 그리고 타인의 생각에 대한 이해 등에 문제가 있다는 연구 결과(Stemmer & Joannett, 1998)'는 이러한 가능성을 지지하여 준다.

좌뇌는 생득적이고 고도로 특수한 언어기능(음운, 통사부호와 분석)을 소유한 반면, '우뇌는 맥락적 · 화용적 · 실용적 · 암묵적 의미 추론 기능과 사건들을 이야기 구조로 짜 넣는 정보처리와 전체적 처리(Bever, 1980)'에 더 우세한 것 같다. 시지각 연구 결과에 의하면 좌뇌는 단편적 · 문법적으로 처리하며, 세부 측면에 강조를 두어 처리하는 반면, 우뇌는 공간적 관계에 강조가 주어지며 형태적으로 총체적으로 정보처리 한다는 것이 부각되고 있다. '숲과 나무의 관계에서 우뇌는 숲 중심으로 처리하나, 좌뇌는 나무 중심으로 처리한다'고 볼 수 있다.

좌뇌는 선형적으로(liener) 처리하나, 우뇌는 전체 모양(configurational) 중심으로 처리한다든지, 우뇌는 새로운 것의 정보처리에, 좌뇌는 친숙한 정보처리에 더 잘 반응한다든지, 우뇌가 복잡한 정보를 더 잘 통합하며, 언어처리에 있어서 언어표현의 억양과 운율에 더 민감하고, 맥락과 정서적 적절성 중심의 화용론적 처리를 더 담당한다는 등은 모두 '어떻게' 처리하느냐에서의 차이와, 하나의 인지과제 수행에서 좌 · 우뇌의 상호작용, 공조의 중요성을 부각시키고 있다.[8)]

그런데, 위에서 보듯 Bever(1980)의 경우 우뇌는 '맥락적 · 화용적 · 실용적 · 암묵적 의미 추론 기능과 전체적 처리에 더 우세'한 것 같다고 하며, Brownell(1988)은 '우뇌가 추론과 은유를 가능하게 한다'고 하고, Stemmer & Joannett(1998)는 '우뇌 손상 환자가 해석 · 추론 · 통합에 문제가 있다'고 한다. 그렇듯 이들은 모두 전체 중심의 우뇌가 '추론'을 수행하는 것으로 이해함을 보여준다.

이것은 특별히 눈여겨 볼 대목이다. 왜냐하면, 일반적으로 연구자들은 통찰이 무의식(비의식)적이고 전체적 맥락을 구성하는 통일적 이해의 사고이며, 추론은 세부적 분석의 기호적이고 의식적이며 논리적인 사고로 이해하고 있음은 주지의 사실이다. 그리고, '세부적 분석의 기호적이며 의식적이고 논리적인 사고'는 초점적이며 '나무'를 처리하는 사고라는 점에서 볼 때, 추론은 우뇌적 사고가 아니라 좌뇌적 사고라 해야 할 것이다. 하지만, Stemmer & Joannett(1998) 등은 한결 같이 '추론'이 우뇌적 사고임을 피력하고 있다.

---

8) 이정모. "언어, 뇌, 진화". 조명한 외. 『언어심리학』. 학지사. 2003. pp. 431-32.

이것은, 만약에 그들이 '추론'이라는 용어가 단서에 의한 유추를 지시하는 것이고, 이 책의 통찰 사고에 해당하는 것이 아니라면, 앞서와 같은 그들의 견해는 추론이 "세부적 분석의 기호적이며 의식적이고 논리적인 사고"라는 일반적 연구자들의 견해와 상충된다. 그러한바, 이 두 견해 중 어느 하나는 문제가 있다고 할 것이다. 그런데 이 문제는, '추론이 의식이 개입되는 사고이나 또한 얕은 통찰의 사고'라는 이 책의 필자의 관점에서 볼 때, 우뇌가 추론을 수행'한다는 Stemmer & Joannett(1998) 등의 견해가 타당하며, 반면에 '초점적이고 의식적이며 논리적 사고'인 추론이 좌뇌에서 수행된다는 견해에 문제가 있음을 알 수 있다.

통찰은 전체적 사고로서 우뇌의 도움으로 수행되며, '의식' 상태에서의 인지는 좌뇌의 도움으로 이루어진다고 볼 수 있다. 이러한 점을 토대로 하면, '통찰'과 '인지'를 교대로 수행하는 추론은 우뇌와 좌뇌의 수시적 상호 협동으로 수행된다고 말할 수 있다. 결론적으로, 추론이 분석적이며 선형적인 사고라는 생각과 따라서 좌뇌에서 수행된다는 생각은, 우리의 모든 사고가 본질에서 통찰적이라는 사실을 고려할 때 편향된 인식이라 할 것이다. 아울러 우리의 모든 사고, 심지어는 지각조차도 그 과정이 비의식에서 이루어지고 그 결과가 의식에 드러난다는 점에서, 우리의 사고는 그 어떤 사고이든 비중에 있어 정도의 차이가 있을 뿐 좌 · 우뇌를 모두 사용하여 수행된다고 할 것이다.

사고에 있어서 분절적이며 의식적인 기능과 전일적이고 비의식적인 기능을 하나의 뇌 영역이 일원적으로 융합하여 수행하지 않고, 좌뇌와 우뇌가 분담하여 수행하는 것은 현재 우리의 뇌조직기반의 특성상 그것이 효율적이기 때문으로 생각된다. 만약, 좌 · 우뇌의 구분이 없이 단일의 뇌영역에서 의식적 정신작용과 비의식의 사고가 가능하려면 우리의 뇌는 아마도 보다 풍부한 뇌신경계와 깊은 차원의 병렬 기능 체계의 기반으로 진화가 되어야 할 것이다.

브로드만 뇌지도 등의 일반성에 비추어볼 때 좌 · 우뇌 기능 분담은 해부학적 필연성도 있겠으나, 어느 정도는 비결정적인 것으로 생각된다. 이러한 생각은 뇌의 일부 영역이 손상되더라도 다른 뇌 영역에서 일실된 기능을 대신 수행할 수 있음을 의미한다. 실제로도 뇌 영역별 기능이 고착되기 전에 뇌손상이 있는 경우 뇌기능 지도가 달라지는 사례가 있는 것으로 알려진다.

대뇌피질은 약 1,000억 개의 뉴런이 있는 반면에, 전체 뇌 용적의 1/10에 불과한 소뇌의 피질은 그 10배에 해당하는 1조 개의 뉴런이 있는 것으로 알려져 있다. 일반적으로 그러한 소뇌의 도움으로 즉시적이고도 전일적인 정보처리의 수행이 가능한 것으로 생각되고 있다. 한편, 소뇌와 우리의 비의식의 통찰 사고와 관련하여, Mark A. Runco는 이렇게 말한다:

직관적 사고(이 책의 필자의 통찰)와 예술적, 공간적 기능에 관련된 우뇌는 언어와 분석적, 선형적 활동(이 책의 필자의 추론)을 다루는 왼쪽 뇌보다 10,000배 이상 빠르다는 것이 명백하게 드러나고 있다. 일반적으로, 우뇌의 무의식적 혹은 의식의 세계를 뛰어넘는 속도는 의식적인 좌뇌보다 수십 배 이상 빨리 정보를 처리할 수 있다. 좌뇌에서 의식적으로 기록된 사고와 인상에 더하여 우뇌는 100개 이상의 많은 주변 인상을 잡아낼 수 있다.[9] 오늘날 인지과학 분야의 연구자들은 이러한 소뇌의 전일적이고도 신속한 정보처리 양상을 운동신경과 연계하고 있는데, 룬코는 이렇게 말한다.

> Vandervert 등은 Ito(1993)의 다음과 같은 아이디어를 인용했다. "소뇌가 아이디어들을 조작하는 것은 소뇌가 동작을 처리하는 것과 전혀 다르지 않다." Ito(1993, 1997)는 또한 어떻게 "사고에 있어서 아이디어들과 개념들이 척추가 동작 속에 있는 것과 같은 방식으로 조작되는지에 관해 기술했다. 일단 뇌의 신경회로에 사고가 부호화되고 나면, 동작과 사고 사이에는 차이가 없다. 그러므로 동작과 사고는 동일한 신경기제들에 의해 통제될 수 있다"(1993, p. 449). Vandervert 등(출판 중)은 이를 확장시켜 정신은 몸이 문제를 푸는 것과 아주 유사한 방식으로 문제들을 푼다고 제안하였다.[10]

레이코프와 존슨은 "'이성이 감각운동 체계를 이용할 수 있는가?'라는 모호한 물음은 '이성적 추론은 지각이나 몸의 움직임에서 사용되는 것과 동일한 신경 구조에 의해 계산될 수 있는가?'라는 전문적으로 대답 가능한 물음이 된다."고 한다. 그리고, "신체화된 개념은 실제로 우리 두뇌의 감각운동계의 일부이거나 그 운동계를 이용하는 신경 구조이다. 그러므로 개념적 추론의 많은 부분은 감각운동 추론이다.' 이성(개념적 추론)의 위치는 신체적 기능인 지각과 근육운동 통제의 위치와 동일할 것"이라고 한다. 아울러, "개념체계가 이 세계와 지속적으로

---

9) Richard Leviton. 『두뇌 계발 비결』(김종석 역). 학지사. 2007. pp. 466-67.
10) M. A. Runco. 『창의성-이론과 주제』(전경원 외 역). 시그마프레스. 2009. pp. 449-50.

접촉하게 되는 이유는 바로 감각운동 체계가 개념체계에 관련되어 있기 때문"이라고 말한다.[11)]

서양철학에서는 현대물리학의 발전에 힘입어 몸과 영혼이 다름 아닌 하나의 질료이자 기관으로서 분리될 수 없는 실체임을 이해하고 있다. 배타원리의 발견으로 노벨물리학상을 수상(1945)한 파울리는 데카르트적 이원론과는 달리 실재는 물리적 측면과 정신적 측면을 동시에 포함하는 전체로서 생각했다. 물질(matter)과 정신(psyche)은 실제에 대한 상보적 관계의 현상으로 끊임없이 서로 영향을 미치고 있다는 것이다.

융 또한 "정신의 본질에 관한 이론적 고찰"(1946)에서 정신과 물질은 끊임없이 상호작용을 하는, 비가시적인 초월적 요소들에 근거하는 동일한 것의 서로 다른 두 측면으로 생각했다. 한편, 독일의 철학자 클라게스(L. Klages, 1872-1956)는 "언어적 음성 속에 개념이 들어 있는 것처럼 신체 속에 정신이 들어 있다. 전자는 낱말의 의미요, 후자는 신체의 의미다. 낱말은 사상의 옷이요, 신체는 정신의 현상이다. 낱말 없는 개념이 없듯이, 현상 없는 정신도 없다"고 하였다.[12)]

육체에서 분리된 정신 대신에 '몸적 이성'을, '이성적 주체' 대신에 '몸적 주체'를 얘기한 메를로 퐁티를 비롯하여 사르트르, 가브리엘 마르셀, 하이데거 등 실존주의 계열의 철학자들은 몸과 의식(정신)의 불가분성을 그들의 철학사상의 토대로 삼았다. 또한 후설은 몸을 물리 · 물질적 층위, 전신감각적 층위 그리고 의지와 지성으로 규정되는 '의

---

11) Gorge Lakoff, Mark Johnson.『몸의 철학: 신체화된 마음의 서구 사상에 대한 도전』(임지룡 외 역). 박이정. 2002. p. 45, 51, 84.
12) Ernst Cassirer.『상징형식의 철학』Ⅲ. S. 117, 최명관.『캇시러의 철학』. 법문사. 1985. p. 417, 재인용.

식으로서의 몸'인 의지적 층위의 세 층위로 나눔으로써 정신이 신체 작용의 결과임을 표명했다.

물리학자 데이비드 봄은, 존재는 크게 정신계 · 에너지계 · 물질계로 나눌 수 있으며 의식은 초양자장 → 파동 → 에너지 → 소립자 → 의식의 순으로 나타난다고 생각했다. 우리는 그러한 봄의 초양자장이론이 아니더라도 에너지 단위의 극 미시세계에서는 정신과 물질의 질료적 구분이 무의미하다는 것을 이해할 수 있다. 다시 말해 정신과 물질의 질료는 궁극적으로 하나라는 것이다. 그러하듯, 정신은 곧 물질이며 물질은 곧 정신이다. 이것은 인간의 영혼이 육체 바로 그것이라는 말과도 같다.

정신 현상은 물질이 에너지로 바뀌는 곳에서의 극미시적 물리현상이다. 철학자 박이문은 『시와 과학』에서 이성과 감성으로 분열되기" 이전의 하나로서의 의식(정신)에 관해 "물질적 의식"이라는 의미 있는 표현을 썼다. 정신과 물질은 배타적 관계로 보이나 사실은 에너지 현상의 다른 현상일 뿐이다.

정신과 물질이 하나이듯 사고와 감각운동은 동일한 신경계의 지배를 받는다. 아울러, 비의식 사고의 유연함과 반사운동의 신속함은 공히 소뇌의 도움 아래 가능한 것으로 생각되고 있다. 그리고, 좌뇌와 우뇌의 긴밀하고도 상보적인 협력과 함께 소뇌는 자동적인 심층비의식의 통찰은 물론 좌 · 우뇌를 가로지르는 의식비의식의 추론 사고를 유연히 수행하게 하는 것으로 생각된다.

한국사회의 교육 상황에 대해 이대현 교수는 논리적 · 합리적 · 계열적 · 분석적 사고를 강조하는 좌뇌 중심의 학교수업이 주종을 이루며, 직관(이 책의 필자의 통찰)과 밀접한 관계가 있는 우뇌의 개발과 직관의 중요성을 외면하고 있다(Litvak & Senzee, 1986 : 147)고 말한다.[13] 이대현은 "논리만을 중시해 온 수학교육에서는 직관에 대해 더욱 많은 관심을 가져야"하며 "사고 능력의 불균형을 초래하고 있는 논리 위주의 교육에서 벗어나, 직관과 논리와의 균형을 유지하는 방안을 고려해야 한다"고 말한다.

그러면, 교육현장에서 경시되었던 직관적 사고 즉 통찰의 본성과 원리는 무엇일까? 결론부터 말해 통찰의 본성은 우리가 '동질성의 동일화'라고 말해온 유비적 동일화이다. 유비적 동일화는 외현적으로는 동일하지 않으나 내면적 속성이 동일하거나 유사한 대상들을 하나로 연결하는 일이다. 시에서는 확산 은유가 대표적이고 과학에서는 모든 가설적 사고의 형식이 해당한다.

유비적 동일화의 통찰 사고는, 이대현이 언급하듯 '주어진 정보를 이용하여' 수행하는 '추론과 달리, 과제는 주어져 있으나 해결의 단서가 주어져 있지 않은 가운데 수행되는 사고이다. 그러한 까닭에 통찰은 무제약적 상황에서 광범한 자료들을 검토한다.

통찰 사고에서 또 하나 특별한 건 사고의 수행 중에 어떤 인식이나 표상이 의식에 없다는 것이다. 많은 논자들이 이러한 상태를 '무의식'이라 하는데, 창조적 정신작용을 다루는 이 책에서는 '비의식'이라 한다. 우리의 통찰은 비의식 상태로 수행되는데, 그러한 이유는 사고의 효율성을 기하기 위해서이다.

---

13) 이대현. "직관에 관한 연구 역사와 수학교육적 의미 고찰". 한국학교수학회논문집 제1권, 제3호. 2008년 9월. pp. 363-76.

시인이나 과학자는 어떤 대상기호와 동질성의 동일화를 이루는 목표기호를 찾기 위해선 무제약적 상황에서 광범한 영역의 대상들을 검토해야 한다. 이런 경우 명석판명한 동일화의 판단을 기하기 위해 우리의 정보체 내의 모든 기호들을 심상어휘의 구성 순서에 따라 차례로 하나씩 불러내어 비교해볼 수는 없는 일이다.

우리의 정신은 어떤 특징적 범주들을 대상기호에 견주어 나가며, 아울러 관련 기호들을 비교 · 검토한다. 이때 우리의 정신은 비록 범주라는 형식의 기교를 사용하지만 그러나 많은 자료들을 검토하고 탐색하게 된다. 여기서 우리는 '비의식'을 활용한다. 의식에서의 거추장스런 재현작업을 거부하고, 우리의 정신은 비의식이라는 신속하고도 자동적인 시스템을 가동하여 기호들을 탐색하고 비교하는 것이다.

이때 우리의 정신이 사용하는 기호들은 심상이나 물질적 매체에 투사된 그러한 형상이나 도식 성질의 것이 아닌 '비의식기호'이다. 이러한 비의식기호는 전기적이고 화학적인 '신호작용'이다. 우리는 그러한 신경생리적 신호작용의 비의식기호를 사용함으로써 심상기호나 물질매체의 외현기호들을 사용하는 불편함에서 벗어날 수 있다.

심상기호나 외현기호들은 까다로운 문법규칙과 관련 전문 분야에서의 체계적 기호 운용 규칙들을 따라야 하므로 우리의 정신이 이러한 규칙들을 지켜나가면서 대상기호와 목표기호의 동일화를 수행하는 건 매우 비능률적이다. 우리의 정신이 통찰의 수행 시에 의식이 아닌 비의식을 사용하는 것은 그와 같은 이유들로 인해서이다.

한편, 우리가 광범한 대상들을 검토하기 위해선 그만큼 기호들을 우리의 정보체에 내장해두고 있어야 한다. 물론, 그러한 지식들은 고집스런 우리의 자아처럼 폐쇄적이고 독립성이 강해서는 안 된다. 마치 바둑판 위의 포석이 향후 천변만화의 기능을 수행하듯 우리가 기억하고 있는 지식의 기호들은 그 어떤 상황에서도, 그 어떤 기호들과도 연결이 가능해야 한다. 그것을 필자는 활성기호라고 한다.

칸트는 기호 즉 개념을 '규칙'이라고 했다. '규칙'이라 함은 칸트에게 하나의 열려 있는 기능으로서의 '형식'이요 범주이다. 인지과학자들은 '이러한 개념'을 '의미의 장'으로 이해한다. 이와 같이 기호들이 자유롭게 광범한 의미의 장에서 상호 동일화의 연결을 이루려면, 그러한 기호들은 암기된 것이 아니라, 이해된 것이어야 한다.

그러한 이해는 주어진 기호에 대한 것이 아니라 주어진 기호의 정당성과 타당성을 추궁하는 존재론적 이해를 요구한다. 이미 주어진 성질이나, 이미 주어진 존재의 이유에 대한 인식이나 이해가 아니라, 존재가능한 모든 이유와 의문에 대한 결과로서 구해진 이해이어야 한다. 요컨대 훗설이 언급한 본질적 환원의 이해이다.

이러한 현상학적 태도의 이해에 의한 기호의 생성은 어떻게 이루어지는 걸까? 그것은 말할 것도 없이 우리의 동일화 정신작용에 의한다. 이제 활성기호의 생성 원리에 대한 물음은 유비적 사고에 대한 언급을 거쳐 유비적 사고의 본성인 '동일화 정신작용'이라는 동어반복의 결론으로 귀착되었다. 통찰 사고의 함양을 위한 활성기호의 생성원리는 다름 아닌 우리들 사고의 본성인 동일화 정신작용에 충실하는 일이다. 결국, 모든 사고와 통찰의 함양에 왕도는 없는 셈이다.

연구자들은 논리적 사고의 치중을 우려한다. 그것은 당연한 일이다. 하지만, 사고의 본질적 측면에서 보면, 추론의 논리적 사고 역시 통찰을 수행한다. 언급했듯이 '논리'의 수행은 대상기호와 목표기호를 연결하는 매개체를 탐색하고, 매개체를 활용하여 대 · 소전제를 구성해야 한다. 이러한 분절적 단계의 과정에서 특히 매개체의 탐색은 만만치 않은 통찰을 요구한다.

매개체는 앞에서 언급한바와 같이 '의식' 상태에서 심상어휘사전 속의 낱말 하나하나를 불러내어 비교 · 검토함으로써는 결코 찾아지지 않는다. 이러한 작업은 마치 시어를 찾는 일이나 마찬가지로 비의식 상태에서 통찰을 수행함으로써 얻을 수 있다. 이와 같이 논리적 사고의 추론 역시 통찰의 수행이 요구된다. 그러한바, 논리적 사고의 수행이 통찰 사고에 도움이 되지 않는 것이 아니다.

문제는 이러한 추론 사고에서 통찰은 특정한 영역 내에서 목표기호를 탐색하는 얕은 통찰의 사고라는 것이다. 이와 같이, 추론은 수의적 주의에 의한 분석을 수행하지만 한편으로 통찰을 수행한다. 그런 까닭에 Stemmer & Joannett 등은 한결같이 추론을 좌뇌가 아닌 통합적 기능을 수행하는 우뇌 작용의 현상이라고 보고하고 있는 것이다.

그러한바, 여기서 알 수 있듯 논리적 사고가 좌뇌적이고, 직관적 사고가 우뇌적이라는 견해는 이분법적 도식의 견해임을 알 수 있을 것이다. 추론은 비의식의 '통찰'과 재현을 위한 '의식'을 모두 활용하는 까닭에 좌 · 우뇌 모두를 사용한다.

논리적 사고와 달리 직관적 사고의 동일화 정신작용을 수행하기 위해서는 언급했듯이 주어진 문제에 대한 현상학적 태도의 존재론적 이해를 위한 동일화 정신작용을 수행해야 한다. 이를 위해선 학습자에게 지식의 습득에 대한 요구를 지양해야 한다. 아울러, 규정적이고 구조적으로 완전한 개념에 대한 이해를 요구하기보다, 비결정적이며 확장적 관점의 사고 수행을 지원해야 한다. 학습자에게 암기할 시간을 할당할 것이 아니라, 사고할 시간을 부여해야 하는 것이다.

논리적 사고, 즉 방법적 사고의 추론은 사고를 보조하는 기호체계를 사용하는 사고로서 사고 시간과 집중의 노력을 줄임으로써 효과적으로 문제를 해결하게 한다. 또 한편, 그러한 사전 도식의 지시와 빈번한 의식의 개입으로 인해 추론은 사고를 깊이 있게 수행하지 못한다. 하지만 추론과 달리, 통찰은 의식의 개입이 없는 가운데 심층비의식의 상태에서 집중된 몰입의 사고를 수행함으로써 광범한 대상을 탐색할 수 있다.

이러한 심층비의식의 통찰은 앞에서 언급한바 있듯, 본능적이고 맹목적이어서 수의적 의도가 개입되지 않으면 우리는 세부적 사안들을 유기적 전체로 통일하지 못한다. 통찰이 추론과 달리 분명, 전체적 통일을 추구하지만 한편으론 또한 집중적 몰입으로 인해 동일화의 깊이를 추구하는 까닭에 전체적 통일을 구현하기 위해선 의식 상태에서 사고의 방향에 관한 수의적 전환의 도움이 있어야 하는 것이다.

추론의 논리적 사고는 심층비의식의 사고와 기호체계의 활용에 따른 인지작용이 빈번히 이루어진다. 그러한바, 논리적 사고에선 '의식의 주의력'이 사고력 못지 않게 중요하다. 기호체계를 활용하는 논리적 사고는 분절적 기호체계의 단계별로 사고의 방향을 바꾸어야 한다. 따라서, 의식에 의해 상황을 확인하면서 의식과 비의식의 끊임없는 단속적 사고를 한다. 학습이 추론 사고를 요하는 것은, 기존 지식의 체계를 습득하기 위해 지식체계의 흐름을 끊임없이 확인해야 하기 때문이다.

학습자에게 통찰의 기회를 제공하기 위해선 원리의 이해는 물론 원리의 원리에 관한 이해를 하기 위한 시간을 부여해야 한다. 처음엔 학습의 진도가 더디지만 그러한 원리들에 대한 이해가 있고 나면 창조력이라는 통찰에 의해 학습의 깊이와 진도는 가속화 된다. 그러나, 우리의 교육현장은 그러한 초기의 이해 과정에 시간을 부여하지 않고 조급하게 원리의 기억을 제촉한다. 이러한 상황에서 현상학적 태도의 이해는 더더욱 요원할 수밖에 없다. 예술이든 학문이든 기술이든 삶의 현장에서 정작 필요한 것은 새로운 창조이다. 창조는 기존 지식의 학습만으로 발현되는 것이 아니다.

통찰 사고는 문제 해결을 위한 방법론은 물론 새로운 문제 도출과 같은 보다 근원적 차원의 창조적 작업의 수행을 가능하게 한다. 그러한 통찰과 추론의 결과는 또한 우리의 정보체에 기호적 지식으로 '기억' 되며, 회상을 통해 다시 통찰과 추론의 수단으로 사용된다. 지각은 물론 통찰 · 추론 · 영감적 사고는 그러한 기호적 지식으로부터 생성된다. 기호적 지식이 단순 암기의 각인이 아닌 맥락적 이해에 의한 것 다시 말해 통찰과 추론의 산물이어야 하는 까닭이다.

통찰의 본질은 유비적 사고로서 활성기호의 축적으로 가능하며, 활성기호의 축적은 인과적 맥락의 동일화 사고의 수행으로 이루어진다. 아울러, 인과적 맥락의 동일화는 주어진 규칙이나 원리를 무비판적으로 받아들이지 않고 현상학적 태도를 취하는 일이다. 다시 말해 주어진 지식 · 규칙 · 원리들의 성립 이유를 추궁함으로써 그 인과적 동일화의 과정을 드러내는 일이다.

일반적으로 시는 영감적 통찰로 이루어지며, 과학은 추론 사고로써 이루어진다고 생각하기 쉽다. 일례로 칸트는 시 · 예술은 천재에 의한 것으로, 뉴턴과 같은 학재조차도 그것은 천재가 아니라고 하였다. 뉴턴의 업적이 아무리 위대하다 하여도 우리가 그것을 모두 배울 수가 있으나, 호메로스의 시 작품의 창작 기술은 배울 길이 없다는 것이다.

하지만, 시 · 예술의 작품 생산과 마찬가지로 과학 또한 심층비의식의 통찰 사고에 의해 구현된다.

융 역시, 직관(이 책의 필자의 통찰)이 시인과 예술가에게만 사용되는 것으로 생각해서는 안 되며 과학에서도 똑 같이 필수적이라고 하였다.[14] 사실, 관찰을 기초로 하는 과학의 세계에서 양자물리나 천체물리학의 어떤 영역은 관찰이 불가하다. 그리고, 기존의 규칙이 적용되지 않는 새로운 문제 앞에서는 순수한 비의식의 통찰 사고에 의존할 수밖에 없다. 이런 상황하에서는 EPR사고실험이나 일반상대성이론의 경우처럼 순수한 비의식의 통찰 사고 즉 사고실험에 의해 문제 해결의 방법론을 강구해 나갈 수밖에 없다.

☞ 아인쉬타인은 하이젠베르그의 불확정성 원리를 반박하기 위해 1935년에 포돌스키(Boris Podolsky), 로젠(Nathan Rosen)과 함께 「물리적 실재에 관한 양자역학적 기술은 완전한가?」라는 제목의 논문을 발표하였는데, 이것이 'EPR 사고실험'이다. 이 실험은 거시물리계에서 통용되는 뉴톤의 제 3법칙인 '작용과 반작용'에 바탕하여, 불확정성원리가 불완전한 이론임을 논박한 것이다.

불확정성원리는 고전물리학의 결정론이 적용되지 않는 양자의 속성으로 인해, 양자의 위치와 운동량을 동시에 정확히 측정해낼 수는 없다는 것이다. 그러나, 아인쉬타인은 두 개의 입자로 구성된 물질을 서로 반대 방향으로 분열시켰을 때, 제1입자는 위치를 측정하고 제2입자는

---

14) C. G. Jung. 『인간과 무의식의 상징』(이부영 역). 집문당. 1983. pp. 92-93.

> 운동량을 측정할 경우 서로 반대편으로 날아가는 제1, 2입자에 영향을 미치지 않고서도 한 입자의 운동량과 위치를 정확히 측정해낼 수 있다고 생각했다. 이것은 불확정성원리의 이론이 궁극적으로 불완전한 것임을 나타내 보여주기 위한 것이었다.

한편, 시 · 예술의 경우 영감적 사고에 의하지 않는 한, 통일적 동일화의 측면에서 일탈이 있기 쉽다. 통찰 사고와 자동기술에 의하더라도 초고가 작성되고 나서 추론 사고로써 통일적 구조의 미학성을 고려한 퇴고를 해야 한다. 그렇지 않은 경우 완전한 통일적 이미지의 작품을 기대하기 어렵다.

시 · 예술 작품 역시 왈라스 등이 언급한바와 같은 일련의 창조 과정을 갖는다. 일례로, 시편을 제작하기 위해서는 먼저 예비단계로서, 시 · 예술의 본질과 시 · 예술 창조의 사고 원리에 관한 이해가 필요하다. 그것은, 시와 비시를 구별하고 그러한 장르를 형성하는 사고의 형식을 사용해야 하는 때문이다. 나아가, 예술은 곧 '개성'인 만큼 자신만의 특별한 형식을 지닐 것이 요구된다. 이를 위해선 시 · 예술사에서 나타난 앞선 작품들의 형식들을 검토할 필요가 있다. 그럼으로써 그러한 형식들을 벗어난 자신만의 형식을 준비할 수 있다.

오늘날 시 · 예술 교육이 과거에 비해 보다 보편화되고 있는 현실과 함께 많은 지망생들과 시인 · 작가들이 자신만의 고유한 형식을 창출하기보다, 자신의 기호에 맞는 작가의 형식을 차용하여 사용하고 있는 상황이다. 한편, 시 · 예술의 본질이 '비유' 달리 말해 '은유'이며, 은유를 형성하는 사고는 동질성의 동일화 즉 유비적 사고의 통찰임은 줄곧 언급해왔다.

그런데 이러한 것들은 개별 작품의 외적인 문제들로서, 시 · 예술 작품 창조에 있어서 알아야 할 기본적이고도 보편적인 지식에 불과하다. 창작자로서 발을 들여놓기 위해서는 시 · 예술의 '형식'을 직접 창출해 내어야 한다. 이러한 형식의 창출은 예술가로서 반드시 거쳐야 할 통과제의적 과정이지만, 오늘날 등한시 되고 있음은 언급한바와 같다.

김샨, 파랑새가 되고 싶어

추위 속에 풀 한 포기 살아 있다 대단하다 제 몸 속에도 물이 있을 텐데 얼지도 않고 푸른빛으로 웅크리고 있다!

빛과 형상과 소리는 태양의 기호이다. 언어는 인간의 눈이다. 바다물결 위의 먹구름은 비의 상징이 아니다. 태양의 기호이다. 자연의 사물이다.

구름과 사물은 몸으로 교감한다. 그들의 언어는 감각이다. 구름은 물방울과 바람의 경계를 몸으로 안다. 하지만 시인은 언어의 감각으로 안다. 언어는 사물의 모방이다.

언어는 빛과 소리와 형상의 흉내이다. 언어 이전의 사물, 형상과 소리와 사물을 밝히는 빛은 언어 너머의 세계이다. 사물은 신들의 살아 있는 세계이다.

구름과 달리 시인은 언어를 갖고 있다. 수학자는 구름을 언어로, 언어를 숫자로 바꾼다. 시인은 사물을 언어로, 언어를 텍스트로 짠다. 관념의 감각은 수학이다. 관념은 특정된 숫자이다.

시인은 사물에 문자의 옷을 입혀 무대에 세운다. 기호의 사슬에 묶여 있는 시인은 폭군이다. 빛과 소리와 형상은 사물의 모방이다. 문자는 빛과 소리, 형상의 모방이다. 그러나 감각은 신의 현전이다. 감각 너머의 모방의 모방에 의한 문자는, 언제나, 여기에 있지 않다.

구름은 물방울이 아니다. 두 개의 수소와 한 개의 산소가 만난 유리알이라는 사실은 생각할 필요가 없다. 구름은 단지 구름일 뿐이다.

시는 제복의 군인이다. 오늘의 현대시는 제식훈련을 보여주려는 듯하다. 정해진 복장으로 정해진 걸음으로 행진한다. 현대시는 진정한 제국의 전사들이다.

-「김영찬 시인 따님의 작품」(필자, 2008)

예시된「김영찬 시인 따님의 작품」은, "시는 제복의 군인이다. 오늘의 현대시는 제식훈련을 보여주려는 듯하다. 정해진 복장으로 정해진 걸음으로 행진한다."라는 시문에서 보듯, 오늘날 많은 시인들의 고유한 시 형식의 부재를 언급하고 있다. 이작품의 제1 의도는 그것이다. 제2의 의도는 시 형식에 관한 담론을 통해서도 알레고리적 비유나 확산 은유의 미적 쾌감을 창출할 수 있음을 구현해 보이는 것이다.

그러한 의도 외의 확산 은유의 시문들은 형식적 주제의 건조함을 희석시키기 위한 장치이다. 그러나 사실은 이러한 은유의 시문들이 이 시편을 시 작품으로 존재 가능하게 하는 실질적 내용으로서 이 책의 필자가 일반 독자들에게 제공하는 진정한 선물들이다. 그러한바, 이 시편의 경우 주제는 부차적인 것이며 자유로운 이미지들의 유희와 사고를 불러일으키는 확산 은유의 제시를 본원적 관념으로 삼고 있다.

형식은 이 책의 서두에서부터 언급해왔듯, '동일화'의 의미를 구현하기 위한 것이다. 시 · 예술에서 형식이 창출해내고자 하는 '의미'는 미적 쾌감이다. 시 · 예술은 형식에 의미를 담아 미적 쾌감과 감동을 자아내어야 한다. 이러한 실험작품도 어디까지나 작품인 만큼 미학성을 확보해야 한다. 그렇지 않은 경우 작품은 실패이다. 물론, 작품으로서의 성공과 실패 여부는 독자와 비평가의 추론적 해석과 통찰에 맡겨진다.

그런데, 시인이나 예술가가 자신의 고유한 형식을 지녔다고만 하여서 작가로서 만족할 일은 아니다. 시인이나 예술가가 자긍심을 지니기 위해선 형식과 함께 형식에 담을 주제적 사상을 비롯한 '정신'을 지녀야 한다. 이를 위해선 역시 초심자와 마찬가지로 끊임없이 선각자들의 사상과 정신을 되돌아보고 자신의 영혼을 드러낼 사상과 정신에 대한 통찰이 있어야 한다.

나아가 자신이 시인이요 예술가임을 스스로 인정하기 위해선 자신의 예술 사상과 정신을 은유로만 그릴 것이 아니라 삶으로서 구현해야 한다. 그럼으로써 비로소 시와 예술의 길을 가고 있다고 할 수 있다. 융은 "예술가는 원형 심상에 형상을 부여함으로써 그것을 현재의 언어로 바꾸고, 그렇게 하여 우리가 삶의 가장 깊은 원천으로 거슬러 올라가는 길을 찾게 한다."고 하였다, 그리고,[15] 또한 "예술가로서 그는 더 높은 의미에서 '인간'이고, 집단 인간, 무의식적으로 활동하는 인류 심혼의 운반자이자 형성자"라고 하였다.[16]

시인이 단순한 기교적 형식가가 아니며, '인간'을 대리한 희생제의적 존재라는 사실을 언급하고 있다. 형식을 통해서 의미를 구현하는 작업은 얕은 통찰의 '추론'만으로는 가능하지 않다. 은유의 창출 즉 미적 형식의 창출은 언급한바 있듯, 심층비의식의 통찰로서 가능하다.

갈 곳이 있는 듯
차를 세우지만
닿는 곳은
언제나 그곳
처음 손을 들었던,

-「귀착지」(필자, 1988)

위의 작품은 단순하다. 하지만 이러한 작품을 창출함에 있어서도 시의 본질과 시의 형식에 대한 이해는 물론, 작품 경향을 설정하고 주제나 재제를 비롯하여 적합한 서사의 구성에 관해 숙고를 거듭하게 된다. 이러한 과정에서 우리는 막연한 가운데 재제와 주제의 모색을 위

15) C. G. Jung. "분석심리학과 시의 관계에 관하여". 장경렬 · 진형준 · 정재서 편역. 『상상력이란 무엇인가』. 살림. 1997. p. 128. 재인용.
16) C. G. Jung. "심리학과 시문학". 『융기본저작집』Ⅶ(한국융연구원C.G.융저작번역위원회 역). 솔. 2005. p. 174.

한 통찰을 수행함은 물론, 자료를 토대로 이러저러한 인과적 구성의 동일화의 추론을 시도하기도 한다.

어느 정도 예비적 준비가 이루어지면 원고를 작성하기 위한 몰입과 집중의 통찰을 수행한다. 그리고, 노력이 빛을 본 경우 몇 시간 정도의 통찰로서 작품을 얻을 수도 있다. 그러나, 집중력이 부족한 경우 우리는 숙고를 멈춘다. 그리고 복잡한 문제로부터 벗어나 전체를 돌아보는 시간을 갖는다. 그러다 어느 순간 작품의 골격이 머릿속에 나타난다. 소위 왈라스 등이 말하는 발현단계이다.

한편, 과학의 경우에 있어서는 통찰자가 직접 통찰 내용을 추론으로써 기호체계를 사용하여, 통찰의 과정을 인과적으로 펼쳐내 보인다. 하지만, 시 · 예술의 경우 그러한 과정은 작품에서 언급되지 않는다. 그것은 또한 시 · 예술의 기본 준칙이기도 하다. 인과적 동일화의 과정적 이해는 독자와 비평가들의 해석에 맡겨진다. 그들의 심판을 기다려야 하는 것이다. 하지만, 그렇다고 시편의 제작에 있어서 통찰의 내용에 대한 검증의 과정이 없는 것은 아니다.

칸트는 '취미'에 관한 언급에서, 시인에게 '취미'의 능력이 상상력을 표상하는 '천재성' 만큼이나 요구된다고 하였다. 이것은 창조물에 대한 시인 자신의 비평이 먼저 있어야 함을 말한 것이다. 독자나 비평가의 비평 이전에 시인 스스로가 자신의 작품에 대한 비평을 먼저 가해야 한다. 그래야만 "자유론운 천재와 통합적 지성이 조화를 이루어" 깊이와 통일을 갖춘 이미지를 창출할 수 있다(KU 202). 이와 같이 시인과 예술가는 작품의 제시 이전에 자신의 창작물에 대한 비판적 추론을 수행한다.

그러하듯 시인은 원고의 작성을 위한 통찰의 수행 이전에 다양한 시도의 추론 사고를 수행하며, 초고 작성 이후에도 시인은 많은 시간을 두고 추론적 해석으로 작품의 퇴고를 거친다. 어떤 시인의 경우는 원고를 봉하여 서랍 속에 몇 개월을 넣어두었다가 퇴고를 하기도 한다. 물론, 퇴고의 과정에서 시인은 먼저 작품을 전체적 관점에서 바라보는 통찰을 수행한다. 그리고, 새로이 확산 은유를 부가하는 일 외엔 추론 사고에 의한다.

그러하듯 시 · 예술은 통찰만이 아니라, 작품의 준비단계와 퇴고단계 등에서 추론 사고 역시 수행됨을 알 수 있다. 정리하면, 시 · 예술 · 과학 모두 중요한 핵심적 문제 그러니까, 시 · 예술의 경우는 확산 은유, 그리고 과학의 경우는 가설 착상에 있어서 모두 통찰을 수행한다. 그리고 작품이나 이론의 완성을 위한 자료 검토와 설명 등의 검증과정은 추론 사고에 의한다.

은유를 요구하는 작품은 의식 상태에서 의도적으로 이러저러한 문장이나 시어들을 유추적 사고로서 꿰어 맞추려고 노력해도 결코 구해지지 않는다. 어떤 연구자의 경우 "시창작에 임할 때는 유추적 비유와 상징적 비유를 확실히 분리시켜 생각하기 어렵다"고 말한다. 유추적 비유는 추론으로, 상징적 비유는 통찰로 이해할 수 있다. 얕은 통찰의 추론은 어떤 경우 다행스럽게도 1 : 1의 단순한 은유를 얻을 수도 있겠으나 확산 은유는 가능하지 않다. 보조관념의 유추는 원관념이 명확한 상태에서 가능하다. 확산 은유는 원관념이 명확히 설정되어 있지 않다. 확산 은유의 생성은 추론으로서는 불가하며, 심층비의식의 통찰로써만이 가능하다.

평론가 중에는 텍스트에서 어떤 고정적인 작가의 의도된 의미를 요구하기도 한다. 하지만, 확산 은유의 경우 보조관념의 포착과 함께 비로소 그 원관념에 해당하는 미적 의미들이 생산된다. 이것이 '당신은 장미이다'와 같은 1: 1의 단순 은유와 다른 점이다. 이러한 확산 은유의 경우 의미는 평론가 스스로 창조해내어야 한다. (이것은 추상회화 작품의 감상에 있어서도 마찬가지이다.)

확산 은유에 관해서 칸트는 '미적 이념'의 형식으로서의 상징은 상상력의 표상으로써 구현되며, 아울러 이러한 미적 이념의 '상징물'은 어떤 개념들로도 온전히 다 담아낼 수 없다고 하였다. 그런데, 확산 은유와 달리 '유추'는 특정한 관점에서 의식의 지원 아래 진행되는 추론의 정신작용이다. 이러한 유추의 추론은 확산 은유를 설명할 수는 있지만 확산 은유를 생성하지는 못한다. 본질적 측면에서 시어는 특정한 관점에서 잦은 의식의 참여가 있는 추론 사고에 의해 생성되는 것이 아니다.

아무리 단순한 시구를 생각해내고자 하더라도 '의식' 상태에서 비유적 시어나 시적 통사질서의 구문을 생각해내는 경우는 없다고 해도 틀리지 않다. 좋은 시어는 비의식 가운데, 자신도 모르는 가운데 떠오른다. 의식 상태에서 관련 낱말들을 선택해서 적합성 여부를 비교해보고 맞지 않으면 다른 것을 또 다시 집어 들고 다시 선택, 비교, 재 연상하는 이런 수의적 직각의 사고가 진행되는 상태에서는 시어는 구해지지 않는다. 어쩌다 찾아낼 수도 있겠지만 그건 요행일 뿐이다. 시어를 찾기 위한 범주의 적용 역시 마찬가지이다. 범주 역시 하나의 비의식기호로서 비의식 상태에서 나타나며 또한 그러한 상태에서 원관념인 대상기호와의 비교 검토가 이루어진다.

융 역시 상징은 자연발생적인 것으로 논리적인 추론이나 자의적인 시도를 할 수는 있으나 그런 사고는 아무리 장식해봐야 결국 그 배후에 남아 있는 의식적인 사고와 연결되는 기호이지 미지의 무엇인가를 암시하는 상징이 아니라고 하였다.[17] (물론, 칼 융이 말하는 '상징'은 '확산은유'이다.) 융은, "말하자면 제우스의 머리에서 팔라스 아테네 여신이 툭 튀어나오듯이 태어난다"[18]고 하였다. 우리는 마치 숲속에서 잃어버린 하나의 바늘을 단번에 찾아내듯이, 부지불식간에 그 '적합한' 시어를 통찰에 의해서 한번의 선택으로 떠올린다. 확산 은유의 시어는 심층비의식에 의한 생성물로서 의식상태에서의 '비교'에 바탕한 유비나 유추에 의해서는 생성되지 않는다.

유추는 추론에 의해 찾아낸 용어를 원관념과 비교 · 검토하여 적합성 여부를 결정하는 방식이다. 그러나 추론은 전체를 동시적으로 조망하는 심층적 동일화를 수행하는 충분한 숙고의 사고인 통찰에는 이르지 못하는 얕은 사고이다. 비유는 하나하나 비교에 의해서 구현하는 것이 아니다. 비유어가 떠오르지 않을 때, 부득이 유추적 사고로써 은유를 찾아보려고도 하지만 그것은 답답함에서 비롯한 것일 뿐, 부질없는 일이다.

창조적 시 · 예술 작품의 제작은 사전 도식을 세우기가 곤란하기도 하지만, 어떤 경우에 있어서는 그러한 사전 도식이 작품의 제작에 별로 도움이 되지 않아, 불특정한 대상에 대한 광범한 동일화의 사고를 수행한다. 그러한바, 심층 통찰을 위해 어떤 경우, 순간순간의 메모들

17) C. G. Jung 외. 『인간과 상징』(이윤기 역). 열린책들. 1996. p. 55.
18) 장경렬, 전형준, 정재서 편역. 같은 책. p. 113.

을 사용하거나 도식을 세우기를 거부한다. 그것은 지엽적이고 비본질적인 문제를 배제하기 위함이기도 하지만, 그런 메모와 같은 도식 등의 연결물에 의한 텍스트 제작은 보다 광범한 영역을 통찰하지 않고 한정된 영역에 대한 얕은 통찰의 추론에 의존함으로써 원관념을 알레고리화 할 수 있기 때문이다.

시 · 예술이 언제나 창조적인 것은 그와 같이 추론에 의한 사전 도식과 이론체계의 지원을 거부한다는 점에 있다. 하지만, 시인의 통찰력과 집중력이 언제나 샘솟듯 솟아나는 것은 아니다. 아울러, 시 · 예술의 창작 역시 예비적 준비과정이 요구되며 또한 일정 부분은 과제 해결을 돕는 원리의 도식이 유용하다. 그에 따라 우리는 시 창작론과 같은 도식들을 세우고 기호화한다. 이러한 규칙이나 원리의 방법론들은 시문에 직접 드러나지는 않으나 시론과 시인의 사상, 수사적 기교의 도식으로서 시문이나 예술작품에 투사되어 있다.

시 · 예술의 경우 텍스트 제작에 있어서 각종 미학적 규칙과 창작론을 비롯하여 구성의 도식들 또한 사용됨은 물론이다. 특히, 장시나 소설의 경우는 주로 구성을 먼저 세우고 세부적인 부분을 자동기술에 의해 표현한다. 한편, 프로프(1895-1970)와 그레마스(1917-1992)를 비롯하여 토도로프(1939-)는 의식 심층에 설화의 문법이 있음을 보았다. 이러한 도식들은 서술 문학의 수사학적 형식이자 담론 문학 창조의 사고를 돕는 도식으로 활용될 수 있다.

하지만, 세부적 서사를 떠받치는 이미지의 생성은 규칙에 의해서가 아니라 작가 개인의 통찰 사고에 의할 수밖에 없다. 더욱이 시 · 예술의 텍스트는 특정한 관점의 도식이나 개념의 기호를 생성하는 것이 아니고, 은유를 사용해 유기적 통일체로서의 작품을 생성해 내어야 하는 까닭에 무제약적 관점에서 광범한 대상들을 검토하게 된다.

시 · 예술의 경우 그와 같이 형식적 측면에서의 도식은 전제될 수 있으나 구체적 이미지의 표상은 역시 작가 개인의 통찰에 맡길 수밖에 없다. 시인의 내면에서 생동하는 기호의 천체에서 시인이 시어들을 어떻게 연결하여 제3의 우주를 탄생시킬지는 시인의 주사위만이 알 수 있는 일이다. 그러한바, 우리는 시인의 상징이 표현되고 나서야 시인 또한 의미를 인식하게 된다는 헤겔의 말을 상기해도 좋을 것이다.

12.1. 통찰과 추론: 우뇌와 좌뇌

창의성과 관련하여 우뇌와 좌뇌의 기능에 관한 연구가 어느 정도는 일정한 방향으로 정리되어 가지만, 아직은 어떤 확신에 이르지 못하고 있는 것 같다. 현재의 연구 상황은 대체로 이러한 내용으로 정리된다:

좌뇌는 초점 의미 처리 중심의 기능을 주로 수행한다. 우뇌는 은유라든가(Brownell, 1988), 전체적 구조를 이해하게 한다(Brownell & Martino, 1998) 우뇌 손상 환자의 경우 해석 · 추론 · 통합 그리고 타인의 생각에 대한 이해 등에 문제가 있다(Stemmer & Joannett, 1998)는 연구 결과는 이러한 가능성을 지지한다. 좌뇌는 언어기능(음운, 통사부호와 분석)을, 우뇌는 맥락적 · 화용적 · 암묵적 의미 추론 기능을 수행한다(Bever, 1980). 좌뇌는 선형적으로(liener) 처리하나, 우뇌는 전체 모양(configurational) 중심으로 처리한다. 우뇌는 새로운 것의 정보처리에, 좌뇌는 친숙한 정보처리에 더 잘 반응한다[19]

비교적 최근에 진화된 지성 능력은 좌반구에 기반을 두고 있는 듯하다. 좌반구가 논리적이자 언어적이고 분석적인 사고에 몰두하기 때문이다. 반면에 직관은 총체적이고 통합적이며 여러 가지 정보를 동시에 처리할 수 있는 우반구에 의지할 가능성이 높다. 모든 창의성은 사실상 직관적이어야 한다. 지성은 창의적일 수 없다. 지성은 논리와 기계론을 토대로 작동하기 때문이다. 그러므로 직관과 창의성에 접근하려면 좌반구가 우반구와 협력해야 한다.[20)]

에릭 캔들은 이렇게 말한다: 뇌의 좌 · 우반구 사이에 각자 상대적인 장점을 활용하는 방향으로 업무 분화가 일어나고 있다는 개념을 받아들일 몇 가지 이유가 있다. 양쪽 반구가 동시에 협력하여 지각, 사고, 행동 등을 수행하게 하는 것이 사실이다 그런데, 양쪽은 서로 다른 방식으로 창의성에 기여한다. 특히 우반구는 창의성에 훨씬 더 중요한 기여를 하는 것으로 보인다.[21)]

연구자들은 뇌의 왼쪽에 뇌졸중이 찾아와서 언어 사용 능력이 손상되고 우반구가 억제에서 풀려난 듯이 보이는 화가들을 연구해 또 다른 깨달음을 얻어 왔다. 이 화가들은 언어를 상실했어도 미술 솜씨는 그대로 남아 있거나 몇몇 사례에서는 사실 더 나아졌다. 왼쪽 전두엽과 측두엽이 손상된 고등학교 미술 교사 잰시 챙은 전두측두엽 치매가 심해져서 결국 교직을 떠나야 했다. 하지만, 그녀의 미술은 더 자유롭고 대담해졌다. 그녀는 평생 사실주의 작품을 그렸지만, 이제는 인위적인 색채, 극단적인 해부학적 왜곡, 과장된 얼굴 표정과 신체 자세를 차츰 더 선호하게 되었다.[22)]

---

19) 이정모. “언어, 뇌, 진화”. 조명한 외. 같은 책, pp. 431-32.
20) Eric Hoffmann.『 이타적 인간의 뇌』(장현갑 역). 불광. 2012. p. 199.
21) Eric R. Kandel.『통찰의 시대』(이한음 역). 알에이치코리아. 2013. pp. 574-75.
22) 같은 책. pp. 566-67.

나디아는 1967년 영국 노팅엄에서 태어났다. 심리학자 로나 셀프는 1977년에 쓴 『나디아: 자폐아의 비범한 소묘 능력』이라는 책에서 그녀의 사례를 다루었다. 나디아는 생후 2년 6개월이 되었을 때, 갑자기 그림을 그리기 시작했다. 빌라야누르 라마찬드란은 그녀의 놀라운 말 그림과 대다수의 정상적인 만 8-9세 아이들이 그린 활기 없는 이차원적 스케치, 그리고 레오나르도 다빈치 전성기의 뛰어난 말 그림을 대비시켰다. 라마찬드란은 나디아가 자폐증으로 뇌 모듈의 대부분이 손상되었지만, 오른쪽 두정엽에 고립된 섬처럼 남아 있는 모듈에 모든 주의를 기울였다고 말한다.[23)]

노스 웨스턴 대학교의 마크 정비먼(Mrk Jung-Beeman)과 드랙설 대학교의 존 코니오스(John Kounios)는 뇌졸중이나 수술로 우반구에 수술을 받은 이들이 말을 하거나 이해하는 능력은 잃지 않았지만, 인지적으로 심각한 문제가 있으며, 특히 언어의 미묘한 의미 이해에 어려움을 겪는다는 사실에 주목했다. 이 점을 토대로 그들은 좌반구가 언어의 일차 의미(denotation)를 담당하고, 우반구는 단어의 비유적이고 추론적인 관계(connotation)를 다룬다고 결론지었다.[24)]

뇌의 인지 기능을 연구하는 엘크호논 골드버그(Elkhonon Goldberg)는 좌반구가 일상적이거나 친숙한 정보를 처리하는 쪽으로 분화한 반면, 우반구는 새로운 정보를 처리하는 쪽으로 분화해 있다는 개념을 보완시켰다. 미국 국립보건원의 앨릭스 마틴(Alex Martin) 연구진은 골드버그의 개념을 지지한다.

---

23) 같은 책. p. 582.
24) 같은 책. p. 569.

연구진은 양전자방사단층촬영(PET)의 뇌영상 결과, 사물이나 단어 같은 자극을 반복하여 주면 좌반구가 계속 활성을 띤 상태로 있다는 것을 발견했다. 반면에 우반구는 새로운 자극이나 과제가 주어질 때에만 활성화 되었다. 자극이나 과제가 연습을 통해 틀에 박힌 것이 되면서 우반구의 활성은 줄어드는 반면, 좌반구는 그 자극을 처리하기 위해 계속 활성화 된다.[25)]

클라우스 호페(Klaus D. Hoppe)는 수많은 연구를 통해 분리뇌 환자들에게서 창의성이 현저히 부족하다는 사실을 발견했다. 좌우반구의 소통 중단은 '창의성의 뚜렷한 부족'을 야기하며, 심리검사와 뇌파(EEG) 검사로 그 사실을 입증할 수 있다고 호페는 말한다:

분리뇌 환자의 경우, 뇌량의 절제로 인해 좌우반구 사이의 알파파는 더 이상 동조하지 않는다. 이와 달리 고도의 창의적인 사람은 좌 · 우반구의 알파파가 높은 수준으로 동기화하며 서로 응집한다. 위의 연구들은 창의성의 매우 중요한 한 측면을 측정할 수 있음을 보여준다. 즉 뇌량을 통해 서로 소통하고 양측의 정보를 통합하는 좌 · 우반구의 능력을 뇌파 응집성을 토대로 가늠할 수 있다. 혁신과 창의성은 질서와 혼란, 분석과 직관, 의식과 무의식, 좌뇌와 우뇌의 경계에서 등장한다.

창의성은 모두 직관적이다. 총체적으로 받아들이고 작동하는 우반구에서 정보가 입력되지 않는 한, 좌반구의 기계적인 지성은 창의성을 발휘하기가 거의 불가능하다. 하지만 창의적인 아이디어를 세상에 전달하기 위해서는 지성을 갖춘 좌반구가 필요하다. 완전하고 창의적인

---

25) 같은 책. p. 564.

사람이 되려면 우리에게는 좌우 두 반구의 협력, 즉 지성과 직관의 협력이 필요하다. 전두엽은 주의를 지시하고 집중을 유지하므로 창의성에서 매우 중요한 역할을 하는 것이 틀림없다.[26)]

이 책의 필자는 사고의 본성과 작용원리에 바탕한 몇 가지 주요한 사실에 근거하여 사고와 양쪽 뇌의 관계에 대한 결론을 다음과 같이 제시한다. 결론적 언급에 대한 근거로 삼는 주장들은 이러하다: ❶ 모든 사고는 본질 면에서 통찰적이며, 비의식으로 수행된다. ❷ 우리의 사고는 좌뇌의 정보들을 해마를 통해 파지하여 우뇌에서 동일화를 수행한다. ❸ 우뇌의 사고 결과는 좌뇌를 통해 의식에서 인지된다. ❹ 지각·추론·영감적 사고는 사고와 의식이 찰나적으로 교차되고, 통찰은 수 분에서 수십 분 간을 비의식 상태에서 지속될 수도 있으므로 그런 시간이 흐른 뒤에서야 우리의 정신은 의식 상태가 된다. 한편, 언급된 내용들은 다음과 같이 정리하여 설명할 수 있다.

① 좌반구는 (가) 의미 정보를 내장하고 있으며, (나) 인지작용의 의식을 가능하게 한다.

② 우반구는 좌반구의 의미 기호를 해마로써 파지하여 동일화 정신작용을 수행한다.

(가). 우리의 동일화 정신작용은 매개를 사용해서 다른 두 기호나 현상을 본질에서 결합하는 통찰 작용이다.

(나). 우리의 사고는 동일화의 깊이 다시 말해 동일화의 복잡다단

---

26) Eric Hoffmann(장현갑 역). 같은 책. pp. 202-03, 198.

성만을 달리할 뿐이다.

(다). 그러한 동일화의 심도에 따라 지각, 추론, 통찰, 영감적 사고로 구별된다.

③ 우반구의 사고결과는 좌반구를 통해 의식에서 인지된다.

④ 좌반구에서 인지된 의미 내용을 토대로 우반구는 다시 동일화 작업을 수행한다.

사고와 인지기능인 의식의 관계를 좀더 자세히 살펴보면, 지각은 동일화의 사고와 그 결과에 대한 인지가 거의 동시적으로 이루어진다. 추론은 주어진 과제가 완수될 때까지 우뇌의 얕은 통찰과 좌뇌의 인지기능이 반복적으로 교차 수행된다. 통찰은 지각이나 추론과는 달리 상대적으로 꽤 긴 시간 동안 비의식 상태에서 수행되며 그런 후 결과물이 의식에 표상된다.

추론은 심층비의식의 통찰 내용을 이해하거나 설명하기 위해 통찰의 내용을 우리가 의식을 통해 직각 사고로써 알 수 있도록 해야 한다. 그러기 위해서는 동일화 판단의 과정들을 인과적 비약이 없도록 잘게 나누어야 한다. 그리고, 언어기호와 문법, 논리규칙 등의 절차적 형식에 따라 표기할 수 있도록 한다. 그러한 과정에서 추론은 얕은 통찰을 수행한다. 그리고, 얕은 통찰이 수행되면 우리는 분절된 표상 기호들을 의식에서 확인한다.

추론은, 이와 같이 우뇌에서의 얕은 통찰의 수행과 그 결과를 좌뇌를 통해 확인하게 하는 것을 한 단위과정으로 하는 사고이다. 추론은 얕은 통찰에서 의식적 직각으로 이어지는 단위과정의 사고들을 문제가 해결될 때까지 반복적으로 수행한다. 이러한 추론 사고는 단순한 일상비의식의 지각 사고나, 비의식에만 몰입하는 심층비의식의 통찰 사고보다 상대적으로 어려움이 있다. 그것은 얕은 통찰이긴 하지만 사고를 수행하는 우뇌에 브레이크를 걸어 사고를 멈추게 하여 의식 상태로 돌아오게 하고 또 다시 사고를 시작하는 일련의 과정을 주의를 기울여 반복해야 하기 때문이다.

이 책의 필자의 관점에서, 우리의 사고는 좌뇌의 의미 기호들을 활용하여 우뇌에서 동일화 작업을 수행함으로써 사고가 이루어진다. 그리고, 사고의 결과는 좌뇌의 도움으로 의식에서 인지된다. 그러한바, '초점적이고 의식적이며 논리적 사고'인 까닭에 추론이 좌뇌에서 수행된다는 견해는 편향된 시각임을 알 수 있다. 우뇌가 동일화의 작업을 수행한다면, 좌뇌는 의미 기호를 내장하고, 인지적 의식 기능을 담당한다.

앞에서 제시된 마크 정비먼(Mark Jung-Beeman)과 존 코니오스(John Kounios)의 우반구 수술 환자를 통한 좌 · 우반구 기능에 대한 연구 결과는 이 책의 필자의 이와 같은 주장을 부분적으로 뒷받침한다. 그들은 분리뇌 환자의 경우, 뇌량의 절제로 인해 좌우반구 사이의 알파파가 더 이상 동조하지 않으며, 창의성이 현저히 부족하다는 사실을 발견했다.

좌뇌는 사고 기관이 아니다. 의미 정보를 내장하고, 우뇌에서 완성된 사고의 결과를 의식에서 인지할 수 있게 한다. 만약 우리가 우뇌를 크게 다친다면 사고 능력은 줄어들고 대신에 인지 능력이 발달할 것이다. (이것은 물론, 양쪽 반구의 기능이 고착되기 전에 가능한 일이다.) 침팬지와 인간의 지각 능력 비교 실험에서 침팬지는 인간보다도 몇 배나 사물의 위치와 이동 상황을 즉시적으로 회상한다. 개의 경우 (후각 인지능력은 말할 것도 없지만) 움직이는 사물에 대한 지각 능력이 우리와 비교가 되지 않을 정도로 뛰어나다. 날아가는 야구공을 개는 마치 슬로우비디오를 보듯 관찰할 수 있다.

하지만, 침팬지나 개는 인간의 우뇌가 수행하는 동일화 정신작용의 통찰 능력이 현저히 떨어진다. 동물들은 여러 면에서 인간의 좌뇌에 해당하는 인지능력을 발달시켜왔다. 하지만, 인간은 그러한 물리적 움직임에 대한 반사적인 지각 능력보다는 그에 관해 관찰하고 사고하는 우뇌의 기능을 발달시켜 왔다.

우리의 사고는 좌뇌의 의미 정보들을 활용하여 동일화를 수행하는 우뇌를 중심으로 이루어지며, 그 결과의 확인은 인지적 인식을 가능하게 하는 좌뇌의 도움에 의한다. 그와 같이 우리의 사고는 우뇌와 좌뇌의 수시적 상호 협동으로 수행된다. 좌뇌가 우뇌의 도움 없이 언어적 · 분석적 · 추론적 사고를 수행할 수 없으며, 우뇌 또한 좌뇌의 도움 없이 동일화 정신작용의 통찰을 수행하지 못한다.

특히, 추론은 얕은 통찰과 직각의 사고가 의식을 중심으로 문제가 해결될 때까지 지속적으로 교차하여 수행된다. 이와 같이 추론 사고로써 하나의 문제(통찰의 내용에 대한 이해나 설명)를 해결함에 있어서, 우반구는 좌반구의 내장 정보와 인지 기능을 활용하고 좌뇌는 우뇌가 동일화한 정보의 결과물을 수시로 받아들여 인지해낸다. 그럼으로써 다음 단위과정의 동일화 작업의 추론사고로 나아가게 한다.

하나의 문제해결 과정은, 마치 추론에서 단위과정의 사고들이 반복적으로 수행되는 것과 마찬가지로 심층비의식의 통찰 사고와 의식비의식의 추론 사고가 반복적으로 수행된다. 그럼으로써 논문이나 하나의 시편이 작성된다. 이러한 사실들에서 보듯, 창조는 좌 · 우반구의 끊임없는 정보 교환으로 가능하다. 그리고, 인지능력을 지닌 좌반구는 분석적 경향의 사고에 특징적으로 기여하며, 동일화 작업을 수행하는 우뇌는 심층 사고에 특징적으로 기여한다고 말할 수 있다.

정보의 내장과 인지기능을 돕는 좌뇌와 전일적이고 비의식적인 동일화 기능을 수행하는 우뇌를 분리하여 뇌량으로만 연결하고 있는 것은 좌 · 우반구의 고유 기능의 수행을 효율적으로 하기 위한 것으로 생각된다. 만약, 좌 · 우뇌의 구분이 없이 단일의 뇌영역에서 (곧 언급될 영감적 사고처럼) 의식의 인지작용과 비의식의 사고가 동시적으로 가능하려면 우리의 뇌는 아마도 보다 풍부한 뇌신경계 자원과 깊은 차원의 병렬 기능 체계의 기반이 필요할 것이다.

브로드만 뇌지도 등의 일반성에 비추어볼 때 좌 · 우뇌의 기능 분담은 해부학적 필연성도 있겠으나, 어느 정도는 비결정적이며 또한 비필연적인 것으로 생각된다. 이러한 생각은 뇌의 일부 영역이 손상되더라도 다른 뇌 영역에서 일실된 기능을 대신 수행할 수 있음을 의미한다. 실제로도 뇌 영역별 기능이 고착화되기 전에 뇌손상이 있는 경우 뇌기능 지도가 달라지는 사례가 있는 것으로 알려진다. 그리고, 좌 · 우반구의 영역 설정이 비 필연적이라는 점은 우리들 현재의 뇌가 진화의 과정에 있음을 의미한다.

정신과 물질이 하나이듯 사고와 감각운동은 동일한 신경계통의 지배를 받는다. 아울러, 비의식 사고의 유연함과 반사운동의 신속함은 공히 소뇌의 도움 아래 가능한 것으로 생각되고 있다. 소뇌는, (지각이나 영감적 사고, 추론 사고에서 나타나는) 좌뇌와 우뇌의 긴밀하고도 상보적인 협력과 함께 자동적인 심층비의식의 통찰 사고의 전일성과 신속성을 가능토록 지원하는 기관으로 생각된다. 아울러, 사고의 과정에서 좌뇌의 의미 정보들을 우뇌가 활용할 수 있도록 파지하는 해마는 뇌량과 함께 좌 · 우반구의 기능을 통합하는 중요한 기관이라는 사실을 간과해서는 안 될 것이다.

13. 영감적 사고

히에로니무스 보스, 쾌락(快樂)의 동산, 1480-90, 목판 위에 유채

그 어떤 제작의 설계도가 마련되지 않은 시 · 예술 텍스트의 생성 경우 한순간에 창조를 하기 위해선 광범한 대상을 숙고하면서도 전체적 통일성을 조망해 나가야 한다. 그런 관계로 우리는 비의식을 진행하는 동안에 의식을 병행하게 된다. 우리는 앞에서 이러한 사고를 영감적 사고라 하였다. 영감적 사고는 심층비의식의 통찰과 의식이 병행되는 상태의 사고이다.

영감적 사고는, 꿈 · 환상 · 공상과는 달리 강한 에너지를 모아 심층비의식의 세계를 끌어낸다. 영감적 사고의 상태는 의식이 심층비의식과 동시 수행된다고 생각될 정도로 의식과 심층비의식이 순간적으로 교차한다. 우리는 주위에서 "어떻게 했는지 나도 모르겠다" 하는 말을 종종 듣는다. 예술가의 작업도 마찬가지이다. 칸트 또한 '어떻게 해서 천재'의 규칙을 예술가가 생성해내는지 알 수 없다고 한바 있다.

정신병리학을 연구한 야스퍼스(Karl Jaspers, 1883-1963)에 의하면, 중세의 여성 철학자들은 가벼운 자기 최면상태에서 기계적으로 글을 썼다고 한다. 이러한 현상은 프로이트와 피에르 자네보다도 훨씬 이전부터 무의식의 연구에 활용되었다. 13세기와 14세기의 여성 신비주의자들은 글 쓰는 속도가 주체할 수 없을 정도로 빨라서 성녀 아빌라의 데레사는 그녀들에게 손이 곧 펜이라고 말하기도 했다고 한다.

쉬르레알리슴은 '초현실주의 마술의 비결'이라며 '주제를 미리 생각하지 말고 빨리 쓰도록 할 것, 기억에 남지 않도록 또는 다시 읽고 싶은 충동이 나지 않도록 빨리 쓸 것'을 주문한다. 브르통(Andre Breton, 1896-1966)이 자동기술법에서 빨리 써 나갈 것을 요구하는 것은 비의식 상태로 수행되는 사고의 결과물에 의심을 갖지 말고 전적으로 몸을 맡겨 사고를 진행하라는 말이다. 우리의 관점에서 이것은 비의식으로부터 일차적 자료를 불러내는 기법이다.

앙드레 브르통이 언급한 자동기술은 심층비의식의 통찰 사고로 이루어지나, 영감적 사고에서는 보다 강력히 수행된다. 이러한 자동기술은 시인들만이 아니라 화가들 역시 마찬가지로 수행한다. 〈쾌락(快樂)의 동산〉의 히에로니무스 보스(Hieronymus Bosch 1450?-1516), 잭슨 폴록(Jackson Pollock, 1912-1956)이나 군마도를 그린 장승업(張承業, 1843-1897), 중광(聾庵 高昌律, 1935-2002) 같은 선화가들의 작업 역시 영감적 사고의 자동기술을 행한 대표적 사례들이다. 성상(聖像) 화가 서상환(靈雪 徐商煥, 1940-)은 기도 중에 행하는 방언을 영감적 사고의 상태에서 선적 기호로 표상하는 특별한 작업을 보여준다.

무제(No Title), 마분지 위에 아크릴, 2001

의식 상태에서 시적 상징을 생성하도록 가르치는 것에 대해 우리는,

의식상태에서 심층비의식을 수행하라는, 그러니까 우리가 말하는 영감적 사고를 의미하는 것은 아니지만, 최대한 집중을 하여 시상을 떠올리라는 의미로 생각한다면 그리 잘못된 말은 아닐 것이다. 정신이 집중된 상태에서는 의식과 심층비의식이 동시적으로 수행되는 영감적 사고의 상태에 이르기도 한다.

영감적 사고는 심층비의식에 몰입하면서도 순간순간 의식적 확인작업을 수행한다. 영감적 사고의 경우는 매우 순간적이고 희미하게 의식적 인식이 심층비의식의 진행 가운데 교차한다. 영감적 사고는 그만큼 정신의 집중이 요구되므로 훈련이 되어있지 않은 상태에서는 매우 힘이 든다. 영감적 사고의 작업이 끝난 뒤 곧 바로 탈진 현상이 일어나는 것은 그러한 까닭이다. 이 책의 필자가 영감적 사고의 상태에서 쓴 「썩은 나무의 노래」라는 시 한 편을 소개한다. 당시에 필자는 글씨를 알아보기 힘들 정도로 빨리 써내려 갔으므로 반짝이는 사고의 빛을 받아 적는 데는 1-2분밖에 걸리지 않았다.

> 보세요 창백한 해를/ 나의 뿌리는 허옇게 말라/ 엽록소의 싱그러움을 못 드린 지 이미 오래/ 더 이상 시간을 운행시킴은 삶의 포기입니다/ 돌려놓으세요 모든 것들을// 가지를 뻗칠 수 없어요, 두려워/ 차라리 걸어다니고 싶어요 온 땅을/ 뿌리를 뻗지만 뻗을수록 움켜쥐는 건 모래알 뿐// 죽은 새의 뼈다귀를, 죽은 새의 뼈다귀를// 산과 들에 지천으로 널리운 죽은 새의 뼈다귀를 보세요/ 아아, 차라리 나의 허연 뿌리로 온 땅을 걸어다니고 싶어요// 매일 밤 꿈을 꾼답니다, 달이 해를 삼키는 꿈을 / 그러다 바람의 소리에 놀라 잠을 깨지요/ 때가 되었다 때가 되었다/ 땅 속 깊은 어둠으로 내려설/ 나는 시계가 없어요 지난 밤 잠 속으로

> 돌아갈// 나를 쓰러뜨려 주세요 차디찬 도끼 날로/ 마지막 손아귀에 힘을 모아/ 나를 베어 주세요/ 썩은 나무가 한줌 흙 속으로 돌아갈 수 있도록/ 하지만, 잊지 마세요 창백한 해를/ 더 이상 시간을 운행시킴은 삶을 포기하는 것이랍니다/ 돌려놓으세요 모든 것들을
>
> -「썩은 나무의 노래」, 『먼 나라 추억의 도시』(1991)

영감적 사고의 기술은 '예언적' 내용이 많은 것이 특징이기도 한데, 그것은 깊은 통찰의 경우 형상을 초월한 원형을 포착하기 때문으로 생각된다. 그리고 원형은 시인이나 작가가 처한 시대의 위기적 인식상황을 반영하기 마련이다. 예언자들 역시 시인과 마찬가지로 현시대의 위기적 상황을 인식하고 미래에도 그러한 상황이 반복해서 나타날 것임을 기술한다.

그런데, 영감적 사고라는 범상치 않은 우리의 놀라운 정신능력을 객관적으로 드러내 밝혀주는 연구들이 20세기 중후반부터 과학적 도구들의 등장과 함께 진행되어 왔다. 뇌과학자 에릭 호프만은 2001년에 코펜하겐 근교의 심비온 사이언스파크에 "멘탈 피트니스 앤리서치 센터"를 세우고 뇌파분석 연구와 뇌파훈련을 해왔다. 그러한 결과, 전두엽 감마파 훈련은 집중력 향상에 가장 효과적인 방법이며 또한 에너지, 의지력, 수행능력을 증가시켰다고 한다.

일급 운동선수들은 처음부터 감마파가 높았으며, 세계카누선수권대회에서 10회나 우승한 선수는 전두엽의 감마파를 20분 만에 7배나 증가시켰다고 한다. 이 선수는 최고 수준의 감마파 상태에 관해 카누대회 결승선에 완전히 집중하고 있을 때와 동일한 상태였다고 한다. 그리고, 신경과학자 리처드 데이비슨의 연구에 의하면 티베트 수도승들

의 전두엽 감마파 수준 또한 이례적으로 높았다고 한다.[1]

호프만은 수면에서 고도의 집중에 이르기까지 정신 상태에 따른 뇌파 유형들을 제시하고있다: 깊은 수면이나 혼수상태에서는 0.5-4 Hz의 델타파가 나타난다. 꿈이나 감정적이고 충동적이며 무아지경의 상태에서는 4-8 Hz의 세타파가 나타난다. 일상적 감각 상태에서는 8-13 Hz의 알파파가 나타난다. 지각하고, 생각하며 집중하는 상태에서는 13-30 Hz의 베타파가 나타난다. 극도의 집중과 희열 상태에서는 30-42 Hz의 감마파가 나타난다. 델타파와 세타파는 무의식 상태이며, 알파파 · 베타파는 의식 상태이다.

델타파는 본능이 지배하고, 세타파는 정서가 지배한다. 알파파는 인지가 가능한 상태이고, 베타파는 사고가 가능하다. 그리고 감마파는 의지가 개입된다. 한편, 델타파는 뇌간의 활성상태이며, 파충류에서 나타난다. 세타파는 변연계의 활성상태로서 포유류에서 나타난다. 알파파와 베타파는 신피질 활성상태로서 우리 인간에게서 나타난다. 그리고, 감마파는 전두엽 활성상태로서 고도의 정신능력 발휘 시에 나타난다.[2]

깨어 있고 의식이 또렷한 정상인의 뇌는 보통 초당 10-20사이클에서 작동한다. 초의식(이 책의 필자는 "초의식비의식" 또는 "영감적 사고"라고 한다) 상태 또는 각성 상태에서 뇌는 매우 빠른 감마파를 일으킨다는 증거가 있다. 이때 감마파 활성화는 전전두엽에서 특히 두드러지는데, 그 부위가 정보의 '결합'을 처리한다. 40Hz의 감마파처럼 매우 빠른

---

1) Eric Hoffmann. 『이타적 인간의 뇌』(장현갑 역). 불광. 2012. p. 192.
2) 같은 책. pp. 74-75.

주파수 대역에서는 감각 정보들의 다중화 속도가 엄청나게 빨라서 고해상도의 지각이 가능하다.[3)]

변연계는 아동기에 성숙하는 부위로 6세까지는 세타파가 우세하다. 세타파는 변연계가 기능하고 있음을 의미한다. 6-7세에 신피질이 성숙하면서 알파파와 베타파가 나타나지만 여전히 세타파가 우세하며, 12-14세에 이르러 전두엽에서 알파파가 점차 우세하게 나타난다.

40Hz에 달하는 감마파를 최초로 연구한 과학자는 버밍엄 대학 신경과학부의 존 제프리스(John Jeffreys) 교수이다. 그의 연구진은 이 고주파의 뇌파가 뇌의 뛰어난 조직화 능력과 관계가 있음을 확인했다.[4)] 강렬히 집중하면 할수록 뇌세포의 응집성이 강화된다. 집중이 약해지면 EEG 상에 느린 세타파가 많이 나타나며, 고도로 집중하면 베타파나 감마파처럼 빠른 뇌파가 나타난다.[5)]

전두엽의 감마파 발생 훈련은 집중력을 증진시키고 창의력과 통찰력 또한 강화할 수 있다. 나가타(K. Nagata)는 1988년의 연구에서, 알파파의 활성시에는 델타파와 세타파보다 뇌 혈류가 증가함으로써 산소와 영양이 보다 풍부하게 공급됨을 확인했다.[6)] 집중을 유지하고 하나로 통합된 경험을 지각하려면 전두엽이 8Hz 이상의 주파수 대역에서 작동해야 한다. 그러나 우주 만물과의 합일을 지각하기 위해서는 전두엽이 훨씬 더 빠른 주파수, 즉 40Hz에 이르는 감마파 대역에서 작동해야 한다. 그와 동시에 오래된 뇌(두정엽)의 활동이 8Hz 이하로

---

3) 같은 책. p. 231.
4) 같은 책. pp. 76, 191.
5) 같은 책. pp. 80, 85.
6) 같은 책. pp. 191, 186.

둔화되어야 하며, 또한 우반구가 더욱 활발하게 활동해야 한다.[7)]

40Hz의 빠른 감마파는 입력된 수많은 감각 정보를 뇌에서 모두 '결합'하여 하나의 완전한 경험으로 만들게 한다. 감각 정보들의 다중화(신속한 검토)가 뇌파도와 관계가 있다면, 초당 40사이클의 속도로 행해지는 다중화 작업이 개별적 정보들을 하나의 완전한 경험으로 만들 것으로 생각된다. 한편, 호프만은 이렇게 말한다.

> 미하이 칙센트미하이(Mihaly Csiksezentmihalyi)는 몰입 상태는 일종의 무아지경이라고 주장한다. 이 말은 역설적으로 들린다. 몰입 상태에서 개인은 강렬하게 집중하고 고도로 효율적이기 때문이다. 그러면서도 또한 당면 과제에 완전히 몰두하여 시공간을 잊고 그 과제와 무관한 자극은 모두 무시한다. 이 상태는 무아지경과 유사하다고 할 수 있다. 이렇듯 몰입은 무아지경과 유사하고 고도로 깨어 있는 동시에 고도로 집중한 상태이므로 나는 그것을 의식적인 무아지경이라고 부른다.[8)]

호프만은 이렇게 말한다. 고도의 감마파 상태가 장시간 유지되는 건 몰입 상태로 볼 수 있으며, 이때는 생각도 없고 저항도 없다. 몰입 상태는 창의성 및 직관과 밀접한 관계가 있다. '무아지경'이라는 단어는 알아차림이 극도로 좁아졌다는 사실을 말한다. 감마파가 고도로 활성화될 때 공간지각을 수행하는 두정엽은 활동을 멈추는 반면, 전두엽은 활성화된다.

---

7) 같은 책. pp. 231-32.
8) 같은 책. p. 208.

감마파가 고도로 활성화된 상태에서는 무의식적 사고가 불가능하다. 그 상태에서도 사고를 할 수 있지만 그때 하는 사고는 모두 의식적이다. 감마파가 고도로 활성화될 때 정신은 대단히 명료하고 집중은 꿰뚫을 듯 강렬하다. 그로 인해 직관은 예리해지고 창의성이 증가한다.[9]

그런데, 여기서 호프만이 말한 "의식"은 인지적 자각 상태를 의미하는 것이 아니라, 자신의 '의지'라는 뜻이다. 고도로 감마파가 활성화를 보이는 정신 상태를 유지하기 위해선 아무런 노력 없이 되는 것이 아니라, 자신의 의지를 고도로 발휘함으로써 이루어진다는 말이다. 이때는 아주 또렷한 정신 상태에서 자각적 인지작용은 필요한 최소한을 유지하며 동일화 정신작용인 판단력은 최대한 발휘된다.[10]

비의식과 자각적 인지의 의식 상태가 병행되어 수행되는 이러한 몰입의 영감적 사고의 상태에서, 자각적 인지는 분명할 수도 있고, 분명치 않은 경우도 있는 것 같다. 이 책의 필자의 경우는. 영감적 상태에서 (야스퍼스가 말한 중세의 신비주의 여성 철학자들이 그랬던 것처럼) 매우 빠른 속도로 시편을 자동기술로써 써내려 갈 때, 머릿속은 어떤 표상도 나타나지 않는 망아나 무아지경의 상태였다.

눈위의 이마 부위를 중심으로 빛이 반짝이는 듯한 상태에서 분명히 또렷한 정신을 유지하고는 있었지만, 그렇다고 내가 무엇을 생각하고 있는지에 대해선 아무것도 의식(자각적 인지) 되지가 않았다. 그러니까 이 책의 필자의 경우, 고도의 정신집중상태에서는 또렷한 정신과 그 어떤 인식도 이루어지지 않는 비의식(호프만이 말하는 무의식) 상태가 동

9) 같은 책. pp. 195, 193.
10) 같은 책. p. 208.

시에 유지되고 있었다.

그런데, 로뎅은 이렇게 말한다: "작업의 마지막까지 조각가는 가장 의식이 명료한 상태에서 철저하게 자신의 총체적인 사고를 유지해야 한다. 그래야 비로소 그의 작품의 세세한 부분도 이 전체적인 착상에 끊임없이 그리고 밀접하게 연결시킬 수 있다. 이러한 일은 힘든 사고의 노력 없이는 이루어질 수 없다."[11)]

그리고, 불문학자 김현(1942-1990)은 발레리(Paul Valéry, 1871-1945)가 자주 이런 말을 했다고 한다: 나는 무아지경에서 휘광 같은 걸작을 쓰기보다 명료한 의식 아래 평범한 작품을 쓰는 것이 더 좋다. 나는 작업이 작업의 산물보다 더 깊이 내 흥미를 끈다. 작시(作詩)나 구축(構築)한다는 그 생각만이 나를 미치게 한다.[12)]

발레리는 오직 명료한 의식이 자신의 정신을 지배하기를 바랬다. 하지만, 이 책의 필자의 관점에서 발레리는 그 자신이 배척하고자 한 무의식이 작동하는 초의식비의식의 사고 다시 말해 영감적 사고를 누구보다도 추구했다고 볼 수 있다. 왜냐하면, 고도의 명료한 의식을 유지한 상태는 고도의 정신 에너지가 충전된 상태로서 고도의 통찰 사고 즉 영감적 사고가 수행될 수 있는 상태이기 때문이다.

또한, 영감적 사고는 비의식 상태로 수행되지만 고도의 에너지를 모아서 사고와 함께 자각적 인지 상태를 유지하고자 하는 사고이다. 그러한바, 정도의 차이일 뿐 영감적 사고의 수행 중에는 자각적 인지 상태

---

11) Jacques Hadamard.『수학분야에서의 발명의 심리학』(정계섭 역). 범양사. 1990. p. 68. 재인용.
12) Paul Valéry.『해변의 묘지』(김현 역). 민음사. 1991. pp.113-14.

를 유지할 수 있다고 보아야 한다. 그런데, 발레리는 영감적 사고를 수행하면서 무의식보다는 의식에 비중을 두고 사고를 수행했다고 볼 수 있다. 로뎅 또한 조각 작업 시에 영감적 사고를 수행하면서 인지적 자각의 기능 쪽에 더 비중을 두었던 것 같다. 한편, 호프만 역시 발레리나 로뎅과 같은 사례를 제시하고 있는데, 호프만은 이렇게 말하고 있다:

> 피험자가 사고하는 동시에 고도의 감마파 상태를 유지할 수 있는 경우도 있다. 이때 그들은 의식적으로 사고하는 듯하다. 원할 때마다 사고하기 시작하고 모든 생각을 의식적으로 관찰하는 것이다. 피험자 가운데 심리학자가 한 명 있었는데, 그는 전두엽의 감마파 활성화 수준이 처음부터 높았고 뉴로피드백을 통해 그 수준을 더욱 높일 수 있었다. 흥미롭게도 그는 그 수준을 유지하는 동시에 자신의 연구와 관련된 까다로운 통계 문제에 대해 숙고할 수 있었다. 그 심리학자는 고민 중인 과학 문제에 강하게 집중했으며 모든 생각을 의식적으로 사고하는 것이 분명했다.
>
> 훈련을 마친 후 그는 이렇게 말했다. "감마파가 고도로 활성화될 때 저의 정신은 크리스털처럼 투명했어요. 시야가 넓어지고 집중이 극대화되었죠. 그 감마파 상태에서 저는 제문제에 대한 새로운 통찰과 독창적인 해결책을 보고 이해하고 얻는 능력이 더 커진 걸 실감했어요."[13]

발레리는 무의식이 시적 통찰을 이끌어낸다거나, 시적 진술이 주술

13) Eric Hoffmann(장현갑 역). 같은 책, pp. 209-10.

적 영감의 산물이라는 등의 견해를 배척하였다. 그러나 발레리는, 창조적 사고의 기반인 비의식(무의식)에 관심을 가졌던 베르그송 · 융 · 브르통과는 달리, 창조적 사고작용의 원리가 작동하는 내면의 정신세계에 대한 내성적 관찰이나 인식을 얻으려 하지도 않았던 것 같다.

초의식비의식의 영감적 사고나, 의식비의식의 추론 사고나 모두 인과성의 논리에 바탕한다. 그리고 논리적 동일화의 판단은 우리가 살펴본 바와 같이 의식이 아닌 비의식이 수행한다. 의식은 단지 사고의 수행 결과를 확인하고, 우리의 정신이 특정한 방향에서 작업을 수행할 수 있도록 사고의 흐름을 확인하는 '인지' 기능일 뿐이다.

그리고, 심층비의식의 사고와 자각적 인지가 가능한 의식 상태를 동시적으로 수행하는 영감적 사고의 수행에 있어서 로뎅이나 발레리 등과 같이 자각적 인지의 의식 상태를 유지하는 경우가 있는 것은 사실이며, 또한 수의적으로 충분히 그렇게 사고를 진행할 수 있다고 생각된다.

한편, 우리의 사고는 어떠한 경우에도 비의식 상태에서 수행되는 것이 사실이므로, 영감적 사고의 수행 중에 매우 짧은 순간 의식 상태가 순간적으로 반복하여 수행되더라도 그러한 의식 상태는 마치 비디오 필름이 끊겼다 이어지는 것처럼 인지되어야 한다. 하지만, 그렇지 않고 자각적 인지 상태가 계속되는 것으로 여기는 것은 잔상 효과 때문으로 생각된다.

하지만 일반적인 경우, 최고도의 감마파가 발생하는 초의식비의식의 영감적 사고 상태에서 우리는 무엇을 사고하고 있는지에 대해서는 감지되지 않는다. 그러나, 우리는 무언가 강렬한 사고가 진행되고 있으며 또한 그 내용을 알 수는 없으나 알고 있는 것 같은 느낌은 갖고 있다. 그리고, 우리는 그러한 사고의 내용을 자동기술로써 단숨에 써내려 간다. 시인이자 비평가인 옥타비오 파스는 초의식비의식 또는 심층비의식의 통찰 상태에서 자동기술에 관한 상황을 제시하고 있다.

> '속삭임의 무진장한 흐름'에 내맡긴 채, 외부 세계로 향한 눈을 지긋이 감고 시인은 거침없이 글을 써내려 간다. 처음엔 문장들이 앞서거니 뒤서거니 하지만, 점차 펜을 쥔 손의 리듬은 사고의 흐름과 일치한다. 이제 사고하기와 글쓰기의 차이가 없어지고, 둘은 같은 리듬을 탄다. 시인은 그의 행위에 대한 의식마저도 잊어버렸다. 무엇을 쓰고 있는지 혹은 지금 자신이 쓰고 있는 것조차 모른다. (…) 시인은 방금 썼던 글을 다시 읽어보고, 뒤얽혀 있는 듯한 그 글이 비밀스런 일관성을 갖추고 있는 것을 알고는 놀라워한다. 시는 부인할 수 없는 음조와 리듬과 체온의 통일성을 유지하고 있다. 그것은 하나의 전체다.[14)]

결론적으로, 영감적 사고의 수행 상태에서 자각적 인지 여부는 영감적 사고를 수행하는 동안에 의식과 비의식(무의식) 중 어느 상태에 더 비중을 두고 있느냐에 따른 것이 아닌가 생각된다. 의식에 비중을 두면 심층비의식 사고의 내용이 인지되고, 비의식에 더 비중을 두면 이 책의 필자의 경우처럼 분명히 또렷한 정신 상태가 유지되지만 아무것도 인지되지 않고 자동기술만 수행하는 것으로 볼 수 있다.

---

14) Octavio Paz. 『활과 리라』(김홍근 역). 솔. 1998. p. 209.

13.1. 통찰 → 영감 → 자동기술

초현실주의 이전의 모든 위대한 (낭만주의와 상징주의) 시인들은 영감의 비밀을 밝히기 위해 몰두했지만—그리고 이것이야말로 그들이 중세, 르네상스 그리고 바로크 시대의 시인들과 다른 점이 있다—그 누구도 영감을 현대인의 세계관과 인간관에 합당하게 소화해내지 못했다. (……) 초현실주의는 신, 자연, 역사, 인종 등의 외부 요인에 의지하지 않고도 영감을 하나의 세계관으로 인정함으로써, 시인의 저항과 추방을 멈추게 만들었다. (…) 이것이 「1차 초현실주의 선언」의 출발점이다. 또한 바로 이 점이, 아직도 간과되고 있지만, 브르통과 그의 동료들이 가지는 독창성이다.

영감과 자동기술법은 동의어가 되어버렸다. 가장 시적인 것은 시인의 의지와 상관없이 그의 시 속에서 드러나는 무의식의 요소라는 것이다.[15]

브르통은 심리학적인 설명이 항상 불충분하다는 것을 인식하고 있었다. 그가 프로이트의 생각에 매우 동조했을 때조차 영감은 정신분석으로는 설명되지 않는 것이라는 사실을 반복해서 말했다.[16]

옥타비오 파스는 영감 · 무의식 · 자동기술을 함께 결부 짓는다. 아울러, 이것이 제1차 초현실주의 선언을 한 브르통과 그의 동료들의 독

15) 같은 책. pp. 227, 229.
16) 같은 책. p. 230.

창성이라고 강조한다. 그리고 파스는 영감이 무의식의 산물이며, 그 무의식은 프로이트의 정신분석학에서 탐구되는 이상 징후로서의 무의식과는 전혀 다른 것임을 브르통이 분명히 인식하고 있었음을 피력한다.

> 브르통은 심리학적인 설명이 항상 불충분하다는 것을 인식하고 있었다. 그가 프로이트의 생각에 매우 동조했을 때조차 영감은 정신분석으로는 설명되지 않는 것이라는 사실을 반복해서 말했다. 정신분석학이 제공하는 진정한 이해의 가능성에 대한 의심은 그로 하여금 신비주의적인 가정을 모험해보도록 이끌었다.[17)]

초현실주의 제1차선언문이 발표된 1924년 경 전후로 영감과 창조적 무의식의 관계를 이해하고 있었던 이들은 헬름홀츠, 푸앵카레, 베르그송, 비네, 뷔르츠부르크학파, 형태주의심리학자들, 칼 융 등이 있었다. 브르통이 이러한 이들과 자신의 견해를 비교해보았는지는 알려지고 있지 않다. 하지만, 1924년 직전후 브르통이 무의식과 창조적 시적 진술 그리고 자동기술의 관계에 주목한 것은 그와 동료들의 선구적 깨달음으로 간주해도 좋을 것이다.

영감은 무르익은 비의식의 통찰 세계가 기호적 형태를 갖지 않은 채 우리의 의식에 순간적으로 나타나는 정신 현상이다. 다시 말해, 영감이 통찰 사고를 가능케 한 것이 아니라, 통찰 사고가 영감을 표출하

---

17) 같은 책. p. 230.

는 것이다. 자동기술은 영감에 힘입어 통찰의 내용을 효과적으로 표출시켜 내는 수단이다. 영감은 통찰이 무르익었음을 알리는 창조적 출산의 징후이며, 자동기술은 그러한 통찰의 효과적 기술방식이다.

비의식 상태로 수행되는 자동기술은 영매의 주술법이기도 하다. 그들 역시 비의식의 세계에 대한 자동기술을 행한다. 단지, 문자로 표현하지 않고 퍼포먼스적 행위나 음성으로 수행할 뿐이다. 브르통이 창안한 '자동기술'이라는 용어가 사용되기 이전에도, 이후에도 자동기술법은 시인 · 예술가, 성서 집필자, 예언자, 주술사들에게서 사용되었으며, 우리 또한 영매들이 행하듯 영감적 사고의 상태에서 시편을 기술한다. 비의식의 자동기술은 발명이 아니라 인간의 '원형'적 능력에 대한 재인식이다. 정신과 의사이기도 한 앙드레 브르통은 그러한 재능에 비로소 '자동기술법'이라는 이름을 부여한 것이다.

영감은 통찰의 완성을 알리는 표징이다. 활화산처럼 분출될 심층비의식 세계의 통찰들이 임계점을 막 돌파하여 시인의 머릿속에 한 줄기 섬광으로 떠오른 상태로서 출산을 알리는 희열의 상태이다. 영매나 주술사들의 자동기술은 깊은 예지적 통찰 사고로써 이루어진다. 영감은 완성된 통찰이 발화되기 직전의 시그널이다.

그러한 영감의 원천은 심층비의식의 세계에서 이루어지는 통찰이다. 수학자 아다마르는 이렇게 말한다. "푸앵카레에게 계시를 준 뜻밖의 영감의 경우를 살펴보기로 하자. 우리는 이러한 영감이 다소 오랫동안의 강도 높은 무의식 작업의 결과라는 결론을 얻었다. 그러나 이 무의식 작업 그 자체는 원인 없는 결과인가? 그렇게 생각하는 사람은 크게 잘못 생각하는 것이다."[18]

영감적 사고의 상태에서는 작업의 긴장도가 매우 높다. 깊은 통찰의 결과 영감에 이른 상태라면 매우 뛰어난 작품이 나올 수 있다. 심층비의식의 사고는 지속적인 사고로 축적된 광범한 활성적 기호들에 바탕한다. 그와 같은 사고의 축적 없이 심층 사고의 세계는 펼쳐지지 않는다. 비록 영감의 상태가 충만하다 하여도 심층비의식의 사고세계가 형성되어 있지 않으면 발화는 깊이를 지니지 못한다.

인지심리학의 병렬분산처리(Paralllel Distrkbuted Processing: PDP) 모델 이론가들은 분산 · 저장된 수많은 단일 처리단위들의 상호작용을 통한 동시 발생적인 병렬처리로 창조적 인지활동인 직관(이 책의 필자의 통찰)이 일어난다고 한다. 직관은 사전 지식 없이는 일어나지 않는다. 전문적인 지식의 배경 없이는 직관이 일어나기 어렵다. 어떤 한 분야의 지식을 상당한 수준으로 습득하는 것이 직관적 사고를 가능하게 한다(溫琦餐, 1995, 1996; Dreyfus & Dreyfus , 1986; Frensch & Sternberg, 1989; Soloboda, 1991, 1993; Weisberg, 1986, 1992).[19]

“창조적인 사람들은 그렇지 않은 사람들보다 더 많은 정보단위들을 동시에 활성화시킬 수 있다(Matindale, 1989, 1991, 1995)."[20] “직관은 인지구조에 풍부하게 저장된 수많은 지식들이 단서와 같은 특정 환경에 노출되면서 다양한 연결들을 통하여 갑자기 어떤 아이디어가 주의의 초점 속으로 떠오르거나, 표상의 질적 변화를 일으켜 문제를 해결하는 과정으로 생각할 수 있다.”[21]

---

18) Jacques Hadamard(정계섭 역). 같은 책. p. 50.
19) 온기찬.『竝列分散處理 모델에 기초한 直觀에 관한 實驗的 硏究』. 교육학 박사학위논문. 전북대학교 대학원. 1997. pp. 41-42,
20) 같은 논문. p. 42. 재인용.
21) 같은 논문. p. 42.

심층 비의식의 사고가 결여된 시편은 소재와 감성의 낯섦으로 하여 관심을 불러일으킬 수는 있으나 20세기 초엽의 쉬르레알리슴 운동 이후에 잔광처럼 반짝이다 사라진 시 · 예술 운동들처럼 한 때의 유행적 사조에 그칠 수 있다. 쉬르레알리슴이 발전을 멈춘 건 자동기술에 의해 정신계의 여러 내용들을 불러내어 사용하는데 관심을 가졌을 뿐, 그들의 수사학을 지배하는 개별적 사유에는 한계를 드러내 보였다는데 그 이유가 있다. 비의식을 보다 심화시키려면 시인들의 자기희생적인 끊임없는 사고 노력이 요구된다.

그렇듯이 '영감'이 심오한 창조성을 생성하는 것이 아니다. 심오한 창조성은 체화된 광범한 활성기호의 축적으로 가능하다. 체화되지 않은 지식들로 발현되는 영감은 플라톤이 조롱하였듯 가볍고 날개달린 언어를 쏟아낼 뿐이다. 타고난 천재이든, 극도의 주의집중에 의한 '영감적 사고'에 의해서이든 동일화 정신작용의 의미화 작업이 전제되어 있지 않다면 결코 깊은 창의성을 발휘할 수 없다. '천재'는 동일화의 형식을 수행하는 하나의 기능일 뿐이다. 수많은 '동일화'를 통해 '의미'의 깊이를 더해야만 작품에 깊이와 감동을 더할 수 있다. 훌륭한 작품은 오랜 통찰의 기간과 자신의 몸을 태우는 영감적 사고로써 발현된다.

13.2. 과학과 달리 시 · 예술에서 영감적 사고를 많이 사용하는 이유

우리는 의식에서의 확인을 통해 비의식에서 수행된 이미지를 통일해 나간다. 여기에는 두 가지 방식이 있다. 하나는 먼저 심층비의식의 사고를 수행하고 다시 의식의 지원 아래 추론으로써 미학적 통일의 작업을 수행하는 방법이다. 다른 하나는 이미 언급된 것으로, 심층비의식의 사고를 병행하여 유지하는 영감적 사고이다.

말했듯이 영감적 사고는 힘이 든다. 하지만 그런 만큼 원관념의 생성에 있어서 긴장감이 있다. 아울러, 심층비의식의 진행 가운데 원관념의 통일적 형성을 의식이 확인해 나가므로 즉시적으로 시편을 작성함에도 작업의 완성도가 높다. 이것이 영감적 사고의 강점이다. 또한, 정신이 집중된 영감적 사고의 수행은 사고의 즉시성과 기호의 표상 또한 심층비의식의 수행보다도 더 즉시적으로 구현된다.

여기서 우리는 "직관이 곧 표현"[22]이며 "직관 활동은 스스로가 표현하는 만큼의 직관만을 가지고 있다. 직관은 표현과 동시에 나타난다. 그들은 둘이 아닌 하나"[23]라는 크로체(Benedetto Croce, 1866-1952)의 말을 상기할 수 있다. "직관과 표상의 동일성"을 언급하는 크로체의 생각은 이러한 관점에서 타당하다.

통찰의 즉시성과 함께 표상의 즉시성은 우리가 심층비의식보다도 영감적 사고를 선호하는 또 하나의 이유이다. 영감적 사고는 즉시적으로 사고를 생성하여 표출한다. 브르통이 초현실주의의 마술이라며 "주제를 미리 생각하지 말고 빨리 쓰도록 할 것, 기억에 남지 않도록 또는 다시 읽고 싶은 충동이 나지 않도록 빨리 쓸 것"을 주문한 것은 즉시적으로 생성되는 사고의 내용들이 훼손되거나 사라지지 않도록 하기 위함이다. 또한 그럼으로써 보다 심오한 비의식의 세계를 심층비의식의 통찰로써 끌어낼 수 있기 때문이다. 브르통은 그러한 사실을 인지하고

22) Benedetto Croce.『크로체의 미학』(이해완 역). 예전사. 1994. p. 41.
23) 같은 책. pp. 37-38.

있었던 것이다.

한편, 자동기술은 영감적 사고에서만 가능한 것이 아니라 심층비의식의 통찰로도 수행이 가능하다. 다만, 심층비의식의 경우 정신 에너지를 고도로 끌어올린 상태가 아니므로 심층비의식 속의 통찰 수행 중에 강렬한 자각적 인식의 개입이 없다. 그리고, 통찰 사고의 즉시성(신속성)과 깊이 또한 떨어진다. 따라서, 작업물의 긴장도 또한 떨어진다. 하지만, 이러한 심층비의식의 통찰에 의한 시 창작 작업의 경우는 영감적 사고와는 달리 오랜 시간 그리고 자주 수행할 수 있다는 이점이 있다.

과학에서 텍스트의 제작은 시 · 예술과 달리 즉시적 완성을 위한 강박관념에 얽매이지 않는다. 그런데 시편 제작의 경우 특히, 통찰의 연속성이 유지되어야 한다. 시적 이미지는 심층비의식의 세계에서 나타날 뿐만 아니라, 마치 물고기처럼 유연하고 미끄러워서 자유자재로 움직이는 까닭에 언젠가 찾아내었던 심층비의식의 정신세계를 다시 찾아간다 하더라도 그 당시 통찰의 종료와 함께 사라진 이미지들은 다시 나타나지 않는다.

그보다도 더 문제는 시적 이미지가 출몰하는 심층비의식의 세계로 가는 길은 처음 발을 들여놓는 순간부터 미노타우로스의 궁에 들어선 듯 무수한 길들이 나타난다. 그런 까닭에 원천적으로, 처음 도착했던 그곳을 다시 찾아 들어갈 수가 없다. 따라서 차라리 새로운 길을 찾아 나서는 것이 낫다. 그러한바, 시 · 예술 작업의 세계에서 모든 창조적 사고의 영감은 유일무이한 하나이다.

시인들은 한 번 떠오른 영감을 메모해 두기도 하지만, 그것은 부질없는 일이다. 영감적 착상은 사실상 메모지 위에서 멎어버린 것이다.

시간이 지나 다시 그 메모들을 들여다 본다고 하여서 당시에 생동하던 영감의 물고기 떼가 그 순간 심해를 가르고 나타나지 않는다. 이미 영감의 물고기는 박제가 되어버린 상태이다. 이것은 시인과 예술가들에게는 더 없이 가혹한 일이다. 이것은, 시인과 예술가들로 하여금 매 창조의 작업 순간마다 뜨거운 영감적 통찰 사고의 용광로 속으로 몸을 던져 넣어야 함을 의미한다.

과학은 감각적 현상계의 이미지들을 걷어내고 투명한 개념적 통일을 추구한다. 개념은 이미지들보다는 정직하고 우직하여 그들이 있던 심층비의식의 통찰 세계로 다시 돌아가도 대체로 그대로 자리를 지키고 있다. 마치 형상을 끄집어내기 이전의 광물처럼 개념은 아직도 여전히 어떤 미지의 불명한 것으로 자리하고 있어 누군가 자신을 발견해 주기를 기다리고 있다.

이러한 과학적 개념은 내부를 들여다보면 양파껍질처럼 또 다른 이미지들이 나타나 과학자를 지치게 하고, 때로는 텅 빈 허공처럼 아무것도 나타나지 않아 허망하게 한다. 하지만, 시의 이미지들이 추구하는 세계와는 달리 처음 개념의 이미지들이 있던 그곳을 과학자는 추론의 거미줄과 아리아드네의 기록들을 이용해 다시 찾아갈 수 있다. 이것이 시와 과학의 창조적 작업의 과정에서 다른 점이다.

과학과 달리 시는 펜을 드는 순간 눈앞에 펼쳐지는 (사실은 비의식으로 수행되므로 작업 후에나 확인되는) 심층 통찰 세계의 이미지들을 어떻게 해서든 놓치지 않고 일필휘지로 그려내어야 한다. 그래서 초의식비의식에 의한 자동기술이 요구되는 것이다. 물론, 힘에 부칠 경우 구태여 무모한 방법을 고집하려 해서는 안 된다.

100미터 단거리 경주를 위한 폭발적인 추진력의 스타트 능력을 지니고 있진 않으나, 경륜으로 획득한 무수한 기교의 형식들과 풍부한 활성기호들을 동원하는 통찰의 지혜를 시인과 예술가는 발휘할 수 있다. 오히려 그러한 활성기호에 바탕한 통찰이 창작의 깊이와 균형을 갖춘 작품을 창조할 수 있다. 영감적 사고가 아닌 심층비의식에 의지한 필자의 시 한 편을 사례로 든다. 제목은 "ⅩⅩⅠ. 구도"이다. "구도"는 작품의 구도로 보아도 좋고, 깨달음으로 이해해도 무방하다.

부서진 의자 하나 허공에 걸려 있다 빗방울이 창문에 떨어진다 여기까지는 아무 것도 잘못되지 않았다
부서지는 전류가 허공에서 붙잡을 수 있는 어깨는 모난 윤곽의 빌딩 아니면 어둠속 나뭇가지
문제는 구원의 성소일 것이지만,

깨달음의 극점에 이를 수 있다고 생각하는 걸까
셔터를 누르기 위한 집요한 기다림 끝의 순간을,
누구도 보지 못한 빛을 그는 응시한다

불쌍하도록 큰 눈을 가진 쥐. 공작도구로 깎아 만든 동그랗게 눈만 뜬 쇳덩이
사실은, 모든 순간에 구원의 구도는 잡혀 있다
모든 것이 늦게 이루어질 뿐이다

폐쇄된 통로 속 고문처럼 빛이 들어찬다
지금 단언할 수 있는 것, 보여줄 수 있는 것은?

나락과 전락이 어떻게 구원에 관한 물음으로 이어질 수 있을까?

사각의 하얀 빛, 용인되지 않는 금지, 발걸음이 멎는다
그곳엔 언제나 아무도 없다

구원은
누구도 사랑하지 않지만, 사랑할 수 있다는 믿음을 갖는 일
자신만은 믿는 것

폭풍우 속에서 짐승의 새끼를 물고 오는 것이 놀랄 일은 아니다
오직 바람만이 폭풍을 몰고 온다

언제나 어둠은 빛의 형상을 갖는다
종이와 잉크가 만나 문자를 깨우듯,

잠은 언제나 다른 형상들 속에서 깨어난다
빛보다도 빠른 사물은 위험하다

-「XXI. 구도」(2013)

이 시편은 일필휘지로 써내려 간 첫 시집의 시편「썩은 나무의 노래」와는 달리 우선 안정감과 균형감이 있다.「썩은 나무의 노래」경우는 영감적 사고의 강렬한 에너지가 느껴지고, 심층비의식 세계의 원형적 이미지가 잘 드러나고 있다. 하지만 때때로 심층비의식의 통찰로써

자료를 유출시켜내고 시간을 두고 추론 사고로써 통일적 내재율의 미를 완성시켜 나간 「ＸＸⅠ. 구도」는 존재론적 성찰과 다양한 이미지들이 '구도'라는 개념적 이미지를 중심으로 통일적 조화를 이룬 구성미를 확인할 수 있다.

우리의 심층비의식의 사고는 마치 꿈속에서 나타났던 길처럼 이미지의 연결이 자유롭게 펼쳐지는 까닭에 매번 새로운 사고를 전개한다. 그리고 또 하나는, 제시하고자 하는 목적물인 '원관념'이 애초부터 존재하고 있지 않다는 것이다. 앞에서 언급하였듯, '시적 상징' 특히 현대의 실험적 시 · 예술은 광범한 대상을 검토하고 광범한 대상을 담아내려 한다.

이러한 상황에서는 '원관념'은 심층비의식을 수행해나가는 가운데 생성되며, 그 윤곽은 작업이 종료되고 나서야 희미하게나마 나타난다. 그러니까 시인이나 예술가 자신도 그가 창조하게 될 텍스트가 어떤 형상의 것인지 알 수 없다는 사실이다. 심지어는 어떤 관점에서 얘기를 해나가야 하는지도 모를 수 있다.

언급된 이러한 문제들은 모두 어떤 하나의 문제로 귀결된다. 시 · 예술의 텍스트는 과학과는 달리 텍스트의 작성에도 심층비의식의 통찰을 수행해야 한다. 그것은, 비약이 요구되지 않는 과학의 보고서 작성과는 달리, 시 · 예술 작품의 제작은 그 어떤 중요한 은유의 비약을 요구한다. 크로체의 지적처럼 "직관(이 책의 필자의 통찰)이 곧 표현"이어야 하는 까닭이다. 이것이 과학과는 달리 시인과 예술가가 때 아니게 광기를 드러내는 이유이다. 냉철한 과학자와 달리 시인과 예술가가 영감적 사고의 불화로를 가까이 두고 살아야 하는 이유이다.

비의식은 자기 내부 작용성의 사고작용이다. 비의식은 외부상황을 고려하지 않는 속성을 지니고 있다. 이와 달리 의식은 외부 상황 인식 기제이다. 영감적 사고의 상태는 비록 의식이 순간순간 깃든다고는 하지만 초월적이고 본능적인 심층비의식의 상태가 창작의 작업이 끝나고도 잔존한다. 그러한 잦은 영감적 사고의 실행으로 인한 비의식의 몰입이 지속되는 상태에서는 일상생활을 일탈할 수 있다. 그리고, 영감적 사고를 진행하는 예술가들은 탈진 상태에서 병을 얻거나, 다음 작업을 두려워하게 되는 경우가 허다하다.

어떤 경우, 영감의 즉시적 형성을 위해서도 통찰과 의식을 동시 수행하는 초의식비의식의 영감적 사고를 수행한다. 그러나, 언급하였듯, 이러한 시도는 정신을 극도로 긴장시켜야 하는 어려움이 따른다. 뿐만 아니라 잦은 영감적 사고의 실행은 현실계에 대한 감각을 잃게 할 수 있어 비의식의 몰입으로부터 벗어나 의식계의 일상으로 돌아올 수 있는 자기 관리가 필요하다.

서상환, 神語, oil on canvas, 2002

필자는 첫시집 제작에서의 그러한 몰입 이후 시편의 제작은 특별한 경우가 아니면 영감적 사고의 작업을 피하고 심층비의식의 통찰 사고에 의존하게 되었다.[24] 말하자면, '자동기술'로서 심층비의식의 통찰에 의해 자료들을 유출시킨 뒤에 의식의 상태에서 추론에 의한 통일적 재구성의 작업으로 작품을 완성한다.

방언은 헬라어로 글로싸(glossa) 즉, '하느님의 혀'를 지칭한다. 이 작품은 획의 힘과 꺾임의 변화에 주목하게 한다. 화면 좌우의 선체(線體)들은 여리면서 급한 꺾임을 보인다. 화면 오른편 상단의 세 점의 여린 붓선은 조심스레 하늘의 빛을 열어 보인다. 그러나 붓의 꺾임은 굴절이 각을 이룰 정도로 돌출적이다. 이것은 사유의 깊이와 표상기호의 변화와의 충돌을 보여준다.

심층비의식의 숙고는 표상계의 감각형상을 취하기 위한 고통스런 굴절로, 이것은 물질의 표상체에 영혼을 불어넣는 일과도 같다. 화면 중앙부 전면을 장식하는 붓체(體)들은 힘차게 요동한다. 붓질의 강한 물질성은 깊은 내면의 기도를 의미한다. 그 기도의 간구는 고독할 정도로 깊고 성실하여 획이 굵고 짙다. 획의 변화가 비교적 부드러움을 유지하는 것은 깊은 기도의 내면과 자세를 물성으로 육화하기 위함이다.

기도자와 물상계의 표현을 획득하고자 하는 심층비의식의 작업은 힘과 각의 충돌과 붓체의 볼륨으로 완성된 화면을 보여준다. 신어(方

---

24) 1998년경부터 준비해온 제2시집에서는 제1시집에서와 같은 시작법을 감당할 수가 없어 대체로 '심층비의식'의 통찰을 사용하되 다시 '의식' 상태에서 재구성하는 방식으로 텍스트 제작 기법을 바꾸었다. 그런 까닭에 제2시집에서는 심층사유를 촉발하는 요인들이 있으면서도 미학적 구성이 꽤 갖추어져 있음을 알 수 있다. 그러나, 격렬한 영감의 기운은 보이지 않는다.

言)는 영혼의 울림을 비구상화 함으로써 신에 대한 기도가 인간 보편의 세계로 개방되어 있다. 좌 하변 중력을 향해 낙하하는 한 점의 붓질은 텍스트의 중심을 역동적으로 이동시킨다.

방언화 신어(神語)는 작가의 정신세계를 선과 색의 기호로 나타낸 한 편의 은유의 시편이다. 우리는 작가의 캔버스에서 단순히 선과 색의 형상을 보는 것이 아니라 선과 색이라는 기호 너머에 있는 작가의 정신과 사유의 세계를 읽게 된다.

vi. 사고 이론 비평

1. 칸트와 카시러의 사고론

칸트와 카시러는 사고의 본질적 기능을 형식적 측면에서 정치하게 추궁했다. 칸트의 사고 이론인 선험적 논리학은 “사변이성에 의해서 우리로 하여금 경험의 한계를 넘지 않도록 경고”하기 위한 것이었다[『순수이성비판』 재판(1787)의 머리말. XXIV]. 칸트는 그러한 전제로서 사고의 기능과 형식 그리고 의의를 기술했다. 한편 카시러는 상징이 인간의 모든 문화를 구현하는 정신 기능임을 피력했다. 이러한 카시러와 칸트의 사고 이론은 창의성의 본질인 인간의 지능과 인공지능의 원리에 관한 연구에 있어서 많은 시사점을 제공한다.

칸트는 사고의 근본 구성소와 기능에 관해 이렇게 기술한다. 감성적이면서도 경험적인 직관만이 개념에 의미와 가치를 줄 수 있다(B 149).

오성은 개념에 의한 인식능력이다(B 93). 개념에 의한 인식은 판단하는 작용이며, 그것은 오성이 사고하는 능력이기 때문이다(B 94). 일반 논리학의 '판단의 형식들'은 오성이 표상들을 결합하는 여러 방식들이다(B 94).

오성의 작용은 판단의 논리적인 기능이다(B 143). 인식들에 있어서의 연어 '이다(ist)'는 곧 객관적 통일을 위한 것으로, 근원적 통각에 대한 표상들의 관계를 의미하며, 주어진 표상들의 '필연적 통일'을 의미한다(B 142). 체계적 '통일'은 '다양성 · 유사성 · 동일성'의 원리 순으로 이루어지며, 이 셋은 모두 최고의 완전성을 위한 이념이다(B 690).

그런 칸트는 판단력을 두 유형으로 구별한다. 하나는 경험 인식에 사용되는 규정적 판단력이고, 다른 하나는 추론에 사용되는 반성적 판단력이다. 전자는 보편적 규칙인 주어진 범주에 경험 인상의 포섭 여부만을 확인하는 판단력이다. 후자는 보편적 규칙을 사고해야 하는 추론의 판단력이다. 이와 같이 칸트는 사고를 경험 인식의 지각과 추론의 두 유형으로 구별한다.

한편, 칸트는 상징의 형식을 상징물과 효시적으로 구분했다. 라이프니츠가 수학적 기호들을 상징이라 한 것에 대해 칸트는 '언어', '대수학 기호' 등은 대상을 닮은 것이 아니라고 한다. 그것들은 단지 연상작용에 의해 개념을 떠올리도록 하는 감각체일 뿐으로 상징이 아니라 기호라고 하였다. 그런 칸트에게 상징은 미적 이념을 구현하는 유비적 판단의 형식이다.

카시러는 칸트의 인식론을 넘어서 상징을 오성이나 이성의 보다 보편적 정신기능으로 이해했다. 카시러는 이렇게 말한다. "수학적 · 자연과학적 존재가 형식의 모든 것을 다 길어내지는 못하며, 실천이성비판에 의해서 그 근본법칙이 해명되는 자유의 예지계에서 그리고 심미적 · 목적론적 판단력의 비판에서 해명되는 예술의 영역과 유기체적 자연형식의 영역에서 이러한 측면이 드러난다."[1)]

그러한바, "인식기능들의 구체적인 다양성과 상이성을 지배하는 하나의 규칙"에 관한 탐구가 요구된다.[2)] 모든 문화는 특정한 상징적 형식들에 의해 형성되는 것이 분명하다.[3)] 그리고, 우리의 형성적 정신작용에는 신화, 언어, 예술, 역사와 같은 문화 전반을 아우르는 보다 보편적 원리인 상징 기능이 작용한다.

카시러는 사고를 지각 · 직관 · 개념적 사고로 구별했다. 감성과 상상력이 우세하면 표현적 형식의 신화, 감성에 바탕해 상상력과 오성이 조화를 이루면 재현적 형식의 예술, 전적으로 오성이 작용하면 개념적 형식인 과학의 세계관을 구성한다고 한다.

언급하였듯이, 사고의 원형을 판단으로 인식하는 칸트는 판단력의 유형에 따라 경험 인식의 지각 사고와 추론 사고로 구별한다. 한편, 오성이나 이성보다도 보편적 지성의 형식으로서 상징 기능을 통찰한 카시러는 상상력의 활동성 여부에 따라 지각 사고, 직관 사고, 개념적 사고의 셋으로 구별한다. 하지만, 이 책의 필자는 오성 · 이성 · 판단력 · 상징은 모두 사고에 관한 화용론적 표현의 용어들이며, 사고의 본성은 '동일화'라고 주장한다.

---

1) Ernst Cassirer. 『상징형식의 철학』 I (박찬국 역). 아카넷. 2011. pp. 33-34.
2) 같은 책. p. 31.
3) 같은 책. p. 109.

판단은 매개를 이용하여 다른 두 기호나 대상을 하나로 연결하는 동일화의 정신기능이다, 그런데, 칸트는 규정적 판단력이라는 개념으로써, 판단력의 매개적 사고 기능을 일면에서 제한했다. 그리고 카시러는 상징을 유비적 전용의 정신 기능으로 이해하면서도, 형식을 통해 의미를 구현하는 상징이 동일화 정신작용이라는 사실을 간과했다.

카시러는 시 · 예술을 창조하는 직관(이 책의 필자의 통찰) 사고가 상상력이 오성과 조화를 이룬 사고라고 말한다. 결국, 칸트는 규정적 판단력 개념을 통해서, 카시러는 상상력을 통해서, 우리의 사고가 동일화 정신작용의 통찰 사고라는 인식을 비껴갔다. 그러나, 매개를 통해 다른 두 대상을 통일적으로 연결하는 동일화 정신작용의 사고는 모두가 본질에서 통찰적이다.

통찰이란 동일화 과정이 논리규칙의 형식들을 초월하여 의식되지 않는 상태에서 전일적으로 이루어짐으로써 "아하!" 현상을 통해 결과만 우리의 의식에 나타나는 것을 말한다. 우리의 모든 사고는 지각조차도 그러한 '아하' 현상의 통찰이다. 따라서 우리가 그 내용을 명확히 이해하기 위해선 통찰의 결과를 토대로 다시 추론을 수행해야 한다.

피히테는 이러한 사고의 실제 수행적 상황을 고려하여 "지성적 직관"이라는 개념을 사용했다. 그럼으로써, 칸트가 엄격히 구별한 감성과 오성이 실제의 수행에서는 하나의 지성으로 나타난다고 주장했다. 이러한 입장은 카시러에게도 나타난다. 그런데, 이들은 감성과 오성이 융합된 지성적 직관 개념의 근거로 상상력을 내세웠다. 하지만 지성적 직관 개념을 이 책의 필자가 말하는 바와 같은 '통찰'의 성격으로까지 개진해 나가지 않았다. 통찰은 비의식 상태에서 우리의 정보체에 내장된 정보들을 활용하여 논리규칙을 초월한 사고를 수행하는 일이다.

언급이 있었듯, 칸트의 비판철학은 순수이성의 독단 가능성에 대한 경고를 위한 조치로서 논구된 것이었다. 그런 관점에서 칸트는 사고의 본질소를 규명하고 경험 인식의 지각 과정을 인식론적 관점에서 전례 없이 정밀하게 기술했다. 사고에 관한 이러한 칸트의 연구는 그 본래의 목적이나 의도와는 또 달리 오늘날 사고 현상과 인공지능의 원리를 탐구하는 심리학과 인지과학 등의 학문에 더 없이 탄탄한 토대와 배경을 제공하고 있다.

또한, 칸트는 취미 판단을 논하는 자리에서 상징을 기호와 구별하고 유비적 판단의 형식으로 이해했다. 이것은 시 · 예술 창작의 사고 역시 논리적 정신에 의해서 구현된다는 사실과 함께 상징을 사고 형식의 관점에서 바라보게 하는 계기를 마련하였다고 할 수 있다. 아울러 칸트의 상징에 대한 논의로써 상징은 철학사에서 확고한 수사학적 논거를 갖게 된다.

한편, 카시러는 칸트의 이성 중심의 인식을 넘어 상징 기능과 상징이 수학 · 과학은 물론 신화 · 예술 · 역사 · 언어 등의 제반 문화 형식을 창조하는 본질적 정신 기능임을 규명했다. 레이코프 · 존슨 그리고 이들과 의견을 함께하는 에델만을 비롯한 오늘날 많은 연구자들은 사고가 은유적 · 패턴적 경향을 지녔다고 주장한다. 그런데 이들이 말하는 은유적 · 패턴적 사고 개념은 카시러가 『상징형식의 철학』(1923-9)과 『인간론』(1944)등을 통해 상징 기능과 상징 개념으로써 선구적으로 주장한 것들이다.

그러하듯, 칸트와 카시러는 사고와 관련하여 기능과 형식의 관점에서 보다 본질적인 통찰을 선취하고 제시하였다. 이어지는 글은 그와 같은 칸트와 카시러의 논의들을 필자가 제시하는 상징학의 관점에서 검토하고 미완의 문제로 남아 있는 사고의 본성과 작용원리에 관하여 보다 본질적 견해들을 제시한다.

1.1. 칸트 인식론 비평

1.1.1 오성 · 이성의 분리와 범주 문제

우리가 '국화꽃'임을 알기 위해서는 시각과 후각 등의 감성으로 심리적 시 · 공간에서의 표상을 통해 그 식물의 인상을 느껴야 한다. 아울러 그 인상에 오성이 개입함으로써 '국화꽃'이라는 인식을 갖는다. 그런데, 시각 · 후각 등으로 인상을 형성하는 능력은 '감성'이다. 칸트의 인식론은, 감성이 얻은 인상에 오성이 개입하여 '국화꽃'이라는 통일된 의미의 인식을 얻는다:

우리의 인식은 심성의 두 기본 원천에서 발생한다. 하나는 표상을 받아들이는 능력(인상의 수용성)이다. 또 하나는 이런 표상을 통해서 대상을 인식하는 능력(개념의 자발성)이다(B 74). 감성만이 우리에게 대상의 '직관'을 주고, 오성에서 '개념들'이 발생한다. 오성을 통해서 직관들은 '사고된다'(B 33).

그러면 과연 오성은 우리가 '국화꽃'임을 아는데 어떤 능력을 발휘하는 것일까? 먼저, 오성은 우리의 사고가 잘못된 길로 들어서지 않도록, '사고'의 출발점이자 사고의 '근본형식'인 '범주'를 제공한다(B 118). 예를 들어, 조화(彫花)를 생화로 잘못 본 것이 아니라 실재하는 국화꽃인지(성질 범주). 한 송이인지 그 중의 몇 송이인지 아니면 전부가 다 국화꽃인지(수량 범주) 혹은 피어난 꽃인지. 피어날 수 있는 꽃인지, 반드시 피어날 꽃인지(양태 범주). 그러한 범주화 능력의 오성으로 인해 우리가 국화꽃의 상을 규정한다.

이와 같이, 칸트는 어떤 꽃의 직관인 '인상'에 개념의 '범주'를 적용하여 분명한 '국화꽃'에 관한 의미를 얻는다. 그래서 칸트는, "직관 없는 개념은 공허하고, 개념 없는 직관은 맹목"(B 75)이라 한다. 그러한 칸트는 12 가지 유형의 기본 범주[4]를 일반논리학의 12 가지 판단형식의 각 전제가 되는 근본 개념들로부터 구한다(B 106). 물론 이러한 범주는 위의 예에서도 알 수 있듯 일반 누구나 평소에 의식하지 않는 가운데 거치는 인식의 과정들로서 아주 기본적이고 본질적인 것들이다.

그런데, 칸트는 여기서 사람들이 받아들이길 꺼려하는 문제를 언급한다. 오성 일반은 규칙의 능력이요, 판단력은 규칙 아래로 경험 인상을 '포섭'하는 능력(B 171)인바, 보편에 특수가 귀속되려면 보편과 특수가 동일한 종(種)이어야 하나, 인상은 '질료'적 성격의 것이고 범주는 '형식'이므로 판단이 구성될 수 없다(B 176).

한 개념 아래 대상을 포섭하려면, 대상의 표상은 언제나 개념의 표상과 동종적이어야 한다. 오성의 순수한 개념인 범주는 경험된 감성적 직관의 국화꽃 인상과 비교하면 전혀 이종적이다. 그래서 범주와 현상이 같은 종류로서 범주를 국화꽃의 인상에 적용할 수 있도록 하는 '매개체'가 있어야 한다. 이 매개적 표상은 '지성적'이면서 또한 '감성적'이어야 한다. 이러한 표상이 '선험적 도식'이다(B 176f).

---

4) 칸트의 12 범주 유형: 분량(단일, 수다, 총체), 성질(실재, 부정, 체한), 관계(실체/우유, 원인/결과, 상호성), 양태(가능/불가능, 현존/비존재, 필연/우연).

그래서 칸트는 '범주'에 시간성을 적용한다. 표상들을 연결하는 형식적 조건인 시간은, 순수한 형식인 '범주'와 동종이다. 또한, 시간은 모든 경험적 표상을 아우르는바, '현상'과 동종이다. 그러므로, 인상에 대한 범주의 적용은 선험적 시간규정을 매개로 해서 가능하다. 선험적 시간규정에 의한 '오성'의 도식은 범주에 현상을 '포섭'하는 매개체의 역할을 한다(B 178).

'형식'의 성질인 시간과 범주는 쉽게 결합되고, 시간은 또한 모든 질료적 존재를 품을 수 있으므로 범주에 결합된 시간은 질료적 도식이 될 것이며 따라서 인상과 범주의 포섭 여부에 관한 판단이 진행될 수 있다(B 178). 이와 같이, 범주의 개념에 상상력으로써 형상을 부여한 표상이 '도식'이다(B 180). 그러한바, 감성적 개념의 도식은 순수한 선천적 상상력의 산물이다. 말하자면 도식은 순수한 선천적 상상력의 약도이다(B 181). 이와 같이 경험을 위한 판단에 있어서 칸트는 범주에 '상상력을 사용해' 시간 도식을 형성한 뒤에 상을 비교해서 귀속 여부의 판단을 한다.

그리고, 오성의 수행은 여기까지이다. '오성'은 국화꽃이라는 의미의 인식을 얻는 데까지만 사용된다. 국화꽃이라는 의미의 개념을 얻기까지 오성은 ① '범주'능력으로서 작용하고, ② 범주에 어떤 인상을 적용하는 '규정적 판단력'으로서 기능한다. 이와 달리, 이성은 국화꽃과 같은 의미로서의 개념들로 이루어진 판단을 연결하는 반성적 판단을 이어가는 추론 능력이다.

그러니까, 오성은 '지각 인식'에 사용되고, 이성은 지각 인식으로 얻은 개념들을 사용해서 '추론'을 하는 사고기능에 대한 용어이다. 그러면, 이와 같이 '오성'과 '이성'으로 사고의 능력을 구별해서 다루어야 하는 이유는 무엇일까? 지각 인식과 추론 여부를 떠나 오성이든 이성이든 '사고'나 또 다른 하나의 용어로 통일해서 사용하면 안 되는 것일까? 이것은 이 책의 필자의 관점에서 볼 때, 칸트 인식론의 미스터리로서, 칸트 인식론의 근간을 살펴보게 한다.

결론적으로, 칸트는 직관된 상과 도식화된 범주의 포섭 여부를 확인함으로써 경험 인식이 수행된다고 생각한다. 하지만 이 책의 필자는 상의 도식과 도식인 범주와의 포섭 여부를 확인함으로써 경험 인식이 수행된다는 생각을 갖고 있다. 다시 말하면, 먼저 감각된 상을 도식화하여, 그것과 도식의 범주를 비교 확인함으로써 경험 인식이 수행된다는 생각이다.

부연하면, 우리의 지각은 인상과 도식을 비교하는 것이 아니라, 상의 '도식'과 범주적 '도식'을 비교함으로써 이루어진다. 또한, 범주는 우리의 정보체에 내장된 의미 기호인 까닭에 별도로 도식화할 필요가 없다. 따라서, 감각된 상만을 도식화하여 포섭 여부를 확인하면 된다는 것이 이 책의 필자의 생각이다.

위와 같은 주장의 이유는 이러하다: 우리의 사고는 매개를 사용하여 기호와 기호를 통일적으로 연결하는 동일화(A=C) 정신작용이다. 그리고, 기호는 '의미'이다. 그러한바, 우리가 사물을 지각한다는 것은 감각된 상에 통일된 의미를 부여하는 일이다. 그러기 위해서 우리는 먼저 부분적인 상들에 의미를 부여한다. 의미를 부여하는 일은 곧 기호화한다는 말이다. 그리고, 의미 기호가 곧 도식임은 달리 설명할 필요가 없는 일이다.

이와 같이, 경험 인식을 위해서는 먼저 감각된 상을 하나의 어떤 의미 기호로 도식화해야 한다. 그러한 상의 도식화는 (이것은 어떤 무엇이 아닐까 하는) 가정적 사고가 전제 된다. 그러한 가정이 검증과정에 의해 사실로 확인되면 인상은 비로소 도식으로 추인(재인)된다. '포섭'이란 인상의 (가정된) 도식과 범주적 도식의 일치 여부를 확인하는 일 즉 동일화이다. 물론, 우리의 정보체 내에 있는 범주는 하나의 의미로서 원형적 지식이자 기호이다. 따라서, 칸트가 말하듯 형상 없는 범주에 상상력을 동원하여 시간성을 부여하는 도식화 작업을 할 필요가 없다는 것이 이 책의 필자의 생각이다.

한편, 우리의 정보체 내에 있는 원형적 기호인 각종 범주들을 비롯한 모든 의미 기호들은 경험 인식의 지각 사고나 추론 사고 등의 수행 시에 비의식기호로서 작용하여 사고를 수행토록 한다. 칸트가 말하는, 상상력을 사용하여 도식을 확인하는 경우는 모호한 사물에 대한 경험 인식을 수행하는 경우이다.

한편, 사물에 대한 경험 인식의 지각 등은 단지 현재의 인식행위에만 그치는 것이 아니라, 후일에 다시 있을 경험 인식이나 통찰, 추론 등의 사고 시에 활용할 수 있도록 인식된 의미를 우리의 정보체에 내장하는 목적도 있다. 이러한 내장은 또한 반드시 기존의 정보체에 있는 기호와 동일화함으로써 이루어진다. 그런데, 이러한 동일화 정신활동은 곧 사고작용이다. [이에 관해서는 "vi. 1.2. 기호 · 사고 · 기억(내장)" 편 등에서 상술되고 있다.] 그리고, 이러한 우리의 사고는 반드시 기호로써 수행된다.

☞ 이 책의 필자는 '기억'이란 용어 대신에 부득이한 경우가 아니면, '내장'이란 용어를 사용한다. 기억 행위는 곧 사고 행위로서, 기억과 사

고는 동일한 정신활동의 과정이다. 그런데, 대부분의 심리학자들이 이러한 사실을 고려하지 않고 정보 저장 활동에 기억이란 용어를 사용한다. 하지만, 이 책의 필자는 '기억 곧 사고'라는 관점에서, 정보 저장의 의미에 대해서는 기억이란 용어를 사용하지 않고 '내장'이라는 말을 사용한다.

경험 인식을 수행함에 있어서 우리가 먼저 경험 인상을 도식화하는 이유는 분명해졌을 것이다. (인상과 범주적 도식의 포섭 여부를 확인하는 것으로 끝나는) 칸트의 경험 인식론에는 우리가 경험 인상을 도식으로 변경하고, 그 도식을 저장한다는 언급이 없다. 다만, 칸트는 "사실 우리의 순수한 감성적 개념(관념)의 기초에 놓여 있는 것은 대상의 형상이 아니고 도식(B 180)"이라고만 말한다.

또한, 우리가 실재로 사물을 지각하는 경우, 칸트가 말하듯 범주를 먼저 떠올려 이에 상상력으로써 형상적 도식을 구하여 사물의 인상과 포섭 여부를 판단하지는 않는다. 그와 달리 사물의 상을 도식화하고 곧 바로 범주로서의 도식을 떠올려 그 포섭여부를 판단한다. 그리고, 인상의 도식 즉 기호(정보)를 내장한다.

☞ 물론, 이것은 지각 대상이 분명하지 않고 모호한 경우에 우리가 확인할 수 있는 내용이다. 이와 달리 우리가 잘 알고 있는 사물은 이러한 포섭 여부의 판단과정이 의식되지 않고, 비의식 상태로 처리된다. 따라서 우리는 마치 그러한 과정을 생략하고 사물을 곧바로 인식하는 것처럼 여기게 된다. 하지만, 칸트가 '포섭'이라고 말하는 그러한 판단과정이 어떤 형태로든 우리의 경험 인식과정에서는 존재한다. 그런 결

과로 대상에 어떤 의미를 부여할 수 있다.

언급했듯이 우리의 모든 '판단'은 도식으로 구성된다. 우리의 사고인 판단은 질료적 인상을 도식으로 기호화함으로써 수행된다. 인지과학의 형판이론. 원형이론. 세부특징이론. 비더만의 구성요소 이론에서 말하는 형판, 원형, 세부특징, 그리고 근본모형의 지온 등은 감각 인상과의 포섭 여부를 확인하기 위해 우리의 정보체에 저장된 '도식'의 구체화된 형상체들로 이해할 수 있다.

☞ 현대의 인지과학에서는, 전체를 중심으로 부분을 판별하는 형태주의, 모호한 조각들에 대한 추론으로 전체를 파악하는 구성주의를 비롯하여 형판이론, 원형이론, 세부특징이론, 계산지각 모형이론 등 다양한 지각인식의 방식들이 제시되고 있다. 하지만, 실제 우리의 지각인식은 대상이나 개인의 지각습관 등에 따라 그 방식이 조금씩 다를 수 있어 어느 한 가지 방식만이 누구에게나 적용되거나 되어야만 한다고 말할 수는 없다.

칸트는 범주를 사고의 근본형식이라고 하였다. 하지만, 사고의 본성이 동일화(A=C)라는 점에서, 사고의 근본형식이란 개념은 성립하지 않는다는 게 이 책의 필자의 입장이다. 사고는 '동일화(A=C)'라는 개념의 성격이 시사하듯, 어떤 하나의 인식을 이루는 판단의 성립 이유에 대한 무한 추궁이 이루어질 수 있기 때문이다. 그러한 까닭에 범주는 사고의 근본형식이 아니라 사고의 한계형식으로 이해해야 한다.

또한, '동일화' 정신작용인 우리의 사고는 동적인 것이며 정적인 것이 아니다. 사고의 원형을 칸트 역시 '판단'이라고 했듯, 우리의 동일화 정신작용의 사고는 언제나 하나의 기호를 대상으로 하여 다른 기호로 이행하는 인식작용이다. 그러한 우리의 사고는 기호가 아니라, 기호를 조작하는 일이다. 하지만, 칸트의 범주는 "사고의 근본형식"이라는 하나의 '의미'로서 사고의 대상인 '기호'이다. 이러한 관점에서 칸트의 범주 개념은 의미 즉 기호를 사고로 규정하는 모순을 내포하고 있음을 확인할 수 있다.

앞서 언급했듯이, 우리의 실제 경험 인식의 과정에서도 범주를 떠올리고 시간성을 부여하여 도식화하는 정신과정은 (모호한 대상의 지각 과정에서도) 일어나지 않는다. 혹자는 그러한 경험 인식 과정이 이 책의 필자가 말하듯 의식되지 않는 비의식 상태로 수행되는 까닭에 실제 우리의 지각과정에서는 수행된다고 생각할 수 있지 않느냐고 할 수도 있을 것이다. 물론, 그렇게 생각할 수 있다.

하지만, 사고의 본성인 동일화의 성격과는 달리 사고를 판단기능이 아닌 '사고의 근본형식'이라는 정태적 의미의 기호로 규정함으로써 발생하는 모순은 어떻게 설명할 수 있는가. 그리고, 범주의 도식화 과정을 가정하는 것도 범주가 사고의 근본형식이라고 한 칸트의 언급 외에 달리 그 필연적 이유나 근거 또한 확인되지 않는다.

그리고, 상(이미지)과 달리 도식은 체계를 지닌다. 이러한 정보의 체계화는 장기기억을 가능하게 하고 또한 회상을 쉽게 한다. 그러한 까닭에 우리가 경험 인식의 과정에서 직관된 상들을 도식화하는 것은 장기기억을 위해서도 반드시 필요한 일이다. 그리고 무엇보다도, 사고는 (의미)기호와 (의미)기호를 연결하는 정신활동인바, 직관된 상에 관해 사고를 수행하기 위해서는 반드시 상을 도식 즉 의미 기호로 변환해 내어야 한다.

신헤겔주의자 크로너(Richard Kroner, 1884-1974)는 이렇게 주장한다: 경험은 보편적 자연 법칙을 통해 가능한 것이 아니라, 생산적 상상력의 실제 작용(판단 활동)을 통해 가능하다. 그런데 칸트는 생산적 상상력을 대신해 포섭 활동을 도입한다. 선험적, 논리적 가능성은 결코 형식적이고 논리적인 보편성이 아니라 오히려 자아의 '자발성'이다. 자아는 경험의 대상을 산출함으로써 경험적으로 인식한다.

칸트의 시간 도식론에 대해 크로너는, '경험 인상에 대한 범주의 적용'을 형식적이고 논리적인 포섭으로 이해할 것이 아니라 실재적이고 경험적인 '상상력'의 종합 작용으로 이해해야 한다고 주장한다.[5] 이러한 견해는 피히테 이후 칸트 연구자들이 대체적으로 견지해온 입장이다.

그런데, 지금껏 살펴보았듯이 칸트와 같이 범주에 시간성을 부여하든 아니면 이 책의 필자와 같이 범주를 도식으로 이해하든, 포섭의 문제는 요구된다. 그리고, 이러한 포섭 상황은 모호한 대상에 관한 지각 경험의 경우에 우리가 인지할 수 있음은 언급한바와 같다. 이와 달리, 익숙한 대상에 관한 경험 인식의 경우는 그러한 포섭 판단의 과정이 (내장된 정보의 도움으로) 자동적이고도 전일적인 방식으로 처리되어 우리의 의식에 나타나지 않는다.

하지만, 그렇다고 그러한 포섭의 과정이 없는 것은 아니다. 다만, 그

5) Richard Kroner.『칸트 / 1 : 칸트에서 헤겔까지』(연효숙 역). 서광사. 1994. pp. 108, 106.

러한 포섭 과정이 그에 상응하는 다른 방식으로 수행되는 것일 뿐이다. 그런 까닭에 이 책의 필자는 우리의 모든 사고가 논리규칙을 초월하여 비의식 상태에서 전일적으로 수행되는 통찰이라고 말하는 것이다. 이것은 경험 인식의 지각 사고 역시 마찬가지이다. 그런데, 칸트나 크로너 등은 경험 인식 사고의 이러한 성질을 고려하고 있지 않다.

그리고, 무엇보다도 상상력은 오성이든 이성이든 사고의 진행 중에는 개입하지 않는다. 만약, 우리가 잘 알고 있는 국화꽃이 한 송이인지 여부를 판단하는 과정 중에, "개념에 그 형상을 부여하는 상상력의 표상(B 180)"이 개입된다거나 크로너가 주장하듯 "경험의 대상을 산출함으로써 경험적으로 인식"하는 과정에서 "상상력의 실제 작용"이 있다면, 우리의 사고는 그 순간 정지한다. 상상력은 언제나 사고가 정지되면서 활동한다.

크로너를 비롯한 대다수의 논자들이 칸트의 도식론 무용설을 '상상력'의 기능에 의지하는 것을 볼 수 있다. 그리고 "상상력의 실제 작용(판단 활동)"이란 표현에서도 볼 수 있듯, 크로너는 판단 활동을 상상력의 작용으로 이해하는 것으로 생각된다. 하지만, 추론과 통찰 등의 우리의 사고는 상상력에 의해 이루어지지 않는다. 상상력은 지각 · 통찰 · 추론 등의 사고의 결과물을 의식에 나타내는 표상 작용이다. (이러한 사실은 "v. 4. 상상력과 사고 · 기호" 편에서 상술되고 있다.)

1.1.2. 사고의 근본형식과 사고의 한계형식

칸트의 범주는 우리가 사고 과정에서 가장 먼저 떠올리는 단계의 사고작용으로서 누구나 의식하지 않는 가운데 행하는 일이기도 하다. 문제는 그러한 범주의 성격에 대한 칸트의 인식이다. 범주는 '사고의 근본형식이다(B 118). 오성은 '사고의 근본형식'인 범주를 제공한다(B 118). 범주는 '인간인식 일반'의 가능성에 대한 최초근거에 육박할 것을 강제한다(A 98)고 칸트는 말한다.

그러나, 사고의 본성은 동일화(A=C)이다. 동일화(A=C)는 A-B, B=C라는 전제적 판단들을 내포한다. 이와 같이 모든 판단은 그 원인이 되는 판단을 전제한다. 마찬가지로, 오성은 근거 없이 범주를 제시하지 않는다. 오성은 규칙의 제시 이전에, 인상이 특정 범주에 해당하는지 여부에 관한 선행 판단을 한다.

정언판단은 선언판단의 결과이고, 긍정판단은 부정판단의 결과이며, 정언판단을 수행하는 동일률은 모순율의 검토 결과이다. 범주의 제시 이전에 우리의 사고는 여러 유형의 범주들 가운데 어느 범주에 해당하는지에 관한 선언적 판단이 있고 가언적 판단을 거쳐 특정 범주를 정하는 긍정판단을 한다. 그러한 판단들은 모두 모순율에 대한 검토 이후에 이루어지는 동일률의 적용이다.

우리의 사고는 본질적으로 비의식 상태에서 동일화의 판단 과정들이 즉시적이고도 전일적으로 이루어지는 통찰 작용이다. 그리고 그 내용들은 다시 추론 사고에 의해서 언어 기호 등으로 나타내어진다. 그러한 우리의 사고의 본성은 '동일화'이다. 그리고, 동일화(A=C)는 '판단'의 동적 형식으로서, 동일화는 그 판단을 있게 한 판단들에 대해 무한 추궁을 전제하며, 또한 통찰된 판단을 토대로 무한히 새로운 판단을 수행하게 한다. 그러한바, '동일화' 다시 말해 판단의 형식은 어떤 근본형식도 전제되지 않는다. 있다면, '동일화'라는 사고의 본성 그것만이 근본형식이라고 할 수 있다.

Edgar Rubin(덴마크 심리학자), 루빈 꽃병 1920

Joseph Jastrow(미국 심리학자), 오리-토끼, 1892

대상 경험이 장미나 주전자와 같은 일반 사물인 경우 그 실재성 · 다수성 · 실체성 여부 등은 즉시 인지 · 판단이 가능하여 자동적으로 범주들이 제시된다. 그러나 착시 현상을 일으키는 대상 앞에서는 수다성, 실체성 등의 범주 제시 이전에 각 범주들에 대한 여러 타당성들 가운데 하나의 범주를 확정하는 선언적 판단을 거쳐야 한다.

칸트 또한, 모든 판단 이전에 앞선 판단이 있음에 대해서 언급하고 있다. 모든 객관적 판단을 내리기 전에, 개념들을 우리는 비교한다. 이때에 '전칭'판단을 위해서는 (하나의 개념 아래 있는 많은 표상들의) '일양성'이 있고, '특칭'판단을 산출하기 위해서는 '차이성'이 있으며, '긍정'판단을 생기게 하는 데는 '일치성'이 있고, 부정판단이 생기게 하는 데는 '모순성'이 있는 것 등을 우리는 안다(B 317 이하). 범주는 이러한 선 판단의 결과물이며, 우리의 경험 사고 역시 이러한 판단과정에 의한다.

범주를 사고의 근본형식인 규칙(B 158)이라 한 것은, 경험 인식과 추론 사고를 규별하기 위한 칸트 인식론의 불가피한 선택으로 보인다. 하지만 그렇다고 하여서 범주를 자명한 사고의 출발점으로 규정한 것이 정당화될 수는 없을 것이다. 사고의 근본형식은 사고의 출발점이므로 그 이전에는 '판단력'의 개입이 허용되지 않는다. 쇼펜하우어 역시, 파라문과 불교는 무제약적 원인(절대 시초)의 가정을 허락하지 않았고, '서로 제약하는' 현상들의 계열을 무한히 소급해 갈 것만을 가르쳐 주었다고 한다.[6] 우리는 단지 사고의 한계를 인식함으로써 비로소 그곳에서 사유를 시작할 뿐이다.

언급했듯이 우리는 사물의 상을 도식화해서 범주에 곧바로 적용할 수 있다. 상의 도식화엔 먼저 상의 대표적 특징들에 대한 발견이 요구된다. 우리는 경험된 인상에서 대표적 특징들을 범주와 대조하여 그 의미들을 규정하고 다시 그 의미들을 종합적으로 재구성함으로써 국화꽃이라는 통일된 인상의 의미(기호)를 구할 수 있다.

그런데, 대표적 특징들에 대한 의미를 규정하는 '지성'의 활동은 사실은 이러저러한 가정들에 의한 추론으로서 '이성'의 작용이다. 한편, 이와 같이 지각인식에 '이성'이 개입된다면, 범주 · 오성 · 도식 · 규정적 판단력 등의 개념체계에 의한 칸트의 선험적 분석론은 역시 내적 모순에 당면하게 된다.

---

6) 최재희.『칸트의 순수이성비판 연구』. 박영사. 1985. p. 214.

칸트는 경험 인식의 지각 사고를 추론이 아닌 '직접 인식'의 사고활동으로 이해했다. 그런 칸트는 우리의 사고를 경험 인식의 사고와 추론 사고의 두 유형으로 구별한다. 그리고, 판단력을 규정적인 것과 반성적인 것으로 구별한다. 칸트는 이러한 규정에 따라 오성과 이성의 역할을 가르고, 최종적으로는 경험을 초월한 순수이성의 자유분방한 독단적 인식의 가능성에 엄중한 주의와 경고를 주고자 하였다. 그러한 선험적 논리학의 취지를 구현하는 과정에서 칸트는 범주를 사고의 근본형식으로 규정하고, 그러한 범주에 상상력에 의한 도식화 정신과정이 있음을 피력하였다고 이해할 수 있다.

1.1.3. 시간 · 공간론 비판

아우구스티누스(Aurelius Augustinus, 354-430)는 『고백록』 제11권을 통해 천지창조와 시간에 관해 언급한다. 눈길을 끄는 것은 시간이란 '정신의 연장'(같은 책 26장)[7]이라며 객관적 시간을 부정한다. '정신의

---

7) '정신의 연장'이란 시간관은 플로티누스(Plotinus, 204-270)의 『에네아데스』 제3권 제7편 제11장에 나타나고 있으며[『고백록』(방곤 역). 대양서적. 1984. p. 353. 역자 주 참조] 아우구스티누스는 『고백록』 제7권 제9장의 머리 주제로서 "플라톤파의 책 속에서 영원한 말씀의 신성을 발견했으나"라고 한다. 역자 방곤은 '플라톤파'란 신플라톤주의자들로서 플로티누스, 폴피리우스, 얀브리코스 등임을 명확히 밝히고 있다. 사실, 아우구스티누스는 신플라톤주의의 영향을 받았음은 널리 알려진 사실이다. 이러한 점들에서 볼 때, 국내외 연구자들이 '시간'에 관하여 논하면서 아우구스티누스가 시간에 관하여 처음으로 면밀히 상설하였다고 소개하는 것은 무리가 있는 것 같다. 연구자들은 하나 같이 『고백록』 제11권 제14장의 "그렇다면 도대체 시간이란 무엇일까요. (…) 즉, 우리가 진정한 의미에서 '시간이 있다.'고 할 수 있는 것은 바로 그것이 '없는 방향으로 향하고 있기' 때문"이라는 내용을 인용한다. 그러나 이 책의 필자의 견해로는 아우구스티누스의

연장'이란 관념은 플로티누스 역시 가지고 있었던 것으로 그 기원은 더 욱 거슬러 올라갈 것으로 생각된다. 그리고, "정신의 연장"이라는 생각은 또한 칸트에게서 심리적 실제의 사건이라는 관념으로 나타난다.

시간 표상은 경험 대상을 불러오는 재생적 상상력과 항상 관계하는 도식이다(B 195). 우리는 시간으로부터 현상을 없앨 수는 있지만. 현상에서 시간을 없앨 수는 없다. 시간은 선천적으로 주어져 있다. 현상들은 예외 없이 제거될 수 있으나 현상들을 가능하게 하는 보편적 조건으로서의 시간 그것은 없앨 수가 없다. 현상이 실재하는 것은 모두 시간 중에서만 가능하다(B 46).

가령 물체라는 경험적 개념에서 모든 경험적인 것을 순차적으로 제거한다 해도, 빛, 단단함이나 부드러움, 무게, 불가침입성까지 제거한다 해도 물체가 차지했던 공간은 여전히 남아있어 공간을 없앨 수가 없다(B 6).

하지만, 우리는 시간의 절대적 실재성에 대한 모든 요구는 거부한다(B 52). 시간은 어느 경험에서 유도된 경험적 개념이 아니다(B 46). 시간은 자기 자체로 있는 것이 아니요, 사물의 객관적 특성으로서 사물에 속해 있는 것도 아니다(B 48). 시간은 감성적 직관의 '순수 형식'이다(B 47). 시간은 대상 자신에 속해 있지 않고 대상을 직관하는 주관에만 속해 있다(B 54).

시간론의 핵심은 같은 책 같은 권 제26장의 "시간은 정신의 연장"이란 내용과 같은 권 제28장의 "정신은 기대하고, 직시하고, 기억"한다는 내용 그리고, 제30장의 "피조물이 없으면 어떠한 시간도 있을 수 없다"("세계는 시간과 더불어 만들어졌다". 아우구스티누스. 『신의 나라』. 방곤 역주에서)라고 생각한다. 결론적으로, 아우구스티누스의 시간관은 플로티누스의 시간관에 힘입은 바 크며, 서양에서의 시간론은 적어도 플로티누스 또는 엘레아학파 이전으로 거슬러 올라갈 것으로 생각된다.

칸트에게 변화 개념과 동시에 (장소의 변화로서의) 운동의 개념은 '시간' 표상에 의해서 또 '시간' 표상 안에 있어서만 가능하다(B 48). 그러나 시간은 운동에 의해서 정의된다. 시간은 운동자의 '지속'이다. 마찬가지로 공간은 운동자의 연장이다. 상상력은 현재의 인상을 만들기도, 대상과 일치하지 않거나 실재하지 않는 상을 만들기도 한다. 심리적 실재로서의 시간 역시 실재하지 않는 가상의 산물이다.

칸트는 '연장성'에서 연장의 내용을 완전히 비워내고 '공간'이라는 추상의 빈 그릇인 '형식'을 설정한다. '시간' 역시 그러하다. '지속성'의 '인상'에서 지속의 내용을 덜어내고 '시간'이라는 추상의 '형식'을 설정한다. 그러나 감각 경험 현상에서 감각 내용을 제거하면 감각인상 자체가 제거되는 것이고, 그것은 연장성 즉 공간 자체의 배제이다. 이 책의 필자의 관점에서 공간과 시간은 보편 · 필연적이 아닌, 가언적이고 개연적이며, 부정될 수 있기까지 한 것이다.

'때'를 알아야 하는 일상의 경험세계와 경험과학의 세계는 다르다. 경험과학이 인과율의 파탄을 피하기 위해서는 시간과 공간이 아닌 '지속'과 '연장'이라는 용어를 사용해야 한다. 지속과 연장은 경험 실재를 지시하는 용어이지만, 시간과 공간은 모호하고 막연한 의미를 지시하는 가상의 용어이다.

칸트의 시간 도식은 범주 적용을 위해 설정한 양태의 원칙 "2. 경험의 질료적 조건(감각)과 관련하는 것은 현실적이다.", "3. 경험의 일반적 조건[유추의 원칙]에 의해 현실적인 것과의 관련이 규정되어 있는 것은 필연적이다. 즉 필연적으로 실재한다."라는 칸트 자신의 명제와도 배치된다.

쇼펜하우어와 카시러는 칸트의 범주론과 도식론은 거부하나, 공간과 시간 형식은 수용한다. 쇼펜하우어에게 수학의 확실성은 시간과 공간의 합법칙성에서 기인한다. 쇼펜하우어에게 공간과 시간은 모든 가능한 경험에 타당한 법칙이다. 아울러, 공간과 시간은 칸트의 중대한 발견으로서 충족 이유율과 함께 순수하고 내용이 없이 직관되며, 독립적으로 존재하는 특별한 표상으로 간주된다.[8)]

카시러 역시 상징 형식을 구성하는 인식론적 준거의 틀로서 칸트의 시 · 공간을 온전히 수용한다. 카시러에게 "공간과 시간은 모든 현실이 관계를 가지는 틀이다. 공간과 시간의 조건에서가 아니면 우리는 어떤 현실적 사물의 개념도 가질 수 없다."[9)]

물리학 역시 역학의 주요한 개념으로 시간을 채용한다. 그러나 이 책의 필자의 관점에서, 시간은 독립성이 없으며 스스로의 실체 또한 있지 않다. 따라서, 시간 개념의 사용은 궁극적으로 모순과 부조리에 봉착할 것임이 분명하다. '시간'의 절대성이 부인되는 일반상대성이론은 그 한 사례이다.[10)]

칸트에게 시공은 두 개의 인식 원천이다. 칸트는 말한다. 여기서 선천적 종합인식이 나온다. 특히 순수수학이 공간과 공간관계와의 인식에 관해서 훌륭한 실례를 보여주고 있다. 즉 시공은 모든 감성적 추론의 순수형식으로서 선천적 종합명제를 가능하게 한다(B 55).

칸트는 시간을 범주의 도식화에, 공간은 기하학적 인식 성립의 토대

---

8) Arthur Schopenhauer. 『의지와 표상으로서의 세계』(곽복록 역). 을유문화사. 1994. pp. 48-49.
9) Ernst Cassirer. 『인간이란 무엇인가』(최명관 역). 서광사. 1988. p. 74 이하.
10) 변의수. 『비의식의 상징: 상징과 기호학/ 침입과 항쟁』. 한국학술정보. 2008. pp. 222-53.

로 설정한다. 칸트의 시간과 공간은 인식과 그 인식의 자발적 능동성을 이해시키는 형식이다. 칸트는 가상의 형식인 '시간'과 가상의 '도식'을 인식론에 사용한다.

1908년 민코프스키는 괴팅겐 대학에서 다음과 같은 내용을 발표했다. "공간 자체, 그리고 시간 자체는 그림자 속으로 흐릿하게 사라질 운명에 놓여 있다, 그리고 이들의 일종의 연합체만이 독립적인 실체를 지니게 것이다."[11] 시간은 볼 수도 만질 수도 없다.[12] 그럼에도 왜 시간은 기계처럼 작동하는 걸까? 여기엔 그 어떤 불가해하고 손에 쥘 수 없는 것조차도 감각화해내는 수학적 객관주의자의 연금술이 있다. 뉴톤(Isaac Newton, 1642-1727)은 『프린키피아』에서 말한다.

> 절대적이며 참된 수학적 시간은 그 자체가, 그리고 그 자체의 본성상, 다른 어떤 외계와도 관계없이 균등하게 흐른다. 이것은 달리 지속이라고도 불린다. (…) 모든 운동은 가속되거나 감속될 수 있지만, 절대 시간의 흐름은 어떤 변화도 겪지 않는다. 존재하는 사물의 지속 내지 보

---

11) Roger Penrose. 『황제의 새마음』 I (박승수 역). 이화여자대학교 출판부. 1996. p. 308.

12) 화이트헤드 역시 감각경험에 의해 지지될 수 없는 뉴톤의 절대시간에 대해 "형이상학적 괴물", "형이상학적 수수께끼"(*An Enquiry Concerning the Principles of Natural Knowledge*)라고 하였다[오영환. 『화이트헤드와 인간의 시간 경험』. 통나무. 1997. p. 153.] 아울러, *The Concept of Nature*에서 시간은 단지 자연의 추이 passage(과정process이라는 개념을 사용하기 전의 초기 사용 개념)라는 보다 근본적 사실의 어떤 측면으로 나타나 있는 것일 뿐이라고 함으로써 그 객체적 실재를 인정하지 않는다(같은 책. p. 165. 참조). 한편, 비트겐슈타인은 "이해되지 않는 낱말 사용을 우리는 어떤 이상한 과정의 표현으로서 해석한다. (우리가 시간을 이상한 매체로서, 영혼을 이상한 존재로서 생각하는 것처럼.)"라고 하여 마치, 시간을 과정으로 대치하는 화이트헤드를 비판하는 것으로 생각하게 한다. 비트겐슈타인 역시 시간이란 용어의 사용에 관해서 불만을 갖고 있는 것으로 보인다[『철학적 탐구』(이영철 역). 서광사. 2002. p. 82. 참조].

존은 운동의 속도나 운동의 유무와 관계없이, 동일하게 유지된다.[13)]

뉴톤을 이어받은 죤 로크(1632-1704)는 '지속되는 시간이란 무한하게 뻗어나가는 일직선의 길이' 라고 한다. 이러한 생각은 마법과도 같이 인간의 삶을 일직선상의 눈금과도 같은 것으로 변하게 한다. 하지만, 뉴톤이 기술하는 '절대적이며 참된 수학적 시간'이란 말 그대로 수학적 시간일 뿐 실재하는 시간은 아니다.

시간이 물질계의 움직임 그것이라면, 삼라만상의 움직임(속도)은 너무도 다양하다. 시간이 움직임 그것이라면, 시간은 의당히 감속하며, 가속된다. 그러한 관점에서 아인슈타인의 동시성[14)]의 부정은 조금도 놀랄 일이 아니다.

옥타비오 파스(1914-1998)는 "시간은 우리의 외부에 있지 않으며 시계 바늘처럼 우리 눈앞을 지나가는 어떤 것도 아니다. 우리가 바로 시간이며, 지나가는 것은 시간이 아니라 우리 자신"[15)]이라며 시간을 삶 그 자체로 환원한다. 파스는 직선으로서의 시간관을 배척함으로서 영원한 현재의 삶을 지향했다. 시간은 존재하지 않는 것. 리듬으로서의 시는 원형의 과거를 불러내고 모든 차원의 존재자를 화해케 함으로써 현존하게 한다.[16)]

호르헤 루이스 보르헤스(1899-1986)는 단편『죽지 않는 인간』의 서

---

13) 오영환.『화이트헤드와 인간의 시간 경험』. 통나무. 1997. p. 149. 재인용.
14) 아인슈타인의 '동시성'은 칼 융의 '동시성'과는 다르다. 전자는, 상대적 움직임 속에서는 외부 세계에 관한 동시적 지각이 불가하다는 것이고 후자는, 초월적 현상의 동시(적) 발현을 이른다.
15) Octavio Pas.『활과 리라』(김홍근 외 역). 솔. 1998. p. 72.
16) Octavio Pas. 같은 책. pp. 77-80.

언으로 프란시스 베이콘(1561-1626)의 『에세이』를 인용한다. “솔로몬은 ‘이 지구상에는 새로운 것이란 없다’고 말한다. 그러므로 플라톤이 모든 지식은 기억에 불과하다는 상상을 가졌듯이 솔로몬은 ‘모든 새로운 것은 잊혀진 상태에 불과하다’는 견해를 피력한다.”

보르헤스는 과거, 현재, 미래가 순환하는 시간관을 보여준다. 그리고 『쌍갈래 작은 길들이 있는 정원』에서는 환생한 스테펜 알버트 박사의 입을 통해 ‘순환하는 시간’에 관해 “여러 시간들의 무한한 계열, 즉 분산하고 수렴하며 평행하는 시간들의 증식하고 혼잡한 그물 (…) 접근하기도 하고 갈라지기도 하며 분단되기도”[17] 하는 매우 환상적이고 입체적인 시간관을 보여준다.

추상의 수학의 세계에서 시간은 절대적 움직임을 견지한다. 그러나, 물리적 실재계에서 절대적 시간은 존재하지 않는다. 시간은 공간의 부차적 차원일 뿐 독립적 실체로서 생각되고 있지 않다.[18] 시간은 움직이는 공간에 대한 계량적 표현일 뿐, 공간에 대한 또 다른 상징어이다. 우주는 움직임과 변화만을 지닐 뿐, 시간은 내장하고 있지 않다. 시간은 원자의 알갱이도 파동의 움직임도 에너지의 흐름으로서도 아닌 추상적 명사로서의 시간일 뿐이다.

---

17) J. L. Borges. 『죽지 않는 인간 외 』(김창환 역). 오늘의 세계문학 제29권. 중앙일보사. pp. 5, 34, 37.

18) 아인슈타인을 비롯하여 물리학계에선 시간의 비외재성 즉, 객관적 실체로서의 시간을 직접적으로 부인하고 있지는 않다. 그러나, “모든 존재는 시간과 공간을 떠났다. 시간과 공간은 그림자 속에 숨어 버리고 시간과 공간이 융합하는 시대가 온다” 고 한 민코프스키의 시공간 통합 선언의 의미와, 아인슈타인의 동시성 부정, 중력장 속에서의 시간의 지연론 등은 그 내용을 들여다보면 움직이는 세계와 그 힘이 주인임을 알 수 있다. 그러나, 물리학자들은 아직도 시간의 부재를 선언하지는 않고 있다.

시간은 존재의 또 다른 차원에 대한 표현이다. 시간은 모든 움직임의 드러남이다. 시간은 무수히 다른 힘, 속력을 갖고 있는 것들이다. 사실, 이러한 입장이 시사하는 취지의 말은 『자연학』에서 아리스토텔레스(BC 384- BC 322)가 이미 한 바 있기도 하다: "시간은 운동의 전과 후를 측정하는 수"이며(4:11), "전과 후는 운동의 속성"(4:14)이다.[19]

1.1.4. 선천적 종합판단에 대한 비판

감성적이고 경험적인 직관만이 개념에 의미와 가치를 줄 수 있다(B 149). 분석적 판단은 설명적 판단, 종합적 판단은 확장적 판단이다(B 11). 선천적 이성은 보편 · 필연적이나, 지식을 추가하지 않는다. 분석판단은 선천적 이성으로 수행되는 연역적 판단으로 보편 · 필연적이다. 그와 달리 종합판단은 경험에 의해 추가적으로 더해지는 귀납 판단이다.

형이상학은 이때까지 불확실과 모순된 상태에 있었다. 그것은 분석적 판단과 종합적 판단을 구별하지 못한 까닭에도 있었을 것이다(B 19). 선천적 종합판단은 수학에서만 가능하다. 철학에서 경험에 기초하지 않은 의지의 자유, 영혼의 불멸, 하나님의 존재 같은 궁극의 실재에 대한 판단은 불가하다. 그러한 까닭에 칸트는 "신앙에 양보하기 위해서 지식을 버려야만 하였

19) 베르그송, 화이트헤드, 뉴톤 등 근현대의 모든 시간론자들이 나름대로 시간 존재의 독립성을 부여코자 한 것에 비해 시간의 객체성을 언급하지 않는다는 점에서 의미가 있는 것으로 평가된다.

다.”(『순수이성비판』, 서문).

첫째로 필연적 명제는 선천적 판단이다. 둘째로 경험은 판단에서 엄밀한 보편성이 아니라 상대적 보편성만을 귀납을 통해서 준다. 어떠한 예외도 인정되지 않는 엄밀한 보편성은 경험에서 도출되지 않는다. 엄밀한 보편성은 선천적 타당성을 가진다(B 3f). 순수 이성의 ‘진정한 과제’는 “어떻게 선천적 종합판단이 가능한가?” 하는 물음 속에 있다(B 19).

‘선천적 종합판단’에는 ‘경험이라는’ 보조수단이 개입되어 있지 않다(B 12). 참된 수학명제는 경험에서 온 것이 아니며 항상 선천적 판단이다(B 15). 수학의 판단들은 모두 종합적이다. 그리고 누구도 반대할 수 없이 확실하다(B 14).

(개념이 대응하는 직관을 선척적으로 표시하는) 순수직관으로써 선천적 인식을 하는 것이 ‘개념 구성(Konstruktion)을 통한 이성적 · 수학적 인식이다. 삼각형은 ‘그 개념 자체’에서 인식될 수 있다(이 개념은 확실히 경험에서 독립적이다). 그것은 ‘개념 구성(Konstruktion)을 통한 이성적 · 수학적 인식이다(B 749).

가령 삼각형을 구성한다고 하자. 이 때에 나는 삼각형이라는 개념에 대응하는 대상을 상상에 의해 순수직관 중에서 구성하거나, 혹은 종이 위에다 경험적 직관으로 구성하거니와, 그 어느 경우에도 경험에서 ‘삼각형의’ 표본을 빌리지 않고, 오로지 선천적으로 그려내야 한다. 그려진 개별의 도형은 경험적인 것이나, 그럼에도 불구하고 그것은 개념의 보편성을 훼손함이 없이 개념을 표시한다(B 741). 기하학은 “공간의 성질들을 종합적으로, 더욱이 선험적으로 규정하는 학”이다(B 40).

수학은 기하학에서처럼 외연량을 구성할 뿐만 아니라, 대수학에서처럼 순수한 양(수량)도 구성한다. 후자의 경우 수학은 이런 '양' 개념에 좇아서 생각되는 대상의 성질을 모두 배제한다. 그런 뒤에 대수학은 순수한 양 일반(수)의 각종 구성-가령 덧셈 · 뺄셈 등과 개평법(제곱근을 셈하는 법)-을 표시하는 어떤 기호(+, -, √)를 선택한다. 이래서 양의 일반적 개념이 양의 각종 관계에 좇아서 기호화된 뒤에 양을 산출하고, 변화시키는 일체의 조작을 어떤 보편적 규칙에 의해 직관 중에 표시한다. 이처럼 대수학은 기하학이 (대상 자신을) 명시적으로 즉 기하학적으로 구성하는 것처럼, 기호를 구성함으로서 성공한다(B 745).

칸트의 견해와는 달리, 기하학이든 대수학이든 수학을 경험의 소산으로 볼 수 있는 강력한 증거들이 있다. 물론, 칸트는 말한다: 12라는 개념은 7과 5의 결합을 생각만 함으로써 저절로 떠오르는 것이 아니다. 가령 다섯 손가락이나 다섯 개의 점(點)을 보조로 삼아 직관 중에 주어진 5란 단위를 차례로 7이란 개념에 보탬으로서 '5와 7의' 두 개념 바깥으로 우리는 나가야 한다(B 16). 칸트는 '큰 수'를 사용하면, 이것은 더욱 분명해진다고 한다.

그런데, 경험에 의해 알 수 있는 7+5 = 12라는 판단은, 그러므로 (선천적 종합판단이 아니라) 경험적 종합판단이 아니겠는가? 카시러는『인간론』에서 우리의 이러한 입장을 대변한다: 피타고라스학파에서 수는 그것과 지시대상 사이에 선명한 구별이 없는 단계의 것이다. 여기서는 수를 실체적인 것으로 파악하고, 수의 세계를 사물들의 세계와 같은 맥락으로 다룬다.

따라서 그들의 수는 정수이거나 정수들 간의 비율로만 정의된다. 이러한 피타고라스학파의 입장은 무리수가 도입되어야만 해결되는 문제 즉, 직각삼각형의 빗변의 제곱과 다른 두 변의 제곱의 합이 약분되지 않음이 발견됨으로서 위기에 처한다. 아울러, 그들의 불연속적인 수 개념은 현실 속의 연속적인 양과의 관계에 부딪히면서 문제를 드러내고 위기에 봉착한다고 카시러는 말한다.

흄은 기하학의 선천적 진리성을 옹호하기 위해, "'직각 삼각형의 빗변의 제곱은 다른 두 변의 제곱의 합과 같다'는 명제는 변들의 형태들 사이의 관계를 표현하는 명제"로서 "우주의 어디엔가 실재하는 현실적 존재를 고려함이 없이도, 순수 사고활동에 의해 발견될 수 있는 명제"라고 한다.[20]

그러나 삼각형은 '산'과 같은 자연 대상에서 모방된 것이다. 중국의 상형문자는 그에 관한 풍부한 사례들을 보여준다. 토지(geo)와 측량(metry)의 합성어인 geometry(기하학)는 이집트 나일강의 홍수로 범람된 토지를 재분배하기 위한 측량술에서 발전한 것임은 잘 알려진 사실이다.

칸트는, '순수 기하학'의 어떤 원칙도 분석적이 아니다. '직선은 두 점 사이의 최단거리이다'라는 것은 종합적 명제라고 한다(B 16). 그러나, 두 점 사이의 최단 거리가 직선이라는 관념, 그러니까 '둘', '점', '최단(제일 짧은)', '거리' 등의 개념이 자연 사물로부터의 경험에 의하지 않고 어떻게 성립하는가?

---

20) David Hume. 『인간의 이해력에 관한 탐구』(김혜숙 역). 지식을만드는지식, 2012. p. 41.

'$a^2 = B^2+c^2$ 다시 말해, 빗변 제곱 = 다른 두 변의 각 제곱의 합'이 아무런 경험지식도 없는 가운데 타고난 지성만으로 분명히 밝혀진다고 하는 것은 흄의 '주장'이다. 피타고라스는 당시 사원의 보도블록에서 그 정리를 구했다는 설이 있거니와, 피타고라스의 증명을 500년 이상 앞선 것으로 알려진 고대 중국의『주비산경』에는 경험에서 산출된 정리임을 시사하는 단 한 장으로 정리의 내용과 증명을 나타내는 그림이 있다. '구(밑변) 3, 고(높이) 4일 때, 현(빗변)은 5'라고 명기된 '구고현의 정리'이다.

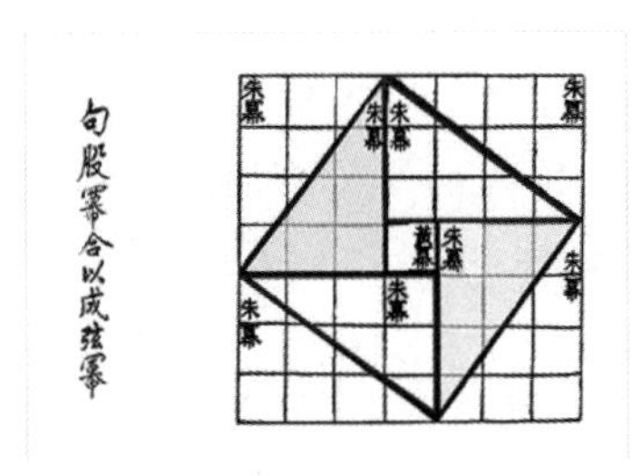

데리다는『기하학의 기원』에서 수학자 출신의 현상학자 후설을 인용한다: "언어를 통해서다. 기하학적 이념성은 언어에서, 말하자면, 언어 신체를 얻는다." 세계는, 모든 가능한 경험의 무한한 지평이므로, "그 존재와 상재(相在, Sosein)가 언어로 표현될 수 있는 객체들의 총체(Universum)"다. 지평으로서의 세계의 의미가 이처럼 명확히 해명되고 있다.[21)]

21) Jacques Derrida.『기하학의 기원』(배의용 역). 지식을만드는지식. 2008. p. 111.

기하학은 결국 절대로 객관적인 공간성을 다루는 학문이다. 이 공간성은 '우리에게' 공동의 마당인 대지가 다른 사람들과의 합의 장소(협상 조건)로 무한정 제공할 수 있는 대상들에 기초를 두고 있다. 처음 산출되거나 발견된 기하학적 이념성들이 무엇이든, 그것들이 일종의 비-기하학에 잇달아 일어났다는 것, 그것들이 전(前)-기하학적 경험의 토양으로부터 솟아나왔다는 것은 '선천적으로' 필연적이다.[22)]

한편, 윌리엄 제임스는 후천적으로 시각이나 청각을 상실한 사람은 시각적 또는 청각적인 꿈을 꾸지만, 선천적으로 보지 못하거나 듣지 못하는 사람의 경우는 그렇지 못하다는 임상 사례를 제시하고 신경생리적으로, 한 번 경험된 감각은 외부 자극이 사라져도 그 심상이 마음에 떠오르지만 어떤 종류든 직접 자극되지 않은 감각은 그 심상을 떠올릴 수 없다며, "모든 공간 직관은 오직 '경험'에 기인한다"고 말한다.[23)]

칸트는 자신이 제시한 선천적 종합판단 전부가 필연적이라고 믿었다. 록크에서 암시 받은 자취가 철학서론, 3절에 보이지만, 아무튼 분석판단과 종합판단의 구별은 칸트의 발명이요 선행철학자는 그런 구별을 몰랐다.[24)] 그러나, 이 책의 필자의 관점에서 보면, '종합적 · 분석적'이라는 용어보다는, 인식이 경험적이냐, 선천적이냐 하는 것 그리고 인식의 보편 · 필연성 여부가 문제이다.

---

22) 같은 책. pp. 112, 40.
23) William James. 『심리학의 원리』Ⅱ(정양은 역). 아카넷. 2005. pp. 1321, 1698.
24) A. C. Ewing. *A short Cmmentary on Kant's Critique of pure Reason*. 1967. p. 18. 최재희. 『칸트의 순수이성비판 연구』. 개정중판. 박영사. 1985. p. 27. 재인용.

칸트는 '자의적'이라는 개념 대신에 '개념 구성'이라는 표현을 사용한다. 수학이 보편 · 필연성이 보장된다고 생각함은 경험에 부합한 '자의적' 사고와 규칙을 사용하기 때문이다. 수학이 보편 · 필연적인 것은 약속의 범위 내에서이며, 그 약속은 경험에 기초한다. 비유클리드기하학은 유클리드기하학을 정초하는 칸트의 수학적 보편 · 필연성을 깨뜨린다. 이것은 새로운 경험세계에 의한 새로운 약속을 요구한다. 이것은 수학 역시 경험에 기초하며 경험의 범위 내에서 구성된 개념의 판단체계를 갖는다는 말이다.

'자의적 기호'는 누구나 동의하는 것인바, 보편 · 필연적이다. '약속'이 보편성과 필연성을 담보하는 까닭이다. 다시 말해 수학의 '자의성'이 보편 · 필연적인 것은 '자의성'이 경험에 기초하고 그 결과가 경험에 부합하기 때문이다. 수학은 '경험 일반에 부합하는' '자의적 개념'(점, 선, 면 등), '자의적 기호'와 함께 '자의적 규칙'을 사용한다.

수학과 수학적 자연과학에서 '칸트가 말한 선천적 종합판단'이 가능한 것은 그런 까닭에 기인한다. 그러한 약속(자의적 개념 구성)은 경험에 기초한 것이다. 의미와 기호가 하나로 일치하는 '자의성'을 사용하는 수학이 성공을 거두는 이유는 경험에 근거하고, 경험에 반하지 않는 약속과 규칙의 구성으로 개념을 만들기 때문이다.

칸트는 무망한 일로 여겼지만 적어도 이론적으로는, 철학에서도 그와 같은 개념 구성 즉자의적 기호와 규칙을 사용함으로써 참된 인식에 이를 수 있다. 다만 그 '자의성'의 내용에 모두가 합의할 수 있느냐가 문제일 뿐이다. 그것은 말할 것도 없이 경험에 바탕한, 경험에 부합하는 개념이어야 한다. 성공 여부를 떠나 그러한 모험을 소쉬르, 리차즈

· 오그덴, 비트겐슈타인과 논리실증주의자들 그리고 기호논리학 등에서 시도한바가 있다.

또한 그 이전에 먼저 라이프니츠가 보편문법을 구상하면서 그 효시가 있었고, 철학 밖에서의 일이지만 오늘날 컴퓨터 언어체계는 많은 부분 성공을 거두고 있으며, 고도의 병렬처리회로를 제작하는 인공지능 분야에서도 비수학적인 자의적 개념과 규칙의 알고리듬을 사용한다.

역으로 말해, 수학의 경우 인공지능의 분야와 유사한 일종의 디지털 언어를 사용해왔다. 그것은 앞서 언급했듯 의미와 기호가 완벽히 대응하는, 모두가 합의할 수 있는 자의적 기호이다. 기하학 역시 그러한 이유에서 보편적이고 필연적이다. 물론, 수학과 마찬가지로 신호적 알고리듬 역시 경험사실에 부합한 내용을 담지하고 있음은 말할 것이 없다.

수학이나 자연과학에서 사용되는 그와 같은 (자의적) 기호들에 대해 헤겔이 “기호는 위대한 것으로 간주하지 않으면 안 된다.”, “기호는 낯선 혼을 옮겨 보존하는 피라미드.”(『엔치클로페디』)라고 한 것은 그러한 까닭이다. 철학은 자의적 기호가 아닌 자연적 기호인 자연언어를 사용하는 까닭에 보편 · 필연성이 담보되지 않는다. 그것은 ‘선험적 개념’을 사용하지 않기 때문이 아니다.

수학이 보편 · 필연성을 확보하는 것이 공간 · 시간의 선천적 형식에 입각하고 구성에 의한 선험적 개념에 의하기 때문이라는 칸트의 생각이 항상적이지 않음을 비유클리드기하학과 양자물리학, 상대성이론 등은 사례적으로 보여준다.

양자물리학에서 위치와 운동량 간에는 불확정성이 존재한다. 하이젠베르크는 위치의 오차와 운동량 오차의 곱은 일정한 값 이상일 수밖에 없다는 것을 수학적으로 증명했다. 위치 측정의 오차를 줄이면 운동량 측정의 오차가 증가한다. 위치와 운동량 사이에 존재하는 이와 같은 불확정성은 고전물리학적 결정론을 위협한다.

카시러는 인과성 원리를, '모든 자연 형상의 변화들이 원인과 결과 간의 연결법칙에 부합하여 발생한다'는 주장보다는, '자연 현상들이란 원칙적으로 질서 지워질 가능성에 저항하거나 회피할 수 없다.'는 보다 약화된 형태로 이해해야 한다며 결정론적 관점의 독단을 경계한다(*Determinism and Indeterminism in Modern Physics*). 러셀 또한 물리학의 분과로서의 기하학은 일반 상대성이론에 나타나는 것으로서 경험과학인바, 공리는 측정에서 귀납되며 따라서 종합적이기는 하지만 선천적은 아니라고 생각한다.[25)]

양자의 세계에선 불확정성원리의 오차를 지니므로 고전물리학적 세계관에 바탕한 인과성의 범주는 필연적이지 않다. 하지만 이것은 우리가 양자 상태를 실험(경험)하는 과정에서 양자에 빛을 쪼임으로써 열을 발생시켜 양자를 교란시킨 결과이다. 우리의 경험(관찰)이 개입되지 않는 자연의 상태에서 인과성은 유지된다. 그런 점에서 코헨이나 아인슈타인 등의 결정론적 견해는 유지된다.

하지만, 중요한 것은 수학적 계산이 필연적으로 경험(관찰)과 결부된다는 사실이다. 그럼으로써 수학은 경험과 유리되어 존재하지 않는다. 수학이 비경험(선천)적 직관(공간 · 시간) 표상에 따라 구성된 개념을 사용하기에 선천적 종합판단이 보편 · 필연성을 확보한다는 건 칸트의 억견이다. 수학은 경험에 기초한, 경험에 부합하는, 자의적 기호와 규

---

25) 최재희. 같은 책. p. 50.

칙을 사용함으로써 '모두가 동의하는 보편성'과 '정합적 필연성'을 지닌다.

공간은 '연장성'이다. 그러므로 공간은 경험으로부터 온 것이다. 베르그송은 공간이 경험을 배경으로 삼음을 이렇게 표현한다. "사물들이 공간 안에 있는 것이 아니다. 공간이 사물들 안에 있다."("형이상학적 불안의 기원", 『사유와 운동』). 공간(연장) 감각은 선천적인 것이 아니라, 대상(자연)의 연장성을 인지하기에 적합토록 진화한 신경계의 산물이다. 우리는 자연의 일부이다. 자연과 인간은 상호작용의 관계에 있다. 우리의 신경계는 외부 대상과의 상호작용으로 나타난 기관이다. 사고는 자연을 모방한다. 우리의 정신은 자연의 기운이고, 우리의 정신은 모태인 자연을 모방한다. 모방은 우리가 자연과 하나가 되는 방편인 까닭이다.

1.1.5. 칸트의 감성 · 오성 이원론에 대한 비판자들의 문제

우리는, 감성을 '고립시킨다'. 이것은 개념을 통해 사고하는 오성과 분리하기 위함이다(B 46). 오성은 개념에 의한 인식능력이다(B 93). 개념에 의한 인식은 판단하는 작용이다(B 94). 판단은 인식들을 통각의 통일에 이르도록 하는 방식이다(B 141).

우리는 오성을 '여러 규칙의 능력'이라고 특징지을 수 있다(A 98). 범주는 자연 현상에다 선천적 법칙을 지정하는 개념이다(B 163). 오성의 순수 개념인 범주는 단지 '사고형식'이다. 사고형식은 어떤 대상도 인식할 수 없다(B 150). 감성적 직관의 대상을 생각하는 능력이 오성이다(B 75).

그러나 오성은, 넓게 보아서 (사고의 근본형식인) 범주의 오성, (특수를 일반에 포섭하는 능력으로서의) 판단력, (추리하는 능력으로서의) 이성을 아우른다(B 169). 오성의 일반적 성격은 판단하는 능력이다. 그것은 오성이 사고하는 능력이기 때문이다(B 94). 표상들을 통각으로 통일하는 오성의 작용은 판단의 논리적인 기능이다(B 143). 이성은 추리능력이며(B 386), 판단은 오성의 기능이다(B 94).

모든 경험을 가능하게 하는 조건을 포함하고 있는, 그러면서 그 자신은 심성의 다른 능력에서 도출될 수 없는 세 가지 근원적인 원천(마음의 능력)이 있다. 감관, 상상력, 통각이 그것이다. 이 세 능력 즉 ① 감관에 의해서 선험적으로 다양을 개관하고, ② 이런 다양을 상상력에 의해서 종합하며, ③ 이 종합을 최후로 근원적으로 통일한다. 이 세 능력 모두가 각각 경험적으로 그리고 선험적으로 사용된다(A 94).

판단은 인식들을 통각의 객관적 통일에 이르게 하는 방식임에 틀림없다. 인식에 있어서 연어 '이다(ist)' 는 객관적 통일을 위한 것이다. 연어는 근원적 통각에 대한 표상들의 관계를 의미하며, 주어진 표상들의 '필연적 통일'을 의미한다(B 142). 오성은 표상들을 통각의 통일로 포섭하는 능력이다(B 135). 통각의 원칙은 전 인간 인식의 최상의 원칙이다(B 136).

피히테에게 인식은 감성과 오성을 대립시킨 칸트와 달리, 자아의 활동(Tathandlung) 그자체이다. 피히테의 지성적 직관은 존재를 직관하는 '활동'으로서의 직관이다.[26] 셸링은, 합목적적인 것 속에 형식과 질료, 개념과 직관이 삼투한다. 이것이 관념적인 것과 실재적인 것이 하나로 통일되는 정신의 성격이다.

감성에 의해 대상들이 우리에게 주어지고 오성에 의해 대상들이 사고된다는 이원적 대립구도의 설정으로 인해 칸트는 피히테 이후 오성과 감성이 상호관계적 하나의 기능이라는 '수행성'을 토대로 끊임없이 비판을 받는다. 피히테로부터 비롯하여 셸링을 거쳐 이어지는 '지성적 직관'이라는 이념의 개념은 감성과 사고(오성)가 상호작용적 일원체라는 관점을 내포하고 있다. 피히테 이후 이러한 인식태도는 형태를 달리하여 칸트 비판자들에게 공통적으로 나타난다.

쇼펜하우어에게 감성과 오성은 동시에 하나의 객관을 포착할 수 있다. 쇼펜하우어에게 '인식'은 '판단'이나 '이성' 이전의 직관이다. 오성은 사고작용이 아니라 원인과 결과를 직관하는 인식작용이다. 쇼펜하우어 역시 칸트의 비판자들과 마찬가지로 오성과 감성을 단일의 직관적 지성 개념으로 이해한다. 카시러 역시, 감성과 오성을 분리한 칸트를 데카르트적 이원론자라며 비판한다.

한편 하이데거는, 선험적 상상력이 칸트의 두 극(감성과 오성)을 결부시키는 외적인 유대이며 근원적인 결합작용이라고 한다.[27]

나아가 크로너는, 선험적 의식은 '생산적 상상력'이며, 오직 그 자체

---

26) Lothar Eley. 『피히테, 쉘링, 헤겔: 독일 관념론의 수행적 사유방식들』(백훈승 역). 인간사랑. 2008. pp. 188-89. 참조.

27) Heidegger. *Kant und das ProB lem der Metaphysik*. 1965. S. 126. Klostermann社, 최재희. 같은 책. p. 40. 재인용.

로서 그것은 종합적인 활동이라고 한다. 경험은 가장 보편적이고 타당한 자연 법칙을 통해 가능한데, 칸트는 생산적 상상력을 대신해 포섭활동을 도입한다[28]고 칸트를 비판한다.

그러나 크로너는 여타 비판자들이 그러하듯 정작 상상력이 어떻게 '종합'이나 '결합' 등을 행하는지에 관해서는 어떤 구체적인 언급이 없다. 카시러 역시 상상력이란 용어를 사용하지만, 마찬가지로 상상력의 활동에 대해서는 구체적인 언급이 없다. 이와 달리 칸트는 상상력의 성격과 기능에 대해서는 비교적 구체적으로 여러 곳에서 언급을 하고 있다. 그런데 하이데거 역시 지적하듯 구체적인 작용에 관해선 칸트 역시 언급하고 있지 않다. 그리고 하이데거 역시 형상적 환원에 있어서 상상력에 관한 어떤 입장도 표명하고 있지 않음은 앞에서 언급한바 있다.

'상상력'이란, 직관 중에 '대상이 지금 없지만', 대상을 나타내는 능력이다(B 151). 각지의 종합 즉 지각은 상상력의 이름 아래서, 통각의 종합은 오성의 이름 아래서 행하는 자발성의 결합이다(B 162). 표상들의 종합은 상상력에 의하며, (판단에 필요한) 표상들의 종합적 통일은 통각에 의한다. 종합 판단은 [내감 · 상상력 · 통각]의 세 원천에 의한다(A 94).

상상력의 선험적 종합은 형상적인 것으로 '지성적 종합'과는 구별된다. 후자는 오성에 의할 뿐, 상상력의 도움은 전혀 없다. 상상력이 자발

28) Richard Kroner(연효숙 역). 같은 책. pp. 106, 108.

성인 한에서 '생산적 상상력'이고, '재생적 상상력'과 구별된다. 재생적 상상력의 종합은 '경험적 법칙'과 연상법칙만 좇는다. 그러므로, 재생적 상상력은 선천적인 인식과는 관련 없는 심리학의 분야이다(B 152).

'종합 일반'은 상상력의 작용이다. 상상력은 '마음'(칸트의 수본에는 마음Seele의 기능 대신에 '오성의 기능'이라고 했다: 연구자 최재희)의 불가결하고도 맹목적(무의식적: 최재희)인 기능이다. 이런 기능 없이는 어떠한 인식도 갖지 못한다. 그러나 이러한 종합을 '개념화'함은 오성의 기능이다. 오성의 기능을 통해서 우리는 비로소 진정한 의미의 인식을 획득한다(B 103).

칸트가 '상상력'의 성격을 두고 얼마나 번민했는지 여실히 보여주는 대목이다. 만약 수본대로라면, 칸트의 상상력과 오성계의 지형도는 근원적으로 달라진다. 이 경우 감성과 오성은 상상력의 기능으로 일원화된다. 물론, 지성적 직관론자들의 비판은 당연히 소멸한다. 하지만 칸트는 오성을 사고에 묶어두고 감성과 격리한다:

우리는 각자의 역할을 혼동해서는 안 되며, 양자를 세밀하게 분리하고 구별해야 할 필요가 충분히 있다. 우리가 '감성 일반'의 규칙들에 관한 학문인 감성론과' 오성 일반'의 규칙들에 관한 학문인 논리학을 구별하는 이유라고 칸트는 말한다(B 75, 76).

『순수이성비판』의 초판(1781)은 상상력과 오성에 관해 확신을 갖고 비교적 명쾌히 기술해 나간다. 그러나 초판과 달리 재판(1787)은 그 모호성에도 불구하고, 상상력은 형상 형성적 기능인 반면 오성은 '개념화' 즉 '규칙의 능력'이라는 점을 칸트는 분명히 하고자 함을 볼 수 있다.

한편, 윌리엄 제임스는 이들 보다는 공정한 입장이다. 제임스는 상식적인 연합 심리학의 경우 "정신 상태가 뚜렷이 나누어지는 단편적 부분들로 구성"되어 있다고 생각하는 사실을 지적한다. 그리고, "아무리 복잡해도 그 대상에 대한 사고는 분할되지 않은 한 단위의 의식"이라고 한다.[29]

하지만, 제임스는 "감각으로 시작하지 않고 또 감각으로부터 나오지 않는 개념 체계는 교각이 없는 다리와 같다"고 말한다. 아울러, "사실에 입각한 체계는 마치 다리가 교각을 암반에 뿌리박는 것처럼 감각에 뿌리박고 있다. 감각은 고정된 암반이고 표상은 사고의 출발점인 동시에 사고의 종착점"이라고 한다.

그런 제임스는, "생리학적 관점에서 보면 감각과 지각이 생기려면 말초에서 들어오는 신경 흥분이 있어야 한다는 사실에서 '사고(좁은 의미의)'와 구별된다"고 말한다. 아울러 "우리는 감각 과정과 뇌에서 재생되는 과정의 결합으로 지각을 얻는다."고 한다.[30]

감각과 사고가 뇌신경 해부학적 측면에서 그리고 자각적 인식의 측면에서 구별된다는 사실을 칸트에 대한 비판자들이 모르는 것은 아닐 터이다. 다만, 피히테가 그러하였듯 칸트의 인식론적 분석의 기술을 수긍하면서 아울러, 경험 인식 즉 지각의 수행적 측면에서의 이해가 필요함을 그들은 말하고자 했을 것이다.

하지만, 그들의 수행적 사고에 대한 견해는 통찰 사고의 성질과 원리들을 직관이라는 상자에 담아 상상력이라는 마법의 끈으로 묶어두는 것이 전부였다고 해도 틀리지 않을 것이다. 사실, 칸트의 선험적 분

---

29) William James(정양은 역). 같은 책 Ⅰ. p. 491.
30) 같은 책 Ⅱ. pp. 1249, 1386.

석론이 사고를 지각과 추론으로만 구별하여 기술한 까닭에 통찰(비판자들의 직관) 사고를 간과한 것은 이 책의 필자가 서두에서도 지적하였다.

비판자들은 사고의 수행적 측면을 직관이라는 용어와 상상력이라는 정신 역학적 용어를 사용함으로써 끝낼 것이 아니라, 보다 그 원리적 측면에서 연구하고 그 내용들을 제시할 필요가 있었다. 하지만, 이 책의 필자의 관점에서 볼 때 그들의 비판은 칸트의 정밀한 분석론에 대한 비판을 위한 비판으로 밖에 생각할 수 없다. 그들은 비판의 대안으로 수행 차원의 사고에 관한 어떤 새로운 연구도 하지 않았다.

과연 비판자들이 이 책의 필자가 제시하는 통찰(그들이 말하는 직관)의 원리나 속성들, 다시 말해 사고의 비의식 수행, 비의식기호의 사용, 초의식비의식의 영감적 사고와 같은 언급들을 접했다면 어떤 반응을 보였을지 자못 궁금한 일이다. 피히테(1762-1814)의 생존 시기에는 모르겠으나, 19세기 중엽 이후로는 사고와 무의식에 관한 논의들이 공론화되기 시작했다.

독일의 헬름홀츠(1821-1894)는 시각, 촉각 등의 지각 연구를 통해 사고에 있어서 일정 부분의 과정이 무의식으로 수행됨을 인지했다. 그리고 지각을 무의식적 추론 과정으로 이해했다. 또한, 1862년의 한 연설에서는, 자연과학과 정신과학을 논리적 귀납법(이 책의 필자의 추론사고)과 예술적-본능적 귀납법(이 책의 필자의 통찰)으로 구별하여 말했다. 물론, 예술적-본능적 귀납법은 무의식적(이 책의 필자의 비의식)으로 수행되는 것이다.

영국의 심리학자 윌리엄 카펜터(1813-1885)는 1874년의 『정신생리학의 원리』에서 "정신활동의 하나는 의식적 흐름이고, 다른 하나는 무의식적 흐름"으로서 무의식적 활동이 모든 정신과정에 광범위하게 관여한다"고 하였다.[31] 언급했듯이, 윌리엄 제임스는 1890년의 『심리학의 원리』에서 "사고가 정지하면 상상이 나타나고, 심상이 활동하면 사고가 중단된다."고 정확히 언급하였다.

한편, 베르그송은 1886년에 "최면 상태에서의 무의식적 위장에 관하여"라는 논문을 발표하고, 1903년의 논문 "형이상학 입문"에서는 '분석'(이 책의 필자의 추론) 사고와 '직관'(이 책의 필자의 통찰) 사고로 구분했다. T. 시몬과 최초로 지능검사를 제작한 A. 비네(1857-1911) 또한 1903년의 『지능에 대한 실험 연구』에서, 사고는 정신의 "무의식적 행위"로서 "이것이 의식되기 위해서는 이미지들과 단어가 필요하다"고 하였다.[32]

칸트에 대한 비판자들은 적어도 그러한 연구자들의 견해를 살펴보거나 그 이상으로 관심을 갖고 연구해 나갔어야 했다. 사고의 실제 수행에 관련된 정신작용과 그에 기반한 사고의 수행 원리의 연구 내용을 공란으로 비워 둔 채 직관이라는 용어와 상상력이라는 초월적 기능의 용어를 사용하며 칸트의 분석론을 비판하는 것은 정밀한 사고 분석에 대한 비판을 위한 비판으로 밖에 보이지 않는다. 오히려, 내성법을 불가지론으로 비판한 퍼스(Chares Peirce)가 보다 분명한 태도를 취한 것으로 보인다.

우리의 '사고' 기능은 '감각' 기능과 분명히 구별될 정도로 뇌신경

---

31) Leonard Mlodinow. 『새로운 무의식: 정신분석에서 뇌과학으로』(김명남 역). 까치글방. 2013. p. 47. 재인용.
32) 이러한 일련의 비의식과 사고에 관한 통찰 관련 연구 상황은 "v. 상징의 실체: 사고, 3. 비의식" 편 참조 요망.

해부학적으로 특화되어 있다. 그러한 물리적 기능성의 분화가 이루어진 우리의 사고와 감관에 의한 상은 그 기능 또한 구별된다. 상은 사고와 상보적이면서도 서로 상반되는 작용을 한다. 언급해왔듯이, 주의 · 집중력이 강화되어 사고가 깊어지면 표상활동은 사라진다. 반대로, 표상활동이 시작되면 주의 · 집중력과 사고의 심도가 약화된다.

오늘의 뇌과학은 주의 · 집중 · 사고 · 표상활동의 기능적 특성과 관계를 신경전달물질의 작용들과 관련해서 보고한다. 주의 · 집중은 흥분성 신경전달물질인 글루탐산의 지속적 분비가 요구되며, 표상 작용은 아세틸콜린이라는 신경전달물질의 활동의 영향임을 분명히 하고 있다. 한편, 상상력이 활동하는 공상이나 몽상 그리고 기억의 회상과 같은 상태에서는 4-8 Hz의 세타파가 나타난다. 이와 달리 지각하고, 생각하며 집중하는 상태에서는 13-30 Hz의 베타파가 나타난다.

칸트에 대한 비판자들은 감성과 사고의 일원적 지성론을 내세우며 그 근거를 상상력에 두었다. 하지만 상상력이 동일화 정신작용의 사고가 아니라, 사고의 결과에 대한 표상작용이라는 사실은 뇌신경생리학적 측면의 연구결과가 보여주고 있으며, 이 책의 필자를 비롯하여 칸트 · 제임스 등의 내성적 관찰과 비네 · 뷔르츠부르크학파의 연구 결과 등에 의해서도 분명히 드러나고 있다.

하지만, 하이데거와 크로너에 이르기까지 전통 철학계의 연구자들은 상상력에 직관의 권능을 부여하는 것에 그침으로써 오히려 사고에 관한 연구의 퇴행을 가져왔다고 할 수 있다. 비판자들은 상상력을 그 논거로 삼기보다는, 베르그송이나 A. 비네, 수학자 아다마르 등과 같이 그들의 지성적 직관 개념을 비의식의 통찰 사고 이론으로 발전시켰어야 했다는 게 이 책의 필자의 관점이다.

1.2. 카시러 상징론 비평

1.2.1. 전기 카시러의 상징 개념

카시러는 감성과 오성에 관한 대립적 담론을 초월함과 동시에 수학적 객관세계의 토대를 규정하는 이성을 포괄한 정신과학의 보다 보편적 개념으로서 '상징 기능 · 상징 형식 · 상징'을 제시한다. 이러한 카시러의 상징론은 『상징형식의 철학』(1923-9)을 중심으로 한 전기와 『인간론』(1944)을 중심으로 한 후기로 구별된다. 전기의 카시러는 '상징' 개념보다는 상징 기능과 상징의 형식에 관심을 둠으로써 상징과 기호를 구별하지 않는다. 이것은 감성과 오성을 통일적 지성 기능으로 이해하려는 그의 이념에서 비롯한 것으로 보인다.

카시러에게 기호는 사고의 단순한 우연적 외피(外皮)가 아니라 필연적이고 본질적인 기관이다. 지각 인식은 감각된 인상을 나름의 방식으로 내용을 재구성함으로써 이루어진다. 우리의 정신은 단지 모사만이 아니라 근원적으로 창조적 형성력을 갖고 있다. 우리는 그러한 능력에 의해 구성된 상들을 통해서만 현실을 인식하고 소유한다. 여기서 우리의 상은 '사물'의 재현이 아니라 자율적이고 창조적인 정신기능의 원리에 따라 대표적 특징과 중요한 계기들이 강조된 것이다.

어떤 내용을 개념적으로 규정하는 방식과 특징적인 기호에 의해서 고정하는 방식은 함께 진행된다. 기호는 완성된 형태로 주어진 사고 내용을 전달하기 위해서만 사용되는 것이 아니라 내용을 완전하게 규정하고 형성하기 위해서 사용되는 도구이기도 하다.[33] 의미는 감각에 바탕하고 감각은 의미를 결정한다. 상징적 형식은 정신이 가지고 있는 힘, 즉 의미를 구체적이고 감성적인 기호에 결합하고 내면화하는 에너지이다.[34]

의미와 감각의 불가분성에 대한 카시러의 관념은 정신과 신체에 관한 클라게스(Klages)의 언급에 대한 관심에서도 잘 나타난다. 클라게스는 낱말과 의미, 신체와 정신의 일원성을 이렇게 표현한다. "언어적 음성 속에 개념이 들어 있는 것처럼 신체 속에 정신이 들어 있다. 전자는 낱말의 의미요, 후자는 신체의 의미다. 낱말은 사상의 옷이요, 신체는 정신의 현상이다. 낱말 없는 개념이 없는데 못지않게, 현상 없는 정신도 없다"[35]

카시러는 클라게스가 언급한 정신과 신체의 관계를 상징적 관계의 표본이자 원형으로 생각한다. 그런 카시러에게 상징과 기호는 같은 의미를 지니며, 감성적인 것을 통해서 어떤 정신적 의미가 지시되거나 표현되고 있다면 언어, 이미지, 숫자, 제스처, 개념 등 어느 것이나 상징 혹은 기호이다(『상징형식의 철학』Ⅲ, 109쪽).

하지만 『상징형식의 철학』의 인식론을 중심으로 상징 기능과 상징형식 개념을 중시한 카시러는 후일의 『인간론』에서는 '상징'으로 관심을 옮겨 상징을 기호와 분리한다. 그러한 카시러는 "관계적 사고가 상징적 사고에 의존한다"며 '상징'을 '상징 형식'의 기능으로 이해하는

---

33) Ernst Cassirer(박찬국 역). 같은 책. pp. 48, 32.
34) Ernst Cassirer. *Wesen und Wirkung des Symbolbegrif.* 우리사상연구소 편. 『우리말 철학사전』Ⅱ. 지식산업사. 2001. p. 84. 재인용.
35) Ernst Cassirer. 『상징형식의 철학』Ⅲ . S. 117. 최명관. 『캇시러의 철학』. 법문사. 1985. p. 417 재인용.

듯한 변화를 보인다. 그러나 여전히 카시러는 사고의 본질적 성격이 상징임을 언급하지는 않는다.

1.2.2. 후기 카시러의 상징의 재발견: 사고 실체로의 접근

상징과 기호에 대한 미분화 인식은, 『인간론』(1944)에서 상징은 '의미기능'으로 기호는 '의미체' 개념으로 분화된다. 인식론 중심의 『상징형식의 철학』(1923-9)과 달리 존재론적 입장의 『인간론』은 상징의 표상체로서 불변적 기호의 신분을 명확히 하며 상징과 기호를 엄격히 구별한다. 카시러에게 상징은 비로소 질료적 매체의 기호와 분리되어 문화 창조의 진정한 면모를 지닌 정신적 힘으로서 드러난다.

오늘날 기호학과 수사학 역시 전기의 카시러와 같이 상징과 기호를 대체로 구별하지 않는다. 구별하더라도 여전히 기호의 범주 내에서 구별한다. 카시러 연구자들 또한, 『상징형식의 철학』과는 달리 카시러가 『인간론』에서는 상징과 기호를 명확히 구별한다는 사실을 간과하고 있다. 하지만, 『인간론』에서 카시러는 상징이 질료적 표상체의 기호가 아니라 관계적 사고를 형성하는 의미 기능자로 생각한다.

상징과 기호의 구별은 단지 사고와 기호를 분리한다는 것에 그 의미가 있는 것이 아니다. 상징과 기호를 분리함으로써 비로소 상징 즉 사고의 실체에 관해서 사고할 수 있다. 아울러 창조적 사고의 작용원리와 그 시스템을 연구할 수 있음을 의미한다. 상징이 관계적 사고와 관계함을 인식하고 상징과 기호를 구분한 것이 의미로운 것은 그러한 까닭이다.

하지만 국내외를 막론하고 연구자들 누구도 『인간론』에서 언급되고 있는 카시러의 상징 개념에 주목하지 않는 듯하다. 그러한 까닭에 이 자리에서 상징과 기호의 구별에 관한 카시러의 주제적이고도 직접적인 진술을 몇 가지 사례적으로 제시한다. 아울러, 카시러는 『인간론』에서 기호와 신호를 단순히 지시적이고 물질적인 성격의 것으로 묶어서 이해하고 있으며, 상징은 기호나 신호와는 다른 의미세계의 정신작용으로 이해하고 있음을 덧붙인다.

> 이 말의 적합한 의미에 있어서, 상징은 단순히 신호로 환원될 수 없는 것이다. 신호와 상징은 서로 다른 두 논의의 세계에 속하는 것으로, 신호는 물질세계에 존재하는 것이고, 상징은 인간 의미세계의 것이다. 신호는 '조작자이고, 상징은 '지시자'이다. 신호는 그 이해와 사용에 있어서도 역시 일종의 물질적이거나 실체적인 것이며, 상징은 오직 기능적 가치만을 가지고 있을 따름이다(카시러. 『인간론』. 뉴욕: 더블데이. 1944. p. 51.).
>
> Symbols-in the proper sense of this term-cannot be reduced to mere signals. Signals and symbols belongs to two different universes of discourse: a signal is a part of the physical world of being; a symbol is a part of the human world of meaning. Sigals are "operators"; symbols are "designators." Signals, even when understood and used as such, have nevertheless a sort of physical or substantial being; symbols have only a functional value(Ernst Cassirer. An Essay on Man. New York: Doubleday. 1944. p. 51.).

상징은 보편적이기만 한 것이 아니라 극히 가변적이다. 동일한 하나의 의미가 여러 언어들로 표현될 수 있고, 또 단일의 언어 내에서도 하나의 사상이나 관념이 아주 다른 여러 가지 용어들로 표현될 수 있다. 기호나 신호는 고정되고 유일무이한 방식으로 지시하는 것에 관계된다. 어떤 구체적이고 개별적인 기호도 그 어느 것이나 어떤 하나의 개별적인 사물을 지시한다(같은 책. p. 56).

A symbol is not only universal but extremely variable. I can expressed the same meaning in various languages; and even within the limites of a single language a certain thought or idea may be expressed in quite different terms. A sign or signal is related to the thing to which it refers in a fixed and unique way. Any one concrete and individual sign refers to a certain individual thing(Ibid. p. 56).

진정한 인간의 상징은 유일성이 아닌 다양성을 그 특징으로 한다. 그것은 불변적이며 고정적인 것이 아니라 자유로운 것이다(같은 책. p. 57).

A genuine human symbols is characterized not by its uniformity but by its versatility. It is not rigid or inflexible but mobile(Ibid. p. 57).

상징은 현실적, 물질적 실존을 갖고 있지 않다. 그것은 "의미"를 가지고 있다(같은 책. p. 80.).

A symbol has no actual existence as a part of the physical

world; it has a "meaning."(Ibid. p. 80).

(헬렌켈러는: 이 책의 필자 삽입) 단어를 단순히 기계적 기호나 신호로서가 아니라 아주 새로운 사고의 수단으로 사용할 수 있게 되었다(같은 책. p. 55.).

It has learned the use of words not merely as mechanical signs or signals but as an entirely new instrument of though(Ibid. p. 55.).

1.2.3. [상징학]의 사고론 개요

이 글의 논거로서 이 책의 필자의 상징론이 자주 언급됨에 따라 [상징학]의 「사고론」을 여기서 간략히 개요만을 제시한다. 참고로, 사고는 상징의 동의어로서 별도 필요시까지 혼란을 피하기 위해 '사고'로만 표현한다.

사고는 본성 · 실체 · 결과적 표상의 영역이 있다. 본성은 '동일화(A=C)'이고, '동일화'는 형식을 통해 의미를 구현하는 일이다. '동일화 정신작용'은 비의식에서 수행되므로, 상상력의 도움 없이, 시 · 예술 창작과 학적 이론 구성을 수행할 수 있다.

이러한 입장은 창작과 이론 구성의 실재 경험을 통해서도 확인된다. 그것은 이 책의 필자의 '사고론'이 이론적 논의들로부터 출발하지 않고, 시 · 예술 창작과 비평의 과정에서 관찰된 경험들로부터 구성된 때문이다. 칸트의 순수이성비판 교설과 후설의 현상학적 방법론 역시 이러한 '사실'의 힘을 언급한 것에 다름 아니다.

사고의 실체는 '(동일화) 정신작용'이다. '동일화'를 구현하는 기관은 우리의 정신작용이다. '동일화 정신작용'은 '본성'과 '정신작용' 두 영역이 하나로 융합되어 있다. 따라서 사고는 '동일화'의 속성과 '정신작용'에 관해 논의된다. 동일화는 의미와 형식의 영역으로 나뉘며, 여기서는 글의 성격상 '형식'만 언급한다.

'동일화'는 'A=C'의 형식을 지닌다. 'A=C'는 그 이유를 묻는 판단이다. 'A=C'는 'C=B, A=B'라는 선결 판단과 이들을 동일화의 형식으로 연결하는 추리가 전제된 판단이다. 그러한 '동일화'는 사고의 제1원리이다.

사고의 형식 '동일화'는 무한 선 판단을 요구하는 '추론'을 전제한다. 선 판단이 무한히 이어짐은, 우리의 인식이 인과성 위에서 세워지는 까닭이다. 동일화의 형식이 필연적으로 '의미'와 관계함이 여기서 드러난다. 동일화의 형식은 의미를 궁구하는 존재론적 기관이다.

'동일화 정신작용'의 사고는 비의식과 의식의 상보작용으로 수행된다. '비의식'은 전기 · 화학적 신호작용으로 이루어지는, 의식되지 않는 정신작용이다. 그리고, '의식'은 자각적 인지작용이다. 그러한 의식은 상상력이 활동하는 장소이다.

의식의 인지작용과 비의식의 사고작용은 배타적 관계의 정신작용이다. 사고가 수행되면 상상력과 의식은 물러난다. 반대로 사고가 중단되면 상상력은 활동한다. 사고가 멈추면 비로소 상상력이 사고의 결과물을 의식에 표상한다. 상상력은 사고가 끝나는 곳에서 시작된다.

사고와 의식의 상호관계에 따라 사고는 일상적인 지각, 창조적 사고인 통찰, 영감적 사고 그리고 추론으로 구별된다. 지각 · 통찰 · 영감적 사고는 원사고이고 추론은 원사고에 대한 설명이나 이해를 위한 방법적 사고이다. 상징은 매개를 사용하여 다른 대상을 통일적으로 연결하는 일이다. 그러한 상징은 다름 아닌 동일화 정신작용의 사고이다.

1.2.4. 사고의 제1원리: 동일화 정신작용

우리의 사고인 '동일화 정신작용'은 다양한 문화현상의 상징 형식을 구현하는 상징 기능을 내장하고 있다. 그러한 상징 기능이 생성하는 상징 형식을 카시러는 감성 · 상상력 · 오성의 개입 정도에 따라 '표현적 · 직관적 · 개념적'인 것으로 구별한다. 그러한 카시러는 상징형식에 관한 인식론을 전개하는 과정에서 상징과 기호에 관해 언급한다.

살펴보았듯, 카시러에게 기호는 내용의 전달만이 아니라 내용을 규정하고 형성하는 도구이기도 하다. 그런데 [상징학]의 관점에서, 지각 인식을 구성하는 '재현' 과정의 상징기능 역시 동일화 정신작용이다. 그리고 (칸트의 '범주'가 그 제시에 앞서 선 판단이 요구되듯) '재현' 과정에서의 판단 역시 선 판단이 요구된다. 동일화는 선 판단에 대한 추궁을 내재적 속성으로 하는 본질적인 상징기관이자 사고 기능이다. 이러한 동일화 정신작용은 본질 면에서 칸트가 '판단하는 능력'이라고 말한 '오성'의 다른 표현이기도 하다.

경험 인식에 있어서 우리는 (카시러가 말하는) 재현을 위해, '동일화 정신작용'의 상징 기능으로 개별적 세부 인상을 도식화한다. 그리고 개별 지각된 도식들을 통일적으로 구성함으로써 (칸트가 말하는) '통각' 즉 통일적 의미의 인식에 이른다. 우리가 대국(大菊)인지 소국(小菊)인지 알기 위해서는 국화꽃의 막연한 인상에 꽃송이의 크기, 꽃판의 모양, 꽃잎의 모양 등의 각 범주를 차례로 적용해서 개별 판단을 내린 후 최종판단의 통일된 개념의 통각인식에 이른다.

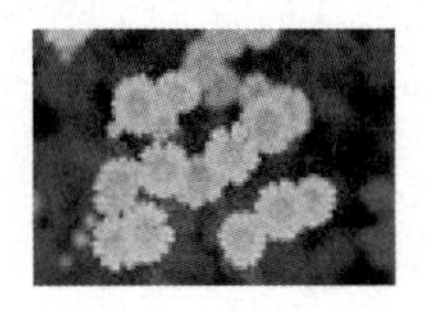

소국 대국

이때 각 개별 판단들은 언제나 선 판단이 요구된다. 예를 들어 '크고 작음'의 범주에 대한 인식에 관해 "왜 크거나 작다고 생각하는가?" 라고 물을 수 있다. 이에 대해 "비교했기 때문"이라고 답할 것이고, 우리는 그에 대해 "비교는 어떻게 이루어졌는가?"라고 물을 수 있다. 그러한 문답은 칸트가 제시한 '사유의 근본형식'의 범주에 대해서도 마찬가지이다. "하나와 여럿 또는 전체에 대한 인식은 어떻게 얻는가?"라는 물음과 함께 문답은 계속 이어질 수 있다.

범주에 대한 '인식'과 그 인식에 대한 '선 판단'의 범위는 우리의 사고능력과 보유 정보의 정도에 따라 다르다. 그러한바, 실재 사고의 수행에 있어서는 근본형식으로서의 '절대적인' 범주는 일률적으로 고정되어 있지 않다. 다만, 사고의 한계에 따른 '출발점'으로서의 범주가 있을 뿐이다.

대상경험의 인식과정 즉, 재현 과정에서 우리의 정신은 통일된 의미체의 도식을 구성하기 위해 전체 인상에서 그 부분이 되는 도식(기호)들을 하나하나 각지하고, 각지 된 부분 도식들을 구성하여 하나의 통일된 의미체인 도식을 완성하는 통각에 이른다. 그러한 도식을 구성하는 재현의 과정에서 부분 도식을 생성하는 '상징 기능의 작용'이 필자의 [상징학]에서는 곧 '상징'이다.

한편, 카시러 '인식론'에서 언급되는 바와 같은 재현 과정의 상징 기능인 '동일화 정신작용'은 경험인식만이 아니라, 언어수행 · 예술작품 생성 · 과학이론 생성 같은 창조현장의 사고 수행에서도 동일하게 요구된다. 그러한 동일화 정신작용은 가장 근원적이고 본질적인 사고로서, 모든 사고 형식의 원형이다.

기존의 인식이론은 직접경험 인식의 사고와 간접경험 인식의 사고에 관한 명칭을 달리 사용한다. 칸트의 선험적 인식론의 경우 직접경험 인식을 수행하는 사고를 '오성', 간접경험 인식을 수행하는 사고를 '이성'이라 했다. 카시러는 상상력과 오성의 개입 정도에 따라 사고를 지각 · 직관 · 개념적 사고로 구별한다. 카시러에게 간접경험 사고는 '개념적 사고'이다. 그리고, 이들 사고를 형성하는 원리로서 '상징 기능'과 '상징'을 제시한다.

하지만 카시러는 "관계적 사고가 상징적 사고에 의존하고 있다."고 하듯이[36] 사고와 상징의 동일성을 간과했다. 그러나, '동일화 정신작용'은 모든 사고의 제1원리이자 사고 그 자체로서, '경험성' 여부를 떠나 사용된다. '동일화 정신작용'은 칸트의 오성 · 이성 · 판단력, 카시러의 상징 · 지각 · 직관 · 개념적 사고 등의 용어를 대리할 수 있는 가장 본질적이고 보편적인 성질의 개념이다.

이러한 동일화 정신작용을 칸트의 '선험적 인식론'에 적용할 경우 오성 · 이성 · 판단력의 구별을 할 필요가 없어 "선험적 분석론"의 체

36) Ernst Cassirer(최명관 역). 같은 책. p. 68.

계가 보다 단순하고 명료화 될 것이다. 그리고 카시러의 인식론에 동일화 정신작용의 개념이 적용될 경우, 먼저 동일화 정신작용과 상상력이 구별될 것으로 그에 따라 '지각 · 직관 · 개념적 사고'와 이들 사고를 형성하는 '상징 기능' 개념이 동일화 정신작용으로 단일화됨으로써 논의의 체계가 훨씬 간명해질 것이다.

또한, '동일화 정신작용'과 이를 중심으로 한 이 책의 '사고론'은 철학 · 심리학 · 시학 · 기호학 등 제 인문학과 인지과학 분야의 사고 관련 연구에도 온전히 원용될 수 있다. 이것은 '동일화 정신작용'이 우리의 사고작용의 제1원리이자 기관으로서 기능하기 때문이다.

1.2.5. [상징학]에서 사고와 상상력

상상력은 표상을 생성한다. 사고(A=C)는 상(A)에 대해서, 상을 목적으로(C) 수행된다. 기호 없이 상징은 성립되지 않으며, 상징 없이 기호 또한 성립되지 않는다. 그러한바, 사고는 표상력에서 시작해서 표상력으로 완성된다고 말할 수 있다. 그러나, 상을 형성하는 상상력은 사고가 진행되면 그림자처럼 몸을 숨긴다. 그것은 사고를 방해하지 않기 위해서이다. 사고가 이루어지면 상들은 표상력을 통해 의식에서 다양한 형식의 기호로 객관화된다.

사고는 지각, 추론, 통찰, 영감적 사고가 있다. 지각은 직접경험의 상에 대한 동일화 정신작용이고, 다른 셋의 사고는 간접경험의 '회상'된 기호를 대상으로 하는 사고이다. 우리는 인상이든, 회상 기호이든 상을 접촉함으로써 사고를 시작한다. 하지만 상은 사고의 전제일 뿐, 사고는 비의식으로 수행되고 사고가 종료되면 의식에서 표상된다. 의식은 상상력의 무대이다. 사고와 상상력은 서로가 밀접한 관계지만 또한 서로는 배척한다. 역설적이지만, 그럼으로써 우리는 인식을 생성한다. 사고는 상상력의 부재이고, 의식 즉 상상력은 사고의 부재이다.

고도의 주의 · 집중을 요하는 시 · 예술의 창조나 과학적 통찰의 경우 상상력이 작용하면 동일화 정신작용의 사고에 침잠할 수 없다. 사고 중에는 사고 내용을 지각하고자 하는 마음도 어떤 지각작용도 있어서는 안 된다. 창조적 사고의 수행 시에 상상력이 활동한다는 건 사고에 주의 · 집중이 되지 않았음을 의미한다.

카시러는 신화 · 예술을 구현하는 '직관'의 경우 상상력이 활발히 작용한다고 생각하나 '상상력'은 사고 이후에 뒤따르는 표상작용일 뿐, 상상력은 결코 사고와 함께 작용하거나, 사고를 대신하는 정신기능이 아니다. 상상력이 활동하면 사고는 심도가 떨어진다. 카시러도 이해하고 있었듯 상상력이 개입하면 특히 '개념적 사고'는 불가하다.

창조의 순간에 시인이나 과학자는 상상력을 제어하고 동일화 정신작용에 몰입한다. 상징물은 사고가 수행 된 후 의식이나 텍스트에서 확인된다. 카시러의 '재현'과 '기호'의 관계 역시 그러하다. 재현은 동일화 정신작용의 수행이다. 각 재현의 동일화 정신작용은 비의식에서 이루어지며, 재현의 수행 후 구성된 기호는 의식에서 상상력을 통해 표상되어 인지된다.

동물과 우리 인간의 경우를 비교해보면 흥미로운 사실을 알 수 있다. 침팬지는 그림 영상의 기억이 우리 인간보다 몇 배 이상으로 뛰어나다. 하지만 우리는 침팬지보다 동일화의 사고가 훨씬 뛰어나다. 침팬지와 같은 동물은 비 도식체계의 순수 인상의 지각 능력을 발달시켰지만, 인간은 그와 반대의 길을 택했다.

사고는 주의 · 집중력이 요구되나, 그와 달리 상상력은 주의 · 집중력이 요구되지 않는다. 주의 · 집중력이 약할수록 표상력(상상력)은 활발하다. 그러나 심층 통찰이 수행되면 상상력은 완전히 자취를 감춘다. 반대로 주의 · 집중력을 거두어 일상적 사고로 돌아오면 표상 활동은 다시 시작된다.

주의 · 집중력이 없는 상태에서는 몽상이나 망상을 하게 된다. 잠이 들면 표상 활동은 더욱 활발해진다. 꿈은 주의 · 집중력이 거의 개입되지 않아 동일화의 사고가 미약하다. 주의 · 집중력이 결여된 상태에서의 상상력은 전적으로 본능적 원망에 따라 수행된다. 꿈이 체계적 도식 기호가 아닌 이미지로 이루어지는 이유는 그러한 까닭이다. 칸트의 오성은 미약한 주의력의 사고이며, 이성은 강한 주의 · 집중력의 사고이다.

'종합 일반'은 상상력의 작용이다. 이런 기능 없이는 어떠한 인식도 갖지 못한다(B 103). 표상들의 종합은 상상력에 의하며, 종합 판단은 감성 · 상상력 · 오성의 세 원천에 의한다. 칸트 역시 상상력은 표상 작용이다. '상상력'이란, 직관 중에 '대상이 지금 없지만', 대상을 나타내는 능력이다(B 151).

상상력이 감성과 오성을 통합한다는 생각은 피히테 이후 대다수 연구자들의 견해이자 그들 철학적 사고와 체계의 기초를 이룬다. 하지만 상상력은 표상에 의한 확인 능력일 뿐 사고 능력이 아니다. 상상력은 감성과 오성을 결합하는 기능이 아니라, 사고에 대한 표상 기능이다. 칸트에 대한 비판자들의 '결합'이나 '종합'은 관찰된 사고의 결과가 아닌 가상의 개념이다. 칸트에게 상상력은 자발성인 한에서 '생산적 상상력'이고, '재생적 상상력'과 구별된다. 재생적 상상력은 선천적인 인식과는 관련 없는 심리학의 분야이다(B 152).

1.2.6. 모든 사고는 비의식으로 수행된다

카시러는 재현 과정에서 수행되는 상징기능의 판단이 무의식적인 추론으로 수행됨을 인식하고 있다. “인상들의 다양성과 가변성으로부터 대상의 통일성과 항상성으로 나아가는 것을 가능하게 하는 것은 이러한 인상들로부터 완전히 독립해 있는 판단기능이며 ‘무의식적 추론’의 기능”이라고 한다.[37] 물론, 무의식적으로 수행되는 지각은 추론이 아니라, 비의식기호를 사용하는 통찰의 정신작용이다. 그리고 재현 과정의 판단만이 아니라 직관과 개념적 사고 모두 비의식의 정신작용이다.

카시러의 지각, 칸트의 경험인식에 사용되는 오성 · 규정적 판단력은 이 책의 필자의 ‘지각’ 사고에 속하는 사고 기능들이다. 따라서 당연히 동일화 정신작용으로 환원된다. 일상생활에서 사용되는 지각은 주의 · 집중이 요구되지 않는 가운데 (달리 말하면 주의 · 집중을 하지 않고도) 사고를 할 수 있다. 그런 까닭에 비교적 낮은 정도의 에너지가 사용되므로 우리가 특별히 사고를 하고 있음을 의식하지 않는다.

우리는 평소에는 주의 · 집중이 낮은 상태에서 사고를 하는 까닭에 상상력이 활발히 작용하여 사고가 언제나 깨어 있는 ‘의식’ 상태에서 이루어지는 것으로 생각하게 된다. 소위 ‘지성적 직관’, 카시러의 ‘지각 · 직관’은 그와 같은 인식에서 비롯된, 말하자면 감성 · 오성 · 상상

---

37) Ernst Cassirer(박찬국 역). 같은 책. p. 87.

력이 하나의 통합적 지성인 듯 오인한 견해의 산물이다.

우리가 자신의 사고과정을 의식하지 않는 가운데 사고를 진행해나가듯이, 쇼펜하우어나 칸트 또한 이론화 작업을 하는 경우가 아닌 한 평소에는 자신이 사고함을 의식하지 않는다. 더욱이 '직관적 지성'이나 '범주'의 인식 같은 경우에는 자신들이 그러한 사고를 하고 있음을 의식하지 않으며, 의식이 잘 되지도 않는다. 그것은 사고가 모두 비의식으로 이루어지며, 의식과 비의식 또한 순간적으로 이루어지는 까닭에 감성적 인상과 오성의 활동을 잘 구별할 수 없기 때문이다.

우리는 익히 알고 있는 사물이 아닌 착시현상이나 예전에는 보지 못한 사물들 예를 들어, 인상파의 점묘화법의 그림을 접하는 경우 우리의 습관화 된 사고의 자동성이 중단되고, 잠시 후 다시 사고가 느리게 시작됨을 알 수 있다. 우리가 맞닥뜨린 의미를 알 수 없는 물감덩이의 화폭 위에서 우리의 사고는 누에처럼 조금씩 물감덩이의 인상들을 한 조각씩 음미하며 사고하고 어떤 판단을 내리기 시작한다. 우리는 그러한 부분적 인상 조각들을 모아서 카시러가 언급한 재현작용으로 도식화 한 후 전체 그림에 대한 통일된 의미의 통각에 이른다.

그런 사물 경험의 경우, 감성은 인상을 제공할 뿐이고, 오성 즉 사고의 활동에 의해서 비로소 조금씩 그 사물의 의미를 인식하기 시작함을 알 수 있을 것이다. 카시러에게 감각과 지각은 모두 지성적인 것이다. 그러나, 감성과 오성의 수행은 구별될 수 있으며, 감성과 오성은 상호 교차하여 진행된다. 그 교차가 매우 즉시적이고 자연스러운 까닭에 우리는 마치 동시작용인 듯 여기게 된다.

동일화 정신작용은 우리의 뇌신경계에서 전기 · 화학적 신호작용으로 이루어지며 '사고의 결과'는 '사고'의 수행 즉시 또는 필요에 따라

의식에서 상상력에 의해 인지된다. 그와 같이 우리의 동일화 정신작용과 의식의 표상은 매우 순간적이고 동시적으로 교차하는 까닭에 우리가 사고의 성립과정을 인식하는 것으로 여기거나, 또는 '상상력'이 우리가 인식하는 중에 진행된다고 생각하게 된다.

하지만 그러한 경우도 일상 생활세계의 사고인 지각을 비롯한 '직각'에서나 일어난다. 그와 달리 시 · 예술 · 과학 등의 규칙 창조의 사고 시에, 그리고 카시러가 말한 '개념적 사고' 시에는 완전한 비의식 상태에서 이루어지는 관계로 자신이 사고하는지조차도 자각하지 못한다. 주의 · 집중력의 사고는 의식을 배제한다. 최고의 창조의 순간은 망아 상태이다.

1.2.7. 카시러의 개념적 사고: [상징학]의 통찰 · 추론 사고

카시러는 과학이나 수학 등의 학술 · 이론의 세계에서는 개념적 사고가 수행되며, 시 · 예술 창조의 세계에서는 직관 사고가 수행된다고 생각한다. 그러나, 이 책의 "iii. 상징의 본성: 동일화, 3. 동일화의 유형" 편에서 언급하고 있듯이 과학이나 시 모두 동일한 유형의 사고가 수행된다. 다만, 텍스트 제작에 있어서 과학과 시는 각기 다른 사고 유형을 사용한다.

카시러는 사고를 지각 · 직관 · 개념적 사고로 구분하면서 그 변별적 기능소를 상상력으로 생각했다. 지각은 상상력이 우세한 사고이고, 직관은 상상력이 오성과 조화를 이룬 사고이며, 개념적 사고는 상상력이 배제된 사고라고 카시러는 생각했다. 그러나, 언급해오듯이 상상력은 사고와는 배척적 관계에 있다. 그러한바, 카시러가 구별한 사고 유형론은 본질적 측면에서부터 우리의 실제 수행 사고에 부합하지 않는다.

시 · 예술 · 과학에 사용되는 사고의 유형에 관해서는 "Ⅲ, 3. 동일화의 유형" 편에 이미 언급되었으나 편의상 필요한 부분만을 인용한다: '동일화'의 유형은 '동질성'과 '동일성'으로 대별된다. 전자는 통찰 수행의 형식이고, 후자는 설명적 추론 사고의 수행 형식이다. 시 · 예술 작품의 창조와 과학에서의 가설의 발견은 동질적 동일화 사고인 통찰에 의하고, 시 · 예술 작품의 감상과 비평 그리고 과학적 가설의 설명은 동일성의 동일화 사고에 의한다. 동질적 동일화는 형상을 달리하나 속성의 동일함에 바탕하는 사고 형식이다.

동일성의 동일화는 설명 형식의 방법적 사고인 추론에서 사용된다. 하지만, 추론의 과정은 얕은 통찰의 수행과 논리규칙의 사용이 반복된다. 그러한바, 추론 역시 동질성의 동일화가 수행된다. 언급했듯이 동일성의 동일화 사고는 설명적이며, '자의적 기호'를 사용한다. 자의적 기호는 임의적 약속에 의한 표현 기호이다. 동질적 동일화 상징의 표상은 '자연적 기호'를 사용한다. 반면에, 자연적 기호는 외관은 다르나 그 어떤 속성상 동일함에 바탕한 동일화 형식의 기호이다.

시인 · 예술가 · 과학자는 공히 동질성의 동일화 통찰을 수행하며, 다만 그 대상 세계를 달리할 뿐이다. 말하자면, 시인과 예술가가 시공간을 벗어난 동질성의 동일화 사고를 수행하는 반면, 과학자는 시공간의 틀 내에서 동질성의 동일화 사고를 수행한다.

과학은 가설의 통찰에 동질성의 동일화 사고를 수행하고 그 설명에는 동일성의 동일화 사고를 수행한다. 하지만 시 · 예술 작품은 은유의 통찰만이 아니라 작품의 제작 또한 동질성의 동일화 사고를 수행한다. 시 · 예술이 과학적 논문의 작성 보다 힘든 점은, 시 · 예술 작품이 논문보다 비록 짧음에도 불구하고 논문과 달리 동질성의 동일화 사고를 연속적으로 수행해 내어야 한다는 것이다. 뿐만 아니라, 작품의 구현에 있어서도 자연적 기호를 사용함으로써 유비적 사고, 다시 말해 동질성의 동일화 사고를 수행해야 하는 까닭이다.

그러한 시 · 예술은 과학보다도 유비적 사고의 훈련이 보다 더 요구된다. 이것은 한편으로, 창의적 사고 능력의 함양에 있어서 시 · 예술 창작의 훈련이 매우 효과적일 수 있음을 의미한다. 물론, 시 · 예술에 사용되는 동질성의 동일화 사고 역시 과학에서의 동질성의 사고와 마찬가지로 이질적 동일성을 탐색하는 유비적 사고로서 같은 성격의 사고 능력임은 말할 것이 없다. 다만, 사용되는 비의식기호가 이미지이냐 아니면 개념이냐 하는 차이가 있을 뿐이다.

카시러는 '지각 · 직관 · 개념적 사고'는 고립적이지 않고 점진적 발전 단계의 과정에서 나타난 것이며, 그 우열의 구별이 없다고 한다. 하지만, 카시러는 지각이 원시 문명 상태의 지성이며, 개념적 사고를 발전 단계의 최근류 지성으로 이해한다. 카시러는, 원시 사회에서 공간 '지각'의 정신은 도식의 지도를 지닐 수 없으며, 기하학적 문명의 이성에서야 그것이 가능하다고 한다.[38)]

지각의 지성을 신화에, 직관의 지성을 언어 · 예술에, 순수 지성을 수학 · 과학의 구성 기능 에 짝 지우는 일은 카시러가 부인하였음에도 불구하고 그 의도와는 달리, 헤겔이 그러했던 것처럼 직관 · 오성 · 이

38) Ernst Cassirer(최명관 역). 같은 책. p. 78 이하.

성 등의 정신기능에 따라서 신화 · 예술 · 종교 · 철학으로 단계적 서열의 대응적 발전을 이룬다고 잘못 오인케 할 소지가 있다.

카시러가 언급했듯, 신화와 원시종교는 결코 부조리한 것이 아니며, 아무 의미나 이유가 없는 것이 아니다. 다만, 그 조리는 상식적 인과성을 초월하여 감성적 통일에 더 기초할 뿐이다. 신화는 오직 초월적 행동에 의해서만 표현된다. 원시인은 감성과 정동을 추상적 상징들로 표현하지 않고, 직접적인 방식으로 표현한다.[39)]

오늘의 우리는 논리규칙을 활용한 추론 사고 보다 전일론적 세계관의 신화적 사고, 사물과 사물이 하나로 변환하는 유비적 통찰의 사고가 보다 수행하기 어렵다는 것을 잘 알고 있다. 통시적으로는 신화 → 예술 → 과학의 단계를 보이지만, 그것은 인간 문명과 인지작용의 변화 양상일 뿐, 창조적 사고의 실제 수행에서 요구되는 어려움은 오히려 역순이다. 과학보다는 예술이, 예술보다는 신화적 사고의 수행이 더 집중력을 요하며, 어떤 경우 그 수행은 불가능한 것으로까지 생각된다.

카시러가 말하는 개념적 사고 다시 말해 이 책의 필자가 말하는 방법적 사고인 추론 활동은 문명의 변화 과정에서 뒤늦게 나타난 정신 현상일 뿐이다. 만약, 우리가 과학적 세계관을 기술하는 개념적 사고(추론)가 시 · 예술이나 신화적 세계관을 구성하는 '직관'이나 '지각'의 사고보다 발전적인 고양된 정신기능으로 이해한다면 그것은 잘못된 생각이다.

---

39) 같은 책. pp. 129-30.

개념적 사고 중에서도 추론은 가장 단순화된 사고로서, 선지자들이 천분의 재능으로 지적한 '은유'나 '유비적 사고'와는 정 반대편에 위치한 사고이다. 시 · 예술이든 과학이든 규칙 창조의 현장에서는 추론 사고가 아닌 고도의 응축된 유비적 통찰 사고를 수행한다. 통찰 사고는 창조자의 것이나, 추론 사고는 학습자의 것이다.

한편, 우리의 사고는 모두 본질에서 통찰적이다. 그것은 카시러가 말하는 지각 · 직관 · 개념적 사고 역시 마찬가지이다. 그러한 사고는 모두 비의식 가운데 전일적으로 이루어진다. 그리고 그 내용을 이해하거나 설명하기 위해 우리는 다시 추론 사고를 수행한다. 카시러가 말하는 과학적 세계의 사고인 개념적 사고 역시 앞서 언급했듯이 비의식의 통찰로 수행된다.

물론, 이론적 가설의 착상을 위한 사고는 동질적 동일성의 유비적 사고인 통찰에 의한다. 그리고, 통찰의 내용을 보고서로 작성할 땐 동일성의 동일화 사고인 추론에 의한다. 언급했듯이 추론은 언어 · 문법체계 · 논리규칙 등의 형식적 체계와 질서에 따라 수행된다. 그러한바, 추론은 인위적 기호와 그 체계들의 발달과 함께 수행되어온 사고로서 최근류 사고이다. 하지만 그렇다고 해서 추론 사고가 직관(이 책의 필자의 통찰) 사고보다 더 발달된 사고라거나 정신 에너지가 더 요구되는 사고는 아니다.

카시러의 개념적 사고는 원사고인 통찰과 방법적 사고의 추론으로 나뉜다. 전자는 후자의 추론 보다 더 깊은 집중과 몰입을 요구한다. 그러한 몰입으로 문제의 답을 찾는 것이 더 정신 에너지를 요구한다. 그리고, 일단 문제의 해결책이 구해지면, 검증을 거쳐 추론 사고로써 설명한다. 하지만 이것은 시간이 요구될 뿐이다.

우생학자 골턴은 이렇게 말한다. “어려운 연구 끝에 만족스럽고 분명한 결론에 도달하고서도 그것을 말로 표현하려면 나는 완전히 다른 지적 경계에서 시작해야 함을 느끼게 된다. 나는 나의 사고를 잘 떠오르지 않는 어휘로 번역해야 하는 것이다. 그래서 적당한 문장과 단어를 찾는 데 많은 시간을 버린다.” 수학자 아다마르 역시 그러한 골턴의 말에서 자신의 경우를 보게 된다고 말한다.”[40]

추론 사고는 절차적 체계와 기호들을 사용하는데 주의를 기울이고, 또한 수시로 의식 상태에서 추론 사고의 진행 상황을 확인해야 하는 관계로 성가시다. 하지만, 이것은 단지 수고로운 문제일 뿐이다. 언급했듯이 카시러의 직관 사고는 개념적 사고보다도 더 많은 정신 에너지를 요구한다. 실제로도 교수 시인들은 한결같이 논문 작성보다도 시 창작이 더 힘들다고 토로한다.

윌리엄 제임스는, 고참 판사가 신참 판사에게 자신의 결심에 대한 이유를 결코 제공하지 말라는 조언을 하는 것은 결심이 정당했을 것이나 이유는 잘못일 것이기 때문이라 한다. 재결 과정을 설명하는 추론 사고 역시 재결을 구하는 사고와 마찬가지로 통찰 사고이다. 깊은 통찰의 내용을 추론 사고로써 설명하는 과정에 있어서, 문제는 통찰의 내용을 인과적 순서에 따라 분절하는 일이다.

이러한 사고 과정 역시 논리규칙 같은 알고리듬이나 어떤 방법론적 규칙이 유도하여 주는 것이 아니다. 우리의 통찰 사고로써 해결해야

---

40) Jacques Hadamard. 『수학분야에서의 발명의 심리학』(정계섭 역). 범양사. 1990. pp. 74-75.

한다. 이때, 통찰 사고의 내용을 처음 어떤 형태로든 분절하는 것은 정신 에너지가 많이 요구되지만, 분절을 해 나갈수록 문제는 보다 쉽게 해결되어 나가기 마련으로 점차 통찰의 심도가 얕아지고 정신 에너지가 적게 든다. 결론적으로, 개념적 사고라고 해서 시 · 예술 창조의 직관 사고보다 발전된 사고라거나, 정신 에너지가 더 많이 드는 사고가 아니다.

이 책의 필자와 달리 카시러는 원사고와 방법적 사고 개념을 갖고 있지 않다. 카시러의 사고 유형 중에서 지각과 직관은 원사고이다. 그리고 개념적 사고는 원사고의 통찰과 방법적 사고의 추론으로 나뉜다. 과학의 가설 착상은 개념적 사고 중에서 통찰이 수행되고, 보고서 작성은 개념적 사고 중에서 추론이 수행된다.

그리고, 시에 있어서도 은유의 착상은 통찰에 의하지만, 이해와 비평 등은 개념적 사고 중에서 추론 사고를 사용한다. 그리고 한 가지 이해해야 하는 것은, 원사고인 통찰은 원시 사회이든, 고도의 문명 사회이든, 이론 체계를 갖춘 학자이든, 글을 모르는 사람이든 상관 없이 모두가 동일하게 사용하는 사고이다.

통찰 사고는 지식의 증가 여부와는 상관없이 인류가 앞으로 나아갈수록 보다 더 요구되는 사고이다. 통찰 사고가 함양되지 않으면 추론 사고도 축소되고 방대하게 축적된 지식과 이론 체계들도 무용하게 된다. 인류의 지식 체계가 증가할수록 개념적 사고의 추론 사고가 요구되는 것이 사실이다.

그러나, 소수의 연구자들은 그 이상으로 추론 사고 수행자들을 위한 통찰 사고를 수행해야 한다. 그리고, 추론 사고를 수행하는 학습자나 문화 소비자들 역시 나름으로 통찰 사고를 함양해 나가야 추론 사고를 보다 잘 수행할 수 있다. 그것은 추론 사고 역시 본질적으로 통찰 사고로서, 추론은 얕은 통찰의 사고이기 때문이다.

1.2.8. 지각 · 직관 · 개념사고와 상상력의 문제

카시러는 칸트의 감성과 오성의 이원론적 분리에 대한 비판을 데카르트의 이원론적 방법론에 대한 비판에서부터 시작한다: 연장실체와 사유실체의 절대적 분리는 순수의식에 대한 대립적 형이상학의 표현에 지나지 않는다. 칸트는 감성과 오성이 우리에게 알려져 있지 않은 하나의 동일한 뿌리에 연관되어 있을 것이라고 하면서도, 여전히 의식의 '소재'와 '형식'의 규정에 있어서 근본적 대립이 『순수이성비판』에 나타난다. 그리고 의식의 동일성은 그것이 무엇이고 무엇을 가지고 있는가라는 점에서가 아니라 그것이 무엇을 하는가라는 점에서 입증된다.

'내용'과 '형식', '요소'와 '관계'가 독립적이 아니라 상호보완적으로 파악될 때만, 우리는 존재에 관한 형이상학적 교설의 변증법에서 벗어날 수 있다. 감성을 단순한 감각의 인상으로 한정하는 건 감성을 잘못 알고 있는 것이다. 감성도 스스로의 구성적 활동을 한다. "괴테의 표현을 빌려 말하자면 '정밀한 감성적 상상력'도 있으며 그것이 정신의 창조작용의 극히 다양한 영역들에서 작용하고 있다."[41]

인식비판적 고찰에서는 감성적 감각의 영역에서 직관의 영역으로, 직관에서 개념적 사고로, 이러한 개념적 사고에서 다시 논리적 판단으

41) Ernst Cassirer(박찬국 역). 같은 책. pp. 51-52.

로 중단 없이 길이 이어진다. 단순한 감각과 지각의 기능은 개념적 파악이나 판단, 추론이라는 지적인 근본기능들과 '결합되어 있을' 뿐 아니라, 실은 그것 자체가 이미 지성의 근본기능이다. 즉 단순한 감각과 지각의 기능은 개념, 판단, 추론에서 의식적인 형식과 자립적인 형태를 취하면서 나타난다.[42)]

한편, '존재'는 '활동(Tun)'으로부터만 파악될 수 있다는 자신의 이원론에 대한 초월적 이념에도 불구하고 카시러는 여전히 '상징'을 '기능'의 문제로 제한하여 수행성인 상징에 관한 실체론적 논의의 개입을 차단한다. 그런 관계로 『상징형식의 철학』의 인식론적 체계의 근간을 이루는 '지각 · 직관 · 개념적 사고'와 '감성 · 상상력 · 오성' 그리고 '표현기능 · 직관기능 · 순수의미작용의 기능'이 상호 연계되는 체계를 유지한다. 그런데, "문화 개별 영역의 특수성과 원리의 독자성"은 '사고의 형식' 즉 상징 기능의 형식이 개입되어서 결정된다.

신화 · 언어 · 예술 등의 문화를 이루는 근본적 힘은 일차적으로는 상징 기능에 있으며, 이차적으로는 상징 형식에 의한다. 세잔느의 경우 삼각형은 풍경 사물의 근본 형태와 형식의 하나로 이해되나, 수학자에게는 기하학적 정리와 규칙의 전개에 필요한 근본 도형이 된다. 시 · 공간 속에서 창작에 몰두하는 예술가의 경우 소리는 두통을 일으키는 잡음이지만, 열역학을 연구하는 물리학자에겐 근원적 물리현상의 변화를 포착하는 소중한 정보가 된다.

42) 같은 책. p. 518 이하.

> 똑같이 우리는 어떤 공간형체, 선과 형의 어떤 복합체를 어떤 경우에는 예술적 장식으로서 다른 경우에는 기하학의 도형으로서 파악할 수 있으며 이러한 파악에 의해서 동일한 소재에 전혀 다른 의미를 부여할 수 있다. 회화, 조각, 건축 등을 심미적으로 감상하고 창조할 경우에 우리가 구성하는 공간의 통일은 기하학의 특정한 정리(定理)들과 특정한 형식의 공리체계에서 표현되는 공간의 통일과는 전혀 다른 단계에 속한다. 후자의 경우에는 논리적 · 기하학적 개념이라는 양상이, 전자의 경우에는 예술적 공간 상상이라는 양상이 주재하고 있다. 후자의 경우에는 공간의 상호 의존적인 규정들의 총체로서, 즉 '여러 원인'과 '여러 결과'로 이루어진 하나의 체계로서 사유되고 있는 반면에, 전자의 경우에는 개별적인 계기들의 역동적인 상호 포섭이라는 형태를 취하는 하나의 전체로, 즉 직관적 · 감정적 통일체로 파악되고 있다.[43)]

카시러는 상징 기능과 상징 형식이 감성과 상상력에 의해 시 · 공간 속에서 질적 · 양태적 변화를 보인다고 한다. 감성과 상상력이 우세하면 표현적 형식의 신화, 상상력과 오성이 조화를 이루면 재현적 형식의 예술, 전적으로 오성이 작용하면 개념적 형식인 과학의 세계관을 구성한다고 카시러는 생각한다.

그런데, 카시러의 지각과 직관 사고는 감성(像) · 오성 · 상상력이 하나로 통합된 기능의 지성이다. 하지만 카시러의 그와 같은 '지각 · 직관' 개념은 인식론적 술어로서 문화현상에 대한 이해와 설명에는 사용

---

43) 같은 책. pp. 70-71.

될 수 있으나, 우리의 인식과정에서 일어나는 사고작용은 아니다. 따라서 실제의 창작과 이론 구성에는 도움이 되지 않는다. 지각과 직관은 감성 · 상징 형식 · 상징 기능과 상상력을 함께 아우른 개념이다.

감성과 상징 형식은 상징 기능의 작용 다시 말해 사고 작용 시에 '반영'이 된다. 하지만 상상력은 표상 작용으로서, 상징 기능의 수행 후 그 결과를 의식에 나타내는 정신기능이다. 시 · 예술 · 과학 모두 사고의 수행은 비의식 상태를 유지한다. 따라서, 지각이나 직관의 경우 상징 형식과 그 형식을 수행하는 상징 기능이 상상력과 함께 수행된다고 생각하는 카시러의 견해는 사실과는 유리된 견해이다.

텍스트 제작 과정에서 시 · 예술과 과학에 사용되는 사고의 유형이 구별될 뿐 구상이나 착상은 모두 동질성의 동일화 사고인 유비적 통찰 사고에 의한다. 물론, 시 · 예술 · 과학은 사고와 표현의 대상이 확연히 다르다. 하지만 그럼에도 불구하고 수행되는 사고의 성격은 동일하다. 그것은 우리의 사고가 비의식으로 수행되고 아울러 전기 · 화학적 신호작용으로써 비의식기호를 사용하기 때문이다. 또한 이것이 우리가 동일화라는 하나의 사고 원리로써 시 · 예술 · 과학 · 수학 · 철학 같은 다양한 문화를 생성할 수 있는 이유이다.

1.3. 돌아보며

인식론은 사고가 형식적 측면에서 다루어지는 관계로 사고의 실체인 정신작용의 시스템과 작용원리의 접근에 한계가 있다. 칸트 역시 형식적 인식론의 입장을 견지한 까닭에 오성 · 판단력 · 이성을 '정신작용'이 아닌 '기능'의 관점에서 다루었다. 이것은 카시러나 여타 비판자들 모두 마찬가지이다. 칸트와 카시러의 '기능'은 종국적으로 상징 즉 사고의 '실체'인 동일화 '정신작용'으로 환원된다. 칸트나 카시러가 사고를 인식론적 관점에서 '기능'을 다루는 것과 달리 이 책의 필자는 '실체적' 측면을 검토한다.

칸트는 경험 인상을 포섭하는 사고의 근본형식을 언급한다. 인식 주관은 사고의 근본형식인 범주와 상을 비교하고 상의 포섭 여부를 판단한다. 하지만 사물의 상과 범주는 다른 성질의 것으로 판단의 포섭이 불가하다. 그런 까닭에 시간성을 범주에 부여해서 범주를 도식으로 변환한 후, 상과 범주의 일치여부를 판단한다는 게 칸트의 생각이다.

> ☞ 이 책의 필자의 관점에서, 인상과 범주의 포섭 문제는 앞에서 언급이 있었듯, 시간 도식이 필요한 게 아니다. 우리의 지성은 인상을 도식화하여 범주에 포섭되는지 여부를 비교 · 확인한다. 그런데 문제는 여기에 있다. '인상의 도식화'에는 규정적 판단력이 아니라 반성적 판단력인 추론의 이성이 요구된다. 이 경우, 경험 인식에는 규정적 판단력만이 사용된다는 칸트의 "선험적 분석론"은 내적 모순으로 그 체계를 유지할 수 없다.

그런데 칸트에 대한 비판자들은 특히 도식에 대한 설명을 수용하기가 어렵다. 비판자들은 도식을 거부하거나 또는 범주 자체를 거부하며 감성과 오성을 단일의 지성작용으로 이해하려한다. 하지만, 감성과 오성을 통합된 하나의 인식 능력으로 보고자 하는 건 사고의 수행적 측면에서 생각할 때 가능하다. 칸트는 비판자들과 달리 경험 인식을 수행 측면에서 기술한 것이 아니라, 인식론적 측면에서 경험 인식의 과정을 추론 사고로써 연역하였다.

또한, 칸트에 대한 비판자들은 감성과 오성의 결합을 '상상력'의 작용으로 이해한다. 인식을 구성하는 심성의 세 원천으로 논자들은 감성 · 오성 · 상상력을 지목한다. 그런 까닭에 감성과 오성의 대립을 해결하는 매개자로 상상력을 꼽을 수밖에 없었는지 모른다.

그러나, 비판자들의 문제는 바로 그 상상력에 있다. 언급했듯 ❶ 상상력은 감성과 오성을 결합 · 화해시키는 기능이 아니라, 사고에 대한 확인 기능이다. ❷ 경험 인식을 비롯하여 모든 우리의 사고는 비의식으로 수행된다. 경험 인식 과정과 카시러의 상징 기능은 모두가 비의식으로 수행된다.

그런 후 필요시 상상력이 사고된 것들을 이미지나 도식의 기호로 우리에게 확인시켜 준다. 다만, 인식 과정에서 판단이 곤란한 모호한 대상들의 경우, 범주화나 재현 구성의 과정에서 비의식의 사고를 중단하고 상상력을 이용해 확인해가며 인식을 수행한다. 상상력은 사고의 결과물을 전달 · 확인시켜 주는 배송자이며 인지작용의 '의식' 기능에 다름 아니다.

'의식'은 상상력에 의한 자각적 인지작용이다. 강조하지만, 그간 제 연구자들이 의식을 사고, 마음, 영혼, 정신 등의 대용어로 사용함으로써 '순수한' 사고에 대한 연구가 지장을 받아왔다. '의식'에 관한 연구는 철학과 심리학자들을 괴롭혔고, '사고'에 관한 연구를 방해해왔다. 이 책의 필자는 의식과 사고에 관한 분명한 입장을 갖고 있다.

❸ 의식은 자각의 인지기능에 한정해서 이해하고 사용해야 한다. 그래야만 사고작용의 시스템과 작용원리를 제대로 연구해 나갈 수 있다. 이러한 사실을 이해하지 않으면 인간의 사고에 관한 연구는 언제까지

나 미로를 헤매게 된다. 지금까지 관련 연구자들의 수많은 노력이 그에 걸맞는 결실을 맺기보다, 상대적 논쟁만을 유발시켜온 사실들이 그것을 말해주고 있다.

이 책의 필자는 '동일화'라는 사고의 본성을 중심으로 사고를 이해한다. 칸트는 감성의 한계와 사고의 선천적 자의성을 고려하여 일찍이 플라톤이 그러했듯 물자체와 현상을 구별했다. 하지만 오늘날 자연현상의 물리학적 자료와 해부학적 · 신경생물학적인 여러 자료들을 접하는 우리는 칸트와 카시러를 비롯한 형이상학자들의 언급이 아니더라도 우리의 인식기관은 곧 '상징기관'임을 알 수 있다.

자연을 모방하는 우리 인간은 본질적으로 상징적 존재이다. 카시러는 수학과 수학적 자연과학은 물론 신화 · 언어 · 예술 등을 함께 아우르는 본원적 지성으로 '상징'을 제시한다. 그러한 카시러는 "인간을 이성적 동물animal rationale로 정의하기 보다는, 상징적 동물animal symbolicum로 정의하지 않으면 안 된다"고 말한다. 칸트의 '오성 · 판단력 · 이성'은 우리의 사고 즉 '동일화 정신작용' 그것이다. 하지만 칸트는 이와 같은 사실을 간과했다. 카시러의 '상징'이 칸트의 '오성'을 비껴갔다고 상징론자가 언급하는 것은, 판단하는 능력의 '오성'은 사실 사고의 제1원리이기 때문이다.

또한, 카시러가 상징이 사고의 본성임을 간과했다고 말한 것은, 카시러가 윅스킬의 해부학적 논의를 빌려서 인간은 동물과는 달리 '상징계통'(symbolic system)이라는 '제3의 연결물'"을 지녔다고 하면서도 상징이 자연을 모방하는 제1원리로서의 사고기관이라는 사실을 인식하지 않은데 따른 것이다.

카시러의 상징은 이 책의 필자가 말하는 '사고의 제1원리'로서의 '상징'과는 성격이 다르다. 『인간론』에서 카시러는 상징을 기호와 분리시켰으나 상징에 대한 명료한 정의는 없다. 카시러는 상징을 '비유적 전용', 그리고 '관계적 사고'를 형성하는 정신기능 정도로 그 성격을 규정하고 있다. 그러나 이 책의 필자에게 상징은 (형식을 통해 의미를 구현하는) '동일화(A=C) 정신작용'이다.

우리는, 경험 인식의 지각을 통해 개념을 획득하고, 개념을 연결해서 판단을 구성하며, 판단을 연결하는 추리로써 새로운 개념을 얻는 과정을 순환적으로 반복 · 지속한다. 그럼으로써 인식은 확장된다. '범주'는 경험 인식 여부를 떠나 사고에 있어서 끝없이 순환하는 개념 · 판단 · 추리의 과정에서 마주치는 사고의 매듭이다.

쇼펜하우어에게 칸트의 범주는 무용하다. 쇼펜하우어는 12범주 중 '양태'의 '인과율' 범주만을 채택해서 충족이유율로 정하고 사고의 발생원리로 삼는다. 그런 점에서 쇼펜하우어의 충족이유율은 사고의 제1원리인 '동일화 정신작용'의 본성 즉 '동일화(A=C)'의 원리와 맥을 같이하며 그 성격 또한 다르지 않다.

칸트가 오성을 '판단하는 능력'이라 하고서도, '오성'을 '사고의 근본형식'으로서의 '범주'와 그 범주에 인상을 포섭하는 규정적 판단력의 기능으로 분리한 것은, 사고의 본성을 궁구하지 않음에 기인한다. 사고의 본성은 '동일화'로서 'A=C'의 판단 형식을 갖는다. 범주는 하나의 원형적 의미 기호이다. 범주를 사고의 근본형식으로 규정하고, 아울러 판단력을 규정적인 것과 반성적인 것으로 구별한 것은 칸트가 형식적 관념론자임을 보여준다.

오성 · 이성 · 규정적 판단력 · 반성적 판단력은 칸트 역시 언급했듯,

오성으로 환원되며, 그러한 오성은 동일화 판단작용이다. 사고의 유형은 사고의 본성인 동일화의 심도에 따라 분류된다. 그 이전에 원사고와 방법적 사고로 대별되나, 그 두 가지 사고 역시 동일화의 심도에 따른 분류로 귀속된다. 동일화의 심도에 따라 사고는 지각 · 추론 · 통찰 · 영감적 사고로 구별된다. 추론을 제외한 사고는 원사고이다. 물론, 추론은 방법적 사고이다.

언급했듯, 처음과 끝이 없는 동일화의 사고는 (자각적 인지작용인) 의식의 부재이며, 상상력의 표상은 사고의 부재이다. 사고의 수행 직후 상상력의 개입으로 사고의 결과가 의식화된다. 그럼으로써 우리는 사고의 결과를 알게 된다. 사고는 동일화를 본성으로 하는 유일한 기능자이다. 상상력은 '직관적 지성' 개념의 매개자로 이해되어서는 안 된다. 더욱이 '창조력', '창조의 근원' 등으로 운위되어서는 안 된다. 이것은 '의식'을 '사고기관'으로 생각하는 것만큼이나 곤란한 일이다.

칸트는 오성을 '협의의 오성 · 판단력 · 이성'으로 구분한다. 오성은 개념, 이성은 추론에 대응하는 능력이다. 그런데 오성이 일반적으로 판단하는 능력이라는 점에서 판단력 · 오성 · 이성의 구분은 굳이 필요하지 않다. 범주를 사고의 근본형식이 아닌, 오성 자신의 판단능력의 산물로 이해한다면, 칸트가 분류한 사고의 기능소들은 모두 '오성'이라는 용어로 통일해도 논의의 전개에 문제가 없을 것이다.

추론이 경험 인식에도 수행된다는 사실을 받아들인다면 오성과 이성의 구분은 무용할 뿐 아니라, 규정적 판단력과 반성적 판단력의 구분 또한 의미가 없다. 실제로 모호한 사물을 접할 경우 우리는 하나의 통일된 개념을 갖기 위해서 부분의 의미나 부분과 전체와의 관계 등을 재확인하기 위해 여러 가지 관점에서 추론을 하게 된다.

또한 우리는 인상을 도식과 비교하기 보다는, 인상에서 도식을 취하고 내부의 원형적 도식과 비교하여 의미를 결정한다. 이 경우 경험 인식에 규정적 판단력이 아닌 반성적 판단력이 사용된다. 사고의 유형은 사고의 본질적 속성에 따라 구별해야 한다. 하지만 칸트는 오성 · 판단력 · 이성 등의 사고의 유형을 인식론적 설명의 편의에 따라 자의적으로 분류했다. 그로 인해 용어별 사고의 기능소들이 위계성과 정합성을 결하고 있다.

방대한 문헌 조사를 바탕으로 카시러는 문화철학의 인식론을 구축하면서 감성적 세계와 이성적 세계를 하나로 아우르는 뿌리로서 '상징' 개념을 제시했다. 그것은 우리의 정신이 자연에 대한 입법자라는 칸트의 코페르니쿠스적 전회 이상으로 중요한 성과이다. 카시러와 같은 시대에 비트겐슈타인은 칸트의 메시지를 떠올리게 하는 "말할 수 없는 것에 대해서는 침묵해야 한다"는 말로 『논리철학논고』를 맺었다.

카시러가 상징론을 '기능론'으로 한정한 것은 어쩌면, 칸트의 경고에 따라, "알려지지 않은뿌리"들의 세계를 허황되게 잘못 파헤치는 우를 범하지 않기 위함이었는지 모른다. 하지만 그럼에도 불구하고 카시러는 상상력에 기대어 감성과 오성을 결합한 '지각 · 직관'론을 개진했다. 그러한 카시러는 '상징'이 그가 초월하고자 했던 칸트 인식론의 오성과 본질에서 동일한 것임을 간과했다.

칸트 또한 자신이 『판단력비판』에서 '상징'이 유비적 추론의 한 형식임을 언급했다. 하지만 그럼에도 불구하고 그가 판단하는 능력이라고 말한 '오성'과 마찬가지로 상징이 추론적 사고기관이라는 사실을 인식하지 않았다. 또한 카시러는 상징이 유비적 전용에 다름 아님을 인식했음에도, 그리고 더 이전에, 칸트가 상징의 본성인 유비가 간접 추리의 판단에 의한 것이라는 사실을 언급했음에도, 상징의 본성이 판단하는 능력 즉 오성 그것이라는 사실을 비껴갔다. 아울러, 상징이 동일화의 정신작용이라는 사실을 간과하고 상징을 기능의 관점에 한정하여 상징의 실체에 대한 탐구로 나아가지 않았다.

칸트가 언급한 인식 원천의 뿌리는, 칼 융 또한 언급한 바 있으나 향후 양자물리학과 뇌신경생리학의 연구에서 도움을 받을 수 있을 것으로 기대해볼 수 있다. 하지만 양자물리학적 심성론과 뇌신경생물학 · 인지심리학 · 인지과학 등은 사고의 원리와 작용 시스템을 다루기에는 한계가 있다. 한편, 신경생물학적 · 인지과학적 실험자료와 유리되어 있는 철학과 제 인문학은 사고에 관한 의미론적 원리론의 구축이 자칫 사상누각이 될 위험을 안고 있다. 그러한 까닭에 인문학과 신경생물학 · 인지과학은 [상징학]을 중심으로 상호 협력할 필요가 있다.

칸트의 오성 · 이성 · 판단력, 그리고 '지성적'이라는 개념 아래 사용되는 피히테 이후 직관적 사고를 비롯하여 카시러의 지각 · 직관 · 개념적 사고 그리고 우리가 관용적으로 사용하는 추리, 판단, 유비, 은유, 생각, 의식 등 모든 지성을 대변하는 용어들 역시 본질에서 동일화 정신작용으로 환원되며, 상징 또는 사고라는 말로 환원된다. 이것이 그간의 철학과 심리학, 시학 등 제 인문학과 인지과학 분야에서 논의된 지성에 관한 용어들에 대해 필자가 [상징학]의 '사고론'에서 내리는 결론이다.

우리는 각자의 역할을 혼동해서는 안 되고, 양자를 주의 깊게 분리 · 구별해야 할 필요가 있다. 이 때문에 우리는 '감성 일반'의 규칙들에 관한 학문 즉 감성론과 '오성 일반'의 규칙들에 관한 학문인 논리학을 구별한다(B 75f). 칸트의 이와 같은 엄밀성에도 불구하고 사고의 근본 형식 · 시간화 도식 · 규정적 판단력 · 반성적 판단력 등의 개념을 설정한 것은 칸트 자신이 스스로 구속되고자 하였듯 "형식적 관념론자"임에 그 이유가 있다고 하겠다.

하지만 감성과 오성을 구별한 칸트에 대한 비판자들은 오히려 칸트의 엄밀성과 철저함에 미치지 못했다. 오히려 그들은, 인식이론 일반과 수행 사고의 실재를 혼돈한 듯, 직관 개념으로써 감성과 오성이 통합적 인식 기능이라고 주장했다. 하지만, 그러한 그들의 근거는 '상상력'이다. 사실, 칸트의 선험적 논리학의 한계는 비판자들이 지적했듯 사고의 수행적 측면을 고려하지 않은 것이다.

하지만, 비판자들 역시 그들의 시대에 진행되었던 사고와 무의식(이 책의 필자의 비의식), 직관(이 책의 필자의 통찰)과 분석(이 책의 필자의 추론)의 관계에 대한 연구에는 관심을 기울이지 않았다. 또한 그들 스스로 직관에 대한 연구를 적극 수행하지도 않았다. 결국, 그들의 비판적 태도는 사고 연구의 퇴행을 초래한 행동주의심리학의 전위대 역할을 하였을 뿐이다.

모든 사고 즉 상징은 기호를 수단으로 한다. 기호 없이 상징은 성립하지 않는다. 카시러는, 감성적인 것을 통해 정신적인 의미가 지시되거나 표현되며 정신적 의미 내용이 구체적 감각기호와 연결된다고 했다. 이러한 카시러의 인식은 "직관 없는 개념은 공허하고, 개념 없는 직관은 맹목적이다. 직관과 개념의 결합으로 인식과 표상은 가능하다"는 칸트의 생각과 본질에 있어서 동일하다.

감성은 대상의 상을 만드는 감각기능이요, 사고는 감각기능이 만든 상을 의미화하고 나아가 통찰을 수행하는 상징기관이다. 그러한 사고는 감각기관의 연장이다. 우리의 정신은 감각으로 상을 포착하며, 감각이 미치지 않는 부분을 사고로써 파악한다. 역설적으로 들리겠지만 사고는 감각의 보조기관으로서, 사고는 감각의 연장이다. 우리의 사고는 그러한 의미에서 단일의 인식기관이다. 물론, 그 본성은 동일화이다(사고와 동일화화에 관해선 "ⅲ. 1. 동일화: 자연의 인식 원리" 참조).

칸트의 저서는, 그가 잘못 생각한 경우에도 또한 틀린 경우에도, 우리로서는 배울 점이 많음을 쇼펜하우어는 인정했다. 우리의 관점에서 칸트의 선험적 논리학의 연역체계가 여러 문제들을 내포하고 있음에도, 순수이성비판이 서양철학사에 코페르니쿠스적 전회의 영향을 끼친 것은 그가 서문에서 언표 하였듯이, 경험을 넘어서는 '이성'에 대한 강력한 경고에 있다.

그러한 메시지의 논거는 논리규칙과 인식의 일치를 선언한 "선험적 논리학"의 제시이다. 그러한 칸트 이후의 서양철학은 주지하다시피 피히테, 셸링, 쇼펜하우어, 헤겔로부터 비트겐슈타인과 논리실증주의, 기호논리학과 언어분석철학에 이르기까지 '이성비판'과 그 반대비판의 토대 위에서 이루어져 왔다. 뿐만 아니라, 20세기 중반 이후 들어 급격한 관심의 대상이 되고 있는 인공지능, 창의성 계발과 관련해서도 칸트의 인식 이론은 카시러의 상징형식의 철학과 함께 그 선구적 토대를 이루고 있다.

한편, 칸트는 말한다. 순수이성은 그 본성에 따라 자신의 궁극의 목적인 '실천적' 관심을 높이기 위해 통일되어야 한다(B 825). 도덕적 이념이 우리가 오늘날 정당하다고 생각하는 신적 존재의 개념을 성립시켰다(B 846). 분명한 건, 칸트는 신앙에 양보하기 위해서 지식을 버리고자 했다. 그런 칸트에게 이성의 모든 관심은 다음의 세 가지 문제로 집약된다. 나는 무엇을 알 수 있는가? 나는 무엇을 해야 하는가? 나는 무엇을 욕망해야 하는가?(B 833). 그러한 칸트에게 사변적 이성의 궁극의 목적은 자신의 한계와 이성의 환영을 폭로하고 본래의 자기 인식으로 돌려보내는 일이었다는 사실이다(B 764).

2. 칸트의 사고론

2.1. 칸트 사고론의 개요와 의의

칸트는 익히 알고 있듯, 록크와 흄으로 대표되는 회의주의적 경험론과 라이프니츠와 볼프로 이어지는 독단적 관념론의 대립과 한계를 해결하는 "선험적 논리학"을 제시한다. 이것은 자연이 인간의 정신에 자신을 있는 그대로 투사하는 것이 아니라, 인간의 불완전한 인식력이 자연을 '현상'으로 재구성한다는 것이다.

그러한 점에서 인간은 자연에 대한 입법자이며, 칸트는 스스로 이것을 철학사에서의 코페르니쿠스적 전회라고 했다. 아울러, 칸트는 수학만이 경험에 의하지 않는 보편 · 필연적 지식을 확장한다고 주장했다.

또한, 초경험적 형이상학은 성립하지 않는바, 영혼의 불멸, 신의 존재와 같은 문제는 도덕적 실천의 자유와 이성적 신앙의 세계에 속하는 문제라고 하였다.

칸트는, 이전까지의 형이상학은 불확실과 모순의 혼돈 속에 있었으며, 순수 이성의 '진정한 과제'는 어떻게 선천적 종합판단이 가능한가, 하는 물음 속에 있다고 생각했다(B 19). 경험에 기초한 종합판단은 지식을 확장하나 보편 · 필연성을 기대할 수 없으며, 선천적 인식능력에 의지한 분석판단은 새로운 지식을 구할 수 없다는 것이다:

첫째, 필연적 명제는 선천적 판단이며, 둘째로 경험은 엄밀한 보편성이 아니라 상대적 보편성만을 귀납을 통해서 알려준다. 엄밀한 보편성, 즉 어떠한 예외도 인정되지 않는 그것은 경험에서 도출되지 않으며, 절대의 선천적 타당성을 가진다(B 3 이하). '선천적 종합판단'은 '경험이라는' 보조수단을 일체 갖지 않는다(B 12).

수학의 판단은 종합적이며, 누구도 반대할 수 없는 확실한 명제로서(B 14) 항상 선천적 판단이다(B 15). 수학적 명제가 언제나 선천적 종합판단일 수 있는 것은 개념이 대응하는 추론을 선험적인 '개념 구성(Konstruktion)에 의한 기호와 그 규칙들을 사용하기 때문이다(B 749).
그러한 칸트는 철학에서 경험에 기초하지 않은 궁극의 실재에 대한 판단은 불가하며, 그럼에도 궁극의 실재를 지향하는 이성의 이념은 우리 지성의 최후의 지표로서 신앙에서 다루어야 할 문제라고 생각했다.

칸트는 『순수이성비판』의 "선험적 분석론"에서 선천적 이론인식의 능력을 오성 · 판단력 · 이성으로 구별하고, 오성은 경험인식에 사용되며, 이성은 추론에 사용되는 지성으로 규정한다. 그리고, 『실천이성비판』과 『판단력비판』에서 각각 보편적 '선의 이념'의 실천과 '미적 판단'의 원리를 규명한다. 도덕률의 적용은 이론인식의 문제와 마찬가지로 '규정적' 판단력이며, 미적 판단은 '반성적' 판단력이다. 전자는 판단의 기준이 되는 보편적 원리가 제시된 경우이고, 후자는 그 보편적 원리를 따라서 특수한 사례의 귀속 여부를 판단한다.

『순수이성비판』에서 칸트는, 모든 경험을 가능하게 하는 조건을 포함하는, 그러면서 자신은 심성의 다른 능력에서 도출될 수 없는 세 가지 근원적 원천인 마음의 능력을 제시한다. 감관, 상상력, 통각이 그것이다. 이 세 능력은 ① 감관에 의해서 선험적으로 다양을 개관하고, ② 이런 다양을 상상력에 의해서 종합하며, ③ 근원적으로 종합을 통일한다.

『판단력비판』에서 역시 칸트는, 모든 경험적 개념에는 자발적 인식능력의 세 가지 활동이 필요하다고 말한다: ① 직관의 다양을 '포착하는 일'(apprehensio), ② 이 다양을 한 객체의 개념으로 '총괄하는 일'(apperceptio comprehensiva), ③ 이 개념에 대응하는 대상을 직관에 있어서 '현시하는 일'(exhibitio)이다. 첫째 활동에는 상상력이 필요하며, 둘째 활동에는 오성이 필요하고, 셋째 활동에는 판단력이 필요한데, 경험적 개념을 적용하는 이와 같은 경우는 규정적 판단력이다(KU. 제1서론. 25 이하).

'상상력'에 관해서 칸트는 이렇게 말한다: 직관 중에 '대상이 지금 없지만' 대상을 나타내는 능력이다(B 151). 각지의 종합 즉 지각은 상상력의 이름 아래서, 통각의 종합은 오성의 이름 아래서 행하는 자발성의 결합이다(B 162). 상상력의 종합은 '형상적 종합'이다(B 154). 현시의 능력이 곧 상상력이다(KU 54). 다양한 감성적 직관을 결합하는 것은 상상력이며, 지성적 종합의 통일은 오성에 의존한다(B 164).

사고능력의 체계에 관해서 칸트는 세 부분으로 나눈다: 첫째는 보편

(규칙)을 인식하는 능력인 오성이다. 둘째는 특수를 보편 아래에 포섭하는 능력인 판단력이다. 셋째는 특수를 보편에 의해 규정하는 (특수를 원리들로부터 도출하는) 능력, 다시 말하면 이성이다(KU. 제1서론. 7).

오성은 '사고의 근본형식'인 범주를 제공한다(B 118). 범주는 자연현상에 선천적 법칙을 지정하는 개념이다(B 163). 범주는 사물의 인식을 위해서 경험의 대상에 적용되는 외에 따로 사물을 인식하는 데에 쓰이지 않는다(B 146). 오성의 순수 개념인 범주는 오직 '사고의 형식'일 뿐이다. 사고의 형식은 어떤 대상도 인식할 수 없다(B 150).

감성적 직관의 대상을 생각하는 능력이 오성이다(B 75). 하지만, 오성은 넓게 보아서 (사고의 근본형식인) 범주의 오성, (특수를 일반에 포섭하는 능력으로서의) 판단력, (추리하는 능력으로서의) 이성을 아우른다(B 169). 오성은 판단기능이며(B 94) 이성은 추리능력(B 386)이다.

무엇보다도, 오성의 일반적 성격은 판단하는 능력이다. 그것은 오성이 사고하는 능력이기 때문이다(B 94). 오성은 개념에 의한 인식능력(B 93)이며, 개념에 의한 인식은 판단하는 작용이다(B 94). 판단은 인식들을 통각의 통일에 이르도록 하는 방식이며(B 141), 표상들을 통각으로 통일하는 오성의 작용은 판단의 논리적인 기능이다(B 143).

오성이 규칙들을 매개로 해서 현상들을 통일하는 능력이라고 한다면, 이성은 오성의 규칙들을 원리들 아래로 통일하는 능력이다. 그러므로, 이성은 처음부터 경험 혹은 어떤 대상에 관계하지 않고 오성에 관계한다. 이것은 오성의 인식들을 개념(이념)에 의해 선천적 통일을 이루기 위함이다. 이 통일을 '이성의 통일'이라고 말해도 좋다(B 359).

앞서 언급했듯이, 칸트는 판단력을 규정적 · 반성적 두 유형으로 구별했다. 그러나 일반적으로, 판단이란 주어진 인식들을 통각의 객관적 통일에 이르도록 하는 방식이자, 표상들 간의 통일 기능이다(B 141). 왜냐하면 하나의 직접적 표상 대신에 이런 표상과 그 외의 여러 표상을 포괄하는 하나의 '보다 더 높은 표상'이 대상을 인식하는데 사용되고 이 때문에 여러 인식이 하나의 인식으로 집약되기 때문이다(B 94).

규정적 판단력은 통각적 통일의 기능을 목적으로 한다: 판단은 인식들을 통각의 객관적 통일에 이르게 하는 방식임에 틀림없다. 인식에 있어서 연어 '이다(ist)'는 객관적 통일을 위한 것이다. 연어는 근원적 통각에 대한 표상들의 관계를 의미하며, 주어진 표상들의 '필연적 통일'을 의미한다(B 142).

통각의 원칙은 전 인간 인식의 최상의 원칙이다(B 135). 체계적 '통일'의 원리들은 다양성 · 유사성 · 동일성의 순이며, 이 셋은 각각 최고의 완전성을 갖는 이념이다(B 690). 오성은 분명히 선천적으로 결합하는 능력이요, 주어진 표상들의 다양을 통각의 통일 아래 포섭하는 능력이다(B 135).

한편 규정적 판단력과 달리 반성적 판단력은 미감적 판단을 수행한다: 자신의 선천적 원리를 가지는 것은 규정적 판단력이 아니라, 단지 반성적 판단력뿐이다. 전자는 다른 능력(오성)의 법칙 아래서 단지 '도식적으로'만 활동하고, 후자만이 (자신의 법칙에 따라) '기교적으로' 활동한다. 후자의 활동은 자연의 기교의 원리를, 따라서 자연에 선천적으로 전제되지 않으면 안 되는 합목적성의 개념을 기초로 한다(KU. 제1서론. 63).

'기술'은 자연에 있어서의 기교요, 인간의 표상력에 관한 인과성의 기교가 아니다. 우리가 자연을 기교적(또는 성형적)인 것으로 고찰하는 경우, 자연의 인과성과 기술의 인과성을 똑 같이 표상하지 않을 수 없는 유비 때문에 기교적이라고, 다시 말해 기술적이라고 할 수 있다(KU. 제1서론. 67).

주관적으로만 판정된 합목적성은 그러므로 개념 위에 기초를 둔 것이 아니요, 또 그것이 단지 주관적으로만 판정되고 있는 한, 개념 위에 기초를 둘 수도 없다. 이러한 합목적성은 곧 쾌 불쾌의 감정에 대한 관계이며, 이러한 합목적성에 관한 판단이 곧 미감적 판단이다. 합목적성에 관한 판단은 동시에 미감적 판단의 유일한 방식이기도 하다(KU. 제1서론. 64).

자연은 우연이 아니라 의도적으로, 합법칙적 질서에 따라 자신을 예술로서 그리고 목적 없는 합목적성으로서 아름다움을 나타낸다(KU 170). 따라서 자연 사물들에 관한 목적론적 판단 역시 미감적 판단과 마찬가지로 반성적 판단력(규정적 판단력이 아니라)에 속한다(KU. 제1서론. 58).

반성적 판단력은, 경험적 감관과 오성에는 드러내지 않는 자연의 견해를 고찰 · 판정함으로써 자연을 초감성적으로 도식화하는 능력이다. 그러한 미감적 판단은 실재적 합목적성을 내용으로 하지만, 또 한편 형식적 합목적성을 그 내용으로 한다(KU. 제1서론. 32). 그러한바, 형식의 합목적성이 곧 미요, 미의 판정능력이 곧 취미이다(KU. 제1서론. 65).

미는 단지 형식적인 합목적성, 즉 목적 없는 합목적성을 지닌다. 미감적 판단력은 개념을 떠나서 형식을 판단하는 능력이다(KU 168). 어떤 대상의 아름다운 표현이란 원래 하나의 개념을 현시하는 형식에 지나지 않는다(KU 190). 대상과 관계하는 표상력은 대상을 규정할 때의 합목적적 형식만을 알려줄 뿐이다(KU 47).

취미판단에는 (모든 판단에 있어서와 마찬가지로) 오성도 필요하다. 그러나, 이 경우 오성은 대상을 인식하는 능력으로서가 아니라, 표상이 주관과 주관의 내적 감정에 대해 가지는 관계를 규정하는 능력으로서 필요하다(KU 48). 예술은 언제나 그 원인 (또 그 인과성) 속에 하나의 목적을 전제하고 있다. 따라서, 그 사물이 무엇이어야만 하는가에 관한 개념이 먼저 전제되지 않으면 안 된다(KU 188).

예술미의 판정은 자연미에 관한 판단의 근저에 있는 원리에서 나온 결과로서 고찰되지 않으면 안 된다(KU. 제1서론. 68). 취미는 결국 도덕적 이념이 감성화된 이 양자에 관한 반성을 일정한 유비에 의해서 판단하는 능력이다. 그러므로 취미를 확립하는 참된 예비는 곧 도덕적 이념을 찾고 도덕적 감정을 도야하는 데에 있다. 이는 감성이 그러한 도덕적 감정과 합치 · 조화될 때에만 진정한 취미로서 일정불변의 형식을 취할 수 있기 때문이다. 그러한 칸트는 "나는 미를 도덕적 선의 상징으로 주장한다"고 말한다(KU 258).

2.2. 비판적 평가

칸트는 '사고' 그 자체를 연구 대상으로 삼은 것이 아니다. 칸트의 사고 관련 개념들은 인식 · 도덕 · 미의 판단원리 등을 규명하는 가운데 그 사고 유형들을 기능적으로 한정하고 개별화한 것들이다. 그런 까닭에 형식을 통해 의미를 구현하는 사고의 본성, 정신작용의 실체, 그 표상의 기호 문제 등에 관해 유기적이고 체계적으로 언급되고 있지 않다. 칸트의 사고에 관한 언급들은 '사고'의 내적 본성과 원리에 따른 것이 아니라, 순수이성 비판이라는 외적 요인에 의한 형성 체계로서 어떤 문제를 안고 있다.

오성은 범주 능력이면서 판단력과 이성을 모두 아우르는 개념이기도 하며, 판단력은 규정적 · 반성적으로 그 기능이 형식적 관계와 맥락 속에서 제한되고 분리된다. 그런 점들로 인해 칸트의 "선험적 논리학"에서 사고의 성격과 기능들은 전체적 관점에서 중첩되기도 하고 비정합적 모순을 드러내기도 한다.

오성의 일반적 성격은 판단하는 능력이며, 그것은 오성이 사고하는 능력이기 때문이라고 칸트는 말한다(B 94). 그렇다면 '오성=판단 능력'이며, 판단은 규정적이기만 한 것이 아니라 반성적이기도 한바, '오성=추리 능력'이기도 하다. 그리고, 오성은 사고 능력이기도 하므로 '오성=판단 능력=사고 능력=추리능력'이다.

따라서, 오성 · 판단 · 사고 · 추리는 모두가 같은 기능으로, 이 용어들을 각각 다른 기능의 관점에서 제한하여 사용하는 것은 모순적이기도 할 뿐 아니라 혼란을 초래한다. (범주 · 판단력의)오성 · (규정적 · 반성적)판단력 · (추론적)이성은 모두 그 본성이 '동일화 정신작용'으로, 굳이 용도에 따라 용어를 달리하여 사용할 필요가 없다. 이것은 칸트가 상징의 본성이 '동일화'임을 고려하지 않음에 기인한 것이다.

한편, 상상력의 경우, 『판단력비판』에서 칸트는 "유동하면서 오성에게 영양을 공급하고 상상력을 통해서 오성의 개념에 생기를 주는 일을 수행한다"(KU 206)고 하는 등 상상력이 '지성'의 일종인 것으로 오해토록 하는 언급을 한다. 그러나 정확히 말해 "상상력을 통해서 오성의 개념에 생기를 주는" 것이 아니라, 오성을 통해서 상상력에 생기를 준다. 상상력은 사고의 정지 시에 사고의 결과가 우리의 의식에 나타나도록 하는 표상력으로, 사고를 뒤따르는 정신기능일 뿐이다.

☞ 상상력은 오성이나 이성의 사고 결과를 의식에 나타내며, 그러한 표상을 토대로 유비적 판단이 이어진다. 시와 예술에서 표상과 판단의 이와 같은 순환적 상호 관계로 인해 칸트는 상상력이 오성에 생기를 준다고 한 것이다.

하지만, 그러한 오해의 가능성에도 불구하고 상상력에 관해 칸트는 "직관 중에 '대상이 지금 없지만' 대상을 나타내는 능력(B 151), 현시의 능력이 곧 상상력이다(KU 54)"라며, 이 책의 필자와 마찬가지로 '표상력'으로 분명히 한정하고 있고 또한 그 기능이 우리의 주의집중의 소멸로 인해 활발해짐을 인식한 듯한 설명을 '꿈을 통해' 하고 있다: "신체의 모든 운동력이 이완된 상태인 꿈에서 상상력은 왕성한 활동을"하며, 상상력은 잠을 자면 더욱 더 활발하게 활동한다고 말한다. 그리고 칸트는 융(1875-1961)보다도 일찍이, "우리는 이러한 내면적인 운동력과 피로를 주는 불안이 꿈 때문이라고 불평하지만 그러나 실제로는 꿈이 아마 치료수단일 것"(KU 302 이하)이라고 말한다.

그런 칸트는 감성과 오성을 면밀히 고찰하여 구별했다: 우리는 감성을 '고립시킨다'. 이것은 개념을 통해 사고하는 오성과 분리하기 위함이다(B 46). 우리는 각자의 역할을 혼동해서는 안 되고, 양자를 주의깊게 분리 · 구별해야 할 필요가 있다. 이 때문에 우리는 '감성 일반'의 규칙들에 관한 학문 즉 감성론과 '오성 일반'의 규칙들에 관한 학문인 논리학을 구별한다(B 75 이하).

감성 · 오성 · 상상력의 관계에 대한 이러한 분명하고도 일관된 언급에도 불구하고 칸트는 이후의 연구자들로부터 감성 · 오성 · 상상력이 하나로 통합된 직관적 지성이라는 관점의 안이하고도 형이상학적인 주장에 근거한 부당한 비판을 받게 된다. 이러한 문제는 칸트가 사고의 수행적 측면을 언급하지 않은 때문이다.

이것은 칸트 비판철학의 한계이다. 하지만, 수행적 측면에서 살핀다면 명석판명을 기반으로 하는 의식주의자로서 비의식의 사고작용을 다루어야 하는 부담감이 따른다. 칸트는 경험 인식이 '직접 인식'이라는 사실을 알고 있었다. 직접 인식은 인식론적 설명 상황과는 달리 이 책의 필자가 말하는 통찰(비판자들의 직관)이다.

직관의 정신작용에 대한 설명은 비의식의 정신작용을 어떤 형태로든 다루어야 하며, 이것은 의식 주관을 물자체로 규정하는 비판철학의 입장에서는 불가지의 세계를 다루는 모순으로 생각될 수 있다. 그리고 또한 독단적 순수이성에 대한 경고가 목적인 자신의 비판철학의 목적을 심각하게 훼손하는 일일 수도 있다.

더욱이 칸트는 감성과 오성이 알 수 없는 하나의 뿌리에서 갈라져 나온 것이라고 고백하였다. 수행적 측면의 직관 사고를 다루는 경우, 명석판명한 의식주의를 기반으로 하는 칸트로서는, 비의식계의 사고작용의 현상을 선험적 분석론과 선험적 논리학의 틀로써 충돌 없이 담아내어야 하는 문제가 있다. 그러한바, 수행 측면의 사고에 관한 연구는 칸트 비판자들의 몫일 수밖에 없다. 하지만 비판자들의 단순한 '직관' 개념의 제기는 칸트철학의 영향권을 벗어나기 위한 표면적 이유에 불과한 것이라는 생각을 갖게 한다.

그들은 직관의 성립 근거로 상상력이라는 형이상학적 걸쇠를 제시하였을 뿐이다. 그렇다고 19세기 후반과 20세기 초엽에 진행되었던 사고와 무의식에 관한 연구에 주목하거나 그들 스스로가 수행 측면에서 사고의 본성과 작용원리의 연구에 천착한 것도 아니었다. 그들의 이러한 태도는 결과적으로 초인적 사고의 힘으로 문을 연 사고세계에 관한 연구의 맥을 끊어놓는 결과를 가져왔다.

19세기 후반 들어 베르그송, 윌리엄 제임스와 같은 철학자들과 독일의 뷔르츠부르크대학의 심리학자들이 수행적 측면에서 사고에 관한 연구에 힘을 쏟았으나 칸트의 인식론에 비견할 업적을 남기지는 못했다. 이후 20세기 중반 들어 컴퓨터와 인공지능에 대한 관심으로 인지심리학과 인지과학을 중심으로 사고의 본성과 작용원리에 관해 하나의 학문적 차원에서 연구되기 시작했다.

하지만 인간의 사고에 관한 연구 측면에 있어서는 칸트의 선험적 논리학과 카시러의 상징형식의 철학 이론의 영역을 특별히 뛰어넘고 있지 못하다. 결론적으로 말해, 칸트 비판자들의 '직관' 개념의 언급은 칸트의 선험적 분석론에 대한 정당한 비판으로 볼 수 없으며, 사고의 연구에 관한 맥을 끊은 결과를 초래했다고 밖에 볼 수 없다.

반성적 판단력에서, 미감적 판단은 형식을 발견함으로써 가능하다. 사고의 형식은 사고와 함께 비의식으로 수행된 후 상상력에 의해 인지된다. 미감적 판단력은 '형식'과 그 원리에 대한 통찰력이다. 적합성 · 새로움 등에 관한 형식을 창출하고 그에 관한 반성을 행하는 사고기능으로서, 전자는 통찰 기능이고 후자는 추론 기능이다. 미감적 판단은 형식의 창출과 반성에 관한 사고 기능이다.

시 · 예술의 경우 형식은 칸트가 '상징'이라고 언급한 '유비적 판단'들로 형성된 작품의 내적 연결의 방식이다. 한편, 자연에 있어선 그 내면에 자리한 드러나지 않은 형성에 관한 합목적성이다. 그러한 내적 질서들은 시 · 예술의 경우 (미감적 판단력의 통찰에 의해) 상상력의 표상으

로 현현된다. 칸트는 시 · 예술의 미감적 이념의 표상에 관해 이렇게 말한다:

어떤 표상 아래 상상력의 한 표상이 놓이게 되면, 이 표상은 어떤 특정한 개념들로도 모두 드러낼 수 없을 만큼 많은 것을 사고하게 한다. 이런 경우에 상상력은 창조적이요, 지적 이념의 능력(이성)을 활동시켜서 판명될 수 있는 이상의 것을 사고하도록 한다(KU 194). 물론, 이 경우에도 상상력이 "지적 이념의 능력(이성)을 활동시켜서 판명될 수 있는 이상의 것을 사고하도록 한다"고 칸트가 말했듯이, 미감적 이념의 통찰 결과로 발현된 상상력에 의한 표상이 또 다른 유비적 판단의 통찰을 수행토록 자극을 준다는 뜻이다.

자연의 경우 미적 표상은 내적 합목적성의 기교적 질서에 의해 현현된다. 자연미에 있어선 그 "목적론적 판단이 미감적 판단의 기초가 되고 조건"이 된다(KU 189). 그와 같은 자연의 미적 형성 원리를 찾기 위한 숙고와 시 · 예술 텍스트의 형식 창조를 위한 숙고는 몰아경의 '통찰' 사고에 의해 수행된다. 이러한 '통찰'은 칸트의 비판론에서는 '반성적 판단력'이 수행한다.

칸트가 말하는 규정적 판단력은 이 책의 필자가 말하는 지각 사고를 수행하는 동일화 정신작용이다. 지각 · 추론 · 통찰 등의 모든 우리의 사고는 비의식으로 수행되며 결과만 필요에 따라 상상력에 의해 의식에서 인지된다. 칸트는 이러한 '비의식'을 고려하지 않는다. 그리고, 인식론적 측면에서 규정적 판단력과 반성적 판단력을 설명한다. 한편, 논리규칙의 구조와 원리는 사고의 본성인 '동일화'의 구조와 원리에 대응된다. 이것은 근원적으로 논리규칙과 사고가 인과성에 따라 이루어지기 때문이다.

칸트에게 상징은 인식을 구성하는 기능이 아니라 미적 이념을 구현하는 직관의 한 형식이다. 상징은 유비에 의한 개념의 간접적 현시의 수단으로 판단력이 수행한다. 칸트가 간과한 가장 아쉬운 점은 사고의 본성이 '동일화'의 '상징'이라는 사실을 인지하지 않았다는 점이다. 이것은 앞서 언급한 바와 같이 사고 자체의 내적 원리와 시스템에 따라 사고를 고찰하지 않음에 따른 결과이다. '동일화 정신작용'인 사고가 상징의 관점에서 언급됨은 칸트의 시대로부터 한 세기가 지난 후 카시러에 이르러 비로소 기능과 형식의 측면에서 시도된다.

3. 카시러 상징론

3.1. 카시러 상징론 개요

사고가 상징임을 아는 건 중요한 일이다. 그것은 사고의 본성이 상징인 까닭이다. 은유는 추론적 해석을 요하는 통찰 사고이다. 칸트는 상징을 이중적이고도 유비적 판단의 직관 형식이라 했다. 더 거슬러 그의 "선험적 관념론"의 제1 토대인 물자체와 현상의 관계 역시 상징적 인식의 관계이다.

서구 전통의 상징에 관한 인식은 질베르 뒤랑이 언급했듯, 유일신 사상과 성상파괴주의의 역사 속에서 종교적으로는 금지된 우상의 표상과 관련 지워졌다. 그리고 철학적으로는, 배중률이 용인되지 않는 형식논리의 전통 속에서, 모호하고 불확실한 것으로 배제되었다. 이러한 가운데 칸트는 『판단력비판』에서 상징을 미적 이념의 표현방식이자 천재의 표상 형식으로 규정함으로써 비로소 철학사에서 상징은 그 의미를 부여받았다.

그러나, 칸트는 상징이 유비적 형식임을 인식했을 뿐, 상징이 유비적 판단의 사고라는 사실을 간과했고, 상징은 여전히 수사학적 관점의 한 특별한 '형식'에 머물렀다. 이후, 상징이 사고와 밀접한 관련이 있음을 인식한 건 신칸트학파의 일원인 카시러(1874-1945)에 의해서다. 카시러는 인간에 관한 탐구는 형이상학이나 과학과는 달리 아직도 그 출발점에 서 있다고 생각했다. 그리고, 인간의 본성은 인간 문화의 고찰을 통해서 발견이 가능하다고 생각했다.

그런 카시러는 수학적이고 자연과학적 세계관의 근거를 담보하는 칸트의 이성 비판철학과 달리 신화 · 예술 · 언어 · 역사를 비롯한 인간의 전 문화세계를 관류하는 보편 정신의 기능을 찾고자 했다. 이러한 카시러의 정신은 『실체개념과 기능개념』(*Sunbstanzbegriff und Funktionsbegriff*, 1910)을 거쳐 『상징형식의 철학』(1923-1929)에서 확립되고 『인간론』(1944)으로 발전한다. 그러한 카시러 철학의 성립 과정과 이념적 배경은 『상징형식의 철학』 I 의 "서론과 문제 제기" 편에 잘 나타나 있다:

『상징형식의 철학』의 첫 구상은 『실체개념과 기능개념』에서 집약된 연구에서 비롯되었다. 본질적으로, 수학적 · 자연과학적 사고의 구조를 다루던 연구 결과를 '정신과학적' 문제를 다루는데 이용하기 위해서 노력하던 중에 다음과 같은 사실이 갈수록 분명해졌다. 전통적인 파악방식과 한계에 머물러 있는 일반적 인식이론으로는 정신과학을 방법적으로 정초하기에 불충분하다는 사실이다.

이러한 정초가 가능하려면 인식이론은 원칙적인 확장이 필요하다. 세계에 대한 과학적 인식의 일반적 전제들을 탐구하는 대신에, 세계를 '이해하는' 다양한 근본형식들을 분명하게 구별하고 그것들의 고유한 경향과 정신적 형식을 가능하면 선명하게 파악해 나가야 한다.[1)]

비판철학의 본질적 견해에 의하면, 대상이란 의식에 단순히 찍혀지거나 새겨질 수 있는 어떤 주형(鑄型)이 아니고, 의식의 기본수단인 직관과 순수사고라는 조건들에 의해 수행되는 형성작용의 결과이다. '상징형식의 철학'은 비판주의적인 근본사상, 칸트의 '코페르니쿠스적 전회'가 담고 있는 원리를 받아들이며 이를 한층 더 확장하는 것이다.

그것은 대상의식의 범주들을 단지 이론적-지적 영역에서만 찾는 것이 아니라, 모름지기 다양한 인상들의 혼재로부터 하나의 우주, 곧 어떤 특징을 지닌 유형적인 하나의 '세계상'이 형성되는 곳이면 어디든, 이러한 범주들이 작용하고 있음에 틀림없다는 생각으로부터 출발한다.[2)]

정신의 개별적인 근본 방향들에서 수행되는 모든 형태화 작업들이 통과하면서도 그것들의 독자적인 본성과 특수한 성격을 보존하는 매체가 발견될 수 있다면, 수학이나 수학적 자연과학만이 아니라 여타 정신적 형식들의 '전체'에도 적용할 수 있는 매개 항을 갖게 된다.[3)]

전체로서의 정신생활에는 과학적 개념의 체계 내에서 표현되고 그

---

1) Ernst Cassirer. 『상징형식의 철학』 I (박찬국 역). 아카넷. 2011. pp. 9-10.
2) Ernst Cassirer. 『상징형식의 철학』 II (심철민 역). b. 2012. p. 59.
3) Ernst Cassirer(박찬국 역). 같은 책 Ⅰ. pp. 46-47.

안에서 작용하는 지적 종합이라는 형식 외에 다른 형태화 방식들이 존재한다. 그것들도 '객관화'의 일정한 방식들, 즉 어떤 보편타당한 형식들을 창출하는 수단이라고 할 수 있다. 하지만 그것들은 논리적인 개념과 논리적인 법칙과는 전혀 다른 길을 통해서 그러한 보편타당성이라는 목표에 도달한다.[4)]

만약 모든 문화가 특정한 정신적 형상세계들, 즉 특정한 상징적인 형식들을 창조한다는 것이 분명하다면, 철학의 목표는 이 모든 창조물들을 형성하는 근본원리를 이해하고 의식하게 하는 데에 있다. 그러한 바, 현대의 언어철학이 언어의 철학적 고찰을 위한 본래의 출발점을 발견하기 위해서 '내적 언어형식(innere Sprachform)'이라는 개념을 설정했던 것과 똑같이 종교와 신화, 예술과 과학적 인식에도 그와 유사한 '내적 형식'이 전제되고 탐구되어야만 한다.[5)]

그러한 생각을 갖고 있던 카시러는 마르부르크 도서관의 주제 중심의 장서 배열에서 상징형식의 철학의 단초를 통찰한다. 그리고, 하인리히 헤르트가 물리학적 인식의 입장에서 제안하고 특징지은 '상징'이라는 개념을 다시 복권시키고자 한다.

우리는 대상의 경험에서 먼저 감성을 통해 사물의 인상을 얻고 그것을 정보화한다. 우리의 경험은 인상에서 대표적이고 주요한 특징들을 찾아내어 도식의 기호를 얻고 이를 통일적으로 재구성함으로써 우리는 대상을 인식한다. 그럼으로써 우리의 기억(정보 내장) 또한 체계화

4) 같은 책. pp. 31-33.
5) 같은 책. p. 38.

되며 또 다른 인식을 위한 상기가 용이하다. 카시러에게 이러한 대상 인식 과정에서의 기호화 작업은 상징 기능에 의한다:

정신의 모든 진정한 근본기능은 단지 모사능력뿐 아니라 근원적으로 형성하는 힘을 갖고 있다. 우리의 정신은 주어진 인상을 그대로 나타내는 것이 아니라 특징적이고 '중요한(prägnant)' 계기들을 강조한다. 기호는 완전한 형태로 주어진 사고 내용을 전달하기 위해서 사용되는 것이 아니라, 경험 내용을 온전히 인식할 수 있도록 하기 위해서 인상을 규정하는 수단으로서의 도구이다.[6)]

기호란 단순한 우연적 외피(外皮)가 아니라 그것의 필연적 · 본질적인 기관(器官, Organ)이다. 어떤 내용을 개념적으로 규정하는 방식과 그것을 어떤 특징적인 기호에 의해서 고정하는 방식은 함께 진행된다. 따라서, 진정으로 엄밀하고 정확한 모든 사고는 상징론(Symbolik)과 기호론(Semiotik)에 의해 비로소 자신이 원하는 지지대(支持臺)를 발견할 수 있다.[7)]

그런 카시러의 상징론은 전 · 후기로 나눌 수 있다. 전자는『상징형식의 철학』을 중심으로 나타나는 인식론에 바탕한 상징 형식과 상징 기능 개념 중심의 논의이다. 그리고, 후자는『인간론』에서 언급되는 '관계적 사고'를 형성하는 상징 개념 중심의 논의이다. 전자의 경우 카시러는 상징과 기호의 구별에 관심을 보이지 않으나, 후자는 엄격히 구별함으로써 상징의 실체에 한 걸음 더 접근하였다.

카시러는『상징형식의 철학』(1929, 109쪽)에서는 '정신적 의미'와

---

6) 같은 책. pp. 31-33.
7) 같은 책. p. 48.

감각적 질료와의 구성물을 상징 또는 기호로 이해하여 상징과 기호를 동일시한다. "정신적인 것의 순수한 기능은 감각성 속에서 그 구체적인 충만을 찾게 된다"는 카시러는 상징과 기호는 같은 의미를 지니며 언어와 이미지, 숫자, 제스처, 개념 등을 모두 포괄적으로 지칭한다고 말한다.[8)]

그러나, 카시러는 『인간론』(1944)에서 상징과 기호를 엄격히 구별한다. 상징은 어떤 대상을 지시하는, 다시 말해 의미 세계의 기능적 가치(functional value)만을 지닌다. 이와 달리, 기호는 상징에 의해 지시된 의미가 현실에 모습을 드러내기 위해 감각재료에 내면화 된 개별적인 물리적 세계의 것이다: 상징은 단순히 신호로 환원될 수가 없다. 신호는 물리적 존재 세계의 일부요, 상징은 인간의 의미 세계의 일부이다. 신호는 물질적 · 실체적 존재이나, 상징은 기능적인 가치를 가지고 있을 따름이다.

그리고 카시러는 이 책의 필자가 말하는 동일화 즉 사고의 본성과 상징의 성격들에 관해 집중적으로 언급한다. 상징의 보편적 적용성, 가변적 적용성, 관계적 사고의 형성, 상징적 태도 등이 그것이다. 상징

---

8) 최명관 또한, "『실체개념과 기능개념』이나 『상징형식의 철학』에서 Zeichen이라 한 것은 넓은 의미의 심볼에 포함될 수 있는 것이라 생각된다"며 이어서 그는, 카시러가 『아인슈타인의 상대성이론에 대하여』에서 말한 "물리학의 현실은, 지각의 현실과는 대조적으로 어디까지나 거듭 매개된 (…) 추상적인 사고 심볼(Gedankensymbolen)의 총체인 바, 이 심볼들은 일정한 양적관계와 계량관계, 현상들의 일정한 기능적 대응과 의존성의 표현으로 쓰이는 것"이라는 말을 인용하고 "여기서 '思考심볼'이라 한 것의 심볼은 기호라 해도 무방할 것 같다." 고 한다. 아울러, 최명관은 카시러가 『인간론』에서 사용한 sign은 독일어의 Zeichen이라 할 수 있음직하다고 말한다(최명관. 『캇시러의 철학』. 법문사. 1985. pp. 413-14.).

의 '보편성'이란, 상징 기능이 특수한 경우에만 국한되지 않고 인간 사고에 보편적으로 적용되는 원리로서, 신호들에게 생명을 주고 "그것들로 하여금 말하게 하는" 능력이다.

상징의 '가변성'에 관해 카시러는 이렇게 말한다. "기호나 신호는 그것이 일정하게 그리고 독특하게 지시하는 사물에 관계되어 있다. 구체적이고 개별적인 기호는 그 어떤 것이나 어떤 하나의 개별적인 사물을 지시"한다. "진정한 인간의 상징은 유일성이 아니라 가변성을 그 특징으로 한다. 상징은 고정되어 있거나 불변적인 것이 아니라 자유로이 변하는 것"이다.[9)]

카시러는, '관계적 사고'가 '상징적 사고'에 의존한다고 말한다: 수(數)란 하나의 물리적 존재의 기호가 아니라 관계를 지시하는 '기능'이다. 수의 형이상학적 본질은 볼 수 있는 그 어떤 현상에 의해서도 드러내어질 수 없다. 우리가 자연 현상에서, 혹은 천체의 운행에서 보는 저 가시적인 수를 참된 수학적인 수로 생각하는 것은 잘못이다.[10)]

그리고 카시러는 말한다. "인간 지성은 '사변적 오성'으로서 이질적인 두 요소에 의지한다. 우리는 표상 없이 생각할 수 없으며, 또 개념 없이 직관할 수 없다. '직관 없는 개념은 공허하고, 개념 없는 직관은 맹목적"이다. "칸트에 의하면, 우리의 가능과 현실 사이의 구별의 근저에 있는 것은 바로 이 인식의 근본 조건에 있어서의 이원론이다.[11)] 인간 지성은 '표상을 필요로 한다기 보다'[12)] 오히려 상징을 필요로 한

9) Ernst Cassirer. 『인간이란 무엇인가』(최명관 역). 서광사. 1988. p. 66.
10) 같은 책. p. 329.
11) Kant. *Critique of Judgement*. secs. 76, 77(원주).
12) "…ein der Bilder bedürftiger Verstand."(Kant)(원주).

다고 말하고 싶다." 그리고 카시러는 "인간을 이성적 동물(animal rationale)로 정의하는 대신, 상징적 동물(animal symbolicum)로 정의하지 않으면 안 된다"고 말한다.[13)]

3.2. 카시러 상징론에 대한 소론

3.2.1. 상징형식 철학의 방법론과 비유적 전용

시인에게 시의 본질은 비유이다. 시인은 '어떤 것'(원관념)을 '다른 어떤 것'(보조관념)으로 대신 나타내는 상징으로써 시편을 제작한다. 아울러, 상징의 수사학적 형식에 따라 시의 유형이 달라진다는 사실 또한 시인에게는 너무나 당연한 인식이다. 이상(김해경)처럼 사고를 자극하는 지적 쾌감에 바탕한 난해시를 쓰기 위해서는 '먼 비유'의 상징 형식의 사고를 수행함으로써 가능하다. 그리고, 김소월처럼 감성에 호소하는 쉬운 시를 쓰기 위해서는 '가까운 비유'의 상징 형식의 사고를 수행함으로써 가능하다. 이것은 시를 쓰는 이 책의 필자로서는 매우 기본적인 지식이자 당연한 사실이다. 그리고 실재로 이러한 방식으로 작품을 제작하고 있다.

또 한편, 시편을 평하거나 특히 사실관계와 법률적용 관련 보고서를 작성하는 경우 우리는 논리규칙에 따른 동일성의 동일화 사고를 해야만 한다. 은유적 대리의 동질적 동일화의 사고는 물론 그 표현에 있어

---

13) Ernst Cassirer(최명관 역). 같은 책. p. 51.

서도 유비적 추론을 요하는 자연적 기호를 사용해서는 안 된다. 오직 뜻과 표현이 단일하게 일치하는 자의적 기호를 사용해야만 한다. 이것은 예술 비평을 수행하면서 그리고 법률 행정 직무에 종사한 이 책의 필자에게는 너무도 당연한 일들이다.

그러한 까닭에 또한 우리는 시 작품이나 여타 장르의 작품들에 대한 비평을 하는 경우 '어떤' 상징 형식의 기교가 사용되었는지에 관심을 가질 뿐, 텍스트가 과연 '상징 형식'에 의해 제작되었는지'에 관해서는 알려고도 하지 않는다. 사실 우리는 그러한 검토 자체가 전혀 불필요하다는 사실을 알고 있다. 그런 우리는, 각 개별 문화 영역의 텍스트가 어떤 성격의 상징 형식을 사용하고 있는지, 그러한 상징 형식의 구조와 원리가 어떤 미적 효과와 의미를 구현하고 있는지, 그리고 어떻게 텍스트를 특징적으로 구현하고 있는지 등에 관심을 기울인다.

하지만, 카시러는 신화 · 예술 · 역사 · 수학 · 과학 등의 텍스트 생성 경위와 구조를 분석하고 검토하는 가운데 그 생성 원리로서 상징 형식이 사용되었음을 밝히고자 한다. 아울러 그러한 검토 결과에 대한 기술과정에서도 카시러는 개별 문화 텍스트들에 상징 형식이 사용되었음이 자연스레 드러나도록 유도하는 귀납적 방식의 기술을 사용한다. 그런 점에서, 상징의 본성과 작용 원리를 탐색하고 동일화 정신작용이 개별 문화 텍스트에 어떻게 구현되는지를 기술하고자 하는 이 책의 필자와 카시러는 서로 정 반대의 연구방법을 취하고 있다.

카시러는 상징형식의 탐구 방향에 관해서 "여기서 질문해야 하는 것은 상징이 어느 하나의 '특별한' 영역, 곧 예술, 신화, 언어 안에서 무엇을 의미하고 무엇을 수행하느냐 하는 것이 아니다. 그보다 언어가 '전체'로서 신화가 '전체'로서 그리고 예술이 '전체'로서 어떻게 상징

형성의 일반적 특징을 가지고 있느냐 하는 것"[14]이라고 말한다.

카시러는 문화와 상징의 관계를 기술함에 있어서 최초의 공리적 명제로부터 출발하는 연역적 방식을 취하지 않고, 마치 유물 탐색 작업과도 같이 언어, 신화, 예술, 종교, 역사, 과학 등의 개별 문화 형식들의 자료들에 대한 분석과 검토작업을 수행하는 가운데 자연스레 상징형식이나 싱징이 드러나도록 한다. 한편, 카시러의 이러한 연구와 기술 방식으로 인해 구쓰나 게이조(忽那敬三)는 카시러의 연구 결과를 이렇게 평한다.

> 상징의 포괄성, 언어과학의 필요성, 신화적 논리의 중요성 등, 통상적인 인식론의 범위를 훨씬 넘어선 수많은 참신한 지적들로 인해 이 저작이 현대 철학에 대해 선구적인 의의를 지니는 것은 틀림없다. 게다가 방대한 경험과학의 식견들을 정리하는 그의 탁월한 솜씨에 대해서는 누구도 혀를 내두를 수밖에 없을 것이다. 그러나 역으로 이 점이 본서에 대한 정당한 철학적 평가를 어렵게 만드는 하나의 원인이 된다고도 생각된다.[15]

카시러는 "인간학적 철학"은 "내적 일관성, 분명한 논리적 순서"를 따르지 않으며, 존재의 "참된 의미와 중요성을 파악하려면 서사시적 서술법이 아니라 극적 서술법을 택하지 않으면 안 된다."고 한다. 상징

---

14) Ernst Cassirer. 『인문학의 구조 내에서의 상징형식 개념 외』(오향미 역). 책세상. 2002. pp. 19-20.
15) 기다 겐 외. 『현상학사전』(이신철 역). b. 2011. 『상징 형식의 철학』편.

에 관한 그러한 카시러의 귀납적 논변의 언급들 즉, 문화 텍스트들에 대한 통시적이고 체계적인 분석과정을 보여줌으로써 상징이라는 주제를 환기토록 하는 그것은 소크라테스의 산파술과 다를 바 없다.

그러한 카시러의 연구가 하나의 '공통된 원리' 아래 문화의 형식들이 창조된다는 가설을 사실로 규명해 나가는 구심력적 방향의 연구 형식을 취하는 것은 당연한 일일 것이다. 또 그러한 까닭에 인간의 문화 창조가 상징 기능에 있음을 규명해 나아가면 될 뿐, 상징의 근원적 실체와 그 작용원리를 규명하고 나아가 '상징'이 실재의 개별 문화 창조의 현장에서 어떻게 기능하는지를 구체적으로 드러내 보이고자 할 필요는 없을 것이다.

하지만, 문화가 상징의 산물이라는 점에서 상징의 정체성과 작용원리가 구체적으로 무엇인가에 대한 물음은 피할 수 없다. 카시러는 상징의 정체성 개념을 구체적으로 진술하고 있지 않다. 하지만, 우리는 『인간론』에서 행한 카시러의 우회적 언급들을 통해 그가 지닌 상징 개념의 요체를 추측해 볼 수가 있다. 그 결과, 우리는 카시러가 '어떤 것을 달리 표현하는 비유적 전용'이라는 보편적 개념을 상징의 공리적 정의로 받아들인 것으로 생각할 수 있다.

카시러는 이렇게 말한다: 과학의 이론은 다름 아닌 상징적인 것으로, 관찰되기 전에 먼저 '가설적인 사실'이었다.[16] 루소는 갈릴레오가 자연 현상을 연구하는 데 사용한 '가설적 방법'을 정신과학의 분야로 도입하였다. 그는 오직 이러한 '가설적이고 조건부의 추리'에 의해서

16) Ernst Cassirer(최명관 역). 같은 책. p. 98.

만 우리가 인간의 본성을 참으로 이해할 수 있게 된다는 것을 확신하고 있다. 그러한 루소의 역사 기술은 과거를 서술하는 것이 아니었다. 그것은 인류의 새로운 장래가 실현되도록 계획한 하나의 상징적 건축이었다.

상징적 기억은 과거의 경험을 되풀이 할 뿐만 아니라, 경험을 '재구성'하는 과정이다. 이것이 바로 괴테가 왜 그의 자서전에 "시와 진실"(Dichtung und Wahrheit)이라는 제목을 붙였던가에 대한 이유이다. 이 진실은 오직 그의 생애의 고립되고 흩어진 사실들에다 가시적인, 다시 말하면 상징적인 형태를 줌으로써만 발견될 수 있다.[17)]

우리의 문제 전체를 간결하게 내포하고 있는 것은 바로 이 '비유적 전용'이다. 이것들은 일정한 의미를 전달하는 심볼들로서 사용된다.[18)] 모든 위대한 자연 과학자들이 한 일—갈릴레오와 뉴턴, 막스웰과 헬름홀츠, 플랑크와 아인슈타인의 업적—은 한낱 사실의 수집이 아니다. 그것은 이론적이요, '구성적'임을 의미한다. 그것은 인간 최고의 힘이다.[19)]

카시러는 어떤 대상 즉 사실들을 새로운 관점에서 '재구성'하는 작업을 상징으로 이해하고 있음을 볼 수 있다. 그것은, "문제 전체를 간결하게 내포하고 있는 것은 바로 이 비유적 전용"이며 "이것들은 일정한 의미를 전달하는 심볼들로서 사용된다."고 한 것에서 뚜렷이 드러난다. 가장 일반적이고 보편적인 의미에서의 상징 개념 다시 말해 '사물을 달리 표현하는 일'이란 자연과 인간과 사물들에 대해 상호간 또

---

17) 같은 책. pp. 88-89.
18) 같은 책. p. 184.
19) 같은 책. p. 333.

다른 관점에서 재구성하여 이해하는 인식 기능에 바탕한다. 물론, 이러한 '비유적 전용'은 『상징형식의 철학』에서 밝힌 상징 기능의 작용이다.

한편, 그러한 우리의 사고 즉 상징이 창조성을 갖는 것은 우리의 동일화 정신작용이 도약적이기 때문이다. 카시러가 말한 '사물을 달리 표현하는 일' 즉 "비유적 전용"과 "재구성"은 관점을 달리 하는 일'로서 도약적 사고의 '통찰'이다. 그리고 통찰은 유비적 사고로서, 상징의 보편적 · 가변적 · 관계적 기능들은 모두가 동일화 정신작용을 통한 관점의 이동과 비약 다시 말해 '통찰' 사고의 결과적 현상들이다.

3.2.2. 관계적 사고와 동일화 정신작용

『상징형식의 철학』에서 카시러는 상징을 대체로 형식의 측면에서 다루고 있다. 그러나, 『인간론』에서는 보다 나아가 판단 기능으로서의 상징 기능에 관심을 갖고 있음을 볼 수 있다. 상징은 질료적인 하나의 신호나 기호가 아니라 비로소 정신적이고 기능적인 것이 된다. 카시러는 비로소 문화 창조의 기능인 보편적 상징의 세계를 열어 보이고 있는 것이다.

카시러 상징론의 주요 개념은 '상징 · 상징 형식 · 상징 기능'의 셋이다. 그런 카시러에게 상징은 '관계적 사고의 의미화 정신기능'이라고 말할 수 있다. 한편 상징 형식은 관계적 사고를 결정하는 정신기능이며, 상징 기능은 상징 형식을 형성하고 수행하는 정신기능이다. 그리고 상징 형식은 감성 · 상상력 · 오성의 조화나 그 영향력에 따라 표현적 · 직관적 · 개념적 형식을 이룬다.

그러한 카시러의 상징론은 이 책의 필자가 제시하고 있는 상징의 '본성론 · 기호론'과 관계가 있고, '실체론'과는 간접적으로 관계된다. 되풀이 되지만, 상징은 우리의 동일화 정신작용 즉 사고이다. 카시러 역시 상징이 사고와 밀접한 관계에 있음을 그의 저서 곳곳에서 언급하고 있다. 카시러는 "관계적 사고가 상징적 사고에 의존"하며 "상징들의 복잡한 체계가 없으면, 관계적 사고는 충분히 발전되기는커녕 도대체 생길 수조차 없다"고 한다. 나아가 "인간 우주를 끊임없이 재형성하는 능력을 부여하는 것은 바로 이러한 상징적 사고"라고 말한다.[20)]

그와 같이 상징과 사고의 불가분성을 인식하였음에도 카시러는 상징을 '기능'이라는 추상적이고 개념적인 문제로 다루고 있다. 그런데, '관계적 사고'란 이 책의 필자가 제시하고 있는 '동일화 정신작용'의 사고 즉 상징 그것이다. 엄밀히 추궁하면 '관계적'이란 '인과성'의 다른 말이며 '동일화'의 다른 표현이기도 하다.

카시러는 수학 · 과학과 달리 신화 · 예술 등이 "논리적인 개념과 논리적인 법칙과는 전혀 다른 길을 통해서 보편타당성이라는 목표에 도달한다."고 말하고 나아가, "인간을 이성적 동물로 정의하기 보다는, 상징적 동물로 정의하지 않으면 안 된다"고 한다. 하지만 상징과 논리는 모두 동일하게 인과성의 원리에 따라 수행된다. 상징 역시 논리기관임은 말할 것이 없다.

그러한바, 상징이 논리적 기능의 정신작용이 아니라는 카시러의 언급은 상징의 본성이 인과성에 바탕한다는 사실을 고려하지 않음에 기

20) 같은 책. pp. 69, 103.

인한 것이다. 상징은 어떤 것을 다른 것으로 대리하는 형식을 통해 의미를 구현하는 '동일화' 정신작용이다. 그리고 '사변적 오성' 또한 판단을 통한 동일화가 그 본성인 정신작용으로 상징과 오성은 본질에서 동일한 기능을 가진 사고기관이다. 그러한 점에서, 칸트의 인식론을 비판하며 인간 지성은 상징을 필요로 한다는 카시러의 생각은 칸트를 비껴갔다. 그리고 칸트 역시 오성이 '동일화 정신작용'의 사고라는 점을 인식하지 않았다는 점에서 상징의 본질을 간과하였다.

3.2.3. 상징 기능과 상징의 실체

카시러의 상징론이 우리의 '사고론'에서 중요시 되는 것은 카시러가 상징을 '상징 기능'이란 관점에서 '사고'와 관련하여 다루었기 때문이다. 이 책의 "ii, 2. 상징과 기호의 혼쟁사" 편에서 볼 수 있었듯이, 고대 그리스 시대로부터 근 · 현대의 기호학과 상징론에 이르기까지 상징과 기호의 논의들은 '상징'의 '형식'과 '상징물'에 관한 수사학적 논의들이었다.

그러한 가운데 카시러는 '관계적 사고'를 가능하게 하는 '정신기능'의 '관점'에서 상징을 고찰함으로써 상징이 인간 문화 창조의 지렛대임을 확인하였다. 그와 같은 상징에 관한 논의는 카시러에 이르러 새로운 차원으로 들어선다. 그러나 상징의 실체인 정신작용의 원리와 시스템을 다루지 않았다는 점에서 카시러의 그와 같은 상징의 기능론 역시 넓은 의미에서 여전히 '형식론'으로 분류 된다.

제 형식의 문화가 상징에 의해 형성되는 것이라면, 문화 텍스트 창작의 현장에서 상징의 정체성과 그 운용의 원리를 아는 일은 너무도 중요하다. '동일화 정신작용'은 경험 인식만이 아니라, 언어 · 시 · 예술 · 과학과 같은 창조현장의 사고 수행에서도 동일하게 요구된다. 그러나, 카시러의 인식론적 관점은 문화현상에 대한 이해와 설명에는 사용될 수 있으나, 수사학과 논리학을 비롯한 제반 규칙들과 마찬가지로 창작과 이론 구성을 위한 사고에는 직접적인 도움이 되지 않는다.

존재는 '활동(Tun)'으로부터만 파악될 수 있다는 상징형식 철학에서의 자신의 이원론에 대한 초월적 이념에도 불구하고 카시러는 '상징'을 '기능'의 문제로 제한하여 상징에 관한 실체론적 논의의 개입을 스스로 차단했다. 그러나 한편 상징의 '형식론'과 '기호론'에 머물지 않고 '기능'의 관점에서 상징의 성질들을 규명한 것은 상징론과 철학사에 있어서 또 하나의 코페르니쿠스적 전환이라 할 것이다.

하지만, 상징의 기능을 아는 것이 상징의 실체를 아는 것은 아니다. 상징의 기능을 아는 것은 상징작용의 결과에 대한 표면적 형식의 이해에 그칠 뿐이다. 그러나, 상징의 실체를 아는 것은 상징 작용을 원리적 측면에서 이해하고 효과적으로 수행할 수 있게 한다. 이 책이 제시하는 상징학의 의도는 그것이다.

4. 퍼스와 제임스 지각론

4.1. 퍼스와 제임스의 지각론

윌리엄 제임스는 "어떤 방식이든 연속되는 대상들을 사고하는 것을 결정하는 것은 뇌 속에서 일어나는 연합되는 뇌 과정"으로 이해한다.[1) 하지만 퍼스는 이와 달리 "우리는 내성 능력을 전제할 아무런 이유도 없으며, 심리적 물음을 탐구하는 유일한 방법은 외적 사실로부터의 추론"이라며 논리학적이고 기호학적인 입장을 제시한다.[2)]

1) William James.『심리학의 원리』Ⅱ(정양은 역). 아카넷. 2005. p. 1005.

아울러 "내적 세계에 관한 지식은 외적 사실들에 관한 지식으로부터 비롯하는 가설적 추론에 의해 도출된다. 우리는 직관능력을 가지고 있지 않으며, 모든 인지는 선행적 인지에 의해서 논리적으로 규정된다."고 한다.[3] 덧붙여 "지각 판단은 추리의 제1명제"이며 "우리의 지각 판단은 모든 합리적 추론들의 첫 번째 전제 조건"으로서 모든 판단과 이론의 정당화는 지각 판단에 근거한다고 말한다(C. S. 퍼스, 5.116).

그런 퍼스는 "마음이 실제로 삼단논법의 과정을 통과할까? 하나의 결론이 마음속에서 두 개의 전제를 순간적으로 대체하는지는 정말 의심스럽다."고 전제하면서도 "삼단논법의 과정과 동등한 어떤 것이 유기체 안에서 일어난다."고 한다. 나아가 퍼스는 헬름홀츠가 그러했듯 지각이 '무의식적' 추론으로 이루어지는 사고라고 주장한다.[4]

한편, 비네(Alfred Binet) 또한, 추정은 3개항으로 이루어진다고 생각했다. "현존 감각 또는 신호"에 의해 "암시되었거나 추정된 것"들은 "과거로부터 불러낸 중간에 개입된 심상"과의 접촉에 의한 연합물이라는 것이다. 그러한 비네는 지각이 직접 현존 감각과의 접촉에 의한 연합물이 아니라고 생각했다[『추리 심리학』(*La Psychologie du Raisonnement*, 1899)].[5]

이에 대해 윌리엄 제임스는 쇼펜하우어 · 스펜서 · 하르트만 · 분트 · 헬름홀츠는 물론 최근에는 비네까지 "지각을 다소간 무의식적으로,

---

2) C. S. Peirce. 『퍼스의 기호학』(제임스 홉스 편. 김동식 외 역). 나남. 2008. p. 93 이하.
3) 같은 책. p. 107.
4) 같은 책. pp. 108-09.
5) William James(정양은 역). 같은 책 Ⅱ. p. 1440, 재인용.

그리고 자동적으로 수행된 추리 조작의 일종"으로 생각한다고 비판한다. 지각과 추리는 심리적 관념 연합으로 알려진, 뇌생리적인 습관 법칙으로서 별개의 다른 두 심리과정이다. 지각이 무의식적 추리라는 생각은 서로 다른 두 심리 과정에 대한 혼동이거나 불필요한 유추의 결과라고 제임스는 주장한다.[6]

하지만 퍼스는 독일 철학자들이 말한 건 결론에 대한 두 전제와 매개어가 의식의 배경에 그림자처럼 자리한다는 것일 뿐, 그들은 매개항을 무의식적인 것이라고 하지 않았으며, 지각이 추리적인 것이라고 주장하지도 않았다고 한다. 아울러 그들은 무한퇴행을 가정하지 않았으며 또한 그들이 그와 같이 말한다고 하더라도 잘못된 것은 아니라고 주장했다.

그러나 퍼스와 견해를 달리한 제임스는, "그들이 생각하는 것은 '지각이란 매개를 통하여 추정하는 과정'으로, 그들이 '이것(this)'이라 말한 감각을 느꼈을 때 '이것은 M이다; 그러나 M은 A이다; 따라서 '이것'은 A이다.'와 같은 의식되지 않는 어떤 중간 매개항의 추론과정이 정신을 스쳐가는 것으로 그들은 생각한다"고 말한다.

아울러, 지각에 있어 그와 같은 "군더더기의 우회 과정이 있다고 가정할 어떤 근거도 없어 보인다."고 한다. 그런 제임스는 "'이것'을 M으로 분류하는 것 자체가 지각 작용이며 모든 지각이 추정이라면 그런 분류를 하기 위해서는 그에 앞선 다른 삼단논법이 있어야 할 것이고, 이런 일은 한없는 퇴행을 초래하게 된다."고 하였다.[7]

6) 같은 책. p. 1440 이하.
7) 같은 책. p. 1441.

정리하면, 제임스의 생각으로 추정에는 ① 신호, ② 그 신호로부터 추정되는 사물 그 둘 이상의 항을 가정할 필요가 없다. 두 항 어느 것이나 복합적일 수 있지만, 본질적으로 A가 B를 불러올 뿐 중간 항은 요구되지 않는다. 이전에 경험한 구체적인 것들을 암묵적으로 불러내기만 하는 경험적 사고는 단순히 재생산을 할 뿐이다. 이와 달리 추리라고 분명하게 말할 수 있는 사고는 새로운 것을 생산한다는 게 제임스의 입장이다.[8)]

칸트는 그와 같은 2항적 직접추정과 3항적 추리라는 그들의 지각 논쟁 이전에 지각의 문제를 선험적 분석론에서 상술하였다. 먼저 결론부터 말하면, 칸트는 지각을 '추론'적인 것으로 생각하지 않았다. 칸트는 "직접 인식되는 것과 추리되는 것은 구별된다. 세 직선의 도형에 세 각이 있다는 것은 바로 인식된다. 그러나 세 각의 합이 두 직각과 같다는 것은 추리로써 가능하다. 우리는 부단히 추리하나 그것이 습관화되어서 종내는 직접적 인식과 추리의 차이를 모르게 된다"고 한다(B 359).

칸트에게 '추론'은 '이성'의 기능이다. 이와 달리 '지각 인식'은 개념을 구성하는 오성의 일이다. 칸트 역시 퍼스 등과 마찬가지로 지각 구성이 3개의 항(인상 · 범주 · 개념)으로 이루어진다. 칸트의 선험적 논리학에서 제임스나 퍼스의 '지각'에 해당하는 '경험 인식'은 감성에 의해 직관된 인상들이 사고의 근본형식인 해당 범주들에 포섭되는지 여

8) 같은 책 Ⅲ. p. 1833.

부를 비교 · 확인하는 판단으로써 얻는다.

한편, 판단은 일반적으로, 특수(현상)를 보편(규칙 · 원리)에 귀속시키는 일이다. 그런데, 지각 인식의 경우와 같이 범주와 같은 보편적 규정이 이미 주어져 있는 경우, 칸트는 규정적 판단이라 한다. 그와 달리 매개항을 중심으로 일반적 규칙의 원리인 대전제와 특수한 현상인 소전제를 구성해내는 사고는 반성적 판단이다. 칸트에게 추론은 이와 같은 반성적 판단력이 사용된다.

"모든 마음의 움직임은 추론으로 되어 있다."고 말하는 퍼스의 경우("논리법칙의 타당성 근거: 네 가지 무능력의 또 다른 귀결들")[9], 판단은 무한히 소급되는 '이유'를 갖는다. 그러나 칸트의 지각 판단은 그러한 무한 소급의 이유와 추론을 원천적으로 허용하지 않는다. 칸트는 지각을 위해서 인상이 어떤 범주의 개념에 속하는지 여부를 검토한다. 하지만 이 때의 범주는 다른 설명이나 판단이 요청되지 않는 수학적 공리와 같이 자명한 것으로, 우리 내부에 있는 표상의 원형들이라 할 수 있다.

칸트에게 경험 인식은 대상을 경험하는 순간에 자명한 범주를 상기하고 대상의 인상이 마음속에서 떠오른 범주와 동일한 것인지 여부만을 비교 · 확인을 하기만 하면 된다. 인상과 범주의 비교 · 확인만을 행하는 인식기능을 칸트는 '오성'이자 '규정적 판단력'이라 한다. 그와 달리 추론능력은 이성이며 반성적 판단력이다. 그러한 칸트에게 감각 지각은 추론에 의한 것이 아니다.

결론을 정리하면, 지각을 제임스는 2항적 구성의 '직접 추정'으로

---

9) C. S. Peirce(제임스 훕스 편. 김동식 외 역). 같은 책. p. 154.

이해한다. 칸트는 3항적 구성의 '규정적 판단'에 의한 '직접 인식'으로 이해한다. 퍼스와 오늘날 인지과학계의 여러 지각이론들은 3항적 추론으로 이해한다. 그리고, 지각 인식을 제임스와 퍼스는 '무의식'에 의한 것으로 이해한다. 그러나, 칸트는 암묵적으로 '의식'적인 것으로 이해한다. 한편 오늘날 인지과학계는 지각의 과정이 많은 부분 '무의식(또는 비의식)'에서 이루어짐을 인정한다.

4.2. 지각은 전일적 단일항의 비의식 사고이다

그런데, 지각에 대한 명칭 등의 여부를 떠나 실제 우리의 지각과정은 어떻게 이루어지는 걸까? 결론부터 말해, 지각을 비롯한 모든 사고는 비의식으로 이루어진다. 다시 말해, 지각(인식)은 추정이나 추론이 아니며, 따라서 2항적인 것도 3항적인 것도 아니다. 그리고, 의식적인 것도 무의식적인 것도 아니다. 지각은 비의식 상태에서 논리규칙을 초월하는 비의식기호를 사용하여 전일적으로 수행된다.

우리는 '장미꽃'이라는 언어적 표현을 하기 전에 먼저 장미꽃의 이미지(인상)를 얻는다. 그것으로 '지각'은 완성된다. "장미꽃이다!"라거나, 처음 말을 배우는 아이처럼 "이것은 장미꽃이다!"라는 도식적 표현들은 '지각'이 아니라, '지각을 표현한 말이나 문장'이다. 우리의 지각은 대상을 알아차리는 일이다. '장미꽃'이라는 표현이나 생각은 지각 이후에 '언어'로써 재확인하는 추론 행위이다.

2항적 추정이나 3항적 과정의 인식은 지각과는 또 다른 사고이다. 그것은 지각의 내용을 이해하거나 설명하기 위해 언어와 문법 그리고 논리규칙 등의 인위적 형식에 따라 수행되는 사고이다. 문자가 말을 상징하는 것이듯 말은 영혼의 상태를 상징하는 요소들의 체계라는 아리스토텔레스의 말을 우리는 다시금 음미해볼 필요가 있다. 말은 영혼의 상태 즉 생각을 드러내는 상징물이라는 뜻이다. 정리하면, 지각은 원사고이고 '지각을 표현한 말이나 문장'은 방법적 사고 즉 추론의 산물이다.

우리는 사고의 본성을 'A=C'라는 도식으로 표현한다. 그것은 우리의 사고가 'C=B, A=B'라는 이유를 내포함을 의미한다. 우리는 천성적으로 물음을 갖는다. 그것은 인간의 타고난 재능이다. 우리는 자연현상을 원인과 결과라는 패턴으로 형식화하며, 모든 현상에는 원인이 있다고 생각한다. 그러한 까닭에 쇼펜하우어는 절대 시초의 무제약적 원인을 인정하지 않았고 퍼스 역시 해석체의 기호론과 함께 무한 소급의 추론을 주장한다.

이 책의 필자 역시 사고의 본성을 'A=C'라고 표기함으로써, 모든 판단은 원인이나 이유를 추궁할 수 있음을 표명하고 있다. 우리의 사고는 근원을 향해 무한히 추궁한다. 하지만 이것은 언급한바와 같이 인간의 천부적 재능과 사고의 본성이 그러하다는 것이다. 하지만 실제의 사고 시에 우리는 이미 해결된 문제거나 경험한 대상에 관해서는 더 이상 추론을 행하지 않는다.

우리는, 처음 경험하거나 모호하여 통일적 개념의 인상을 얻기가 곤란한 사물을 접할 경우 의식 상태에서 (퍼스나 제임스가 그러하듯) 사물에 대한 분석과 추정이나 추론을 행한다. 그러나 그(처음 경험하거나 모호한) 사물을 다시 접하는 경우 우리는 처음처럼 추론을 하지 않고 곧바로 어떤 사물임을 알아차린다. 피히테(1762-1814), 베르그송(1859-1941), 깁슨(James J. Gibson, 1904-1979), 시드니 대학의 생리학 교수 베넷

(Maxwell R. Bennett) 같은 이들도 말하듯 지각은 가설적 추론이 아니라 "하나의 사건이나 일어나는 일"이다.

그리고, 일상생활에서 접하는 대상들은 대부분이 동일하거나 유사한 것들로서, 우리의 지각은 대부분 추정이나 추론이 아닌 비의식의 지각으로 수행된다. 언급했듯, 추론은 지각의 대상이 모호한 경우 시도하는 사고로써, 추론에 의한 시행착오적 시도가 있은 후 불현듯 우리는 어떤 범주적이거나, 통일된 개념의 인상을 얻는다.

지각을 '동물-환경' 단위체계의 창발적 속성으로 이해한 Gibson 역시 지각이란 최소한의 심적 노력이 필요할 뿐, 별도의 복잡한 해석적 분석과정이나 표상과정이 필요하지 않은 것으로 생각한다. 다시 말해 지각 내용은 구성되거나 추론되는 것이 아니며 직접적으로 지각되는 것이라는 말이다.

우리는 단항적 지각을 함으로써 매순간 접하는 사물과 사태의 정보들을 힘들이지 않고 인지할 수 있다. 그렇지 않고 모든 지각을 제임스가 말하듯 2항적 도식의 추정이나 퍼스와 같은 3항적 논리형식으로 수행한다면 (설령, 제임스와 퍼스의 견해처럼 추정이나 추론을 무의식적으로 수행한다고 하더라도) 아마 피로에 지쳐 쉽게 쇠약해질 것이다. 하지만 우리는 경제적이고 효율적인 사고를 하는 여러 가지 재능을 갖고 있다.

제임스 또한 "우리의 뇌 회로에 습관이 형성되지 않아 에너지의 소비를 효과적으로 제어하지 못한다면 곤란할 것"이라고 한다. 아울러 "'우리 신경 계통은 훈련 양태에 따라 성장한다'는 카펜터 박사의 말은 습관에 관한 철학을 한 마디로 표현하고 있다. 습관은 '일정한 결과를 성취하는 데 요구되는 신체 운동을 단순화하고 더 정확하게 만들어 피로를 줄인다'"고 말한다.[10)]

통찰은 추론으로 확인된다. 그 결과 우리는 지각이나 심층비의식의 통찰 사고가 여러 삼단논법의 전개 과정들이 내재 · 함축되어 있음을 알 수 있다. 물론, 우리의 통찰 사고는 외현적 논리규칙들을 다루듯이 삼단논법을 질서정연하게 다루지 않는다. 우리의 모든 사고는 전기 · 화학적 신호작용에 의한 비의식기호로써 외현기호적 논리체계의 규칙을 초월하여 전일적이고도 총체적으로 수행된다.

또 그런 까닭에 우리는 '동일화'라는 단일의 원리로써 많은 유형의 형식들을 창조할 수 있다. 그리고 복잡다단한 판단 과정들을 기록에 의하지 않고도 머릿속에서 손쉽게 수행할 수 있다. 이것이 우리의 사고가 비의식 상태로 수행되는 이유이기도 하다. 지각 사고는, 자각적으로는 전일적이고 총체적으로 이루어지는 단일항의 사고이다. 하지만, 인식론적 관점에서 그 과정을 추론해보면 단일항의 사고가 아니라 복잡다단한 판단 과정들이 내재된 통찰 사고임을 알게 된다.

다음과 같은 윌리엄 제임스의 언급은 그 자신을 비롯하여 분트와 헤름홀츠 역시 이 책의 필자와 유사한 생각을 하였음을 보여준다: "초기 저술에서 무의식적 추정이 감각적-지각에 중요한 요인이라는 생각을 누구보다도 주장한 분트와 헬름홀츠가 그 후 저술에서는 견해를 수정하여 무의식적으로 추정하는 과정이 실제 일어나지 않고서도 추리 결과와 '유사'한 결과는 생길 수 있다는 것을 인정하는 것이 합당하다고 주장한 것은 주목할 만하다".[11]

10) William James(정양은 역). 같은 책 Ⅰ. p. 203.
11) William James(정양은 역). 같은 책 Ⅰ. p. 306.

4.3. 비의식 사고와 의식 사고

Robert J. Stemberg 등은 "사람들이 의사 소통에서 사용하는 것과 동일한 것(term)을 사용하여 사고한다(think)는 그들의 가정에는 강력하게 반대한다."고 말한다. 그리고 "우리의 연구 결과는 사고하는 것과 의사소통하는 것이 매우 상이한 기술들을 요구하는 과정임을 보여 준다. 창의적인 창안물과 표현되는 산출물은 사고가 변환된 것"이며 "언어는 분명 인지에 기초하고 있지만, 인지는 언어에 기초하지 않는다."(Barlow, Blakemore, & Weston-Smith, 1990; Root-Bernstein & Root-Bernstein, 1999)[12]고 말한다.

언어 · 문법 · 논리규칙 등의 기호와 기호체계들은 우리가 고안한 발명품들이다. 우리의 뇌는 외현기호로써 사고하지 않는다. 단지 뇌신경세포들을 자극하는 화학물질과 일정한 자극의 전류흐름으로써 특정군의 신경세포들을 연합한 비의식기호로써 수행된다. 그 결과로 우리는 심상기호 다시 말해, 언어나 이미지의 감각질을 얻는다. 언어나 논리는 비의식기호 또는 감각질의 내용을 우리가 이해하고 표현하기 위해 고안한 도구적 수단들이다.

우리는 통찰의 부족을 문법 · 논리규칙 · 공식 · 원리 등과 같은 도식들의 사용과 함께 기존 지식을 참조함으로써 보완하여 극복하기도 한다. 하지만 그러한 형식과 체계는 하나의 방법론일 뿐 사고의 기능은

---

12) R. J. Stemberg, E. L. Grigorenco, J. L. Singer. 『창의성: 그 잠재력의 실현을 위하여』(임웅 역). 학지사. 2009. p. 232.

아니다. 그러한 논리적 방법론을 수행하는 과정에서도 매개어를 찾고 대 · 소전제를 세우는 일은 비의식의 통찰 사고에 의한다. 의식의 확인을 거치고 형식을 활용하는 추론 사고는 인위적인 사고이다. 우리의 자연적인 사고는 비의식적이며 초 형식적인 신경집단의 작용들이다. 이 책의 필자는 전자를 방법적 사고 또는 '추론', 후자를 원사고 또는 '통찰' 사고라 한다.

언급하였듯, 우리의 사고는 모두 비의식에서 수행되고 그 결과만 의식에서 인지된다. 그것은 창의적 통찰 사고만이 아니라 단순한 '지각' 역시 마찬가지이다. 지각의 과정은 인지되지 않으며 결과만 의식에 나타난다. 그러하듯 결론 이전의 전제들과 최종 판단 이전의 여러 과정들은 비의식에서 수행되어 인지되지 않는다. 우리는 그러한 과정들을 추론에 의해서 재구성한다.

여타의 자연현상이 그러하듯 비의식의 사고는 전일적 하나의 작용으로서, 화학적이고 전기적인 뇌신경 · 생리작용에 의해 이루어진다. 어떤 믿음이나 확신을 갖게 하는 판단을 갖기 이전의 뇌신경 작용의 사고세계는 의식에서 인지되지 않는다. 그러한 우리의 사고는 비의식으로 진행되는 일원적 자연현상이다. 언어와 형식들은 그러한 우리의 사고를 이해하고 설명하기 위해 고안된 인위적인 수단이다.

추론은 우리의 통찰 사고가 비의식에서 찾아낸 발견물을 의식에서 확인토록 대전제 · 소전제 · 결론의 인과적 순으로 나열하는 일이다. 어떤 발견에 있어서 우리의 사고는 언제나 가설적 결론을 먼저 제시하게 된다. 그런 후 이유가 되는 전제들을 추정한다. 문법 체계나 논리규칙을 비롯한 형식들은 사고를 사후적으로 재구성하는 규칙들일 뿐이다. 논리학에서는 논리규칙을 사고의 법칙이라고도 한다. 하지만 이것이 사고의 본성이나 작용원리라는 뜻으로 이해되어서는 안 된다. 그 말은 사고를 효과적으로 진행하게 하는 절차적 방안들이라는 의미이다.

우리의 사고는 전일적으로 이루어진다. 사고는 형식논리의 체계에 의해서가 아니라, '비의식'의 화학적이고 전기적인 신경생리작용으로 이루어진다. 2항적 또는 3항적 구별의 형식들은 이루어진 '사고'에 대해 그 내용을 추론에 의해 정리 · 확인하는 과정에서 사용하는 도식적 방편들이다. 우리의 사고는 비의식으로 진행되는 일원적 자연현상이다. 형식논리와 같은 규칙들은 그러한 자연현상으로서의 사고를 이해하고 설명하기 위해 우리가 고안한 수단들이다.

4.4. 무의식적 지각 주장에 대한 오늘날 연구자들의 추인

윌리엄 제임스는, 지각 생활의 주요 부분을 형성하고 있는 추정은 무의식적인 것으로, 일반적으로 우리는 추정하고 있다는 사실을 전혀 의식하지 않는 것이 확실하다고 말한다.[13] 뿐만 아니라 제임스는, 통상 우리가 경험하고 있는 일들로서, 잠들기 전에 풀지 못했던 문제가 아침에 일어나 풀렸다든가, 간밤에 미리 정한 시각에 정확히 깨어나는 일, 몽유환자가 사리에 맞는 일을 하는 것 등을 비롯한 많은 사례들에서 볼 때 무의식적 사고와 무의식적 의지 등이 최면 · 몽환 상태에서와 같이 우리의 행동을 지배함이 틀림없다고 한다.[14]

그런데, Robert J. Stemberg를 비롯한 연구자들 역시, 제임스

---

13) William James(정양은 역). 같은 책 Ⅲ. p. 1828.
14) 같은 책 Ⅰ. p. 300.

(1890/1950)가 이미 잘 설명하고 있듯이 저장된 정보의 처리는 우리가 깨어 있는 동안에도 쉬지 않고 이루어진다고 한다. 아울러 이러한 일들은 실험실 연구에서도 분명하게 밝혀진 바와 같이 잠을 자는 동안에도 이루어진다(Antrobus, 1991, 1999; Domhoff, 1996; Hartmann, 1998)[15)]며 무의식과 사고의 관계를 언급하고 있다.

Richard Leviton은 뇌세포의 단 1%(혹은 뇌 표면의 5% 미만)만이 의식적 경험을 기록하는 일에 관여하거나 우리의 일상적 통제 아래 있고 나머지는 자동적이거나 무의식적으로 움직인다고 한다.[16)] 아울러, '무의식'이 우리의 정신과 신체의 움직임을 포괄적으로 주재하고 있음을 언급한다.

한편, 이와 같은 비의식적 현상들이 우리가 자각하기 이전에 먼저 나타남을 확인한 구체적인 사례들이 있다. 1979년에 영국의 리벳 박사는, 우리가 무엇을 하려는 의도를 갖기 0.5초 내지 0.8초 전에 이미 뇌가 움직이고 있음을 손목을 움직이는 실험으로 밝혀냈다. 실험은, 우리가 손목을 움직여야겠다는 생각을 자각하기 전에 뇌가 먼저 작동하고 있음을 알려준다. 우리가 생각에 대한 자각을 하기 전에 이미 우리의 뇌는 전두엽이 작용하여 손을 움직이는 행동을 제어하는 두정엽으로 신경정보가 전달되고, 그 이후에 의식이 개입된다는 것을 의미한다.

더 흥미로운 것은, 독일의 막스플랑크 연구소의 해인스(John-Dylan Haynes) 박사 팀은 싱가포르 병원 인지신경 연구팀 등과 함께, 사람들이 어떤 결정을 내리고자 할 때 그러한 사실을 자각하기 약 7초 전에

15) R. J. Stemberg, E. L. Grigorenco, J. L. Singer(임웅 역). 같은 책. p. 308.
16) Richard Leviton. 『두뇌 계발 비결』(김종석 역). 학지사. 2007. p. 507.

먼저 뇌의 활동을 확인함으로써 그 사람의 결정을 예측할 수 있음을 보고했다. 물론, 이 7초라는 시간은 어떤 결정과 관련된 문제의 종류나 심도에 따라 짧거나 훨씬 더 길 수도 있을 것이다.[17]

리벳과 해인스팀의 실험에서 분명히 드러난 건, 우리의 자각적 의식은 실제 뇌신경 흥분이 일어나고서 얼마간의 시간이 경과한 뒤에 이루어진다는 사실이다. 하지만, 우리는 사건이 의식하는 바로 그 순간에 일어난다고 착각한다.[18] 특히 '지각'의 경우는 대체로, 자극과 알아차림의 간격이 0.1초 정도로 알려져 있어, 알아차림의 과정이 '비의식'으로 진행된다는 사실을 우리가 알기는 더욱 쉽지 않을 것이다.

4.5. 비판적 정리

'의식'의 개입 여부에 따라, 사고는 원사고와 방법적 사고로 구별된다. 원사고는 비의식으로 수행되고, 그와 달리 방법적 사고는 의식이 개입된다. 언급했듯, 지각은 원사고로서 순수한 비의식의 사고이다. 제임스와 퍼스는 지각을 무의식적인 추정이나 무의식적 추론 사고로 이해한다. 그런데, 제임스의 '추정'은 2항적이며 기호를 사용하는 개념이고 퍼스의 '추론'은 3항적인 추론을 사용하는 사고이다.

그러나 실제적인 수행 측면에서 지각은 비의식 상태로 전일적이고도 즉각적으로 이루어지는 단일항적 사고이다. 하지만 지각 사고의 수

17) 이정모. 『인지과학: 학문 간 융합의 원리와 응용』. 성균관대학교 출판부. 2009. pp. 266-68.
18) 같은 책. p. 300.

행 후 그 과정을 인식론적 측면에서 살펴보면 3항적 삼단논법의 과정들이 내재된 통찰 사고라는 것이 확인된다. 퍼스와 제임스는 지각을 전일적 수행의 원사고와 사후 해석적 추론의 관점으로 구별하여 살피지 않았다. 그들은 신경생리적 비의식의 정신작용과 언어 등의 기호에 의한 인식론적 관점에서의 접근으로 분리하여 살피지 않는다. 그로 인해 논점 불일치의 논쟁이 일어났다고 할 수 있다.

5. 베르그송의 직관과 분석

5.1. 분석하는 과학, 직관하는 형이상학 · 철학 · 예술

베르그송(Henri Bergson, 1859-1941)은 분석과 직관의 두 사고 유형을 제시한다. 과학은 전자와 관계하고 형이상학과 예술은 후자에 호소한다: "어떤 사물을 인식하는 데는 근본적으로 다른 두 가지 방식"이 있다. 하나는 관점을 지니며 기호에 의존하는 '분석' 사고이고, 다른 하나는 관점을 갖지 않으며 기호에 의존하지 않는 '직관' 사고이다. 분석은 과학과 역학적 기술이 관계하고, 직관은 형이상학이 관계한다.[1)]

분석에 의한 실증과학은 무엇보다도 기호에 기초하는 작업이다. 과학은 실제를 상대적으로 인식하고 다양한 관점에서 접근하여 분석한다. 이와 달리 형이상학은 실재 안에서 실재를 절대적으로 파악하고 직관한다. 형이상학은 기호적 표현이나 번역 혹은 재현이 아닌, 기호 없이 수행하는 과학이다.

직관이란 대상의 내부로 들어가 그 대상의 유일하고도 표현될 수 없는 것과 합치하는 '공감'이다. 이와는 달리 분석은 대상을 이해할 수 있도록 이 대상과 다른 대상에 공통적으로 내재하는 요소들로 환원시키는 일이다. 따라서 분석은 사물을 그 사물이 아닌 요소로써 표현하는 일이다. 그러므로 일체의 분석은 기호에 의한 번역이며, 연속적인 여러 관점에서 본 표상이다.[2)]

심리학은 자아를 감각 · 관념 · 사고 등으로 분석하여 연구하지만 "자아는 그러한 상태들에서 항상 비껴 나 있다." 가능한 모든 시야에서 스케치한 파리(Paris)의 조합물을 파리로 이해하는 것일 뿐, 파리에 관한 기호는 어디까지나 파리의 실체를 간접적으로 이해시켜주는 비교적 수단일 뿐이다.[3)] "지성은 사물의 공간적 변위나 은유적 번역으로 파악하지만, 직관은 사물 자체를 우리에게 부여해준다."[4)]

그러한 베르그송은 한편으로 직관 사고가 과학 · 철학 · 시 · 예술을 형이상학과 만나게 한다고 생각한다: "과학과 형이상학은 직관 안에서 결합되며, 직관적인 철학은 형이상학과 과학의 통일을 실현한다."[5)]

---

1) Henri Bergson. 『사유와 운동』(이광래 역). 문예. 2012. p. 191.
2) 같은 책. p. 195.
3) 같은 책. p. 206.
4) 같은 책. p. 86.
5) 같은 책. p. 232.

"예술은 형태화된 형이상학이며. 형이상학은 예술에 대한 반성이다. 동일한 직관을 서로 다르게 적용시킴으로써 심오한 철학자와 위대한 예술가는 태어난다."[6] 직관의 이러한 기능이 점차 확대되어 시를 낳고 산문을 낳았으며, 기호에 불과했던 단어들을 예술의 도구로 만들었다."[7]

베르그송은 1886년에 "최면 상태에서의 무의식적 위장에 관하여"라는 논문을 발표했다. 이것은 프로이트와 브로이어의 『히스테리 연구』보다 앞선 무의식에 대한 관심으로 평가된다.[8] 베르그송의 경우 무의식의 개념은 "맨 드 비랑(Maine de Biran)의 영향을 받은 내성 심리학자 피에르 자네(Pierre Janet)에게서 영향 받은 바도 있으나 무의식론은 그의 지속 이론과 기억 이론에서 자연적으로 도출된다.[9] 그리고, 1889년 출간된 『의식에 직접 주어진 것들에 관한 시론』에서도 베르그송은 '무의식'이 우리의 정신작용에 관여하거나 지배함을 여러 곳에서 전제하는 발언을 하고 있다.

그런 베르그송은 『물질과 기억』에서 "사람들은 누구나 우리 지각에 나타나는 지금의 이미지들이 물질의 전부는 아니라는 것을 인정한다. 그렇다면 지각되지 않은 어떤 물질적 대상의 회상되지 않은 이미지는 일종의 무의식적인 정신 상태의 것이 아니라면 무엇인가"하고 반문한다.[10] 베르그송은 후기의 『사유와 운동』(1934)에 실은 논문 "직관에

---

6) 같은 책. p. 278.
7) 같은 책. p. 97.
8) 김재희. 『물질과 기억』. 살림, 2008. p. 27.
9) Henri Bergson. 『창조적 진화』(김형효 역). 아카넷. 2005. pp.25-26.

대하여"(1911)에서도 직관은 "내적 지속과 관련된 것"으로서 "정신의 직접적 투시"이며 "엄격한 논리와는 반대"된다. 직관은 정신 · 지속 · 순수변화를 획득하게 하며, "무의식이 거기에 있음을 알려"준다고 한다. 이와 같이 베르그송은 '무의식'이란 용어를 창조적 사고와 관련하여 사용한다.

5.2. 사고작용의 내재적 원리가 보여주는 직관과 분석의 상보성

베르그송의 직관과 분석론은 자각적 인지작용의 의식이나 사고작용의 비의식 그리고 사고의 본성 등에 관해 검토하고 있지 않다. 베르그송의 직관은 헤겔과 후설이 그러하듯 과학적 개념주의 사고의 한계를 지적하고, '지속'으로서의 세계의 본질과 실체를 온전히 파악하는 정신활동의 개념으로 제시한 용어이다.

따라서, 직관의 본질적 속성이나 작용의 원리에 관해서는 말하고 있지 않다. 베르그송은 직관 사고의 필요성에 관해서 특히, 과학 또한 직관 사고를 활용하여 형이상학이 그러하듯 본질을 파악할 수 있어야 한다고 말한다. 하지만 직관 사고가 어떻게 이루어지며 나아가 직관 사고가 어떻게 효율적으로 수행될 수 있는지 등에 관해서는 언급이 없다. 그런 점에서 베르그송의 직관론은 사고의 이상적 모델에 관한 선언적 성격의 것이라고 말할 수 있다.

언급하였듯이 베르그송의 직관과 분석은 지속으로서의 존재와 분절

---

10) Henri Bergson. 『물질과 기억』(박종원 역). 아카넷. 2005. pp. 157-58.

적 개념의 세계인 과학의 속성을 대비시키고 있다. 그러하듯, 사물의 본성이나 실체를 파악하고자 하는 베르그송의 직관은 지속을 포착하고, 창조적 비약의 실현에 그 의의와 목적을 갖는다고 할 수 있다. 베르그송은 직관과 지속의 관계를 이렇게 단적으로 표현한다. 직관은 "내적 지속과 관련된 것"으로서 "정신의 직접적 투시"이다. "순수 직관은 불가분적 연속성에 대한 직관"이다.[11]

그러한 베르그송은 시간을 '지속'이라는 개념에서 검토한다. 베르그송은 사람들이 무의식적으로 (자연과학에서 수로 환원되는) 시간을 실재 지속과 동일시한다고 말한다.[12] 아울러, "칸트의 잘못은 시간을 동질적 장소로 간주한 것"이라고 비판한다. "그는 심리적 사실들이 서로서로 병치되고 구별되는 장소는 필연적으로 공간이지 지속이 아님을 잊고 의식은 그런 사실들을 병치에 의하지 않고는 달리 볼 수 없는 것으로 판단했다."고 한다.[13]

그런 베르그송은 말한다: 지성은 보통 정지된 것에서 시작한다. 지성은 정지된 것들을 병치시켜서 운동을 재구축한다. 하지만 직관은 운동으로부터 시작한다. 직관적으로 사고한다는 것은 곧 지속 안에서 사고한다는 것이다. 직관은 지속, 곧 성장과 연결된다. 직관은 새로운 것에서 예측 불가능하고도 단절되지 않은 새로운 연속을 지각한다.[14]

---

11) 같은 책. p. 204.
12) Henri Bergson. 『의식에 직접 주어진 것들에 관한 시론』(최화 역). 아카넷. 2003. p. 247.
13) 같은 책. p. 283.
14) Henri Bergson(이광래 역). 같은 책. pp. 38-39.

☞ 필자는 '시간' 대신 '운동'과 '변화'라는 관점을 갖고 있다. 그것은 종국적으로 "A=Ā"라는 표현으로 나타난다. 이것은 비동일체의 동일성 즉, 존재의 '유비적 동일성'을 지시하는 것이기도 하다. 시공간을 초월하는 시의 본질인 '비유'는 그러한 인식에 바탕한다. 필자에게 시간은 공간의 한 속성에 대한 상징어일 뿐이다. 이 점에 있어서는 베르그송 역시 "시간이 공간에 투사되는 것은 특히 운동을 매개로 해서"라고 하고 있다.[15]

직관에 관한 외적 규범으로 중요한 또 하나는 '비약'이다. 창조적 진화 사상을 지닌 베르그송의 '비약'은 엘랑 비탈(élan vital: 생명의 비약) 즉 내부에서 분출되는 창조적 형성의 힘과 관련된다. 비약적 직관 사고 다시 말해 필자의 [상징학]의 통찰 사고는 개념적이고 단절적이며 정태적인 기호적 사고를 초월한다. 직관 사고에서 비약은, 통찰 사고에서의 유비적 도약의 동일화와 같은 맥락의 것이다.

베르그송의 비약은 한편으로 시적 사고에 기댄 하이데거의 존재론적 본성이나, 논리규칙의 질서를 초월하는 '리좀' 개념과도 맥을 같이한다. 들뢰즈는 자신의 철학적 방법론에 관하여 그의 한 주저에서 이렇게 말한다: 판은 숨겨진 원리일 수 있다. 그것은 유비의 판이다. 전개에 있어 유비는 탁월한 항을 지정하며, 구조라는 관계들을 설정한다. 이 판은 자신을 전개하거나 조직하는 원리와 직접 관계를 맺지만 자신은 나타나지 않는다. 우리는 판을 추론해내고 귀납적으로 결론을

15) 같은 책. p. 160.

이끌어낼 수 있을 뿐이다.[16)]

베르그송은 형이상학의 철학과 예술은 직관을 사용하며, 과학은 분석 사고를 행한다고 생각한다. 그런 베르그송은 또 한편, "나는 직관이 지성 속에 자신의 빛을 스며들게 했다는 것을 인정한다. 정교한 정신이 없이는 사고도 없으며, 정교한 정신은 곧 지성 안에 비친 직관의 그림자이기 때문"이라고 한다.[17)]

그러하듯이, 과학의 창조적 사고는 추론의 분석 사고 이상으로 통찰의 '직관' 사고에 의존한다. 베르그송은 "과학이 분석 사고를 행한다"고 생각하지만, 과학이나 시 · 예술 모두 '분석' 사고가 아니라 '직관(이 책의 필자의 통찰)' 사고에 의한다. 다만, 과학의 경우 직관의 내용을 객관화하기 위해 분석 사고를 수행할 뿐이다.

과학적 가설의 포착은 분석 사고가 아닌 직관(이 책의 필자의 통찰)으로써만이 가능하다. 하지만, 이러한 직관은 베르그송도 인식하고 있듯이 무의식(이 책의 필자의 비의식)의 세계에서 발현되며, 무의식 상태로 수행된다. 그리고 직관의 수행 후 결과만 의식에서 인지된다. 그런 까닭에 직관의 내용을 질서정연하게 드러내기 위해서는 기호에 의한 분석 사고를 수행해야 한다.

베르그송은 '체계'에 관해 생리학자 클로드 베르나르의 『실험의학입문』을 인용하여 비판한다. "인간 지식의 자유로운 행진을 가로막는 가장 커다란 장애물 중의 하나는 여러 가지 지식을 체계적으로 개별화

---

16) Gilles Deleuze, Félix Guattari. 『천 개의 고원』(김재현 역). 새물결. 2001. p. 503.
17) Henri Bergson(이광래 역). 같은 책. p. 97.

시키는 것이다. 체계는 인간 정신을 노예로 만든다. 철학적 · 과학적 체계를 해체해야 한다. 철학과 과학은 체계적이어서는 안 된다."

물론, 베르그송은 "관념이란 현상 안으로 침투하는 데 쓰이는 지성적 도구에 지나지 않는다. 면도날이 충분히 오랫동안 사용된 후 무디어졌을 때 그것을 바꾸듯이, 관념들도 임무를 끝마치고 나면 교체되어야 한다."는 베르나르의 말을 전제한다. 아울러, "이론들은 부분적이고 임시적인 진리로서 우리가 탐구를 진행해가기 위해 딛고 올라가야 할 계단들로서 필요한 것"이라고 말한다.[18]

하지만 그러기 전까지, 우리는 직관의 내용을 명료히 이해하고 전달하기 위해 분석을 수행하고 기호와 기호체계로써 명시하게 된다. 그리고, 베르그송 역시 이와 같은 사실을 인지하고 있다 "직관은 오직 지성에 의해서만 전달된다. 직관은 관념 이상의 것이다. 그런데도 전달되기 위해서는 그 전달체로서 관념을 사용해야만 한다고 하고 있다.[19]

이와 같이, 개념적 분석 사고는 통찰에 대한 객관화에 있어서 불가피한 요청이다. 따라서, 방법적 사고의 '분석'이나 직관의 사고 그 어느 것이 무용하다거나 지양되어야 하는 것이 아니다. 분석과 직관은 상호보완적으로 사용됨으로써 자연에 대한 보다 본질적 이해를 향해 나아갈 수 있다.

그리고 베르그송은 직관의 제시에 있어서 "표현될 수 없는 것은 비유와 은유가 암시해준다. 그렇다고 해서 이것이 길을 우회하는 것은 아니다. 그것은 목적지에로의 직선 대로."라고 한다.[20] 그리고 들뢰즈

---

18) Henri Bergson(이광래 역). 같은 책. p. 250.
19) 같은 책. p. 51.

역시 베르그송과 같은 말을 하고 있다: “어떤 것을 정확하게 그려내기 위해서는 비 정확한(anexacte) 표현들이 반드시 필요하다. 비 정확함은 결코 하나의 근사치가 아니다. 반대로 그것은 일어나는 일이 지나가는 정확한 통로”라고 한다.[21] 바로 직관의 이러한 지점에서 베르그송이 말하였듯 철학과 형이상학, 시 · 예술 그리고 과학이 모두 한 자리에서 만난다.

우리의 모든 사고는 외현기호가 아닌 전기 · 화학적 신호작용의 비의식기호로써 수행된다. 단지 사고된 결과를 외현기호로써 나타낼 뿐이다. 우리는 비의식의 수행 결과를 ‘의식’에 ‘심상기호’로 나타내어 인지한다. 기호는 우리가 감각의 세계에 비추어 사물을 이해하는 인식 수단이다. 직관만이 아니라 분석 사고 역시 본질에서 비 기호적 사고이다. 직관은 물론 분석 사고 역시 전 기호적 신호작용으로 행해지며, 사고의 결과가 의식에서 심상기호로 표상된다.

과학 역시 ① 가설의 착상과 ② 그 가설의 논증 과정에서 요청되는 논리적 매개어 등의 착상에는 직관이 필수적이다. 시 · 예술 작업 또한 기호의 지원을 받지 않는 직관(필자의 통찰) 사고만을 행하지는 않는다. 시 · 예술 역시 텍스트를 제작하기에 앞서 방법론적 분석 사고로서 도식을 세우고 방안을 강구한다. 그리고 퇴고의 경우 미학적 통일성을 위해 분석 사고가 수행된다. 이와 같이 사고 수행의 실제 현상에서, 우리는 분석과 직관 사고가 과학과 형이상학의 고유한 수단의 하나들로

20) 같은 책. p. 51.
21) Gilles Deleuze, Félix Guattari(김재현 역). 같은 책. p. 46.

엄격히 분리되어 있지 않음을 알 수 있다.

무의식은 직관 사고의 기반을 이루지만, 의식은 분석사고에 기여한다. 의식은 본능적이고 맹목적인 비의식을 합목적적 방향으로 나아가게 한다. 비의식이 우리의 내부에서 본능적으로 움직이는 사고작용이라면, 의식은 사고의 방향을 합목적적으로 제어하는 역할에 기여한다. 그리고 비의식의 직관 내용을 인식하게 한다. 물론, 그러한 인식을 위해서 우리는 분석 사고를 수행하고 상상력을 통해 의식에 표상하게 된다.

시지각과 촉각 연구를 통해 뇌의 많은 정보 처리과정이 무의식적으로 이루어진다는 걸 밝혀낸 물리학자 헬름홀츠는 1862년의 한 연설에서, 자연과학은 논리적 귀납법의 사고로써 수행되고 정신과학은 예술적-본능적 귀납법의 사고로 수행된다고 하였다. 무의식 작업에 의한 영감과 수학적 발명의 관계를 주장한 푸앵카레(1854-1912)는 헬름홀츠와 마찬가지로 발명의 단계적 과정을 제시했다.

헬름홀츠와 푸앵카레는 20세기 전후로 무의식에 바탕한 창조적 사고를 효시적으로 연구한 이들이다. 베르그송 역시 그러하다. 베르그송은 '직관'이란 개념을 『사유와 운동』(1934)이 출간되기 30여 년 전인 1903년의 논문 "형이상학 입문"에서 다루었다. 베르그송은 셸링이나 쇼펜하우어 같은 이들이 지성에 대립하는 것으로 사용했기 때문에 "'직관'은 사용하는데 오랫동안 망설였던 용어"라고 한다.[22]

---

22) Henri Bergson(이광래 역). 같은 책. p. 33.

그런 베르그송은 직관이 사용됨으로써 개념적 한계를 넘어 본질을 파악할 수 있다고 생각하고 과학에도 직관을 사용할 것을 주장했다. 이처럼 베르그송은 헬름홀츠나 푸앵카레보다도 한 걸음 더 나아가 무의식에 기반한 직관이 범 창조적 능력임을 인식했다. 이와 같이 베르그송은 칸트를 비롯한 전통적 인식론이 배제한 통찰 사고를 '직관'이라는 용어를 사용해서 그의 철학에 배치하여 기술했다. 이런 점에서 베르그송의 직관론은 사고의 수행적 측면으로까지 인식론을 확장했다고 하겠으며, 아울러 오늘날 창조적 사고작용의 연구에도 한 초석을 이루었다고 말할 수 있다.

6. 후설의 직관에 관하여

사고의 원리와 사고에 관한 규칙은 다르다. 전자는 사고작용이 이루어지는 정신작용의 원리이며, 후자는 사고를 효과적으로 구현하기 위해 수행하는 절차적 형식에 관한 규칙이다. 전자는 우리의 뇌신경생리작용에 기반하고, 후자는 인위적 도식에 기반한다. 전자는 불수의적이고, 후자는 수의적이다.

필자는 이 책에서 사고의 내재적 원리를 기술하고 이를 바탕으로 동일화론 · 활성기호론 · 비의식론과 같은 사고의 외재적 규범을 제시한다. 사고의 내재적 원리에 대한 규명은 "ⅲ. 상징의 본성: 동일화, ⅳ. 상징의 표상체: 기호, ⅴ. 상징의 실체: 사고" 편 등을 통해 언급되고 있다. 한편, "ⅴ, 3.1. 비의식에 대한 인식 상황" 편에서도 볼 수 있듯,

사고의 내재적 원리에 대해서는 윌리엄 제임스, 자크 아다마르와 같은 개인 연구자들에서부터 오늘날 인지심리학 · 인지과학과 같은 학문적 체제에서도 연구되고 있다.

하지만, 이들 연구는 사고의 본성과 원리 그리고 사고작용의 기반 시스템에 관한 본질적이고도 체계적인 연구가 진행되고 있지 않다. 이 책의 필자는 창조적 사고의 상징에 관한 연구를 보다 본질적이고 체계적으로 수행할 필요성에서 사고의 내재적 원리와 외재적 규범들에 관해 상징학이라는 학적 체계를 마련하여 제시하고 있다.

사고의 외재적 측면은 사고의 형식적 측면을 말하는 것이기도 한데, 대표적 분야로 논리학 · 수사학 · 문법학 · 기호학 · 수학 같은 학문들을 들 수 있다. 한편, 이러한 학문들은 수사학을 제외하고는 모두 동일성의 동일화 형식의 추론 사고에 관련된 것들이다. 그런데, 후설의 현상학은 원사고인 통찰(후설은 직관이라는 포괄적 개념의 용어를 사용한다)에 관한 몇 가지 외재적 규범을 제시한다.

물론, 이러한 규범은 우리가 평소 통찰 사고의 수행 과정에서 자연스레 행하는 원리들이다. 그런데 후설은 현상학이라는 이념적 학문을 통해 통찰 사고의 외재적 규범으로 확립하고 명칭을 부여했다. 그 대표적인 것이 판단중지 · 형상적 환원 · 선험적 환원이다. 후설(Edmund Husserl, 1859-1938)과 베르그송(Henri-Louis Bergson, 1859-1941)은 같은 해에 출생한 철학자로서, 그들 모두 개념적 과학주의 내지 과학적 개념주의 세계관을 극복하기 위한 방편의 일환으로 '직관(Anschauung)'을 제시했다.

베르그송은 직관으로써 지속적 실체를 직접 인식할 수 있다고 했고, 후설은 직관으로써 대상의 본질을 파악할 수 있다고 주장했다. 그와 같은 표현의 차이에도 불구하고 그들이 말하고자 하는 본질적 내용과 의미는 동일하다. 다만, 베르그송이 무의식 · 비기호적 사고와 같은 직관의 내재적 특성을 언급했다면, 후설은 직관의 내재적 특성에는 침묵하고 외재적 규범을 제시한 차이가 있다.

그런데, '직관'이라는 용어는 피히테 이전의 서양철학사에서는 대체로, 명석판명함에 근거하지 않은 비합리적 지성으로 이해되어 외면 되어왔다. 칸트는 기존의 형식주의 논리학을 비판하며 형식과 의미가 일치하는 선험적 논리학을 제시했다. 하지만 칸트는 그의 인식론에서 지각과 추론만을 다루었을 뿐, 직관(후설이 본질 파악기관으로 언급하는 정신기능이자 이 책의 필자의 통찰)은 배제했다. 그런, 칸트는 직관이라는 용어를 감성적 인식 능력에 한정하여 사용했다.

일찍이, 데카르트는 즉각적 인식의 직각에 '직관'이라는 용어를 사용하고, 명료한 인식작용으로 이해했다. 이후에 직관이라는 용어는 피히테와 셸링 등에 이르러 직접 인식의 '지성적 직관' 개념으로 다시 나타났다. 그러나, 헤겔은 셸링의 '지적 직관'에 대해 "예술의 재주가 있는 사람이나 천재, 즉 마치 행운아만"이 가질 수 있는 것(『철학사』20. 428)이라며, "필연성이 서술되어 있지 않은 것"(같은 책 20. 439 이하)으로 비판했다. 물론, 이러한 비판은 이념의 표상 형식으로서 천재의 능력이라고 한 칸트의 상징론에 대한 비판이기도 하다.

헤겔에게 사고란 "매개의 활동과 증명을 배척하는" 지성적 직관이 아니라 "하나의 규정에서 다른 규정에로 진전해가는 매개의 운동"이다(『논리의 학』, 5. 78). 그런 헤겔에게 "모든 이성적인 것은 추리"(같은 책, 6. 352)이며 "추리는 관념론의 원리"이다(예나 대학 취임 제출『취직 테제』)

그런데, 여기서 잠깐 직관(이 책의 필자의 통찰)과 추론 사고의 관계를 살펴보자. 언급하였듯이 사고는 원사고의 통찰과 방법적 사고의 추론으로 대별된다. 그리고 우리의 모든 사고는 본질에서 통찰 사고로서, 비의식 상태로 수행된다. 그러한바, 통찰 사고의 내용을 명확히 인지하기 위해서는 통찰의 결론을 토대로 하여 추론 사고를 수행해야 한다. 그러한 추론은 원사고의 통찰 내용을 직각 사고로서도 알 수 있게 더 이상 분절할 수 없는 삼단논법의 형식을 기본 단위로 하는 사고들로 분절해내는 일이다.

이러한 추론은 "v, 12. 추론: 얕은 통찰과 직각의 교차 수행 정신작용" 편에서 상술하고 있듯이 직각과 얕은 통찰이 순차로 수행되는 사고이다. 얕은 통찰은 'C=B, A=B ∴ A=C'라는 판단들을 내포한다. 그리고 이러한 각 판단들은 (추론이 없이) 직각으로 알 수 있다. 그런데 문제는 어떻게 해서 'C=B, A=B ∴ A=C'라는 판단들을 전개해낼 수 있는가 하는 것이다. 그것은 매개체 B, 그리고 B를 사용해서 두 전제를 구성하는 우리의 사고 능력에 있다. 그러한 사고능력은 통찰이다.

데카르트의 경우 진리를 발견하기 위한 방법으로 '직관'(이 책의 필자의 직각)과 '연역'(이 책의 필자의 추론)의 기초 위에 학적 체계를 세우고자 했다. 그는 "이 두 가지는 지식에 이르는 가장 확실한 길"이라고 생각했다. 그리고 직관은 "맑고 빈틈없는 정신이 우리가 이해하고 있는 것에 대해 아무런 의심도 갖지 않도록 매우 쉽고 판명하게 해주는 개념"을 제공해준다고 생각했다.

예를 들면 "나는 생각한다", "나는 존재한다", "구는 하나의 단일 면을 가진다"처럼 직관은 근본적이고 단순하며 다른 형태로 환원 불가능한 진리를 제공해준다는 것이다. 그리고, 진리와 진리와의 관계를 파악하는 것, 예를 들면 A=B이고 C=B이면, A=C라는 것은 판명하게 받아들여진다고 생각한다.

그런데, A와 C에 대한 매개어 B에 대한 통찰이 있은 이후라면, 결론은 데카르트가 언급한바와 같이 단순한 비교 확인에 의해 명백해진다. 그러나, 연역은 이러한 직각과 추론만으로는 이루어지지 않는다. 언급한바와 같이 연역은 통찰 사고가 요구된다. 소전제와 대전제를 연결하는 매개어를 찾는 일을 비롯하여 그 두 전제를 발견하는 일과 같은 연역체계를 세우는 작업은 직각(데카르트의 직관) 사고로는 수행되지 않는다.

매개어에 대한 '통찰'과 전제가 구성되면 비로소 데카르트가 말한 자명한 직관 즉, '직각'에 의한 동일성 여부에 관한 비교 · 확인이 가능하다. 이와 같이 데카르트는 연역(추론)이 통찰을 필요로 함을 고려하지 않았다는 점에서, 연역의 중요한 본질적 문제를 지나쳤다. 한편, 칸트는 판단을 보편과 특수를 가르는 능력으로 이해했다. 그런데 칸트는 그러한 판단 능력을 학교교육으로는 보충할 수 없는 타고난 재능으로 간주하며, (후설과 마찬가지로) 판단의 통찰 원리에 대한 규명을 시도하지 않았다.

데카르트를 비롯하여 칸트 · 카시러 등으로 이어지는 전통 철학에서는 투명한 의식 상태에서 명석판명한 사고가 수행된다고 생각한다. 그들의 전통 철학은 '비의식'에서 수행되는 '통찰'을 고려하지 않는다. 직관에 대한 헤겔의 비판에서도 볼 수 있듯 그들에게 사고는 오직 추론적인 것이다. 레이코프와 존슨이 『몸의 철학』(1999)에서, 사고는 몸에서 유래한바 대체로 '무의식적'이고 '은유적'이라는 점에서 서양철학의 핵심 부분과 일치하지 않으며, 따라서 2천 년 이상의 선험적 철학의 사색은 끝났다고 했다. 그리고, 다시는 철학이 옛날과 같을 수 없을 것이라고 말한 이유는 여기에 있다.[1)]

"v. 상징의 실체: 사고, 3.1. 비의식에 대한 인식 상황" 편에서 볼 수 있듯, 20세기 전후로 단편적이고 제한적 측면에서지만 통찰 사고에 관한 연구가 제기되었다. 그리고, 후설의 경우는 현상학이라는 이념적 학문을 통해 직관 사고의 필요성을 제기했다. 물론, 이 책의 필자가 기술하고 있는 통찰(후설의 직관) 사고의 내재적 원리에 관한 연구를 하지 않은 한계가 있음은 언급한바와 같다.

6.1. 우리의 통찰 수행과 후설의 현상학적 규범의 적용 관계

평소 우리의 통찰 수행과 후설의 현상학이 제시하는 직관 사고에 관한 외적 규범의 관계를 법률적 통찰 문제를 통해 살펴보자. 행정행위에 있어서 법률적 판단은 법조문에서 직접 통찰로써 파악하는 것이 가장 정확할 수 있다. 이 책의 필자의 경우, 실제 법률 해석과 적용의 과정에서 법 · 시행령 · 시행규칙에만 의지하고 행정해석 · 판례 · 학술서는 배제한 채 통찰로써 구하는 경우가 잦다.

경우에 따라서는 시행령과 시행규칙 역시 배제하고 헌법과 법률에만 의존하는 경우도 있다. 하위 법규범은 상위 법규범의 취지나 위임범위를 벗어나는 경우가 있고, 판례 등은 개별적 판단논거가 다름에도 외형적 사건과 법리 전개의 유사성에만 주목하여 동일사례로 오인할 수 있기 때문이다. 뿐만 아니라 어떤 경우, 헌법 이외의 하위 법규범은 서술 자체가 논리적 정합성을 결하거나 부주의한 표현으로 내용이 모

---

1) Gorge Lakoff, Mark Johnson. 『몸의 철학: 신체화된 마음의 서구 사상에 대한 도전』(임지룡 외 역). 박이정. 2002. p. 25.

호하기도 하다.

☞ 참고로, 법체계는 헌법 → 법률 → 시행령 → 시행규칙 → 행정해석, 그리고 판례와 관례, 법률해설서 등으로 개괄할 수 있다. 헌법과 법률은 국회가 제정한 것이고, 시행령은 법률의 위임에 따라 대통령이 제정한 것이다. 시행규칙은 시행령의 위임에 따라 각 부처 장관이 제정한 것이다. 행정해석은 법률적 다툼 사례에 대해 개별적으로 주무 부처의 장관이 법률을 토대로 내린 결정이다.

판례는 행정부에서 해결되지 않은 다툼 사안을 사법부인 법원에서 내린 판결이다. 관례는 법률에 반하지 않는 관습적 사례들이다. 법률에 명기되지 않은 사례의 경우 관례는 법률과 같은 효력을 가질 수 있다. 법률연구서는 교수 등 관련 분야의 연구자들이 위 법규범의 내용을 연구·해설한 문헌들로서 행정행위나 사법적 판단에 참고로 삼기도 한다. 행정 결정이나 사법적 판단은 명시적 법률 내용이 모호한 경우 법률 제정 취지를 따른다. 법적용은 헌법과 같은 상위법으로부터 하위 법령 순으로 이루어지며, 최근 제정된 신법이 구법에 앞서 적용된다. 법규범은 특별한 경우가 아니면 불소급원칙을 유지한다.

어떤 법적 다툼 사례에 관한 결정에 있어서, ① 각종 하위 규정이나 판례들을 살피고 이를 토대로 하는 결정엔 추론 사고가 수행된다. 추론은 단서에 의해 삼단논법의 규칙과 순서에 따라 사고해 나가는 사고이다. ② 그와 달리 관련 법률과 헌법 정신에만 의지해서 복잡다단한 사안에 대한 해석이나 결정을 구하기도 한다. 이것은 관련 자료가 없거나, 있더라도 오류의 가능성 등을 고려하여 배제한 채 오직 인과적 원리에 따라서만 결정을 구하는 것이 바람직 하다고 생각하기 때문이다. 이때 행하는 사고는 통찰이다.

이제 후설의 현상학적 직관론을 살펴보자. 요지는 이러하다: 현상학은 대상의 본질을 구하기 위해 몇 가지 방법을 정하고 있다. 1). 기존의 지식들을 일단은 괄호 속에 넣어두고, 참고하지 않는다. 이를 판단중지라 한다. 후설은 판단중지를 선험적 태도라 하고 그렇지 않은 사고 행위를 자연적 태도라고 한다.

2). 판단중지를 하는 현상학은 필연적으로 추론이 아닌 직관(이 책의 필자의 통찰) 사고를 수행한다. 3). 직관적 통찰의 수행은 본질 파악을 위한 것으로, 드러나지 않은 모든 현상들을 가정한다. (후설은 '가정' 대신 '상상'이란 용어를 사용하며, 이러한 과정을 '자유변경''이라 한다.) 그리고, 자유변경에 의해 모든 현상들이 공통적으로 지닌 본질적 원리나 성질을 포착한다. 이러한 결과로 구해진 본질에 대한 인식을 후설은 논거가 완전하고 충분하다는 의미에서 충전적 명증이라 한다.

4). 하지만, 본질 파악의 과정에서 사용되는 기존의 보유 정보들이 우리의 본능적 원망의 심적 현상으로 왜곡되었을 수도 있다. 따라서, 파악된 본질이 어떤 심적 동요에 의해 형성된 작위적 산물이 아니라 인과적 원리의 통찰에 의해 형성된 것인지 등에 관해 반성해보아야 한다. 과연 우리가 본질적 의미체(노에마)를 추적하는 사고작용(노에시스)에 충실하였는지, 본능적 원망이나 여타 심리적 동요에 의한 것은 아닌지 반성해보아야 한다. 후설은 그러한 과정을 선험적 환원이라 하고, 그러한 과정을 거침으로써 필연적으로 도출될 수밖에 없는 인식을 필증적 명증이라 한다.

이제 법률적 판단의 문제와 후설의 직관론과의 관계를 살펴보자. 위의 법률 적용과 해석의 사례에 관한 결정 방법 ①과 ②의 경우 중에서 ①은 현상학적 방법이 아니다. 기존의 지식인 법규범들을 괄호로 묶어 판단중지를 내리지 않고 오히려 이러한 자료들을 인용하여 추론을 하기 때문이다. 이와 달리, ②의 경우는 현상학적 태도이다.

헌법과 관련 법률의 정신 이외에 어떤 기존의 자료들도 일단은 배제한 채 스스로의 법리적 인과성의 본질적 원리만을 좇아서(Noesis) 어떤 결론적 의미(Noema)를 구현하려 하기 때문이다. 물론, 이러한 결론에 대해 우리는 기존의 법규범들에 대한 판단 중지를 해제하고 순수통찰의 결과와 모순이 없는지 등을 검토한다. 이것은 형상적 환원 수행의 결과에 대한 검증 작업이기도 하다.

그런데, 창조적 사고에 의한 어떤 문제 해결에 있어서는 학술적 판단이건 또는 은유적 통찰의 경우이건 선험적 환원은 특별히 요구되지 않는다는 것이 이 책의 필자의 견해이다. 이 책의 필자의 사고이론에서 통찰을 비롯한 모든 사고는 활성기호에 바탕한다. 따라서, 순수한 통찰을 수행했다면, 그 형상적 환원의 과정에 선험적 환원 과정이 함께 수행되었다고 할 수 있다.

이 책의 "ⅳ. 상징의 표상체: 기호, 3. 활성기호" 편에서 언급하듯, 우리 정신계에 내장된 정보 기호들은 유기적 맥락의 관계를 이루고 있는 지식의 활성기호들이다. 이러한 활성기호는 단순 암기나 감성적 각인에 의한 것이 아닌, 오직 기존의 정보들과 본질적 측면에서 동일화를 이룬 사고로써 획득된 기호이다.

그러한바, 이 책의 필자의 사고이론에서 통찰을 비롯한 사고의 수행에 사용되는 정보 기호들은 (개별 문제 해결 과정의 세계에 한정하여 볼 때) 결과적으로 모두가 형상적 환원과 선험적 환원을 통과한 기호라 할 수 있다. 따라서, 새로운 어떤 문제 해결의 과정에서 통찰을 수행할 경우 그 수행과정에 대해서만 형상적 환원과 선험적 환원을 수행하면 된다고 하겠다.

그런데, 문제 해결을 위한 통찰 사고의 수행 시는 언급하였듯이 형상적 환원 그 자체가 선험적 환원이기도 하다. 따라서 새로운 문제 해결과정에서의 통찰 사고는 형상적 환원만으로 필증적 지식을 획득할 수 있다. 결론적으로 말해, 후설의 현상학 체계에서 언급되는 판단중지와 환원 작업들은 이 책의 필자의 통찰 이론에 의한 사고의 수행 경우 활성기호의 규범에 의해 자연스레 병행적으로 수행된다고 하겠다. 부연하면, 현상학에서 언급되는 판단중지와 환원작업은 이 책의 필자의 사고이론에서는 '활성기호'의 규범이 대신한다고 말할 수 있다.

☞ 하지만, 정치적 성향의 문제나 이성 간의 애정이 개입된 문제 등은 평소에 본능적 원망에 따라 정보들이 형성되었을 가능성이 높다. 따라서 선험적 환원이 반드시 요구된다고 하겠다. 하지만, 학문적 판단의 문제에 있어서는 활성기호의 규범 등으로 인해 선험적 환원 작업이 별도로 요구되지는 않는다.

시 · 예술 창조의 경우에도 활성기호의 규범으로 선험적 환원이 불필요하다는 게 이 책의 필자의 생각이다. 한편, 작가의 본능에 대한 선험적 환원 작업은 작가의 정신계에 대한 검열이기도 하므로 이 경우 창조적 에너지가 소실되는 부작용이 야기될 수도 있다. 그런 까닭에 시 · 예술의 창조 작업에서는 선험적 환원이 요구되어서 안 된다는 견해가 있을 수 있다. 따라서, 이 문제는 쉽게 결론을 내릴 사안은 아닐 것이다.

후설은, “우리에게 더 큰 관심”은 “본질과 본질연관에 관련된 방법적 숙고들”이라고 하였다.[2] 하지만 결과적으로, 현상학은 일반적 문제 해결의 경우에 있어서, 달리 새로운 사실들을 제공하는 것은 없다. 단지, 앙드레 브르통이 시인의 심층비의식의 통찰 사고나 영감적 사고의 발화에 대해 “자동기술”이라는 이름을 붙였듯이, 창조적 사고인 통찰 사고의 수행 과정에서 발휘되는 우리의 기술들에 대해 판단중지, 환원과 같은 명칭들을 부여하였을 뿐이다.

6.2. 용어 사용의 문제(직관 · 의식 · 상상력)

▸ 직관

후설은 “모든 원본적으로 부여하는 직관은 인식의 권리원천”이라고 한다.[3] 본질 파악을 위한 사고로, 직관(Anschauung)이라는 용어와 함께 ‘통찰(Einsicht)’이라는 용어를 사용하는 후설은 ‘직관’을 넓은 의미로 사용한다.

이종훈 교수에 의하면 후설은 “1913년 공동편집인으로 창간한『연보』의「들어가는 말」에서 현상학의 공동신조를 직접적 직관과 본질통찰로 천명”했다.[4] 그리고, 직관은 ① 경험함(Selbsterfahren). ② 보여진 사태들을 취함. ③ 봄(Selbst-sehen)에 근거하여 유사성을 주목함. ④ 그에 의해 공통성을 드러내는 정신작용이며, 그 이외에 다른 뜻을

---

2) Edmund Husse.『순수현상학과 현상학적 철학의 이념들』I (이종훈 역). 한길사. 2009. p. 218.
3) 같은 책. p. 107.
4) 같은 책. p. 218. 이종훈 해제에서 재인용.

가지고 있지 않다.[5] ①과 ②는 '지각' 사고의 의미이고, ③과 ④는 이 책의 필자의 '통찰'에 해당한다.

보았듯이, 후설은 직관의 내포적 속성을 지닌 용어로서 통찰이라는 말을 사용한다. "통찰(명증성 또는 직관)"[6] "'명석하게 통찰하는' 사태의 직관", "인식은 통찰이고, 직관에서 길어낸 것이며, 이러한 사실을 통해 완전히 이해된 진리" "모든 판단하는 통찰작용(Einsehen)"은 "직관에 속한다."고 후설은 밝히고 있다.[7] 그런 후설의 직관은 지각 사고를 내포하지만 그것은 본질 파악을 위한 하나의 출발로서의 활동일 뿐이다. 현상학에서 본질적 관심사는 지각을 통해 인지된 대상의 본질을 규명해나가는 통찰 사고이다.

결론적으로, '직관'은 노에시스(사고작용)라는 의미에서 단지 형식적인 의미로 사용되며, 이 책의 필자가 말하는 일반적 의미의 용어로서 '동일화 정신작용'에 해당한다고 볼 수 있다. 물론, 필자가 말하는 사고의 본성인 '동일화'는 형식을 통해 의미를 구현하는 일이다. 그런 동일화 정신작용의 결과물은 의미체의 기호로써 후설이 말하는 노에마에 해당한다. 후설은 노에시스에 의한 의미 생성체를 노에마라고 하는데, 이것은 다름 아닌 의미체인 '기호'에 해당한다.

---

5) Edmund Husse.『경험과 판단』(이종훈 역). 민음사. 1997. p. 488. 이종훈 해제에서 재인용.
6) Edmund Husse.『순수현상학과 현상학적 철학의 이념들』I (이종훈 역). p. 261.
7) 같은 책. p. 101.

▸ 의식

후설은 "사고작용(cogitationes), 즉 더 넓거나 좁은 의미에서 '의식의 작용들'"이라고 하듯[8], '의식'을 '사고'와 같은 의미로 사용한다. 그리고 더 이전에 후설은 『논리 연구』 II (1901)에서 의식'이 무엇을 향한 지향성(Intentionalität)의 정신활동이며, '의미 구성 활동'임을 밝힌 바 있다.

후설이 말하는, 그 어떤 대상을 지향하며 '의미를 구성하는' 의식은, 이 책의 필자가 말하는 사고 즉 형식을 통해 의미를 구현하는 '동일화' 정신작용과 본질에서 다를 게 없다. 그러나, 의식은 자각적 인지작용으로 이해하고 사용해야 사고에 관한 이론이 전개될 수 있다(이 책의 v. 상징의 실체: 사고, 1. 의식). 그것은 사고가 비의식에서 수행되고 의식에서 인지되기 때문이다.

후설 역시 데카르트적 전통의 의식주의자이다. 후설은 직관이나 통찰이란 용어의 내적 정체성과 그 작용원리에 관해서는 일체 언급하고 있지 않다. 그렇듯이 후설이 사고의 본성과 작용원리 그리고 기반 시스템에 관해서는 관심을 갖고 있지 않음을 '의식'이라는 용어의 사용에서도 알 수 있다. 후설이 무의식이나 비의식이라는 용어를 일체 사용하지 않으며 직관의 내재적 원리에도 일체 관심을 보이지 않은 것은, 심리주의자들로부터 논리학을 변호한 경험이 있는 후설로서, 현상학에 대한 심리주의자들의 비판을 원천적으로 차단하기 위한 의도에서 비롯한 것으로 보인다.

---

8) 같은 책. p. 127.

▸ **상상력**

후설은 지각된 인상과 상상을 구별한다. "우리는 (감각의 제시됨인) 인상적(impressional) 제시됨과 상상적(imaginative) 제시됨을 구별하는데, 후자는 자신의 측면에서 어떤 기억의 내용, 기억 속에 있는 어떤 환상의 내용 등일 수 있다. 그러한바, 직관 작용의 인상과 상상은 현재화와 현전화의 차이가 있다."[9] "상상은 현전화(Vergegenärtigung, 재생산)로서 성격 지워진 의식이다." "현전하는 것은 근원적으로 부여하는 작용에 대립하는 것", "상상은 그 자체로 주어진 것으로서 제시할 수 있는 의식은 아니다. [객체] 그 자체를 부여하지 않는다는 점이야말로 곧 상상의 본질이다."[10]

그런 후설은 상상력을 일종의 사고작용으로 이해한다. 후설은 본질 파악의 과정에서 상상력의 역할에 관해 이렇게 기술한다: 형상, 즉 순수 본질은 단순한 상상(Phantasie)만으로도 직관적으로 예시될 수 있다. 따라서 우리는 본질 파악을, 경험하지 않는 직관 오히려 단순히 상상하는 직관에서 출발할 수 있다. 본질직시는 상상을 볼 수 있는 것으로 충분하다.[11]

본질탐구는 필연적으로 자유로운 상상의 조작을 요구한다. 현상학에서 현전화들과 자유로운 상상들은 지각에 대립해 어떤 우선적 지위를 갖는다. 상상은 완전한 본질파악과 본질통찰을 가능하게 한다. "허구는 '영원한 진리'의 인식이 그 자양분을 얻는 원천이라고 말할 수 있다."[12]

---

9) Edmund Husserl.『시간의식』(이종훈 역). 한길사. 1996. p. 197.
10) 같은 책. p. 116.
11) Edmund Husser.『순수현상학과 현상학적 철학의 이념들』Ⅰ(이종훈 역). pp. 65, 67.
12) 같은 책. p. 227.

후설은 "만약 순수한 상상 속에서 '어떤 삼각형 일반이 직각 삼각형'이라고 생각한다면"(『경험과 판단』, 96 특칭판단, c 아프리오리한 실존 판단들인 상상 판단들),[13] "만약 우리가 보편적 상상 판단들로 이행한다면"(같은 책, 97 보편 판단, c 보편적 판단 속에서 아프리오리한 가능성들의 획득)[14] 등의 언급들을 한다. 이와 같이 후설은 '상상'을 "생각" 그리고 "판단"의 한 유형으로 생각한다. 이러한 모든 언급들은 후설이 상상력을 사고의 한 유형으로 생각함을 나타내 보여주고 있다.

그런데, 후설의 형상적 환원이라는 자유변경의 상상은 하나의 분명한 '목적' 아래 수행된다. 그것은 '본질 파악'이다. 그러한 목적 아래 수행되는 상상은 단순한 이미지가 아니라, 본질이라는 의미체인 노에마를 향한 합목적적 정신작용의 노에시스이다. 다시 말해 상상은 이미지가 아니라 확고한 목적 아래 수행되는 사고작용이라는 말이다. 연구자 조광제는 자유변경이 분명한 목적 아래 수행되어야 함에 관해 이렇게 강조하고 있다:

> 충족되지 않는 의식의 지향은 결코 진리를 확보할 수 없다. 자기소여성, 사태 자체, 충전적 명증성, 필증적 명증성 등을 운위하는 것은 결국은 의식이 대상에 의해 완전히 충전되는 것을 경험함으로써 급기야 이성적인 정립을 수행하고 이를 통해 진리를 확립하게 된다는 것이다.
>
> 논리적인 요청에 의해서 혹은 형이상학적인 가설에 의해서 충족될 수도 없는 어떤 존재를 설정하여, 우리 자신의 판단을 호도하거나 엉뚱

13) Edmund Husserl. 『경험과 판단』(이종훈 역). p. 520.
14) 같은 책. p. 525.

> 한 방향으로 몰고 가 인생을 황당하게 만들어서는 안 된다.
>
> 자유변경이라고 해서 말 그대로 제멋대로 해서는 소기의 성과를 거둘 수 없을 뿐만 아니라 전혀 엉뚱한 생각으로 인해 오히려 혼란에 빠지고 (…) 논리적이지 못하다거나 상상력이 부족하다거나 하는 힐난을 받게 된다. 말하자면 자유변경을 하더라도 본래의 목표를 잊어서는 안 되고, 그 목표를 달성하는데 고려하지 않으면 안 되는 경우들을 상상할 수 있어야 한다. 거기에는 일정하게 논리적인 사유능력이 작동하지 않을 수 없고, 작동하지 않으면 안 된다.[15]

설령, 후설의 상상이 이미지를 말한다 하더라도, 그 이미지를 떠올리는 사고작용이 있다. 그러나, 되풀이되지만 후설의 상상이 단순히 이미지만을 가리키는 것이 아니다. 후설이 말하는 상상은 이미지를 떠올리는 사고작용이다. 그런데 이미지를 떠올리는 사고는 본질 파악이라는 목적 아래 수행되는 하나의 통찰 사고이다. 자유변경은 이러한 통찰 사고들의 반복을 통해서 궁극의 본성이나 원리를 도출하게 된다. 그런데 후설은 (의식에 표상되는 통찰 사고의 결과물을 전경화하여) 통찰 사고를 상상력으로 이해하고 있다. 형상적 환원의 자유변경은 자유로운 상상력이 필요한 것이 아니라, 자유로운 통찰이 필요하다. 상상력은 사고의 결과물을 의식에 나타내는 표상작용이다.

자유변경의 과정에서 수행되는 통찰의 결과들은 저마다 하나의 결론들 즉 의미체를 표상한다. 그리고 더 이상 자유변경의 통찰을 수행

---

15) 조광제. 『의식의 85가지 얼굴』. 문학동네. 2008. pp. 44, 159.

할 필요가 없으면 표상들을 비교 · 검토하게 되는데 이때의 사고는 통찰이 아닌 추론 사고로써 가능하다. 그리고, 최종적으로 본질적 속성이나 원리를 결정할 때 우리는 다시 어떤 숙고의 통찰을 하게 된다. 그러한바, 후설은 이렇게 말한다. "현상학은 거의 전적으로 직접적 직관 속에 움직이는 본질기술의 형식 속에서 실행"되며 "결정적인 확립은 어디에서나 직접적 직관에 힘입고 있다."[16)]

6.3. [상징학]의 사고이론과 현상학적 환원론의 관계

데카르트에게 사고는 명료히 깨어 있는 의식 상태에서 수행되는 것이었다. 그것은 칸트 역시 마찬가지이다. 칸트는 사고의 유형으로서, 사물을 지각하는 범주 능력의 오성, 판단력, 그리고 추론 능력의 이성을 제시했다. 최상위의 사고능력인 이성의 활동을 추론으로 이해하는 칸트의 사고이론에는 '비의식' 개념이 자리하고 있지 않다. 그의 주저『정신현상학』에 "의식의 경험의 학(學)"(Wissenschaft der Erfahrung des Bewuβtseins)이라는 부제를 달고 있듯 헤겔 역시 "모든 이성적인 것은 추리"이다(『논리의 학』, 6. 352). 사고에 관한 이러한 의식과 추론 중심의 인식은 셸링이나 베르그송 같은 몇몇 예외적 철학자들을 제외하고, 암묵적 전통으로 이어져 오고 있다. 그런 가운데 후설은 "직관이 인식의 권리 원천"이라며 현상학적 방법론을 제시했다.

후설에게 있어서 변화하는 지속으로서의 시공간은 현상학적으로 환원

---

16) Edmund Husserl.『순수현상학과 현상학적 철학의 이념들』Ⅲ(이종훈 역). p. 205.

되는 본질 파악의 대상 세계이다: “세계가 지속적으로 언제나 보편적인 일치함으로 조화해가는 경험 속에 존재하는 우주로서 주어져 있다는 사실은 완전히 의심할 여지가 없다.” “지속하는 통일체들, 즉” “이 체험흐름은 그 자체로 충족된 현상학적 시간 이외에 결코 다른 것이 아니다.”[17)]

그런 후설은 기존의 지식체계를 배제하고 순수한 직관의 세계를 구현할 것임을 천명한다: 우리는 자연적 관점을 배제하고, 우리가 직면한 세계로부터, 심리학적으로 경험 가능한 의식으로부터 시작할 것이며, 이 의식에서 본질적인 전제들을 드러내어 밝힐 것이다. 그리고 ‘현상학적 환원(Reduktion)’이라는 방법을 현시할 것이다. 이에 따라 우리는 모든 자연적 탐구방식과 인식의 본질적 한계를 제거하고, ’선험적으로‘ 환원된 현상의 자유로운 지평을 획득하며, 아울러 우리만의 특유한 현상학의 분야를 획득할 것이다.[18)]

현상학은 ‘직관’의 원천으로 되돌아가 선험적으로 순화된 의식 속에서 때로는 진리의 형식적 조건 때로는 인식의 형식적 조건에 포함되어 있는 것을 분명하게 밝힌다. 일반적으로 현상학은 인식 · 명증성 · 진리 · 존재(대상 · 사태 등)의 개념들에 속한 ‘본질과 본질관계들’에 관해 해명해준다. 현상학은 판단작용과 판단이 수립되는 구조, 인식대상의 구조가 어떻게 자신의 특수한 역할을 수행하는지 그 방식을 우리가 이해할 수 있게 가르쳐 준다.[19)]

“선험적 현상학이 실제로 철학의 보편적 문제지평을 포괄하며 이를

---

17) 같은 책 Ⅰ. p. 380.
18) 같은 책. p. 50.
19) 같은 책. p. 459.

위해 방법학(Methodik)을 미리 마련했다는 사실을 입증하기를 희망한다."[20]고 말하는 후설은 형식적 논리규칙들로 이루어진 논리학이 더 이상 본질을 파지하는 통찰 사고에 관한 규범으로서 얘기될 수 없음을 인식했다. 그런 후설은 현상학이라는 학문을 통해 직관 사고에 관한 외재적 규범과 그 이념을 구축하고자 했다.

20세기 들어 후설만큼 직관(이 책의 필자의 통찰) 사고의 필요성과 방법론에 관하여 이념적인 주장을 펼친 이는 없다. 또 그런 만큼 철학계는 물론 전 학술 · 문화 · 예술계의 주목을 끌고 반향을 일으켰다. 그런 후설의 현상학은 잉가르덴 · 하이데거 · 가다머 · 사르트르 · 메를로 퐁티를 비롯한 많은 인물들이 그 학파를 이루어왔거나, 그 논의에 참여했다.

하지만, 후설은 "현상학 자체를 '형상적' 학문으로서, 선험적으로 순수화된 의식의 본질이론으로서 정초하는 것"을 본질적 목표로 삼았다.[21] 그런 후설은 자신의 이론체계의 연구 제명을 "순수현상학과 현상학적 철학의 이념들"이라고 붙였다. 그러한 후설의 현상학은 구체적이고 실질적인 학문이라기보다는 직관과 그 방법론 그리고 그에 대한 연구의 필요성을 제기하고 강조하는 하나의 '이념'적 성격의 학문이라고 할 수 있다.

그러한 후설의 현상학은 실제 우리의 직관 사고에 관해서 새로운 지침들을 제공하고 있지는 않다. 그가 제시한 판단중지와 환원 등의 규범은 우리가 본능적으로 또는 스스로의 합목적적 필요성에 의해 통찰

---

20) 같은 책 Ⅲ. p. 215.
21) 같은 책 Ⅰ. p. 201.

수행의 과정에서 활용되고 있다. 후설은 그러한 규범들의 필요성을 다시 한 번 제기하여 현상학이라는 체계적 학문의 이론 속에서 규정하고 일련의 용어들을 이념적 체계 속에서 정합적으로 부여했다.

☞ 사실은, 판단중지 · 자유변경 · 형상적 환원 · 선험적 환원과 같은 이러한 용어들에 대응하는 우리의 정신작용들은 통찰 사고의 과정에서 자연스럽게 이루어지고 있다. 다시 말하면, 우리가 평소에 수행하는 정신작용들에 후설은 어떤 이름들을 부여한 것이다. 하지만, 후설의 직관론이 (적어도 이 책의 필자의 관점에서는) 그처럼 새로운 용어들을 사용한 것만큼이나, 새로운 사실들을 알려주고 있지는 않다.

오늘날 시 · 예술 · 학술 · 문화 비평 등 '기호학'과 함께 '현상학'을 거론하지 않는 분야가 없을 정도이다. 하지만 연구자나 비평가들 역시 통찰 수행에 있어서 그 어떤 구체적이고 실질적인 판단 중지의 기술이나 형상적 · 선험적 환원의 기교나 규범들을 사용하고 있는지는 알려지고 있지 않다. 창의성 분야, 인지과학 분야 그리고 심리학 분야에서도 그러한 직관에 대한 외재적 형식의 규범들은 전혀 언급되고 있지 않다.

그런데, 우리의 관점에서 중요한 것은 그러한 형식적 규정과 명칭의 사용보다는 통찰(후설의 직관)의 내재적 원리에 대한 규명이다. 베르그송은 직관 사고가 기호를 사용하지 않고 무의식을 기반으로 이루어진다고 하는 등 직관 사고의 내재적 속성에 관해 언급했다. 하지만 후설은 본질을 파악하는 직관의 본성과 원리 등에 관한 사고작용(Noesis)의 내재적 원리에 관해서는 일체 언급하지 않는다.

따라서 후설의 현상학은 사고작용에 관한 정신기능의 용어들에 대한 분석 역시 제대로 이루어지고 있지 않다. 일례로, 후설은 의식을 사고로 이해한다. 하지만 의식은 상상력을 통해 사고의 결과를 나타내는 정신기능으로서, 표상을 인지하는 정신기능에 한정해서 사용해야 한다. 왜냐하면, 우리의 모든 사고는 비의식 상태로 수행되기 때문이다. 오늘날 인지과학과 인지심리학, 신경생물학, 뇌과학 분야의 연구자들은 우리의 사고가 무의식(이 책의 필자의 비의식)에서 이루어진다는 사실을 상식화하고 있다 해도 틀리지 않을 것이다.

하지만, 철학계에서는 이러한 소식에 대해선 마치 철의 장막을 두른 듯 침묵하거나 외면하고 있다. 비의식으로 수행되는 사고에 "의식"이라는 용어를 사용하는 건 합당치 않다. 또한 '사고'라는 일반적 표현의 용어가 있음에도 어떤 필요성 없이 '의식'이라는 용어를 사용하는 것은 하나의 정신기능에 이음동의어를 붙이는 일로서 사족을 다는 일이기도 하다.

그리고 정작 문제는, 의식을 사고작용과 같은 뜻으로 사용한다는 건 의식과 비의식의 상보적 기능성을 인식하지 않고 있다는 것이다. 비의식은 우리의 사고가 통찰적으로 이루어지게 하는 신경생리적 기반의 원리적 기능이다. 이 책의 "Ⅴ. 상징의 실체: 사고, 1. 의식, 3. 비의식(unconsciousness)" 편에서 상술되고 있듯 의식과 비의식은 다음과 같은 기능들을 수행한다:

① 의식은 우리의 내 · 외적 상황을 인지하게 할 뿐만 아니라, 합목적적 사고의 수행을 지원하며, 사고의 심도를 조절하기도 하는 등의 기능을 수행한다. ② 비의식은 내장된 지식을 비의식 상태에서 암묵적으로 파지함으로써 "이것은 사과이다"라는 단일 판단의 직각적인 지각을 수행하게 한다. 또한, 많은 판단의 과정들을 비의식 상태에서 암

묵적으로 파지하고 수행해나감으로써 복잡한 문제를 신속하고도 효율적으로 처리하게 한다.

후설은 직관 사고와 그 체계적 기술에 관해 이렇게 말하고 있다. "직관적으로 파악된 본질에 충실하게 들어맞는 말을 단순히 적용시킨다고 해서, 또 이 직관적 파악의 측면에서 필요한 것이 완전히 수행되었다고 해서, 실로 모든 것이 이루어진 것은 아니다. 학문은 오직 사유의 결과가 지식의 형식으로 보존될 수 있고 또 계속된 사유에 대해 진술명제들에 관한 체계의 형식으로 사용할 수 있는 곳에서만 가능하다. 이 진술명제들은 논리적 의미상 판명하지만, 그 표상의 기반의 명석함이 없어도, 따라서 통찰이 없어도, 이해될 수 있고 또는 판단에 적합하게 현실화될 수 있다."[22]

결국, 의식과 비의식의 기능들은 상상력 · 기호 등과 함께 상보적으로 작용하여 통찰과 추론을 가능하게 함으로써 우리의 인식을 완전하게 한다. 한편, 후설은 상상력을 사고(의식) 기능의 하나로 이해하는데, 이것은 후설이 의식 · 비의식 · 사고 · 상상력의 상호 관계를 전혀 고려하고 있지 않음을 보여준다. 상상력을 사고의 한 유형으로 생각하는 건, 의식을 사고로 이해하는 것과 마찬가지로 사고에 대한 또 하나의 이음동의어를 첨가하는 일이며 이론 체계의 정합성을 훼손하는 일이다.

후설은 통찰에 대해서도 아무런 내재적 원리의 설명 없이 본질을 파악하는 정신기능으로 사용한다. 그런데, 통찰은 비의식의 정신계에서 비의식기호에 의해 논리규칙의 질서를 초월하여 전일적으로 수행되는

22) 같은 책. p. 217.

사고이다. 이러한 사고기능에 후설은 '의식'과 같은 미분화된 용어를 사용한다. 그런 후설은 형상적 환원의 자유변경 과정에서 수행되는 가정적 사고인 통찰에 '상상력'이라는 용어를 사용하고 있다. 그러나, 비의식 상태에서 수행되는 통찰은 자각적 인지기능을 생성하는 표상기능인 상상력과는 전혀 다른 정신기능이다.

자아의 존재지평과 그 형성을 반추하는 선험적 환원의 태도와 극단적으로 밀고 나아가는 선험적 현상학의 이념 체계에 대한 기술, 그리고 직관 사고의 외재적 규범들에 관한 용어들의 사용은 기하학적 정리를 제시하듯 정교하고 정합적이다. 하지만, 후설은 직관 사고의 내재적 원리에는 전혀 관심을 갖지 않았다. 그럼으로써 사고작용(Noesis)의 정신기능들에 관한 기술에 있어서는 본질적 측면에서의 결함들을 안고 있다.

이 책에서 언급되고 있는 의식 · 비의식 · 활성기호 · 비의식기호 그리고 추론과 통찰, 기호와 사고의 관계 등에 관한 언급들은 모두 사고의 본성과 작용원리를 바탕으로 기술되고 있다. 아울러, 그와 같은 정신작용들의 상호 작용으로 우리의 통찰 사고가 수행되고 또한 보다 효율적으로 수행할 수 있음을 언급한다. 결론적으로, 이 책의 필자의 사고 이론은 선험적 직관 이론의 내재적 원리에 관한 메타 이론으로 기능한다. 그리고 현상학의 환원론은 수사학과 함께 [상징학]의 통찰 이론의 한 외재적 규범으로 자리한다고 말할 수 있다.

7. 사고 관련 용어의 혼란과 정리

이 책의 제명은 "상징학"이다. 모든 내용이 상징이라는 용어에 집약되었음을 의미한다. 상징은 인간의 문화를 창조하는 정신기능을 함축적으로 표현하는 용어이다. 우리 고대의 천부경("天符經")은 다음과 같은 구절들로 요약된다: "하나에서 시작하나 시작이 없는 하나이다. 3개의 극으로 나뉘나 그 근본은 다하지 않으니, 끊임없는 운동으로 모습이 바뀌지만 본성은 변함이 없다. 하나에서 끝나지만 그것은 끝남없는 하나이다."

상징 역시 하나의 본성을 갖고 있다. 그러한 상징은 세 가지 국면을 보여준다. 그것은 본성 · 실체 · 표현이다. 상징의 본성은 '동일화'이고, 실체는 동일화를 구현하는 우리의 정신작용이며, 표현은 그 결과물인 기호이다. 기호는 동일화의 형식과 의미를 구현하는 사고를 생성한다. 그러한 동일화의 상징은 매개를 사용해서 다른 대상이나 기호들을 하나로 통일하는 정신작용이다.

우리의 사고는 '동일화'의 심도에 따라 지각 · 통찰 · 추론 · 영감적 사고로 구별된다. 사고는 본질 면에서 모두 통찰적이다. 추론 사고는 통찰의 내용을 이해하고 설명하는 사고이다. 물론, 추론 역시 통찰 사고이다. 그럼에도 추론을 다른 사고와 구별하는 것은 사고의 수행 과정에서 인위적인 기호와 그 체계들인 논리규칙 · 문법 등의 활용 아래 추론이 수행되기 때문이다. 그러한 까닭에 추론을 방법적 사고라 하고, 다른 사고를 원사고라 한다.

그러한 사고의 유형은 이 책의 "ⅴ, 5. 사고의 유형" 편에서 상술된다. 이 장에서는 사고의 유형을 다루고자 하는 것이 아니라, 그러한 사고들에 사용되는 용어의 정리에 목적이 있다. 그럼에도 사고의 유형을 언급하는 것은, 사고의 본성인 동일화의 심도에 따라 사고의 유형이 달라지며, 사고의 유형에 따라 용어가 사용되기 때문이다. 살펴보았듯이 지금까지 상징에 관한 연구들은 하나의 중심된 체계 아래 논의되지 않았다. 그로 인해 사고 이론에 사용되는 용어들 역시 다종다양하다.

이 책의 "ⅱ. 상징과 기호의 구별, 2. 상징과 기호의 혼쟁사" 편 등에서 볼 수 있듯, 상징에 관한 정체성 규명이 제대로 이루어지지 않아 상징은 수사학적 관점에서 다양한 용어들로써 언급되어 왔다. 더욱이 상징과 기호와의 관계 또한 제대로 규명되지 않아 상징과 기호 개념의 정체성과 용어 사용의 혼란은 상징과 기호 이론의 호환을 어렵게 했다.

상징은 이미지나 숫자와 같은 기호가 아니다. 칸트는 상징이 기호가 아님을 효시적으로 지적하였다. 나아가 카시러는 상징이 비유적 전용의 의미작용임을 피력했다. 그리고 필자의 [상징학]에 이르러 상징은 다름 아닌 사고로 규정되고 있다. 기호는 사고 즉 상징의 산물이다. 기호는 동일화의 형식을 통해 사고된 의미체이다.

사고에 관한 용어의 사용 역시 사고의 본질과 정체성의 규명에서 시작된다. 하지만, 지금까지 사고에 관한 논의들은 사고의 본성에 관한 주위를 맴돌 뿐, 현상학적 관점에서 그 본질적 속성을 수렴해내지 못하고 있다. 그런 가운데 개별 연구자들 나름의 연구 목적에 따라 사고 이론이 전개되고 사고를 지칭하는 용어들 역시 다종다양하게 사용되어왔다. 참고로 사고 연구에 관한 대표적인 용례들을 살펴보면 이러하다:

칸트는 사고의 기능을 오성 · 이성 · 판단력으로 구별했다. 오성은 '지각'하는 사고능력이며, 이성은 순수한 추상의 사고능력이다. 그런 칸트는 통찰을 언급하지 않는다. 헬름홀츠는 통찰과 추론이라는 용어 대신 '본능'과 '논리'라는 용어를 사용했다. 그리고, 사고를 예술적-본능적 귀납법과 논리적 귀납법으로 구별했다.

칼 융은 (무의식적) 직관과 (의식적인) 논리적 분석의 사고로 구별했다. 전자는 통찰이고 후자는 추론 사고이다. 베르그송은 사고를 직관과 분석으로 대별했다. 직관은 관점을 갖지 않고 본질과 실체를 파악코자 하는 사고이고, 분석은 기호에 의존하는 사고이다. 물론, 베르그송의 직관은 이 책의 필자의 통찰에 해당하고, 분석은 추론에 해당한다.

후설은 지각과 통찰을 아우르는 넓은 의미로 직관이라는 용어를 사용했다. 그런 후설은 특히, 통찰을 직관의 대용어로 사용했다. 하이데거는 『논리학: 진리란 무엇인가?』에서 "오늘날 다시금 직관, 즉 통찰이 존재 파악에서 이러한 특이한 우위를 가진다."[1]고 하였다. 후설의 현상학에서 출발한 하이데거 역시 후설과 마찬가지로 직관과 통찰을 동의어로 사용한다.

한편, 하이데거는 사고를 사색과 시작으로 구별하기도 한다. 사색은 단순한 기술적 · 과학적인 사고로 전락했다며 하이데거는 시작의 사고를 추구했다. 그런 하이데거는 『존재와 시간』에서, 우리는 아직 사색하고 있지 않은 상태라고 한다. 물론, 그 뿌리를 규명하면 시작은 (존재에 관한 현상학적) 통찰 사고이고 (기술적이고 과학적인) 사색은 추론 사고이다.

수학자 클라인과 푸앵카레 그리고 아다마르는 직관 사고와 논리적 사고로 구별했다. 물론, 직관은 통찰에 해당하고 논리적 사고는 추론에 해당한다. 사회심리학자 왈라스는 직관에 의한 문제해결 과정을 준비 · 부화 · 발현 · 검증의 단계로 구별했다 준비단계는 추론과 통찰이 모두 사용되는 과정이고, 부화 및 발현단계는 통찰 사고의 과정이며, 검증단계는 추론 사고의 수행 과정이다. 왈라스는 통찰과 추론을 구별하기보다 직관이라는 용어를 사용했다.

카시러는 감성 · 상상력 · 지성의 조화나 영향에 따라 지각 · 직관 · 개념적 사고의 셋으로 구별했다. 지각은 감성과 상상력의 지배적 영향으로 이루어지고, 직관은 상상력과 오성의 조화로 이루어지며, 개념적 사고는 순수한 오성의 활동으로 이루어진다는 것이다. 카시러의 사고이론은 이 책의 "vi. 1.2.8. 지각 · 직관 · 개념사고와 상상력의 문제" 편에서 상상력을 사고 기능의 하나로 인식한다는 점에서 비본질적 견해임을 언급하였다.

인지심리학자 포즈너(M. I. Posner)와 스나이더(C. R. Snyder)는 우리

---

1) Martin Heidegger. 『논리학: 진리란 무엇인가?』(이기상 역). 까치글방. 2001. p. 63.

의 정신을 컴퓨터 시스템에 비유한다. 그들은 사고를 자동적 정신과정과 주의적 정신과정으로 나눈다. 전자는 병렬처리의 사고이고, 후자는 계열처리의 사고이다. 이에 대해 코헨(Gillian Cohen)은 전자를 직관적 사고, 후자를 논리적 사고로 이해한다. 이 책의 필자의 관점에서 전자는 통찰이고, 후자의 사고는 추론이다.

원리 이해 중심의 지식구조론을 주창한 방법론적 교육학자 브루너(Bruner, 1986)의 경우, 베르그송과 마찬가지로 직관적 사고와 분석적 사고로 구별하고 대비하였다. 두뇌계발 연구자 Richard Leviton은 선형적 · 논리적 · 합리적인 사고는 정신이 정보를 처리하는 근원적 방식이 아님을 지적한다.[2)] 레이코프 · 존슨 · 에델만과 같은 오늘날 인지과학계의 연구자들은 사고가 본질에서 범주적이고 패턴적인 것임을 주장한다.

Guilford(1950)는 사고를 확산적 사고와 수렴적 사고로 구별할 것을 제안했다. 전자는 문제를 다양한 관점에서 해결하는 사고이다. 반면에 수렴적 사고는 문제에 대한 해결책을 하나의 유형으로 수렴하는 사고이다. Stemberg · Grigorenco · Singer 그리고 Root-Bernstein과 Root-Bernstein, Mark A. Runco 등은 '패턴화', '비유', '모델화'와 함께 '확산적 사고'의 용어를 사용한다.

이와 같이 오늘날 창의성에 관심을 갖고 있는 많은 연구자들은 "확산적 사고"라는 표현을 사용하고 있다. Mark A. Runco는 "확산적 사고에 관한 아이디어가 창의성 문헌에 속속들이 배어 있다는 것은 놀라

---

2) Richard Leviton. 『두뇌 계발 비결』(김종석 역). 학지사. 2007. pp. 458-59.

운 일이 아니"라며 그가 소개한 연구들의 상당수가 확산적 사고 검사를 창의적 사고의 잠재력 측정치로 사용했다고 말한다.[3)]

확산적 사고는 본질적 원리를 파악하여 동일 패턴의 결과물을 제시한다. 그러하듯, 본질적 원리를 파악한다는 점에서 통찰 사고를 수행하고 아울러 원리에 바탕해서 동일 패턴의 결과물을 생성한다는 점에서는 추론 사고를 수행한다. 그리고, 수렴적 사고는 주어진 단서에 의해서 그 결론적 결과물을 생성하는 사고이므로 추론 사고이다.

살펴보았듯, 논자들에 따라서는 추론을 '분석적 사고'(베르그송, 브루너), '논리적 정신'(아다마르), 주의적 정신과정(포즈너 · 스나이더), '연역의 추론사고', '이성', '수렴적 사고' 등으로 부르고, 통찰을 '직관'(베르그송, 후설, 융, 아다마르, 브루너, 온스타인), '자동적 정신과정'(포즈너 · 스나이더) 등으로 명명한다. 그런데 분석, 논리, 연역, 이성 등의 용어는 모두가 본질에서 추론적인 것으로 추론 사고이다.

스탠퍼드 대학교 심리학 교수이자 자신이 설립한 인간지식연구소(ISHK)의 소장으로 있는 온스타인(Robert Ornstein, 1942-)은『의식심리학』에서, 이성적 과정과 직관의 상호 보완성에 대한 생각은 역경 이전부터 전해 내려왔다고 한다. 그리고 직관에 대해, 물리학에서는 오펜하이머(1904-1967)를 비롯하여 철학 · 종교 · 심리학에서도 볼 수 있으며, 생리학적으로도 인식되고 있는 문제라고 한다.[4)]

---

3) M. A. Runco.『창의성-이론과 주제』(전경원 외 역). 시그마프레스. 2009. p. 129.
4) R. E. Ornstein.『의식심리학』(이봉건 역). 수정증보판. 충북대학교 출판부. 2005. pp. 47-48.

Bruner(1986), Epstein(1990), Lewin(1986-87) 등도 사고의 본질에 관한 수많은 연구를 통해 우리의 정신 작용에는 두 가지 스타일이 있음을 제시했다. 이에 관해 R. J. Stemberg · E. L. Grigorenco · J. L.Singer는 하나가 이야기적이고 설명적이며 대체로 비유적인 양태라면, 다른 하나는 질서 있고 엄격하며 논리적이고 언어적인 양태라고 한다.[5)]

신경생물학자 에델만은 전자와 같은 사고를 패턴형 사고라 하고, 후자와 같은 사고를 논리형 사고로 이해한다. 아울러, 새로운 국면 앞에서는 폭넓은 사고가 요구되므로 논리보다 패턴적 인식이 요구된다고 한다. 결국, 이 책의 필자의 관점에서 보면, 연구자들은 사고를 원사고의 통찰에 해당하는 사고와 방법적 사고의 추론에 해당하는 사고 그 두 가지 유형으로 구별하고 있다.

한편, 오늘날 인지과학은 철학이나 심리학과는 달리 사고를 본질적 관점에서 구별하기보다는, 구체적이고도 특수한 실제적 관점에서 접근한다. 그러한 인지과학은 상식적 의미의 '생각', '사고'라는 용어를 가능한 한 사용하지 않으려 한다. 그들은 "보다 세분화된 용어인 '범주적 사고', '문제해결적 사고', '추리', '판단', '의사결정', '창의적 사고' 등의 용어를 사용한다."[6)]

그리고 예외적으로, 생리학자 베넷과 분석철학자 해커 같은 경우는

---

5) R. J. Stemberg, E. L. Grigorenco, J. L. Singer. 『창의성: 그 잠재력의 실현을 위하여』(임웅 역). 학지사. 2009. p. 308.
6) 이정모. 『인지과학: 학문 간 융합의 원리와 응용』. 성균관대학교 출판부. 2009. p. 530.

『신경과학의 철학: 신경과학의 철학적 문제와 분석』에서 추론 · 비유 · 판단 · 가정 · 전제 · 평가 · 의미제시의 사고, 과제해결 · 독창적 사고, 시적 언어의 사고, 그리고 연상 · 회상 · 반추 · 백일몽 사고 등으로 구별하며, 더 이상의 구분도 얼마든지 가능하다고 말한다.[7)]

하지만, 그러한 구별은 화용론적 분류일 뿐, 사고의 본성에 바탕한 분류는 아니다. 모든 사고의 본성은 '동일화'로서 그 심도에 따라 용도가 분류된다. 그리고, 모든 화용론적 사고는 자연적 형태의 원사고인 '통찰'과 그러한 원사고에 대한 이해나 설명을 위한 방법적 사고인 '추론'으로 구별된다. 물론, 추론은 심층비의식의 통찰과는 달리 동일화의 심도가 얕다. 그리고 원사고는 지각 · 통찰 · 영감적 사고로 구별된다.

아울러, 모든 사고는 통찰과 추론 사고로 환원되며, 지각 · 추론 · 영감적 사고 역시 본질에서 또한 모두 통찰 사고이다. 이것은 사고의 본성이 '동일화'이기 때문이다. 그리고 동일화의 심도에 따라 지각 · 추론 · 통찰 · 영감적 사고로 그 형식적 양태를 달리한다. 동일화 다시 말해 사고의 심도가 더함에 따라 뇌파(EEG) 검사에서 나타나는 뇌파의 주파수 또한 높아진다. 사고의 분류와 용어의 사용, 그리고 사고이론의 전개는 사고의 본성과 작용원리에 바탕함으로써 이론 체계의 정합성을 유지할 수 있다. 이와 달리 화용론적으로 사고 유형을 규정하는 경우 정합성을 견지할 수 없으며 용어의 사용 역시 혼잡하게 된다.

필자의 [상징학] 체계에서 나타나는 사고의 유형은 언급했듯이 지

---

7) M. R. Bennett, P. M. S. Hacker. 『신경과학의 철학』(이을상 외 역). 사이언스북스. 2013. pp. 348-53.

각 · 통찰 · 추론 · 영감적 사고이다. 이에 관해 몇 가지 부연하자면, 필자는 이 책에서 지각과 함께 '직각'이라는 용어를 사용하기도 했다. 그런데, '직각'은 '지각'이라는 의미에 더하여 '곧 바로 알아차리다'라는 의미를 부가적으로 지니고 있을 뿐이다. 이 책의 필자가 지각과 직각을 구분한 주된 이유는, 그간의 연구자들이 지각을 사물에 대한 경험 인식만을 대상으로 삼았기 때문이다.

경험 인상의 지각은 사물만이 아니라, 관념물 다시 말해 '기호'나 사태들에 대한 지각 작용도 있기 때문이다. 대표적으로, 추론 사고의 전개 과정에서 우리는 수시로 하나의 판단들을 의식 상태에서 지각하게 된다. 이때, 필자는 '직각'이라는 용어를 사용했다. 지각이나 직각은 언급한 바와 같은 용례적 차이가 있을 뿐, 본질 면에서는 같은 것이다.

한편, 영감적 사고는 극도로 정신 에너지가 집중된 상태에서 의식과 비의식이 동시적으로 교차하는 가운데 수행되는 까닭에 초의식비의식 사고라고도 한다. 영감적 사고를 별도로 사고의 한 유형으로 뚜렷이 구분한 연구자는 없으며 현재로선 이 책의 필자가 유일한 것 같다. 영감적 사고는 "영감적 사고" 편에서 상술하고 있으므로 이곳에서는 한두 가지 주요 특징만을 간략히 언급한다.

지각이나 추론 상태에서는 13-30 Hz의 베타파가 나타난다. 여기서 나아가 고도의 집중상태에서는 30-42 Hz의 감마파가 나타난다. 감마파는 초의식비의식의 영감적 사고와 같은 고도의 정신능력 발휘 시에 나타난다.[8] 그러한 영감적 사고는 시인 · 예술가 · 예지자 운동선수 등이 주로 행하는 특별한 창조능력이다.

마지막으로, 이 책의 필자가 [상징학]에서 '직관'을 사용하지 않고

'통찰'이라는 용어를 선택하여 사용하게 된 까닭은 이러하다: 베르그송은 셸링이나 쇼펜하우어 같은 철학자들이 직관을 지성에 대립하는 것으로 사용한 까닭에 '직관'이라는 용어의 사용을 오랫동안 망설였다고 한바 있다.[9] 사실, 연구자들의 직관과 통찰에 관한 대표적인 용례들을 살펴보았지만, 철학 · 심리학 · 교육학을 막론하고 직관이라는 용어만큼 혼란스레 사용된 용어도 없다(Noddings와 Shore, 1984: 1).[10] 이 책의 필자 역시 직관과 통찰 중 어떤 용어를 사용할 것인지를 두고 고민했다.

직관의 내포적 의미로는, 칸트와 같이 시공계의 감성적 인지능력, 셸링의 의식 · 무의식 · 주관 · 객관적 통일의 인식 능력, 쇼펜하우어의 인과성 인식능력, 베르그송의 본질 파악 능력, 크로체의 예술미의 인식 능력, 후설의 지각으로부터 본질 파악에 이르는 사고활동 등과 같이 그 내포적 의미의 스펙트럼이 다양하고 넓다.

한편, 사고에 관한 연구는 심리학에서 주로 이루어지고 있다. 하지만 철학에서 심리학이 독립하기 시작한 건 19세기 말경이다. 그 이전에는 인식론적 측면에서 철학이 다루었던 문제이다. 하지만 철학은 통찰이란 용어를 부수적으로 사용해왔을 뿐, 이론적 체계 내에서는 직관이라는 용어를 사용했다. 그러하듯, 전통적으로 직관이라는 용어가 통찰보다도 더 오래전부터 사용되어왔고 또한 학적 인식의 개념으로서

---

8) Eric Hoffmann. 『이타적 인간의 뇌』(장현갑 역). 불광. 2012. pp. 74-75.
9) Henri Bergson. 『사유와 운동』(이광래 역). 문예. 2012. p. 33,
10) 온기찬. 『竝列分散處理 모델에 기초한 直觀에 관한 實驗的 研究』. 교육학 박사학위논문. 전북대학교 대학원. 1997. p. 5. 재인용.

다양한 의미들을 수용해왔다.

그런데 직관의 개념적 의미와 쓰임이 그와 같이 다양한 반면에, 통찰은 학적 · 이론적 개념의 침전물이 거의 없어서 비교적 순수한 편이다. 그리고, 통찰은 복합적 판단들이 전일적으로 이루어진다. 그런데 일반적으로, 직관은 직접 인식한다는 의미를 대표적으로 지니고 있다. 하지만, 통찰은 전체를 일거에 사고한다는 의미를 갖고 있다. 이와 같이 직관과 달리 통찰은 비교적 순수하고 일반적 의미 또한 상징학의 용례에 가깝다. 그러한 점들로 해서 이 책의 필자는, 논리규칙의 질서를 초월하여 전일적으로 이루어지는 심층비의식의 사고에 '통찰'이라는 용어를 사용하게 되었다.

사고 이론에 관한 용어의 혼란은 필자의 이 책의 기술 과정에서도 눈에 띄게 드러날 것이다. 이 책의 필자는 개별 연구자들의 사고 관련 용어가 나올 때마다 "( )"를 사용하여 필자의 사고이론 체계의 용어를 함께 명기해야 했다. 그리고, 비본질적 논의들과 용어들에 대한 이론적 정리 작업에 에너지와 시간을 써야 했다. 다양하고도 비본질적 용어의 사용들은 향후 용어의 표준화가 완전히 이루어지기까지는 상징학의 연구와 전개에 있어서 적지 않은 걸림돌로 작용할 것이다.

이 책의 필자는 사고의 본성이 '동일화'라는 인식 아래 사고의 유형론을 전개하고 사고 관련 용어들을 선택해서 사용했다. '동일화'는 의미의 수준에서 발현되는 정신 활동으로서 기호에 바탕한다. 우리는 '의미'라는 기호의 연결로써 동일화의 사고를 수행한다. 동일화는 문화를 창조하는 우리의 근원적 사고 능력이다. 지능 · 인지 · 창의성의 본질은 모두 사고의 본성인 '동일화'로 수렴된다. 하지만 언젠가는 보다 깊은 혜안의 연구자들에 의해 보다 본질적인 사고 이론이 제기될 것이다. 그때까지는 필자의 “융합학문 상징학” 체계에서 사용되는 용어들이 표준 용례로서 사용될 수 있기를 희망한다.

8. 시와 사고

8.1. 이상과 천재

8.1.1 시적 천재의 본질

이상(김혜경, 1910-1937)이 천재인가, 아니면 비시를 쓰는 시인인가 하는 문제는 이상의 사후 70여년이 더 지난 지금도 해결되지 않은 문제로 남아 있다. 그러한 이유는 시적 천재의 본질을 정확히 인식하지 않은데 문제가 있다. 그간의 연구는 이상의 시 '형식'의 '독창성'과 '의미론'적 측면에서 논의 되어 왔다. 그것은 논자들이 이상의 개성적인 '시 형식'과 '난해성'을 시적 천재의 징표로 여긴 때문일 것이다.

그러나, 이 책의 필자는 견해를 달리한다. 필자는 시 형식의 독창성과 의미론적 문제를 시적 천재의 바로미터로 여기지 않는다. '형식의 독창성'과 '의미의 난해성' 은 시적 천재의 직접적 또는 본질적 문제가 아니다. 시적 천재는 그러한 형식을 창출하고 사용하는 시인의 '통찰력'에 있다.

'형식'은 두 가지 측면에서 구분된다. 하나는 시문구조의 외양적 측면이고, 또 하나는 의미를 생성하는 '비유의 능력이다. 외양적 스타일은 모방이든 창조이든, 창조적 변용이든 1회의 통찰로써 가능하다. 그러나 비유의 능력은 매 시어의 생성시마다 요구된다. 또한, 스타일은 모방이 가능하지만, 비유의 생성을 위한 통찰은 시인 개인의 고유한 재능으로, 모방이나 차용이 불가하다.

의미의 문제는 몇 가지 생각해보아야 할 것이 있다. 의미 중심의 비평은 현대 시 · 예술에 대한 접근의 오류로, 재고해 보아야 할 문제이다. 사고 그 자체를 중시하는 현대의 시 · 예술은 자연적 상징이 아닌, 자의적 상징을 사용한다. 자의적 상징의 텍스트는 분명한 의미의 제시가 아니라 풍부한 의미의 가능성을 통한 지적 쾌감을 생성함에 의의가 있다. 그러한 자의적 상징의 텍스트는 의미가 아니라 의미를 생성하는 비유의 형식에 의의를 둔다. 대개의 자연적 상징이 1 : 1의 분명한 의미관계를 통해 감성의 울림을 생성코자 한다면, 자의적 상징의 텍스트는 1 : ∞의 의미관계로써 사고의 확장을 통한 쾌감을 추구한다.

자의적 상징의 텍스트는 의도적인 난해성을 추구하지 않는다. 언급하였듯, 자의적 상징은 시어와 의미가 1 : 1의 관계가 아니라 1 : ∞의 의미관계를 추구한다. 하지만 그것은 하나의 방법론일 뿐, 자의적 상징의 목적과 의도는 풍부한 의미관계를 통해 비유의 울림을 생성하는

데 있다. 만일, 난해성만을 목적으로 한다면, 그것은 자의적 상징을 생성하는 현대 시 · 예술의 본령에서 벗어난 일이다.

그것은 자의적 상징 형식의 맹목적 모방 단계에서 일어날 수 있는 일로서, 그러한 정신의 미숙은 은유의 통찰이 뒷받침되지 않는 깨어진 형식을 드러낸다. 자의적 상징을 사용하는 이상은 당시 유럽이나 일본의 전위 작가들에 대한 단순한 흉내내기의 모방이 아니라 스스로의 통찰력에 의한 기호들의 통일적 유희 세계를 보여주는 비유의 형식들을 제시하고 있다.

8.1.2. 시의 본질

시의 본질은 비유이다. 비유는 형식과 의미를 요구한다. 형식과 의미를 통한 비유는 시인의 통찰로 생성된다. 스타일로서의 형식과 의미는 텍스트의 목적이나 본질이 아니다. 시에 비유의 울림이 없다면, 스타일은 겉멋에 지나지 않으며, 의미는 지시적 개념에 그치고 만다. 이미지의 통일이 없는 혼잡은 맹목이다. 스타일은 표절과 모방이 가능하다. 그러나 사고는 모방이 불가하다. 비유의 울림과 미학성은 시인의 통찰 사고의 능력에 좌우된다.

이상의 시는 의미가 연결되지 않는 '단절의 수사학'을 사용한다. 그 점이 1 : 1의 의미관계를 기대하는 독자들에게 벽으로 작용한다. 하지만 '의미의 단절'은 의미의 많은 부분이 비유의 내부로 접혀 들어가 있음을 의미한다. 이상의 시는 "A=B이고 C=B이다"라는 내용을 은닉한 채 대뜸 "A=C"라고 한다. 여기서 독자들은 당황한다.

하지만, 전후맥락을 살펴보면 "A=C"라는 표현 속엔"A=B, B=C"라는 비유의 과정들이 숨겨져 있음을 알게 된다. 그런데, 시가 수수께끼나 수학과 다른 점은, 수학은 숨겨진 답이 하나에서 정해진 차원의 수만큼 정해져 있다. 반면에 시 언어의 비유는 '단절된 의미' 사이에 아주 다양한 의미의 값들이 존재 가능하다. 아이러니하게도 이러한 은닉이 시에서 쾌감을 불러일으키고 비유의 울림을 지속하게 한다. 이상은 본능적으로 이러한 통찰의 매력을 알고 있다.

이상 시편의 의의는 의미의 제시에 있지 않고 의미의 가능성에 있다. 그러한 이상 시편의 시적 쾌감은 우리의 사고를 자극하는 비유의 형식에 있다. 언급하였듯 자의적 상징의 시와 예술은 형식을 통한 사고의 유희를 추구한다. 아리스토텔레스는 이미 『시학』에서 은유 즉 비유를 모방의 본능에서 찾았다. 그리고 모방에서 인간은 지적 욕구와 쾌감을 찾는다고 지적한 바 있다. 그러한 아리스토텔레스의 '모방론'은 사실은 시의 본질을 통찰한 '은유론'이다. 형식은 비유를 생성하는 원자로이다. 좋은 형식은 무한 의미의 비유를 생성한다.

시는 동일화 즉, '비유'의 텍스트이다. '비유'는 숨겨진 심층 세계에 대한 표현이다. 과학은 통찰을 근본형태의 '동일화'로 분절하여 기술하며, 시 · 예술은 원사고의 비유로써 세계를 조형한다. '비유'는 의미의 DNA들이 암호처럼 꼬여 있고 중첩된 공간들을 함축하는 표상이다. '비유'는 'A=Z'로 되기까지의 'C=B, A=B…'라는 선형적 술어들을 보이지 않는 세계에 농축하여 내장한다. 현대의 자의적 상징의 시와 예술은 특히 그러하다.

지금까지 이상에 관한 담론들은 스타일의 '독창성'과 의미의 '난해성'에 주목하여 천재론을 개진해왔다. 그러나 천재성은 스타일이나 의미 이전에 스타일과 의미를 생성하는 '통찰력'에 있다. 단일의 의미 부여로 감성의 쾌감을 생성하는 자연적 상징의 시편이든 의미의 확산을 통해 지적 쾌감을 생성하는 자의적 상징의 시편이든 마찬가지로 그러하다.

8.1.3. 원형으로서의 형식과 동시성

사에구사 도시카스 교수(도쿄외국어대학)는 이상이 당시 세계 첨단의 화제작이라 할 전위 작가들의 시와 비평, 유럽의 쉬르레알리슴, 전위적 회화와 시를 소개했던 『시와 시론』(詩と詩論)이나 『문학』을 보고 있었다고 전한다. 사에구사 도시카스 교수는 「이상의 모더니즘」에서 "이 잡지만 갖고도 당시 세계의 전위예술에 대한 지식을 흡수할 수 있었으며, 다다나 쉬르리얼리즘의 선언, 더 나아가선 제임스 조이스, 버지니아 울프, 마르셀 프루스트 등에 접할 수가 있었던 것이다. 따라서 이상이 이들의 문학과 그 수법에 대해 알고 있었다는 것은 의심할 수 없는 사실"[2)]이라며 "그렇게 본다면 그는 무에서 유를 창조할 수 있는 천재였을 리가 없"다고 한다.

그런데, 유럽의 전위예술과 일본의 전위작가들을 언급하는 사에구사 도시카스 교수는 말라르메에 관해서는 언급이 없다. 사실, 20세기 초 유럽에서 활화산처럼 타올랐던 전위예술은 말라르메의 모방이나 아류였으며 그 영향의 결과였다. 그리고, 이상과 말라르메의 텍스트 역시 유사한 점이 많다. 여기서 제시하는 것은 그 대표적 몇 가지 예이다.

---

2) 김윤식 외. 『李箱문학전집-연구 논문 모음』. 문학사상사. 2001. p. 264.

1). 우선 '숫자'에 대한 관심의 표현이다. 말라르메는 '우연'과 '필연'의 본질적 동질성을 사색한 것으로 보인다. 그러한 말라르메는 그 동질성의 열쇠를 피타고라스주의의 수의 신비에서 찾았던 것으로 보인다.

2). '책'과 '거울'이라는 시어의 사용이다.[3] '책'은 말라르메의 핵심 사상의 하나이다. 말라르메는 우주를 절대의 '책(Le livre)'으로 비유하였다. 우주를 절대의 책으로 표상한 말라르메는 우주의 내밀한 겹겹의 주름은 무한하고 내적인 세계의 섬세함을 거친 공간으로부터 지키기 위함[4]이라고 하였다. '거울'은, 26세의 말라르메가 보들레르의 영향을 벗어나 독창적 세계를 이루기 위한 과정에서 철저한 자기 부정의 정신을 이루기 위한 방법론적 도구였다.

> 난 사고(思考)하기 위해서는 아직도 거울 속의 나를 들여다 봐야만 한다네. 거울이 만약 내가 지금 자네에게 글을 쓰고 있는 이 책상 앞에 없다면 나는 다시 무(無)가 되어 버릴 것 같네(서한, 카잘리스에게, 1867년 5월).[5]

---

3) 이상은 그가 세 살 무렵 그의 의지와는 무관하게 백부집에 양자로 들어가게 됨으로써 불행과 비극의 삶이 연속된다. 폐결핵이라는 질병은 그러한 부조리하고 우울한 삶 속에서의 심적 상태에 기인한 것일 수 있다. 폐결핵 속에서 이상은 생과 사의 경계를 드나들며 젊은 생을 고뇌하고 시와 문학적 글쓰기로 자신의 삶과 재능을 소진하였다. 그의 '거울론'의 시편들은 그의 분열증적 고뇌를 여과없이 보여준다. 자신에 대한 부정적 관점에서 이상과 말라르메의 거울은 동일한 기능의 도구로 사용되고 있다.
4) 최석.『말라르메: 시와 무(無)의 극한에서』. 건국대학교 출판부. 1997. p. 124.
5) 같은 책. p. 63.

3). 이상은 공대생이었던 까닭도 있겠지만 '전자', '양자', '빛의 속도' 등 양자물리학의 용어들을 사용하고 있다. 그러한 기호들의 사용에서 추구되는 물리학적 사고와 시의 만남은 말라르메 역시 '책'과 '우주'의 관계를 사색하면서 시작했음을 알 수 있다.

4). 이상은 선형적 통사체계를 무시하고 품사 전위(轉位) 등을 통한 입체적 통사를 사용한다. 그러나 말라르메 또한 이미 선형적 통사구조를 초월하여 선구적으로 입체적 통사를 사용했다.

> "오늘"에 관사(le)를 덧붙여 의도적으로 명사화시킨 것은 (…) 통념적인 부사로서의 "오늘"에 그 통념적 의미를 벗어나 새로운 시적 의미를 전달코자 하는 말라르메의 의식적이고 의도적인 파격(破格)이다. 그렇게 명사화된 "오늘" 앞에 "순결하고 생기 있고 발랄한"이라는 세 개의 형용사를 반복적으로 나열하는 것도 일상 통용되는 프랑스어의 기준으로는 또한 파격적이다. 바로 이 파격의 힘으로 이 "오늘"은 물리적으로 도식화된 "어제, 오늘. 내일"의 선(線)적 시간 개념을 벗어나 시적으로 발화된 비(非)물리적 개념으로서의 한순간으로 포착된다. 따라서 어제나 과거의 대척점으로서의 오늘이 아니라 시적으로 생성되는 모든 순간, 언제나 새롭게 생성되는 모든 순간들로서의 "오늘"이다.[6)]

크리스테바(J. Kristeva, 1941-)는 시와 시적 언어를 구분하면서, "19세기 전반 이전에는 시는 있되 시적 언어는 없다"고 말한다.[7)] 그런 크

---

6) 같은 책. pp. 109-10.
7) Julia Kristeva. 『시적 언어의 혁명』(김인환 역). 동문선. 2002. pp. 328-29.

리스테바는 19세기 후반의 네르발 · 말라르메 · 로트레아몽이 시적 언어를 보여준다고 말한다. 여기서 크리스테바가 말하는 '시적 언어'란 이 글의 필자가 말하는 유비적 통찰이 뒷받침 된 확산 은유들이다.

그런 말라르메로부터 장 모레아즈의 상징주의 선언, 아폴리네르의 형태주의, 다다와 쉬르레알리슴, 마리네티의 미래파, 러시아의 입체미래파 등이 이어져 나왔다. 실로, 19세기 말의 말라르메가 존재하지 않았더라면 20세기 초엽의 활화산처럼 분출된 양식사의 선언들은 없었을지도 모른다. 미술에서 '현대적'이라는 개념을 몇몇의 인상파가 열었다면, 시문학에서 20세기의 현대를 열어젖힌 전무후무한 시인은 단연 말라르메이다.

통사 훼손과 파괴는 말라르메에게서 시도된 것으로 당시 프랑스에서는 그러한 말라르메에 대해 가할 수 있는 극단적 비평이 가해졌다. 말라르메 연구자 황의조는 "1895년 경 「주사위 던지기」(Un coup de dés)등의 출간 및 게재를 즈음하여 Adolph Retté는 말라르메를 '프랑스어의 명백한 처형자'로 고발하고 나섰으며, Zola는 '형태에 대한 온갖 광기가 폭발한 것은 바로 그로부터이다. 리듬과 어휘들의 배치에 있어 (…) 그는 글의 규범에 대한 통제력을 상실하고 말았다. 그의 시편들은 옆으로 늘어선 어휘들에 지나지 않는데, 문장의 명확함을 위해서가 아니라 그 조각들의 조화를 위한 것 같다.'"고 폄하했음을 밝히고 있다.

그리고 "Lanson에게 있어서, 말라르메는 자신을 표현하는 데 이르지 못하고, 문장에 문법과 논리를 강요하는 구조 없이도 지낼 수 있다고 믿는 '불완전한 예술가'였다"[8]고 전한다. 말라르메에 대한 이러한 악평은 사실, 이상에게 지금까지 가해진 비판들과 조금도 다를 바가 없다. 말라르메 당시 프랑스 시단의 상황이지만 이것은 이상의 반대자들이 이상에 대해 행하는 비판 바로 그것이라고 해도 과언이 아닐 만큼 판박이의 내용이다.

사에구사 도시카스 교수가 이상이 『문학』등 일본의 잡지를 통해 당시의 전위적 실험시들을 접하고 있었다고 말하지만, 당시의 유럽의 실험적 형식들은 사실은 그 이전에 말라르메에게서 비롯한 것들이다.[9] 품사의 전화, 파형적 통사, 글씨체 대소 · 변화의 시각적 배치, 시행의 대담한 양면 전개와 도상적 펼침 등을 비롯하여 말라르메는 우리가 언급한 '죽음의 문법'을 구사했고 결국, 이유 모를 후두경련으로 1897년 사망한다.[10]

이상의 시가 천재적 창조인가, 모방인가 하는 것은 언급이 있었듯 시의 스타일로서의 형식에 의해서는 판단되지 않는다. 스타일은 창조

---

8) 황의조 "윤리적 언어활동론을 위한 일원적 의미론 시론Un essai de sémantique moniste pour l'argumentation ethique du langage I(시적 의미생성에 대한 말라르메의 물질론적 경험을 중심으로)". 프랑스어문교육학회. 1998. pp. 499-533.

9) 아뽈리네르(Guillaume Apollinaire)는 말라르메의 타이포그라피 기법을 발전시켜『칼리그람』에서는 시의 물질화, 공간화, 의미의 형태화 또는 사물화라고 할 수 있는 실험을 제시했다. 그것은 기존의 선형적이고 평면적 구문 질서의 상징계에 대한 도전이었다. 나아가 그 영향은 이탈리아에 있어서 마리네티(F. T. Marinetti)의 미래파와 러시아의 입체 미래파의 탄생에까지 이르게 한다.

10) 말라르메는 심층구조의 구문과 자신의 '삶'을 맞바꾸었다고 할 수 있다. 사망 바로 전해에 완성된 복잡한 심층구조의 시편「주사위 던지기」에서 알 수 있듯 그의 통사구조의 분절과 이식 등의 훼절적 사용, 그리고 그에 대한 비판 등은 사망의 1차 원인이 된 '후두 경련'과 무관하지 않을 것이다. 1867년 당시 자신이 예전의 말라르메가 아니라는 서한을 쓰고 있던 말라르메는 사실은 '죽음의 문법'을 준비해 나가고 있었다고 할 것이다.

이든 모방이든 일회적 노력으로 가능하다. 그리고, 말라르메는 19세기 말에 이미 그와 같은 스타일의 실험적 시 세계를 활짝 열어보여 주었고, 그 뒤를 이어 유럽 대륙으로 다양한 형식으로 변용되어 퍼져나갔다. 또한, 서구문화를 거의 동시적으로 받아들였던 일본의 작가들이 그것을 모방하였음은 물론이다.

이상 역시 그러한 연장선상에 있었다고 할 것이다. 그러나 이상의 경우는 말라르메의 시편이나 산문으로부터 직접 영향을 받아 시적 깨달음에 이르렀거나, 아니면 다른 전위 작가들을 접함으로써 이상 자신의 시적 천재성이 눈을 뜨게 되었다고 볼 수 있다. 그 어떤 경우이든 이상은 단순한 영향이나 모방이 아니라, 자신 내부의 원형으로서의 형식이 동시성적(synchronistisch)으로 표상되었다고 할 수 있다(동시성에 관해서는 "ⅳ, 5. 원형과 사고" 참조 요망).

사에구사 도시카스 교수는 이상의 난해시는 기법이 독창적인 것이 아니며, 그 의미 또한 깊은 것이 보이지 않는다고 말한다. 하지만 이상 시인의 경우 시편의 비유들은 하나의 자신의 고유한 형식으로 구조화되어 있다. 그리고, 의미론적 접근은 현대 시 · 예술의 본질을 고려하지 않은 것이다. 또한 시 감상은 의미의 해석이 전부가 아니다. 시적 쾌감은 의미의 해석에 있는 것이 아니라 의미의 해석을 통한 비유의 생성에 있다. 헤겔이 언급한 바 있듯 수수께끼는 숨겨진 답을 찾아내는 것으로 끝난다. 그러나, 시는 여전히 해결되지 않은 과제로 남는다.[11]

---

11) G. W. F. Hegal.『헤겔미학』Ⅱ(두행숙 역). 나남. 1996. p. 160.

그 과제란 다름 아닌 비유의 생성이다. 시 미학은 '비유의 울림' 즉 비유의 수월성에 있다. 시인은 결코 사전적 의미를 제시하기 위해 시어를 사용하는 것이 아니다. 시인이 사전적 의미를 제시하는 것은 비유의 울림을 위한 형식을 생성코자 하기 위함이다. 그리고 시의 본질은 비유이다. 시의 비유는 형식으로써 제3의 의미 세계를 연다. 비유의 형식을 통한 무한 의미계로의 진동이 쾌감을 생성한다. 자의적 상징을 사용하는 현대의 시 · 예술에 있어서는 더욱이 그러하다.

김윤식 교수는 "「오감도」에서 이상은 띄어쓰기 거부라는 깃발을 표나게 내세워 '낯설음'의 의도적 표적을 감행, 이른바 충격 효과(소격론)의 초보적 단계를 감행"[12]했다고 말한다. 그러나 일본어와는 달리 우리 어법에서 붙여쓰기는 새로운 의미단위의 표기방식으로 사용될 수 있다. 분열증적 내면 심리세계의 묘사에 치중하는 이상은 사물의 실상이나 속성을 기존의 의미 단위로는 그 표현에 한계를 인식하였던 것이다.

시에 있어서 비유의 수사학 즉 형식은 '불립문자'의 돌파구이다. 문학과 예술이 개념론의 철학보다 수월성이 인정되는 면은 '형식'으로써 실체를 대신한다는 점이다. 오늘날은 철학이 사고에 있어서 '형식'을 다루는 기술의 분야라는 것을 인식하고 있는 듯 하지만, 그러나 철학은 본질적으로 인간과 자연을 개념화하고자 하는 속성을 갖고 있다.

문학 · 예술에 대한 비평의 실패는 다름 아닌 텍스트에 대한 개념과 의미론적 환원에 있다. 과학적 개념의 세계를 벗어나려는 현상학적 이념은 우리들 시인의 '불립문자'에 대한 인식과 깨달음 그것에 다름 아

---

12) 김윤식 외.『李箱문학전집-연구 논문 모음』. 문학사상사. 2001. p. 336.

니다. 이상의 붙여쓰기는 존재에 대한 이러한 불립문자의 극복을 위한 의미단위의 재설정이다.

이것은 김윤식 교수가 말한 "'낯설음'의 충격효과의 초보적 단계"가 아닌, 의미구성의 한 '형식'으로 불립문자의 세계에 대한 언어적 접근의 한계를 극복하기 위한 방편이다. 이상의 붙여쓰기는 단순한 착상으로서의 형식적 스타일이 아니라, 분열증적 세계를 명료한 의식의 상태[13)]에서 바라보는, 심리적 사실과 세계를 온전히 나타내기 위한 시적 통찰의 각성에 의한 것이다.

이상은 붙여쓰기와 함께 "싹뚝싹뚝된모양"이라는 표현과 같이 합성을 통한 품사 변용 또한 무시로 사용한다. "싹뚝싹뚝된"이라는 의미체는 '싹뚝싹뚝'이라는 의태어 부사와 '되다'라는 동사의 합성으로서 그 결과 '관형어'로 쓰이고 있다. 이 글의 필자는 이러한 이상의 통사초월의 형식을 불립문자의 한계성을 극복하기 위한 문학적 기법의 창출이라는 면에서 접근한다.

덧붙이면, 이러한 조어법과 통사파괴의 초월적 기법은 제임스 조이스의 소설『피네건의 경야』전체를 뒤덮고 있다. 그러나, 조이스의 그러한 기법은 사실은 말라르메가 보다 더 이전에 사용했다. 그리고, 한

---

13) 이러한 상태는 인지작용의 의식과 심층 비의식의 사고작용이 동시적으로 병행되는 상태이다. 이러한 상태를 우리는 영감적 사고라 한다. 달리 말하면 통찰과 인식작용이 동시적으로 수행되는 극도로 명민한 정신상태이다. 이글에서는 비유법으로서 '분열증적"이라는 정신의학적 용어를 사용하였다. 그러나 시나 소설 등에서 이중 인격성 표현을 할 때의 이상의 정신상태는 신경증적 해리의 상태가 아니라 극도로 명민한 정신작용의 상태이다.

국 작가로는 박상륭 소설가가 말, 마음, 몸을 하나로 융합한 '뫎'과 같은 조어를 자주 사용한다. 우리는 혹시 박상륭이 제임스 조이스의 영향을 받은 것은 아닐까 생각할 수도 있겠지만 그것은 앞서 언급된 동시성적 원형의 발현이다.

일례로 신화와 종교, 철학 등 동서고금의 정신세계를 우리의 것으로 토착화하여 하나의 텍스트로 녹여낸다는 점에서 연금술적 목판화와 방언화의 화가 서상환과 박상륭의 예술세계는 하나라고 할 수 있을 만큼 흡사하다. 이 경우 역시 미술과 소설이라는 장르의 간격도 있지만 모방이나 영향은 생각해볼 수 없는 일이다. 그럼에도 흡사한 예술정신과 기법의 예술세계를 보이는 것은 주목할 일이다.

'원형'의 동시성적 표상은 학문과 예술의 세계에서 우리가 때때로 볼 수 있는 일이다. 학문의 경우 라이프니츠와 뉴톤의 동시적 미적분 발견, 라부아지에와 프리스틀리의 동시대적 산소 발견, 프로이트와 칼 융의 무의식에 관한 동시대적 특별한 관심의 연구 등 그 사례는 어렵지 않게 찾아볼 수 있다. 시 · 예술에 있어서도 〈쾌락의 정원〉(Garden of Earthly Delights)을 그린 중세의 히에로니무스 보스(Hieronymus Bosch, 1450~1516), 1930년의 논문 "부패한 당나귀"에서 '편집증적 · 비판적 방법'이라 명명한 이중영상기법을 기술한 달리(Savador Dali, 1904~1989)의 그림은 쉬르레알리슴의 한 원형들을 보여준다. 그리고 필자의 경험에서도 보면, 첫시집의 경우 역시 쉬르레알리슴을 접하지 않은 가운데 영감적 사고로 제작되었다.

> 뱀의 뱃속에 아이가 자랄 수 있을까// 아버지는 능구렁이를 병에 담아 불 속에 던졌지만 병은 깨어지고 불에 탄 뱀은 온 종일 집안을 기어

다녔다 (중략) 어디선가 피아노 소리에 박자라도 맞추고 싶은 일요일의 풍경 같이 도시 중심부에서 강은 변함없이 흐르고 작년 여름 술에 빠진 사내는 강바닥 돌틈 사이에 머리를 쑤셔 넣은 채 잠을 즐기고// 뱀의 뱃속에서 뱀이 자랄 수 있을까// 인형이 아이를 목 조르고 엄마는 모차르트 40번/ 창을 닫아야지 뱀이 우리를 삼키려 해 삼킬 거야 곧 아니 우리는 뱀의 뱃속에 있는 거야 아니 우리 몸 속에 뱀이 있어 아니 뱀이 발가락을 물고 있는데 아니 그건 네 엄마야! 아이의 손가락이 늘어져 있다 인형이 웃고 있다

-「뱀의 연인」 부분, 『먼 나라 추억의 도시』(1991)

달리의 작품

비의식의 자동기술법은 발명이 아니라 인간의 '원형'적 능력에 대한 발견이다. 단지 '영감적 사고'에 의한 기술을 브르통이 '자동기술'이라고 이름 붙였을 뿐이다. 비의식의 자동기술은 무당과 영매의 주술법이

과학자도, 철학자도, 사상가도 아니다. 그는 단지 시인이요 문학가일 뿐이다.

만약에 이상이 자신의 기호들에 그 어떤 비모호성의 번쩍이는 '의미'를 숨겨놓았다면, 그래서 그 어떤 놀라운 추리력이나 통찰력의 놀라운 분석가가 이상의 기호들과 텍스트의 서사적 의미를 해독해내었다고 한다면, 그 순간 이상의 작품은 사라지고 없다. 텍스트의 기호는 의미의 울림을 위한 형식의 생성을 위해서 사용된다. 이상은 기호를 통해 존재와 세계를 통찰하게 하는 형식을 제시한다. 이상의 시에 대한 사에구사 토시카스 교수와 같은 의미론적 접근과 평가는 시 문학의 본질에 대한 이해의 정도를 가늠하게 한다.

> 空氣構造의速度—音波에依한—速度처럼三百三十미터를模倣한다
>
> (중략)
>
> 視覺의이름의 通路는設置하라, 그리고그것에다最大의速度를附與하라.
>
> (중략)
>
> 視覺의이름들을健忘하라.
>
> 視覺의이름을節約하라.

-「線에 관한 覺書 7」 부분

사람들은 위의 시문에 대해 이러저러한 의미론적 해석들을 할 수 있을 것이다. 하지만, 단정적이고 확정적인 해석은 불필요한 일이다. 이상은 비유의 형식을 통해서 독자들로 하여금 추론과 통찰을 경험하게 한다. '추론과 통찰의 경험'이란 추론과 통찰의 광맥을 비춰낸다는 말이다. 이상은 독자들이 통찰의 환상과 판타지를 접할 수 있도록 시어를 구사하는 시인이다.

이상의 「선에 관한 각서 7」을 읽고 분명한 의미를 깨닫는다면 우리는 시 작품을 읽은 것이 아니다. 언급했듯 이상의 텍스트는 '의미의 성배(聖杯)'를 찾아다니는 사냥꾼을 위한 것이 아니다. 이상의 텍스트에 '의미의 성배'는 없다. 이상의 시에서 굳이 의미의 성배를 찾는다면 독자들로 하여금 '의미의 성배'를 찾아 나서도록 자극하는 기호들을 장치한 형식이다.

主觀의體系의收斂과收斂에의한凹렌즈

4 第四世

4 一千九百三十壹年九月十二日生

4 陽子核으로서의陽子와陽子와의聯想과選擇

原子構造로서의一體의演算의研究

方位와構造式과質量으로서의數字의性態性質에의한解答의分類

(중략)

(1234567890의疾患의究明과詩的인情緖의棄却處)

(중략)

사람은별-天體-별때문에犧牲을아끼는것은無意味하다. 별과별과의 引力圈과의相殺에依한加速度函數의變化의調査를爲先作成할 것.

1931. 9. 12.

-「선에 관한 각서 6」 부분

우리는 이상이 시를 통해 음양에 관한 해석이나 수리 · 물리학적 사상을 제시하려 했다는 등의 주장을 배척하지는 않는다. 그러나, 시미학을 감상하는 우리의 입장에서 그것은 기본적으로 문학 외적인 문제이며 제2차적인 문제로 간주된다. 아니, 솔직히 말해 시미학적 감상의 차원에서 사상성의 제시 여부는 우리로서는 관심 밖의 일이다.

의미는 비유의 생성이 그 목적이다. 시편의 감상에 있어서 기호의 의미 파악은 무엇보다도 우선적으로 요구된다. 의미에 바탕하여 이미지의 조형과 그 통일적 리듬이 형성된다. 그러나, '의미'는 지극히 표면적이요 일상적 의미의 파악으로 충분하다. 특별한 경우가 아니라면 시어로서 전문 학술적 용어가 필요하지도 않거니와 이상처럼 설령 전문 분야의 용어를 사용하였다 하더라도 텍스트를 감상하는 독자의 입장에서는 사전적 의미의 파악으로 충분하다.

이상의 시 역시 외형적으로 드러나는 기호학적 서사의 내용이 자리하고 있다. 하지만 그러한 기호학적 서사가 이상 시의 '텍스트의 의미'가 아니다. 기호학적 서사는 이상이 통일적 시 텍스트를 형성하기 위한 하나의 방편이자 외형적 그릇일 뿐이다. 이상이 구현하고자 하는 것은 그러한 통사 형식과 그 통사 형식이 창출하는 쾌감이다.

기본적으로, 이상은 시편을 통해 쾌감의 미학을 제공하고자 하였을 뿐, 현학적 의미를 제공하고자 한 것이 아니다. 이상의 시편에서 기호학적 서사에 관하여 관심을 갖는 것은 개인의 자유이다. 하지만 읽는 이는 형식에서 스스로 제3의 의미들을 향한 기호학적 통찰과 추론을 생성할 수 있어야 한다. 시인과 함께 불립문자의 울림과 파도를 유영할 수 있어야 한다. 물론, '불립문자'라고 해서 대단한 존재론이나 의미의 세계를 말하는 것은 결코 아니다.

이상의 숫자와 도형, 과학적 개념들의 충돌과 비의적 배치는 그 어떤 과학적 가설이나 그 가능성을 엿보게 하는 지적 추론과 통찰의 쾌감을 맛보게 한다. 하지만 이러한 놀라움과 쾌감은 말 그대로 과학적 세계에 대한 '가능성'일 뿐이다. 특별한 경우[14]가 아니라면, 시 텍스트의 존재 의의는 결코 학술적 이론이나 사상적 논의를 전하는데 있지 않다. 이상은 과학과 철학사상을 기술하고 있었던 것이 아니라 시예술을 구현하고자 했다.

---

14) 필자는 "비의식의 상징시론"을 장편 시의 형식으로 작성한 적이 있다. 「자연 · 정령 · 기호」(『비의식의 상징 · 정령 · 기호』. 한국학술정보. 2008. pp. 23-40)가 그것이다. 이러한 경우는 시의 형식을 빌리고는 있으나 동시에 시론을 기술하고 있다. 따라서 의미론적 접근을 요한다.

문제는 이상의 기호학적 조감도에서 개개인이 발견할 수 있는 추론과 통찰의 경험이다. 상징은 볼 수 있는 만큼 볼 수 있다는 조르주 장(Georges Jean, 1920-)의 말은 그러한 관점에서 유의미하다. 우리는 개인의 경험과 사고의 깊이에 따라 '건축무한육면각체'의 형식을 추론하거나 아니면 눈을 감거나 할 것이다.

8.1.5. 천재의 규칙 부여

상징은 동일화 정신작용이다. 이 동일화의 사고작용은 이항정리의 동일화를 수행하는 수학이나 마찬가지로 이미지 체계를 구축하는 시·예술의 세계에도 동일하게 사용된다. 카시러는 인간이 상징의 우주에서 살아가는 존재임을 인식했다(1944). 지금 이 글의 필자는 상징이란 용어 대신 '동일화'나 '사고'라는 표현을 사용한다. 그리고 수사학에서는 '비유'라는 용어를 사용한다. 동일화의 상징 다시 말해 비유는 시의 본질이며, 비유는 곧 동일화의 통찰작용이다.

이 통찰작용은 고등 생명체인 우리에게서 가장 특징적으로 수행되는 자연의 작용이다. 칸트는 시·예술 작품 창작 현장에서의 이러한 통찰능력을 '천재'라고 하였다. 칸트는 이 천재가 시·예술에서만 나타난다고 생각했다. 그러나 유비적 통찰은 그가 말한 이성의 판단력을 사용하는 과학의 세계에서도 동일하게 사용된다. 다른 점이 있다면 시·예술 창작에서는 텍스트의 기술을 은유적 비유의 기호들로 직조해야 한다는 점이다. 과학과는 달리, 시·예술은 텍스트의 제작에 있어서도 설명적 추론이 아닌 유비적 통찰 사고를 수행한다.

칸트는 이러한 차이 앞에서, 시·예술 작업은 천재의 규칙 창조가 수행되며 시인은 그러한 규칙을 창조하는 자라고 생각했다. 유비적 통찰의 사고는 상징 다시 말해 인간의 창의성을 연구하는 오늘날 모든 논자들의 공통된 견해로서, 천재적 정신작용의 특성이다. 이상의 스타일은 유럽의 전위작가들 특히 말라르메의 스타일과 비유의 형식에서 유도되었다고 생각되지만, 그것은 창조적으로 수행된 자기화 된 스타일의 구현이다. 단절적 기법과 비유의 혁신성은 말할 것도 없이 이상 고유의 통찰 결과이다.

이상은 지금껏 볼 수 없었던 새로운 스타일을 사용했기 때문에 시적 천재인 것이 아니다. 형식의 '스타일'은 모방이 가능하며 그것도 일회적 통찰의 수고로써 가능하다. 이상이 천재적임은 그의 단절적 비유의 기법이 1 : ∞의 의미 관계를 생성하기 때문이다. 이러한 비유는 1회적 통찰로써 그치지 않고 시편의 매 시어마다 요구된다. 그러함으로써 시편 전체의 이미지를 직조한다. 칸트의 언급대로 얘기하면, 이상은 시 · 예술에 미적 이념의 규칙을 부여하는 시인이었다.

참고 문헌

사고는 상징이요, 상징은 곧 사고이다. 사고의 본성은 동일화이며, 동일화는 형식을 통해 의미를 구현하는 일이다. 사고는 동일화의 심도에 따라 지각 · 통찰 · 추론 · 영감적 사고로 구별된다. 사고는 비의식 상태로 수행되며, 그 결과가 의식에 나타난다. 사고력은 활성기호의 축적 다시 말해 동일화 훈련으로 함양된다. 이것이 필자의 [상징학]의 주요 요체이다.

필자는 사고의 본성과 작용 원리에 따라 그간의 사고 연구에 관한 인식 상황들을 살펴보았다. 명기된 자료들은 필자의 견해와 일부 유사하거나, 전혀 다른 견해들이다. 아쉽게도 상징이 곧 사고라는 연구자료는 확인되지 않았다. 유사 자료는 필자의 견해에 대한 증례로 삼았고, 견해를 달리하는 자료들은 이 책의 필자가 주장하는 사고의 본성과 작용 원리를 검증하는 자료로 활용되었다.

참고문헌 또한 그러한 사고의 본성과 작용원리에 따라 분류하여 제시한다. 그런 까닭에 칸트, 윌리엄 제임스, 아다마르 같은 몇몇 연구자들의 저서는 2-3개 항목에 걸쳐 명기되기도 한다. 참고문헌은 성명의 가나다 순으로 명기하되, 대표적이거나 특징적인 주요 자료는 짙은 글씨로 표시했다. 덧붙여, 이 책의 필자가 읽은 한글 번역본에 대한 원전은 대조의 편의를 위해 "( )" 안에 명기했다.

▲ 분류 내용

① 사고와 상징이 밀접한 관계가 있다고 보는 연구자들의 자료.
② 상징과 기호에 관한 연구자들의 인식 상황.
③ 의식 개념에 대한 연구자들의 인식 상황
④ 사고와 비의식(무의식)에 관한 연구자들의 인식 상황.
⑤ 사고의 본성 동일화를 뒷받침하는 관련 자료들.
⑥ 사고가 비의식기호로써 수행됨을 뒷받침 하는 연구들.
: 심리학의 기억 연구 자료는 사고가 비의식기호로써 수행된다는 사실을 입증하는 보편적 연구 자료이다. 이 책의 필자에게 심리학 자료는 그런 관점에서 유의미하다.
⑦ 사고를 통찰과 추론의 두 기본 유형으로 구별하는 이론 및 주장들.
⑧ 영감적 사고(초의식비의식 사고)를 뒷받침 하는 연구자들의 자료.
⑨ 시・예술 창작의 유비적 사고가 창의성의 본질적 사고임을 주장하는 이론들.
⑩ 상상력을 사고가 아니라 표상력이나 의식작용으로 보는 연구자들의 이론
⑪ 사고 일반에 대한 연구자들의 인식 상황.
⑫ 기타.

1. 사고와 상징(은유)이 밀접한 관계가 있다고 보는 자료

레이코프, 조지 외 (Lakoff, George, Mark Johnson). 『몸의 철학: 신체화된 마음의 서구 사상에 대한 도전』(임지룡, 윤희수, 노양진, 나익주 역). 박이정. 2002.
(*Philosophy in the Flesh: The Embodied Mind and its Challenge to Western Thought*: 1998. New York: Basic Books. 1999.)

에델만, 제럴드(Edelman, Gerald). 『신경과학과 마음의 세계』(황희숙 역). 범양사. 1998.
(*Bright air, Brilliant Fire: On the Matter of the Mind*. New York: Basic Books. 1992.)

——. 『세컨드 네이처』(김창대 역). 마음. 2009.
(*Second Nature: Brain Science and Human Knowledge*. New Haven: Yale University Press. 2006.)

카시러, 에른스트(Cassirer, Ernst). 『인간이란 무엇인가』(최명관 역). 서광사. 1988.
(*An Essay on Man: An Introduction to a Philosophy of Human Culture*. New York: Doubleday, 1944.)

Cassirer, Ernst. *An Essay on Man: An Introduction to a Philosophy of Human Culture*, New York: Doubleday. 1944.

2. 상징과 기호에 관한 연구자들의 인식 상황

그레마스, 알게르다스(Greimas, Algirdas. J.), 『의미에 관하여』(김성도 편역). 인간사랑. 1997.
(*Du Sens Essais Semiotiques*. Paris: Éditions du Seuil. 1970.)

기로, 피에르(Guiraid, Pierre) 외. 『문학과 기호학』(박종철 편역). 2판. 대방출판사. 1986.

나타프, 조르쥬(Nataf, Georges). 『상징 · 기호 · 표지』(김정란 역). 열화당. 1987.
(*Symboles Signes et Marques*. Paris: Berg. 1973.)

뒤랑, 질베르(Durand, Gilbert). 『상징적 상상력』(진형준 역). 문학과지성사. 1983.
(*L'imagination Symbolique*. Paris: Presses universitaires de France. 1968.)

——. "상징주의의 어휘들". 『상상력이란 무엇인가』(장경렬, 진형준, 정재서 편역). 살림. 1997.
(*L'imagination Symbolique*. Paris: Presses universitaires de France. 1968.)

뒤프레, 루이스(Dupré, Louis. K.). 『종교에서의 상징과 신화』(권수경 역). 서광사. 1996.
(*The Other Dimension: A Search for the Meaning of Religious Attitudes*. Garden City: N. Y. Doubleday. 1972.)

랭거, 수잔(Langer, Susanne). 『예술이란 무엇인가』(이승훈 역). 고려원. 1982.
(*Problems of Art: Ten Philosophical Lectures*. New York: Scribne. 1957.)

레이코프, 조지(Lakoff, George). 『인지 의미론』(이기우 역). 한국문화사. 1994.
(*Women, Fire, and Dangerous Things: What Categories Reveal About the Mind*. Chicago: University of Chicago Press. 1987.)

리차즈, 이보 외(Richards, Ivor. A., Charles Kay Ogden). 『의미의 의미』(김영수 역). 현암사. 1987.
(*The Meaning of Meaning; A study of the Influence of Language Upon Thought and of the Science of Symbolism*. London, K. Paul, Trench, Trubner & Co.; New York, Harcourt, Brace & Co. 1923.)

리쾨르, 폴(Ricoeur, Paul). 『악의 상징』(양명수 역). 문학과지성사. 1994.
(*Philosophie de la Volonté*. Paris: Aubier. 1950-60.)

리파테르, 미셸(Riffaterre, Michael). 『시의 기호학』(유재천 역). 민음사 1989.

(*Semiotics of Poetry*. Bloomington: Indiana University Press. 1978.)

링크, 위르겐(Link, Jürgen). 『기호와 문학』(고규진, 전동렬 역). 민음사. 1994.

(*Literaturwissenschaftliche Grundbegriffe: Eine Programmierte Einführung auf Strukturalistischer Basis*. München: W. Fink. 1974.)

바르트, 롤랑(Barthes, Roland). 『텍스트의 즐거움』(김희영 역). 동문선. 1997.

(*Le Plaisir du Texte*. paris: Éditions du Seuil. 1973.)

보셔스, 티모시(Borchers, Timothy A.). 『수사학이론』(이희복, 차유철, 안주아, 신명희 역). 커뮤니케이션북스. 2007.

(*Rhetorical Theory: An Introduction*. Belmont, CA: Thomson Wadsworth. 2005.)

장, 조르쥬(Jean, Georges). 『기호의 언어; 정교한 상징의 세계』(김형진 역). 시공사. 1997.

(*Langage de Signes: L'ecriture et Son Double*. Paris: Gallimard. 1989.)

샌더스, 캐롤(Sanders, Carol). 『소쉬르의 일반언어학 강의』(김현권 역). 어문학사. 1996.

(*Cours de Linguistique de Saussure*. Paris: Hachette. 1979.)

소쉬르, 페르디낭(De Saussure, Ferdinand). 『일반언어학 강의』(최승언 역). 민음사. 2006.

(*Cours de Linguistique Generale*. Paris: Payot. 1916.)

야코비, 욜란드(Jacobi, Joland). 『콤플렉스, 원형, 상징』(유기룡, 양선규 역). 경북대학교 출판부. 1986.

(*Complex, Archetype, Symbol in the Psychology of C. G. Jung*. New York: Pantheon Books. 1959.)

에노, 안느(Hénault, Anne). 『기호학사』(박인철 역). 한길사. 2000.

(*Histoire de la Sémiotique*. Paris: Presses universitaires de France. 1992.)

에코, 움베르트(Eco, Umbert). 『기호: 개념과 역사 Ilsegno』(김광현 역). 열린책들. 2000.

((*Il*)*segno*. Milano: ISEDI. 1973.)

——. 『일반 기호학 이론』(김운찬 역). 열린책들. 2009.

(*Trattato di Semiotica Generale*. Milano: Bompiani. 1975.)

———. 『기호학 이론』(서우석 역). 문학과지성사. 1987.

(*Trattato di Semiotica Generale*. Milano: Bompiani. 1975.)

———. 『기호학과 언어철학』(김성도 역). 열린책들. 2009.

(*Semiotica e Filosofia del Linguaggio*. Torino: G. Einaudi. 1984.)

———. 『기호학과 언어철학』(서우석, 전지호 역). 청하. 1987.

(*Semiotica e Filosofia del Linguaggio*. Torino: G. Einaudi. 1984.)

위딩, 게르트(Ueding, Gert). 『고전 수사학』(박성철 역). 동문선. 2003.

(*Klassische Rhetorik*. München: C. H. Beck. 1995.)

채드윅, 찰즈(Chadwick, Charles). 『상징주의』(박희진 역). 서울대학교 출판부. 1984.

(*Symbolism*. London: Methuen. 1971.)

장, 조르쥬(Jean, Georges). 『기호의 언어; 정교한 상징의 세계』(김형진 역). 시공사. 1997.

(*Langage de Signes, L'ecriture et Son Double*. Paris: Gallimard. 1989.)

카시러, 에른스트(Cassirer, Ernst). 『인간이란 무엇인가』(최명관 역). 서광사. 1988.

(*An essay on Man: An Introduction to a Philosophy of Human Culture*. New York: Doubleday. 1944.)

칸트, 임마뉴엘(Kant, Immanuel). 『판단력비판』(이석윤 역). 박영사. 1974.

(*Kritik der Urteilskraft*. Berlin u.a. 1790.)

커베체쉬, 졸탄(Kövecses, Zoltán). 『은유』(이정화, 우수정, 손수진, 이진희 역). 한국문화사. 2003.

(*Metaphor: A Practical Introduction*. New York; Oxford: Oxford University Press. 2001.)

크로체, 베네데토(Croce, Benedeto). 『크로체의 미학』(이해완 역). 예전사. 1994.

(*Aesthetic as Science of Expression and General Linguistic*. London; New

York: Macmillan. 1909.)

콜링우드, 로빈(Collingwood, Robin. G.). 『상상과 표현』(김혜련 역). 고려원. 1996.
(*The Principles of Art*. Oxford: Clarendon Press. 1938.)

토도로프, 츠베탕(Todorov, Tzvetan). 『상징의 이론』(이기우 역). 한국문화사. 1995.
(*Theories du Symbole*. Paris: Éditions du Seuil. 1977.)

트라반트, 위르겐(Trabant, Jürgen). 『기호학의 전통과 경향』(안정오 역). 인간사랑. 2001.
(*Elemente der Semiotik*. München: C. H. Beck. 1976.)

패럳, 헤르만(Parret, Herman). 『현대 기호학의 흐름』(김성도 역). 이론과실천. 1995.
(이 책은 저자의 최근 논문들을 묶어 만든 책임.)

퍼스, 찰스(Peirce, Charles. S.). 『퍼스의 기호사상』(김성도 편역). 현대사상의 모험 제15권. 민음사. 2006.
(퍼스의 기호론을 발췌하여 번역한 책임.)

———. 『퍼스의 기호학』(제임스 홉스 편. 김동식, 이유선 역). 나남. 2008.
(*Peirce on Signs: Writing on Semiotic*. Ed. James Hoopes. Chapel Hill: University of North Carolina Press. 1991.)

폰타나, 데이비드(Fontana, David). 『상징의 비밀』(최승자 역). 문학동네. 1998.
(*The Secret Language of Symbols: A Visual Key to Symbols and Their Meanings*. San Francisco, CA: Chronicle Books. 1994.)

프라이, 노드롭(Frye, Northrop). 『문학의 구조와 상상력』(이상우 역). 집문당. 1987.
(*The Educated Imagination*. Bloomington: Indiana University Press. 1964.)

헤겔, 게오르크(Hegel, Georg. W. F.). 『헤겔 미학』 I – III (두행숙 역). 나남. 1996.

혹스, 테렌스(Hawkes, Terence). 『구조주의와 기호학』(오원교 역). 신아사. 1982.
(*Structuralism and Semiotics*. Berkeley: University of California Press. 1977.)

Cassirer, Ernst. *An Essay on Man: An Introduction to a Philosophy of Human Culture*, New York: Doubleday. 1944.

김기봉. 『프랑스 상징주의와 시인들』. 조합공동체소나무. 2002.

김성도. 『현대 기호학 강의』. 민음사. 1998.

김용직 편. 『상징』. 문학과지성사. 1988.

김욱동. 『수사학이란 무엇인가』. 민음사. 2002.

김치수, 김성도, 박인철, 박일우. 『현대기호학의 발전』. 서울대학교 출판부. 2002.

박선경 편저. 『기호체계와 감성적 언어』. 이희문화사. 2002.

박성창. 『수사학』. 문학과지성사. 2000.

박인철. 『파리 학파의 기호학』. 민음사. 2003.

박종철 편역. 『문학과 기호학』. 대방. 1986.

우리사상연구소 엮음. 『우리말 철학사전』II 생명·상징·예술. 지식산업사. 2002.

유영옥. 『상징과 기호의 정치행정론』. 학문사. 1997.

유영옥. 『상징정책론』. 홍익제. 1991.

철학아카데미. 『기호학과 철학 그리고 예술』. 소명. 2002.

가와노 히로시(川野洋). 『예술 · 기호 · 정보』(진중권 역). 새길. 1992. (藝術·記號·情報. Tōkyō: Keisō Shobo. 1982)

3. 의식 개념에 대한 연구자들의 인식 상황

구르비치, 아론(Gurwitsch, Aron). 『의식의 장』(최경호 역). 인간사랑. 1994. (*The Field of Consciousness*[1957]. Pittsburgh: Duquesne Univ. Press. 1964.)

김재근(Jaegueon Kim). 『물리계 안에서의 마음』(하종호 역). 철학과현실사. 1999.
(*Mind in a Physical World: An Essay on the Mind-body Problem and Menta.* Cambridge, Mass.: MIT Press. 1998.)

온스타인, 로버트(Robert. E. Ornstein). 『의식심리학』(이봉건 역). 충북대학교 출판부. 2005.
(*The Psychology of Consciousness*. 2nd rev. ed. New York: Harcourt Brace Jovanovich. 1977.)

처치랜드, 폴(Churchland, Paul. M.). 『물질과 의식: 현대심리철학입문』(석봉래 역). 서광사. 1992.
(*Matter and Consciousness: A Contemporary Introduction to the Philosophy of Mind*, Cambridge. Mass.: MIT. 1988.)

헤겔, 게오르크(Hegal, Georg. W. F.). 『정신현상학』(임석진 역). 한길사. 2005.
(*Phänomenologie des Geistes*. Bamberg; Würzburg Goebhardt. 1807.)

백훈승. 『칸트와 독일관념론의 자아의식 이론』. 서광사. 2013.

우리사상연구소 엮음. 『우리말 철학사전』 Ⅳ 마음 · 도 · 초월. 지식산업사. 2005.

이만갑. 『의식에 대한 사회과학자의 도전; 자연과학적 전망』. 소화. 1996.

이만갑. 『자기와 자기의식』. 소화. 2004.

4. 사고는 비의식 상태로 수행된다

니체, 프리드리히(Nietzsche, Friedrich. W.). 『선과 악의 저편』(강영계 역). 지만지고전천줄. 2009.
(*Jenseits von Gut und Bőse*. Leipzig. 1886.)

라일, 길버트(Ryle, Gilbert). 『마음의 개념』(이한우 역). 문예. 1994.

(*The Concept of Mind*. New York: Barnes & Noble. 1949.)

레이코프, 조지 외(Lakoff, George, Mark Johnson). 『몸의 철학: 신체화된 마음의 서구 사상에 대한 도전』(임지룡, 윤희수, 노양진, 나익주 역) 박이정. 2002.

(*Philosophy in the Flesh: The Embodied Mind and its Challenge to Western Thought*[1998]. New York: Basic Books. 1999.)

믈로디노프, 레오나르드(Mlodinow, Leonard). 『새로운 무의식: 정신분석에서 뇌과학으로』(김명남 역). 까치글방. 2013.

(*Subliminal: How Your Unconscious Mind Rules Your Behavior*. New York: Pantheon Books. 2012.)

베르그송, 앙리(Bergson, Henri). 『사유와 운동』(이광래 역). 문예. 2012.

(*La Pensée et le Mouvant*. Paris: F. Alcan. 1934.)

부르톤, 로버트(Burton, Robert). 『뇌, 생각의 한계: 당신이 뭘 아는지 당신은 어떻게 아는가?』(김미선 역). 북스토리. 2010.

(*On Being Certain: Believing You Are Right even When You're not*. New York: St. Martin's Press. 2008.)

쉬타인, 단(Stein, Dan. J.). 『인지과학과 무의식』(김종우, 김정진, 이선영 역). 하나의학사. 2002.

(*Cognitive Science and The Unconscious*. Washington, DC: American Psychiatric Press. 1997.)

아다마르, 작크(Hadamard, Jacques). 『수학분야에서의 발명의 심리학』(정계섭 역). 범양사. 1990.

(*Essai sur la Psychologie de L'inventin Dans le Domaine Mathématique*(1944). Paris: Librarie scientifique Albert Blanchard. 1959.)

에델만, 제럴드(Edelman, Gerald). 『신경과학과 마음의 세계』(황희숙 역). 범양사. 1998.

(*Bright Air, Brilliant Fire: On the Matter of the Mind*. New York: Basic Books. 1992.)

———. 『세컨드 네이처』(김창대 역). 마음. 2009.

(*Second Nature: Brain Science and Human Knowledge*. New Haven: Yale University Press. 2006.)

파스, 옥타비오(Paz, Octavio). 『활과 리라』(김홍근, 김은중 역). 솔. 1998.

(*El Arco y la Lira*. 2nd ed. México: Fondo de Cultura Ecónomica. 1967.)

웰치, 존(Welch, John), 『영혼의 순례자들』(심상영 역). 한국기독교연구소. 2000.

(*Spiritual Piligrims: Carl Jung and Teresa of Avila*. O. CARM. Paulist Press. 1982.)

융, 칼(Jung, Carl. G.). 『융기본저작집』 I : 정신 요법의 기본문제(한국융연구원C.G.융저작번역위원회 역). 솔. 2001.

(*Grundfragen zur Praxis*. Olten: Walter. 1984.)

———. 『융 기본 저작집』 II 원형과 무의식(한국융연구원C.G.융저작번역위원회). 솔. 2002.

(*Archetyp und Unbewusstes*. Olten: Walter. 1984.)

———. 『융기본저작집』 III 인격과 전이(한국융연구원C.G.융저작번역위원회 역). 솔. 2004.

(*Grundwerk C. G. Jung: Personlichkeit und Ubertragung*. Olten: Walter. 1984.)

———. 『융기본저작집』 V: 꿈에 나타난 개성화과정의 상징(한국융연구원C.G.융저작번역위원회 역). 솔. 2004.

(*Traumsymbole des Individuationsprozesses*. Olten: Walter. 1984.)

———. 『융기본저작집』 VI: 연금술에서본구원의 관념(한국융연구원C.G.융저작번역위원회 역). 솔. 2004.

(*Erlosungsvorstellungen in der Alchemie*. Olten: Walter. 1985.)

———. 『융기본저작집』 VII: 영웅과 어머니 원형(한국융연구원C.G.융저작번역위원회 역). 솔. 2005.

(*Heros und Mutterarchetyp: Symbole der Wandlung 2*. Olten: Walter. 1985.)

———. 『융기본저작집』 IX: 인간과 문화(한국융연구원C.G.융저작번역위원회 역). 솔. 2005.

(*Mensch und Kultur*. Olten: Walter. 1985.)

융. 칼 외(Jung, Carl. G., Marie-Louise von Franz, Joseph L Henderson, et al). 『인간과 무의식의 상징』(이부영 외 역). 집문당. 1983.

(*Der Mensch und Seine Symbole*. Olten: Walter. 1964.)

———. 『인간과 상징』(이윤기 역). 열린책들. 1996.

(*Der Mensch und Seine Symbole*. Olten: Walter. 1964.)

제임스, 윌리엄(James, William). 『심리학의 원리』 Ⅲ(정양은 역). 아카넷. 2005.

(*The Principles of Psychology*. New York: Holt. 1890.)

짜라, 트리스탄 외(Tzara, Tristan, Andre Breton). 『다다/쉬르레알리즘 선언』(송재영 역). 문학과지성사. 1987.

(이 책은 앙드레 브르통의 "쉬르레알리슴 제1선언, 제2선언 및 제3선언 서론"과 트리스탄 짜라의 『다다이즘 선언』을 번역한 것임.)

캔델, 에릭(Kandel, Erick. R.). 『통찰의 시대: 뇌과학이 밝혀내는 예술과 무의식의 비밀』(이한음 역). 알에이치코리아. 2013.

(*The Age of Insight: The Quest to Understand the Unconscious in Art, Mind, and Brain: From Vienna 1900 to the Present*. New York: Random House. 2011.)

코흐, 크리스토프(Koch, Christof). 『의식의 탐구: 신경생물학적 접근』(김미선 역). 시그마프레스. 2006.

(*The Quest for Consciousness: A Neurobiological Approach*. Denver, Colo.: Roberts and Co. 2004.)

펜로즈, 로저 외(Penrose, Roger, Abner Shimony, Nancy Cartwight, Stephen William Hawking, Malcolm Sim Longair). 『우주, 양자, 마음』(김성원, 최경희 역). 사이언스북스. 2002.

(*The Large, The Small and the Human Mind*. Cambridge; New York: Cambridge University Press 1997.)

———.『마음의 그림자』(노태복 역). 승산. 2014.
(*Shadows of the Mind: A Search for the Missing Science of Consciousness.* Oxford; New York: Oxford University Press. 1994.)

———.『황제의 새마음』(박승수 역). 이화여자대학교 출판부. 1996.
(*Emperor's New Mind: Concerning Computers, Minds, and the Laws of Physics.* Oxford; New York: Oxford University Press 1989.)

포더, 제리(Fodor, Jerry).『마음은 그렇게 작동하지 않는다: 스티븐 핑커의《마음은 어떻게 작동하는가》에 대한 결정적 반론』(김한영 역). 알마. 2013.
(*The Mind Doesn't Work that Way: The Scope and Limits of Computational Psychology*. Cambridge, Mass.: MIT Press. 2001.)

포코니에, 질 외(Fauconnier, Gilles, Mark Turner).『우리는 어떻게 생각하는가』. 개정판(김동환, 최영호 역). 동녘사이언스. 2007.
(*The Way We Think: Conceptual Blending and the Mind's Hidden Complexities*. New York: Basic Books. 2002.)

호프만, 에릭(Hoffmann, Eric).『이타적 인간의 뇌』(장현갑 역). 불광. 2012.
(*New Brain, New World: How the Evolution of a New Human Brain can Transform Consciousness and Create a New World*. London: Hay House. 2012.)

김재희.『베르그손의 잠재적 무의식』. 그린비. 2010.

5. 사고의 본성 동일화와 관련하여

들뢰즈, 질(Deleuze, Gilles).『차이와 반복』(김상환 역). 민음사. 2004.
(*Difference et Repetition*. Paris: Presses Universitaires de France. 1968.)

보슬로우, 존(Boslough, John). 『스티븐 호킹의 우주』(홍동선 역). 책세상. 1995.
(*Stephen Hawking's Universe*. New York: W. Morrow. 1984.)

빈센트, 장-디디에르 외(Vincent, Jean-Didier, Ferry Luc). 『생물학적 인간, 철학적 인간』(이자경 역). 푸른숲. 2002.
(*Qu'est-ce que L'homme?: Sur les Fondamentaux de la Biologie et de la Philosophie*. Paris: O. Jacob. 2000.)

슈커, 칼(Shuker, Karl P. N.), 『동물들의 신비한 능력』(김미화 역). 서울문화사. 2004.
(*Hidden Powers of Animals*. Pleasantville, N. Y.: Reader's Digest. 2001.)

스베덴보리, 엠마뉴엘(Swedenborg, Emanuel). 『영의 세계: 영혼의 세계를 오가며 쓴 경험기』(동암편집부 역). 동암. 1991.
(원제 불명)

융, 칼 외(Jung, Carl. G., Wolfgang Pauli). 『자연의 해석과 정신』(이창일 역). 청계. 2002.
(*Naturerklärung und Psyche*. Zürich: Rascher. 1952.)

제임스, 윌리엄(James, William). 『심리학의 원리』Ⅱ(정양은 역). 아카넷. 2005.
(*The Principles of Psychology*. New York: Holt. 1890.)

카시러, 에른스트(Cassirer, Ernst). 『인간이란 무엇인가』(최명관 역). 서광사. 1988.
(*An Essay on Man: An Introduction to a Philosophy of Human Culture*. New York: Doubleday. 1944.)

칸트, 임마뉴엘(Kant, Immanuel). 『순수이성비판』(최재희 역). 개정중판. 박영사. 1986.
(*Kritik der Reinen Vernunft*. Leipzig: Philipp Reclam. 1781.)

———. 『판단력비판』(이석윤 역). 박영사. 1974.
(*Kritik der Urteilskraft*. Berlin u. a. 1790.)

캠벨, 요셉 외(Campbel, Joseph, Bill Movers). 『신화의 힘』(이윤기 역). 고려원. 1996.
(*The Power of Myth*. New York: Doubleday. 1988.)

쿠더트, 앨리슨(Coudert, Allison). 『연금술 이야기』(박진희 역). 민음사. 1997.
(*Alchemy: the Philosopher's Stone*. Boulder, Colo.: Shambhala; New York: Distributed in the U. S. by Random House. 1980.)

페트릴리, 수잔 외(Petrilli, Susan, Augusto Ponzio). 『토머스 시벅과 생명의 기호』(김수철 역). 이제이북스. 2003.
(*Thomas Sebeok and the Signs of Life*. Cambridge: Icon Books. 2001.)

김재희. 『물질과 기억=Matiere et memoire: 반복과 차이의 운동』. 살림. 2008.

이종건. 『建築의 存在와 意味』. 기문당. 1995.

최동환. 『천부경』. 지혜의나무. 2000.

홍준의, 최후남, 고현덕, 김태일. 『살아 있는 과학 교과서』 II 휴머니스트퍼블리싱컴퍼니. 2006.

노자(老子). 『도덕경』(이원섭 역). 대양서적. 1984.

6. 사고가 비의식기호로써 수행됨을 뒷받침하는 이론들

긴스버그, 허버트 외(Ginsburg, Herbert, Sylvia Opper). 『피아제 인지발달론』(김억환 역). 성원사. 1993.
(*Piaget's Theory of Intellectual Development; An Introduction*. Englewood Cliffs: N. J.: Prentice-Hall. 1969.)

데블린, 케이쓰(Devlin, Keith). 『논리와 정보: 인지과학적 접근』(이정민 역). 태학사. 1996.
(*Logic and Information*. Cambridge: Cambridge University Press. 1991.)

룬드, 닉(Lund, Nick). 『언어와 사고』(이재호, 김소영 역). 학지사. 2007.
(*Langauge and Thought*. London; New York: Routledge. 2003.)

리드, 스테펜(Reed, Stephen. K.). 『이론과 적용 인지심리학』(박권생 역). 센게이지러닝코리아. 2011.

(*Cognition: Theories and Applications*. Australia; Belmont. CA: Wadsworth Cengage Learning. 2009.)

마이어스, 데이비드(Myers, David G.). 『(마이어스의)심리학』(신현정, 김비아 역). 시그마프레스. 2011.

(*Psychology*. New York: Worth Publishers. 2004.)

마틴데일, 콜린(Martindale, Colin). 『인지심리학; 신경회로망적 접근』(신현정 역). 교육과학사. 1995.

(*Cognitive Psychology: A Neural-Network Approach*. Pacific Grove. CA: Brooks/Cole. 1991.)

베르무데즈, 호세(Bermudez, Jose L.). 『인지과학: 마음과학의 이해』(신현정 역). 박학사. 2012.

(*Cognitive Science: An Introduction to the Science of the Mind*. Cambridge; New York: Cambridge University Press. 2010.)

쉬타인베르크, 단니(Steinberg, Danny D.). 『심리언어학 입문』(박경자 외 역). 한신문화사. 1996.

(*An Introduction to Psycholinguistics*. London; New York: Longman. 1993.)

스털링, 존(Stirling, John). 『신경심리학 입문』(손영숙 역). 시그마프레스. 2006.

(*Introducing Neuropsychology*. Hove, East Sussex; New York: Psychology Press. 2002.)

앤더슨, 존(Anderson, John R.). 『인지심리학과 그 응용』(이영애 역). 이화여자대학교 출판부. 2000.

(*Cognitive Psychology and its Implications*. San Francisco: W. H. Freeman. 1980.)

올슨, 매튜 외(Olson, Matthew H., H. B. R. Hergenhahn). 『학습심리학』(김효창, 이지연 역).

학지사. 2009.
(*An Introduction to Theories of Learning*. 8th Ed. Ventura. Calif.: Academic Internet Publishers. 2007.)
존슨-레어드, 필립(Johnson-Laird, Philip N.).『컴퓨터와 마음: 인지과학이란 무엇인가』(이정모, 조혜자 역). 민음사. 1991.
(*The Computer and the Mind: An Introduction to Cognitive Science*. Cambridge, Mass.: Harvard University Press. 1988.)
헤르만, 더글라스 외(Herrmann Douglas, Carol Y. Yoder, Michael M. Gruneberg, David G. Payne).『응용인지심리학』(이재식 역). 박학사. 2009.
(*Applied Cognitive Psychology: A Textbook*. Mahwah, N. J.: Lawrence Erlbaum Associates. 2006.)

박천식, 이희백, 한수미.『재미있는 심리학』. 교육과학사. 2010.
윤가현, 권석만, 김문수, 남기덕 외 10인.『심리학의 이해 』. 학지사. 2012.
이정모, 김민식, 강기택, 김정오 외 14인(한국실험심리학회 편).『인지심리학』. 2판. 학지사. 2003.
조명한, 이정모, 김정오, 신현정 외 8인.『언어심리학』. 학지사. 2003.
정양은.『심리학통론』. 법문사. 1985.

7. 사고를 통찰과 추론의 두 기본 유형으로 구별하는 이론들

가다머, 한스-게오르크(Gadamer, Hans-Georg).『진리와 방법』I (이길우, 이선관, 임호일, 한동원 역). 문학동네. 2000.
(*Hermeneutik 1: Wahrheit und Methode: Grundzüge einer philosophischen*

Hermeneutik[1960]. Tübingen: J. C. B. Mohr, 1990.)

베르그송, 앙리(Bergson, Henri). 『사유와 운동』(이광래 역). 문예. 2012.

(*La Pensée et le Mouvant*. Paris: F. Alcan. 1934.)

아다마르, 작크(Hadamard, Jacques). 『수학분야에서의 발명의 심리학』(정계섭 역). 범양사. 1990.

(*Essai sur la Psychologie de L'inventin dans le Domaine Mathématique*[1944]. Paris: Librarie scientifique Albert Blanchard. 1959.)

에델만, 제럴드(Edelman, Gerald). 『신경과학과 마음의 세계』(황희숙 역). 범양사. 1998.

(*Bright Air, Brilliant Fire: on the Matter of the Mind*. New York: Basic Books. 1992.)

융. 칼 외(Jung, Carl. G., Marie-Louise von Franz, Joseph L Henderson, et al). 『인간과 무의식의 상징』(이부영 외 역). 집문당. 1983.

(*Der Mensch und Seine Symbole*. Olten: Walter. 1964.)

캔델, 에릭(Kandel, Erick. R.). 『통찰의 시대: 뇌과학이 밝혀내는 예술과 무의식의 비밀』(이한음 역). 알에이치코리아. 2013.

(*The Age of Insight: The Quest to Understand the Unconscious in Art, Mind, and Brain: From Vienna 1900 to the Present*. New York: Random House. 2011.)

코헨, 길란(Cohen, Gillian). 『인지심리학』(이관용 역). 제2판. 법문사. 1984.

(*The Psychology of Cognition*. London; New York: Academic Press. 1977.)

송영진. 『직관과 사유: 베르그송의 인식론 연구』. 서광사. 2005.

8. 영감적 사고(초의식비의식 사고)를 뒷받침하는 자료

곰브리치, 에른스트(Gombrich, Ernst). 『서양미술사』(백종길, 이종승 역). 예경. 1997.

(*The Story of Art. London*: Phaidon Press Limited. 1995.)

발레리, 폴(Valéry, Paul). 『해변의 묘지』(김현 역). 민음사. 1991.

(*El Cimetiere Marin*. 1967.)

짜라, 트리스탄 외(Tzara, Tristan, Andre Breton). 『다다/쉬르레알리즘 선언』(송재영 역). 문학과지성사. 1987.

(이 책은 앙드레 브르통의 "쉬르레알리슴 제1선언, 제2선언 및 제3선언 서론"과 트리스탄 짜라의 『다다이즘 선언』을 번역한 것임.)

파스, 옥타비오(Paz, Octavio). 『활과 리라』(김홍근, 김은중 역). 솔. 1998.

(*El Arco y la Lira*. 2nd ed. México: Fondo de Cultura Económica. 1967.)

호프만, 에릭(Hoffmann, Eric). 『이타적 인간의 뇌』(장현갑 역). 불광. 2012.

(*New Brain, New World: How the Evolution of a New Human Brain can Transform Consciousness and Create a New World*. London: Hay House. 2012.)

유아사 야스오(湯淺泰雄). 『기 · 수행 · 신체』(박희준 역). 범양사. 1990.

(気修業身体, Tōkyō: Hiraga Shuppansha. 1986.)

9. 시 · 예술을 창조하는 유비적 사고가 창의성의 본질적이고도 대표적 사고임을 밝히는 이론들

레비톤, 리차드(Leviton, Richard). 『두뇌 계발 비결』(김종석 역). 학지사. 2007.

(*Brain Builders!: A Lifelong Guide to Sharper Thinking, Better Memory, and an Age Proof Mind*. West Nyack, N. Y.: Parker Pub. Co. 1995.)

룬코, 마크(Runco, Mark. A.). 『창의성-이론과 주제』(전경원, 이경화, 고진영, 김정희 외 역). 시그마프레스. 2009.

(*Creativity: Theories and Themes Research, Development, and Practice.* Amsterdam; Boston: Elsevier Academic Press. 2007.)

스템버그, 로버트 외(Stemberg, Robert. J., E. L. Grigorenco, J. L. Singer). 『창의성: 그 잠재력의 실현을 위하여』(임웅 역). 학지사. 2009.

(*Creativity: From Potential to Realization*. Washington. DC: American Psychological Association. 2004.)

아리스토텔레스(Aristoteles), 『시학』(천병희 역). 문예. 2002.

(*Poetics*),

제임스, 윌리엄(James, William). 『심리학의 원리』 II (정양은 역). 아카넷. 2005.

(*The Principles of Psychology*. New York: Holt. 1890.)

10. 상상력을 사고가 아닌 표상력이나 의식작용으로 보는 이론

사르트르, 장-폴(Sartre, Jean-Paul). 『상상력』(지영래 역). 기파랑. 2008.

(*L'imagination*. Paris: F. Alcan. 1936.)

———. 『사르트르의 상상계』(윤정임 역). 기파랑. 2004.

(*L'Imaginaire: Psychologie Phénoménologique de L'imagination*. Paris: Gallimard. 1940.)

제임스, 윌리엄(James, William). 『심리학의 원리』 I (정양은 역). 아카넷. 2005.

(*The Principles of Psychology*. New York: Holt. 1890.)

칸트, 임마뉴엘(Kant, Immanuel). 『순수이성비판』(최재희 역). 개정중판. 박영사. 1986.

(*Kritik der Reinen Vernunft*. Leipzig: Philipp Reclam. 1781.)

———. 『판단력비판』(이석윤 역). 박영사. 1974.

(*Kritik der Urteilskraft*. Berlin u.a. 1790.)

11. 사고 일반에 대한 연구자들의 인식 상황

갤러거, 숀 외(Gallagher, Shaun, Dan Zahavi). 『현상학적 마음: 심리철학과 인지과학 입문』(박인성 역). b. 2013.

(*The Phenomenological Mind: An Introduction to Philosophy of Mind Cognitive Science*. London; New York: Routledge. 2012.)

데카르트, 르네(Descartes, René). 『방법서설』(소두영 역). 동서문화사. 2007.

(*Discourse on Method*. 1637.)

뒤랑, 질베르(Durand, Gilbert). 『상상계의 인류학적 구조들』(진형준 역). 문학동네. 2007.

(*Les Structures Anthropologiques de L'imaginaire; Introduction à L'archéTypologie Générale*. Poitiers Bordas. 1969.)

———. 『상상력의 과학과 철학』(진형준 역). 살림. 1997.

(*L'imaginaire*. Paris: Harier. 1994.)

들뢰즈, 질 외(Deleuze, Gilles, Félix Guattari), 『천 개의 고원』(김재인 역). 새물결. 2001.

(*Mille Plateaux: Capitalisme et Schizophrénie 2*. Paris: Éditions de minuit. 1980.)

레비나스, 엠마뉴엘(Levinas, Emmanuel). 『후설 현상학에서의 직관 이론』(김동규 역). 그린비. 2014.

(*La Théorie de L'intuition dans la Phénoménologie de Husserl*. Paris: Vrin. 1963.)

록크, 존(Locke, John). 『인간오성론』(이재한 역). 다락원. 2009.

(*An Essay Concerning Human Understanding*. 1690.)

롬브로소, 체자레 외(Lombroso, Cesare, Mikhail Iliin). 『천재론, 인간의 역사』(조풍연 역). 을유문화사. 1963.

(*Kak Chelovek stal Velikanom*. 1864.)

루트-번스타인, 로버트 외(Root-Bernstein, Robert, Michele Root-Bernstein). 『생각의 탄생』(박종성 역). 에코의서재. 2010.

(*Sparks of Genius: The Thirteen Thinking Tools of the World's Most Creative People*. Boston, Mass.: Houghton Mifflin Co. 1999.)

바렐라, 프란시스코 외(Varela, Francisco J., Evan Thompson, Eleanor Rosc). 『몸의 인지과학』(석봉래, 이인식 역). 김영사. 2013.

(*The Embodied Mind: Cognitive Science and Human Experience*. Cambridge, Mass.: MIT Press. 1992.)

바슐라르, 가스통(Bachelard, Gaston). 『공간의 시학』(곽광수 역). 동문선. 2003.

(*La Poétique de L'espace*. Paris. 1937.)

———. 『불의 정신분석』(김병욱 역). 이학사. 2007.

(*Psychanalyse du Feu*. Paris: Gallimard. 1938.)

———. 『몽상의 시학』(김현 역). 기린원. 1993.

(*Le Poetique de la Reverie*. Paris: Presses Universitaires de France. 1960.)

———. 『촛불의 미학』(김웅권 역). 동문선. 2008.

(*Flamme d'une Chandelle*. Paris: Presses Universitaires de France. 1961.)

베넽, 맥스웰 외(Bennett, Maxwell R., Peter Michael Stephan Hacker). 『신경과학의 철학』(이을상, 박만준, 하일호, 오용득, 신현정, 안호영 역). 사이언스북스. 2013.

(*Philosophical Foundations of Neuroscience*. Malden, MA: Blackwell Pub. 2003.)

베르그송, 앙리(Bergson, Henri), 『의식에 직접 주어진 것들에 관한 시론』(최화 역). 아카넷. 2003.

(*Essai sur les Données Immédiates de la Conscience*. Paris: F. Alcan. 1889.)

———. 『물질과 기억』(박종원 역). 아카넷. 2005.

(*Matière et Mémoire*. Paris: F. Alcan. 1896.)

———. 『창조적 진화』(정한택 역). 박영사. 1981.

(*L'évolution Créatrice*. Paris: Félix Alcan. 1907.)

브렐, 레이몬드(Brett, Raymond. L.). 『공상과 상상력』(심명호 역). 서울대학교 출판부. 1987.

(*Fancy and Imagination*. London: Methuen. 1969.)

보노, 에드워드(De Bono, Edward). 『(드 보노)생각의 공식: 창의성을 학습하는 11가지 생각의 도구』(서영조 역). 더난. 2009.

(*Edward de Bono's Thinking Course*. London: BBC. 1982.)

비트겐슈타인, 루드비히(Wittgenstein, Ludwig. J. J.). 『철학적 탐구』(이영철 역). 서광사. 1994.

(*Philosophische Untersuchungen*. Oxford: Blackwell; New York: Kelley. 1953.)

설, 존(Searle, John. R.). 『정신, 언어, 사회』(심철호 역). 해냄. 2000.

(*Mind, Language and Society :Philosophy in the Real World*[1996]. New York: Basic books. 1998.)

———. 『신경생물학과 인간의 자유: 자유의지, 언어, 그리고 정치권력에 관한 고찰』(강신욱 역). 궁리. 2010.

(*Freedom and Neurobiology: Reflections on Free Will, Language, and Political Power*. New York: Columbia University Press. 2004.)

쇼펜하우어, 아르튀르(Schopenhauer, Arthur). 『의지와 표상으로서의 세계』(곽복록 역). 을유문화사. 1994.

(*Die Welt als Wille und Vorstellung*. Leipzig: F. A. Brockhaus. 1859.)

스텀프, 사무엘(Stumpf, Samuel E.). 『서양철학사』(이광래 역). 종로서적. 1983.

(*History of Philosophy*. McGraw-Hill, Inc. 1975.)

스텝토, 앤드류(Steptoe, Andrew) 편. 『천재성과 마음』(조수철, 김봉연, 김재원, 신민섭 외 7인 역). 학지사. 2008.

(*Genius and the Mind: Studies of Creativity and Temperament*. Oxford; New York: Oxford University Press. 1998.)

승, 세바스티안(Seung, Sebastian). 『커넥톰, 뇌의 지도』(신상규 역). 김영사. 2014.
(*Connectome: How the Brain's Wiring Makes us Who We Are*. Boston: Houghton Mifflin Harcourt. 2012.)

아르하임, 루돌프(Arnheim, Rudolf). 『예술심리학』(김재은 역). 이화여자대학교 출판부. 1984.
(*Toward a Psychology of Art*. Berkeley: University of California Press. 1966.)

아리스토텔레스(Aristoteles). 『형이상학』(김재범 역). 책세상. 2009.
(*Metaphysica*)

———. 『범주론·명제론』(김진성 역주). 이제이북스. 2005.
(*Categoriae et Liber de Interpretatione*)

엘레이, 로타(Eley, Lothor). 『피히테, 셸링, 헤겔』(백훈승 역). 인간사랑. 2008.
(*Operative Denkwege im Deutschen Idealismus Fichte, Schelling, Hegel*. Neuried: Ars Una. 1995.)

올리버, 켈리(Oliver, Kelly). 『크리스테바 읽기』(박재열 역). 시와반시사. 1997.
(*Reading Kristeva*. Bloomington: Indiana University Press. 1994.)

제임스, 윌리엄(James, William). 『심리학의 원리』 I – III(정양은 역). 아카넷. 2005.
(*The Principles of Psychology*. New York: Holt. 1890.)

카시러, 에른스트(Cassirer, Ernst). 『상징형식의 철학』 I (박찬국 역). 아카넷. 2011.
(*Philosophie der Symbolischen Formen. Erster: Die Sprache*. Berlin: Bruno Cassirer. 1923.)

———. 『상징형식의 철학』 II (심철민 역). b. 2012.
(*Philosophie der Symbolischen Formen. Zweiter: Das Mythische Denken*. Bruno Cassirer. 1925.)

——. 『계몽주의 철학』(박완규 역). 서울. 1995.
(*Die Philosophie der Aufklärung*. Tübingen: Mohr. 1932.)

——. 『인문학의 구조 내에서의 상징형식 개념 외』(오향미 역). 책세상. 2002.
(Der Begriff der symbolischen form im Aufbau der Geisteswiwwenschaften, Naturalistische und humanistische Begründung der Kulturphilosophie을 번역한 책임.)

——. 『루소, 칸트, 괴테』(유철 역). 서광사. 1996.
(*Rousseau, Kant, Goethe: Two Essays*. Princeton: Princeton University Press. 1945.)

——. 『국가의 신화』(최명관 역). 서광사. 1988.
(*The Myth of the State*. New Haven: Yale University Press. 1946.)

카쿠, 미치오(Kaku, Michio). 『마음의 미래』(박병철 역). 김영사. 2015.
(*The Future of the Mind: The Scientific Quest to Understand, Enhance, and Empower the Mind*. New York: Doubleday. 2014.)

콜리지, 사무엘(Coleridge, Samuel. T.). 『문학평전』(제임스 엥겔, 월터 J. 배이트 엮음. 김정근 역). 옴니북스. 2003.
(*Biographia Literaria*. Ed. James Engell, Walter J. Bate. London: Oxford University Press. 1817.)

크로너, 리하르트(Kroner, Richard). 『칸트 / 1: 칸트에서 헤겔까지』(연효숙 역). 서광사. 1994.
(*Von Kant bis Hegel*. Tübingen: J. C. B. Mohr. 1961.)

크로포드, 도날드(Crawford, Donald W.). 『칸트 미학 이론』(김신혁 역). 서광사. 1995.
(*Kant's Aesthetic Theory*. Madison: University of Wisconsin Press. 1974.)

크리스테바, 줄리아(Kristeva, Julia). 『시적 언어의 혁명』(김인환 역). 동문선. 2002.
(*La Révolution du Langage Poétique*. Tel quel. 1974.)

테베나즈, 피에르(Thevenaz, Pierre). 『현상학이란 무엇인가?: 후설에서 메를로퐁티까지』

(김동규 역). 그린비. 2011.
(*De Husserl à Merleau-Ponty: Qu'est-ce que la Phénoménologie?*. Neuchatel: La Baconnière. 1966.)
파에졸트, 하인츠(Paezold, Heinz). 『카시러』(봉일원 역). 인간사랑. 2000.
(*Ernst Cassirer zur Einführung*. Junius, Hamburg: Aufl. 1993.)
프로이트, 지그문트(Freud, Sigmund). 『무의식에 관하여』. 프로이트전집 XIII(윤희기 역). 열린책들. 1997.
——. 『예술과 정신분석』. 프로이트전집 XVII(정장진 역). 열린책들. 1997.
핑커, 스티븐(Pinker, Steven). 『마음은 어떻게 작동하는가』(김한영 역). 소소. 2007.
(*How the Mind Works*. New York: Norton. 1997.)
——. 『언어 본능』(김한영, 문미선, 신효식 역). 개정판. 동녘사이언스. 2007.
(*The Language Instinct: How the Mind Creates Language*. New York: William Morrow and Company. 1994.)
하이데거, 마틴(Heidegger, Martin). 『존재와 시간: 인간은 죽음을 향한 존재』(이기상 역). 살림. 2008.
(*Sein und Zeit*. Halle a. d. S.: M. Niemeyer. 1927.)
——. 『논리학: 진리란 무엇인가?』(이기상 역). 까치글방. 2001.
(*Logik: Die Frage Nach der Wahrheit*[1943]. Frankfurt am Main: V. Klostermann. 1976.)
——. 『사유란 무엇인가』(권순홍 역). 길. 2005.
(*Was Heisst Denken?*[1951-2]. Tübingen: M. Niemeyer. 1954.)
——. 『사유의 사태로』(문동규, 신상희 역). 길. 2008.
(*Zur Sache des Denkens*. Tübingen: Niemeyer. 1969.)
——. 『셸링』(최상욱 역). 동문선. 1997.

(*Schellings Abhandlung uber das Wesen der Menschlichen Freiheit*. Tübingen: M. Niemeyer. 1971.)

헤겔, 게오르크(Hegal, Georg. W. F.). 『정신현상학』(임석진 역). 한길사. 2005.

(*Phänomenologie des Geistes*. Bamberg; Würzburg Goebhardt. 1807.)

——. 『김나지움 논리학 입문』(위상복 역). 용의숲. 2008.

(*Hegels Propädeutische Logik für die Klassen des Gymnasiums*. 1808-1817.)

(독일 주어캄프 출판사의 헤겔전집 중 4권 『철학입문』에서 논리학 부분만을 뽑아 번역한 책임.)

——. 『대논리학』. Ⅰ-Ⅲ(임석진 역). 책세상. 2002.

(*Wissenschaft der Logik*[1808-1816]. Nürnberg. 1812-1816.)

——. 『논리학 서론 철학백과서론』(김소영 역). 책세상. 2002.

(*Wissenschaft der Logik: Einleitung*. Hamburg: Meiner. 1986.)

화이트헤드, 알프렐(Whitehead, Alfred North). 『상징작용』(정연홍 역). 서광사. 1989.

(*Symbolism: its Meaning and Effect*. New York: Macmillan. 1927.)

후설, 에드문트(Husserl, Edmund). 『순수현상학과 현상학적 철학의 이념들』Ⅰ-Ⅲ(이종훈 역). 한길사. 2009.

(*Ideen zu einer Reinen Phänomenologie und Phänomenologischen Philosophie*[1913-]. Haag: Martinus Nijhoff. 1950-1952.)

——. 『시간의식』(이종훈 역). 한길사. 1996.

(*Zur Phänomenologie des Inneren Zeitbewusstseins*[1893-1917]. Den Haag: Nijhoff. 1966.)

——. 『형식논리학과 선험논리학: 논리적 이성비판 시론』(이종훈 외 역). 나남. 2010.

(*Formale und Transzendentale Logik: Versuch Einer Kritik der Logischen Vernunft*. Halle: Niemeyer. 1929.)

———. 『경험과 판단』(이종훈 역). 민음사. 1997.
(*Erfahrung und Urteil: Untersuchungen zur Genealogie der Logik*. Prag: Academia-Verlagsbuchhandlung. 1939.)
흄, 데이비드(Hume, David). 『오성에 관하여: 실험적 추론 방법을 도덕적 주제들에 도입하기 위한 시도』 I (이준호 역). 서광사. 1994.
(*A Treatise of Human Nature*. London: Longman [u. a.]. 1739.)
———. 『인간 오성의 탐구』(김혜숙 역). 고려원. 1996.
(*An Enquiry Concerning the Human Understanding*[1748]. Oxford: Oxford University Press. 2014.)
———. 『인간의 이해력에 관한 탐구』(김혜숙 역). 지식을만드는지식. 2012.
(*Enquiries: Concerning the Human Understanding and Concerning the Principle of Morals*. Oxford. 1894)

곽영직. 『과학기술의 역사』. 북스힐. 2009.
김광수 외. 『융합인지과학의 프론티어』. 성균관대 출판부. 2010.
김윤식 외. 『李箱문학전집-연구 논문 모음』. 문학사상사. 2001.
김정근. 『콜리지의 문학과 사상』. 한신문화사. 1996.
김혜숙. 『셸링의 예술철학』. 자유. 1992.
류명걸. 『일반논리학』. 형설. 2003.
마광수. 『상징시학』. 청하. 1985.
마광수. 『시학』. 철학과현실사. 1997.
박문호. 『그림으로 읽는 뇌과학의 모든 것』. 휴머니스트출판그룹. 2013.
박상륭. 『죽음의 한 연구』. 문학과지성사. 1997.
박상륭. 『소설법』. 현대문학사. 2005.

박상륭. 『신을 죽인 자의 행로는 쓸쓸했도다』. 문학동네. 2003.

박이문. 『시와 과학』. 일조각. 1990.

박일호. 『예술과 상징 상징형식』. 예전사. 2006.

박찬부. 『현대정신분석비평』. 민음사. 1996.

백종현. 『칸트와 헤겔의 철학』. 아카넷. 2010.

성현란, 이현진, 김혜리, 박영신 외 3인. 『인지발달』. 학지사. 2001.

송준만. 『마음과두뇌』. 수정판. 교문사. 1992.

신응철. 『캇시러의 문화철학』. 한울. 2000.

안재오. 『논리의 탄생』. 철학과현실사. 2002.

양해림. 『해석학적 이해와 인지과학: 현대해석학, 인지과학에 말 걸다』. 집문당. 2014.

윤현섭. 『예술 심리학』. 을유문화사. 1995.

이부영. 『분석심리학』. 일조각. 2002.

이상섭. 『아리스토텔레스의 〈시학〉 연구』. 문학과지성사. 2002.

이정모. 『인지과학: 학문 간 융합의 원리와 응용』. 성균관대학교 출판부. 2009.

정광수. 『선의 논리와 초월적 상징』. 한누리. 1993.

조광제. 『의식의 85가지 얼굴』. 문학동네. 2008.

최명관. 『캇시러의 철학』. 법문사. 1985.

최성. 『말라르메: 시와 무(無)의 극한에서』. 건국대학교 출판부. 1997.

최재희. 『칸트의 순수이성비판 연구』. 박영사. 1985.

홍명희. 『상상력과 가스통 바슐라르』. 살림. 2010.

겐, 나카야마(Nakayama Gen), 『사고의 용어사전』(박양순 역). 북바이북. 2012.
(思考の用語辞典: 生きた哲学のために. Tōkyō: Chikuma Shobō. 2007)

사에키, 유타카(Utaka Saeki), 『인지과학 혁명: 인지과학의 연구와 방법, 어디서 시작하고 무엇을 어떻게 할 것인가』(김남주, 김경화 역). 에이콘. 2010.
(認知科學の方法. Tōkyō: Tōkyō Daigaku Shuppankai. 1986)
카지야마 유이치 외(梶山雄一, 上山春平). 『공의 논리』(정호영 역). 민족사. 1989.
(空の論理[中觀]. Tōkyō: Kadokawa Shoten. 1969)

가토 히시타케 외. 『헤겔사전』(이신철 역). b. 2009.
(加藤尙武 外. ヘ-ゲル事典. 弘文堂. 1992)
기다 겐 외. 『현상학사전』(이신철 역). b. 2011.
(Gen Kida 外. 現象學事典. 弘文堂. 1994)

이대현. "직관에 관한 연구 역사와 수학교육적 의미 고찰". 한국학교수학회논문집 제1권 제3호. 2008. 9.
온기찬. "竝列分散處理모델에기초한直觀에관한實驗的研究". 교육학 박사학위논문. 전북대학교 대학원. 1997.
황의조. "윤리적 언어활동론을 위한 일원적 의미론 시론Un essai de sémantique moniste pour l'argumentation ethique du langage I(시적 의미생성에 대한 말라르메의 물질론적 경험을 중심으로)". 불어불문학연구 한국불어불문학회. 37집 1. 1998. pp. 509-526. 37:1<509(011001).
박병호. "E. 캇시러의 상징형식으로서 예술에 관한 연구". 철학 박사논문. 서울대학교 대학원. 1996.
박우식. "상상력: Coieridge의 시학". 3사교 논문집 제49집. 1999. 11.
김주일. "파르메니데스 철학에 대한 플라톤의 수용과 비판: Palto's Parmenides: Plato's interpretationo ftheparmenidian 'tobe' and combination ofideas: 파르메니데스의'있는(~인)것'의 해석과 형상결합의 문제를 중심으로". 철학 박사논문. 성균관대학교 대학원. 2002.
김길웅.“상징, 기호학, 그리고 문화연구; 카시러의 『상징형식의 철학』을 중심으로”. 『독일문학』. 제87집. 2003.
김상환. "천재의 학문, -데카르트의 학문 방법론에 대한 소고". 과학사상연구회. 『과학과 철학』Ⅳ. 1993. 12. pp. 57-79.

『현대시학』. 현대시학사. 2008년 11월호.

12. 기타

데리다, 작크(Derrida, Jacques). 『기하학의 기원』(배의용 역). 지만지. 2008.
(*L'origine de la Géométrie*. Paris: PUF. 1962.)
———. 『정신에 대해서: 하이데거와 물음』(박찬국 역). 동문선. 2005.
(*De L'esprit: Heidegger et la Question*. Paris: Galilée. 1987.)
라이체스터, 앙리(Leicester, Henry M.), 『화학의 역사적 배경』(이길상, 양정성 역). 학문사. 1994.
(*The Historical Background of Chemistry*. New York: Wiley. 1956.)
리치, 에드먼드(Leach, Edmund). 『레비스트로스』(이종인 역). 시공사. 1998.
(*Lévi-strauss*. London: Fontana. 1970.)
마치, 로버트(March, Robert H.). 『시인을 위한 물리학』(이승애 역). 이화여자대학교 출판부. 1984.
(*Physics for Poets*. New York: McGraw-Hill. 1970.)
메이어, 에른스트 외(Mayr, Ernst, Rogers D. Spotswood Collection). 『이것이 생물학이다』(최재천 역). 몸과마음. 2002.

(*This is Biology: The Science of the Living World*, Cambridge. Mass.: Belknap Press of Harvard University Press. 1997.)

배어드, 애비게일(Baird, Abigail A.). 『재미있는 심리학 이야기』(김은주, 이태선, 이호선, 정명숙 외 2인 역). 시그마프레스. 2012.

(*Think Psychology*. Upper Saddle River, N. J.: Prentice Hall. 2010.)

보르헤스, 호르헤 루이스(Borges, Jorge Luis). 『죽지 않는 인간 외』(김창환 역). 오늘의 세계문학. 제29권. 중앙일보사. 1982.

아우구스티누스, 아우렐리우스(Augustinus, Aurelius). 『고백록』(방곤 역). 대양서적. 1984. (*Confessiones*)

암스트롱, 데이빗(Armstrong, David. M.). 『마음과 몸』(하종호 역). 철학과현실사. 2002.

(*Mind-body Problem*. Boulder, Colo.: Westview Press. 1999.)

큄멜, 프리드리히(Kümmel, Friedrich). 『시간의 개념과 구조』(권의무 역). 계명대학교 출판부. 1986.

(*Ueber den Begriff der Zeit*. 출판지 불명. 1962.)

크로이, 모쉬(Kroy, Moshe). 『(인지과학)마음의 지도』(심영보 역). 넥서스. 1997.

(*The Conscience a Structural Theory: Maps of Mind*. New York: Wiley. 1974.)

포지올리, 레나토(Poggioli, Renato). 『아방가르드 예술론』(박상진 역). 문예. 1996.

(*Teoria Dell'arte D'avanguardia*. Bologna: Il Mulino. 1962.)

하우저, 아놀드(Hauser, Arnold). 『예술과 사회』(한석중 역). 홍성사. 1981.

(*Art and Society*. New York, Schocken Books. 1966.)

유협(**刘勰**). 『문심조룡』(최동호 역편). 민음사. 1994.

文心雕龍. 台北: 中華書局. 1975)

박상륭.『잠의 열매를 매단 나무는 뿌리로 꿈을 꾼다』. 문학동네. 2002.

변의수.『먼 나라 추억의 도시』. 문학통신사. 1991.

변의수.『비의식의 상징: 자연 · 정령 · 기호』. 한국학술정보. 2008.

성귀수.『정신의 무거운 실험과 무한히 가벼운 실험정신』. 문학세계사. 2003.

오영환.『화이트헤드와 인간의 시간 경험』. 통나무. 1997.

한자경.『자아의 연구』. 서광사. 1997.

라플랑쉬, 장 외(Laplanche, Jean, Jean-Bertrand Pontalis).『정신분석사전』(임진수 역). 열린책들. 2005.
(*Vocabulaire de la Psychanalyse*. Paris: Presses Universitaires de France. 1967.)

아브람즈, 메이어(Abrams, Meyer. H.).『문학용어사전』(최상규 역). 대방. 1985.
(*A Glossary of Literary Terms*. New York: Rinehart & Co. 1957.)

한겨레인터넷신문. "재미없고, 범위는 넓고, 이상한 '수포자'들의 나라". 2015. 3. 20, 21:00.

｜인명 찾기(2권)｜

용어 찾기(2권)

감사의 글

이 책을 내면서 도움을 주신 분들에게 고마운 마음을 표하지 않을 수 없다. 미국에서 건축을 공부하면서 철학을 부전공한 이동언 교수(부산대)는 건축과 시의 융합을 수행해왔다. 이동언 교수와의 인연으로 필자는 예술 비평을 건축에까지 확장할 수 있었다. 이 교수는 바쁜 중에도 이 책의 기획원고 검토와 작성 형식에 세심한 조언을 아끼지 않았다. 진심으로 깊은 감사를 드린다.

상징학의 기획과 내용에 관해 필자는 여러 분께 그 합당성과 방향, 충실도 등에 관해 의견과 자문을 구하였다. 먼저, 국문학계의 원로이신 김용직(평론가, 서울대 명예교수), 오세영(시인, 서울대 명예교수) 선생님의 따뜻한 격려를 잊을 수 없다. 그리고, 격려와 함께 문헌정보까지 소상히 알려주신 지식융합연구소의 이인식 소장과 칸트(I. Kant) · 카시러

(E. Cassirer)의 상징 개념에 관한 필자의 까다로운 질문에 마다않고 의견을 주시던 김수배 교수(충남대), 후설(Husserl)에 관한 객관적 인식을 도와주신 이종훈 교수(춘천교대), 그리고 화보 게재를 허락한 연금술적 형이상학의 서상환 화백께도 감사를 드린다.

필자는 공직의 직무 수행과 시 창작 및 상징이론의 연구를 병행하기 위해 시간을 찾아 전국 지방을 전전해야했다. 그때마다 배려해 준 노동부 본부 인사 관계자들께도 고마움을 전한다. 사실, 이 책은 내년에 낼 계획이었다. 그런데, 출판문화진흥원에서 출판비를 지원하는 관계로 올 11월 30일까지 내게 되었다. 언제 끝날지도 모를 일을 시간에 쫓겼지만 부족하나마 올해 마무리 짓게 되었다. 아무튼 감사한 일이다.

양(洋)의 해인 을미년 1956년(음력 11월 30일)에 태어난 필자는 맞추기라도 한 듯 을미년 2015년(양력 11월 30일)에 이 책을 끝내게 되었다. 이 책 한 권을 위해 필자는 청소년기로부터 지금까지 삶을 살아왔다고 해도 과언이 아니다. 끈기와 집념, 지적 모험심을 물려주신 아버님께 감사드린다. 이러한 장기간의 작업은 아내의 내조 없이는 불가능하다. 감정의 기복이 심한 성격과 늘 시간에 쫓겨 긴장한 필자를 편안하게 해준 아내에게 진심으로 고마움을 표한다. 그리고, 이 책을 위해 효를 미루어 왔던 아들을 기다려주신 어머님께 고개 숙여 감사의 마음을 올린다.

덧붙여, 이 책의 집필을 위해 두문불출한 필자에게 가끔씩 말벗이 되어주고 술친구가 되어 준 뛰어난 불문학 번역자이자 탁월한 시인 성귀수, 시간 체험에 관한 실험적 미술작업을 하는 박성식 화백, 이 책 원고의 문장 검토와 진행과정에서 여러 모로 도움을 준 천수호 시인, 불편하신 노구에도 필자를 찾아와 격려를 아끼지 않으신 박청륭 시인께도 감사의 말을 전한다. 그리고, 이 지면에 다 명기하지 못한 교육학 · 철학 · 언어학 · 기호학 · 인지심리학 분야에서 직간접으로 도움을 준 여러 연구자와 시인 친구들이 있다. 이들 모두에게 진심으로 고마움을 표한다.

2015년 11월. 변의수

융합학문 **상징학**

II 응용편: 창의성과 천재론

초판 1쇄 인쇄 2015년 11월 15일
초판 1쇄 발행 2015년 11월 30일

저　자 | 변의수
발행인 | 변의수
발행처 | 상징학연구소

편집 · 교정 | 오창헌
인　쇄 | (주)현문자현

출판 등록 2015년 07월 06일 제2015-000142호
10345 경기도 고양시 일산서구 탄현로 6번길 45, 3층
전　화 | 031-911-9149
이메일 | euisu1@hanmail.net

값 31,000원

* 잘못된 책은 교환해 드립니다.

국립중앙도서관 출판예정도서목록(CIP)

융합학문 상징학 / 저자: 변의수. -- 고양 : 상징학연구소, 2015
p. ; cm

ISBN: 979-11-956567-0-7 93120 : ₩60000

011-KDC6
011-DDC23 CIP2015031028

* 이 책은 한국출판문화산업진흥원의 2015년 〈우수 출판콘텐츠 제작 지원〉 사업 선정작입니다.